TABLE DES MATIÈRES

KT-225-420

COMMENT ALLER EN ANDALOUSIE?

GÉNÉRALITÉS

LE CENTRE DE L'ANDALOUSIE

DE CORDOUE À GRENADE

DE GRENADE À GUADIX

LA COSTA DE LA LUZ

LA COSTA DEL SOL ET L'ARRIÈRE-PAYS

le Guide du **routard**

Directeur de collection et auteur
Philippe GLOAGUEN

Cofondateurs
Philippe GLOAGUEN et Michel DUVAL

Rédacteur en chef
Pierre JOSSE

Rédacteur en chef adjoint
Benoît LUCCHINI

Directrice de la coordination
Florence CHARMETANT

Directeur de routard.com
Yves COUPRIE

Rédaction
Olivier PAGE, Véronique de CHARDON,
Amanda KERAVEL, Isabelle AL SUBAIHI,
Anne-Caroline DUMAS, Carole BORDES,
Bénédicte BAZAILLE, André PONCELET,
Jérôme de GUBERNATIS, Marie BURIN des ROZIERS,
Thierry BROUARD, Géraldine LEMAUF-BEAUVOIS,
Anne POINSOT, Mathilde de BOISGROLLIER,
Gavin's CLEMENTE-RUÏZ, Fabrice de LESTANG
et Alain PALLIER

ANDALOUSIE

2002
2003

Hachette

Avis aux hôteliers et aux restaurateurs

Les enquêteurs du *Routard* travaillent dans le plus strict anonymat, afin de préserver leur indépendance et l'objectivité des guides. Aucune réduction, aucun avantage quelconque, aucune rétribution n'est jamais demandé en contrepartie. La loi autorise les hôteliers et restaurateurs à porter plainte.

Hors-d'œuvre

Le *GDR*, ce n'est pas comme le bon vin, il vieillit mal. On ne veut pas pousser à la consommation, mais évitez de partir avec une édition ancienne. D'une année sur l'autre, les modifications atteignent et dépassent souvent les 40 %.

Spécial copinage

Le Bistrot d'André : 232, rue Saint-Charles, 75015 Paris. ☎ 01-45-57-89-14. M. : Balard. À l'angle de la rue Leblanc. Fermé le dimanche. L'un des seuls bistrots de l'époque Citroën encore debout, dans ce quartier en pleine évolution. Ici, les recettes d'autrefois sont remises à l'honneur. Une cuisine familiale, telle qu'on l'aime. Des prix d'avant-guerre pour un magret de canard poêlé sauce au miel, rognon de veau aux champignons, poisson du jour... Menu à 10,52 € (69 F) servi le midi en semaine uniquement. Menu-enfants à 6,86 € (45 F). À la carte, compter autour de 21,34 € (140 F) sans la boisson. Kir offert à tous les amis du *Guide du routard*.

www.routard.com

NOUVEAU : les temps changent, après 4 ans de bons et loyaux services, le web du Routard laisse la place à **routard.com,** notre portail voyage. Tout pour préparer votre voyage en ligne, de A comme argent à Z comme Zanzibar : des fiches pratiques sur 130 destinations (y compris les régions françaises), nos tuyaux perso pour voyager, des cartes et des photos sur chaque pays, des infos météo et santé, la possibilité de réserver en ligne son visa, son vol sec, son séjour, son hébergement ou sa voiture. En prime, *routard mag* véritable magazine en ligne, propose interviews de voyageurs, reportages, carnets de routes, événements culturels, programmes télé, produits nomades, fêtes et infos du monde. Et bien sûr : des concours, des chats, des petites annonces, une boutique de produits voyages...

À L'EST D'ALMERÍA

LA COSTA CÁLIDA ET MURCIE

LA RÉGION DE VALENCE

NOS NOUVEAUTÉS

PARIS LA NUIT (paru)

Après les années moroses, les nuits parisiennes se sont remis du rose aux joues, du rouge aux lèvres et ont oublié leurs bleus à l'âme. Tant mieux ! Dressons le bilan avant de rouler carrosse : DJs tournants, soirées mousse, bars tendance-tendance pour jeunesse hip-hop, mais aussi soirées-chansons pleines d'amitié où l'on réveille Fréhel, Bruant et Vian. Après les *afters*, en avant les *befores* pour danser au rythme des nouvelles D'Jettes à la mode. Branchados des bô-quartiers, pipoles-raï, jet-set et néo-mondains, qui n'hésitent pas à pousser la porte des vieux bistroquets d'avant-guerre pour redécouvrir les convivialités de comptoir des cafés-concerts d'autrefois. Voici un bouquet de bonnes adresses pour dîner tard, pour boire un verre dans un café dé à coudre, dépenser son énergie en trémoussant ses calories en rab, s'offrir un blanc-limé sur le premier zinc, ouvert sur la ligne du petit matin... Mooon Dieu que tu es chiiic ce sooiiir ! Nuits frivoles pour matins glauques, voici notre répertoire pour colorer le gris bitume... voire plus si affinités.

ARDÈCHE, DRÔME (paru)

Pas étonnant que les premiers hommes de la création aient choisi l'Ardèche comme refuge. Ils avaient bon goût ! Une nature comme à l'aube des temps, intacte et grandiose. Des gorges évidemment, à découvrir à pied, à cheval ou mieux, en canoë-kayak.
Grottes à pénétrer, avens à découvrir, musées aux richesses méconnues, une architecture qui fait le grand écart entre les frimas du Massif central et les cigales de la Provence. Enfin, pour mettre tout le monde d'accord, une bonne et franche soupe aux châtaignes.
Entre Alpes et Provence, la Drôme a probablement du mal à choisir. La Drôme, c'est avant tout des paysages sans tapage, harmonieux, sereins, des montagnes à taille humaine... À la lumière souvent trop dure et trop crue de la Provence, elle oppose une belle lumière adoucie, des ciels d'un bleu plus tendre. Voici des monts voluptueux, piémonts aux accents italiens comme en Tricastin et en Drôme provençale. Tout ce qui, au sud, se révèle parfois trop léché, se découvre ici encore intact ! Quant aux villes, elles sont raisonnables, délicieusement accueillantes.
Pour finir, l'Histoire, ici, avec un grand « H » : refuge pour les opprimés de tous temps, des protestants pourchassés aux juifs persécutés.

LES GUIDES DU ROUTARD
2002-2003

(dates de parution sur **www.routard.com**)

France

- Alpes
- Alsace, Vosges
- Aquitaine
- **Ardèche, Drôme**
- Auvergne, Limousin
- Banlieues de Paris
- Bourgogne, Franche-Comté
- Bretagne Nord
- Bretagne Sud
- Châteaux de la Loire
- Corse
- Côte d'Azur
- Hôtels et restos de France
- Junior à Paris et ses environs
- **Junior en France (printemps 2002)**
- Languedoc-Roussillon
- Lyon et ses environs
- Midi-Pyrénées
- Nord, Pas-de-Calais
- Normandie
- Paris
- Paris à vélo
- Paris balades
- Paris casse-croûte
- Paris exotique
- **Paris la nuit (nouveauté)**
- Pays basque (France, Espagne)
- Pays de la Loire
- Poitou-Charentes
- Provence
- Restos et bistrots de Paris
- Le Routard des amoureux à Paris
- Tables et chambres à la campagne
- Week-ends autour de Paris

Amériques

- **Argentine (déc. 2001)**
- Brésil
- Californie et Seattle
- Canada Ouest et Ontario
- Cuba
- **Chili** et Île de Pâques (déc. 2001)
- Équateur
- États-Unis, côte Est
- Floride, Louisiane
- Guadeloupe, Saint-Martin, Saint-Barth
- Martinique, Dominique, Sainte-Lucie
- Mexique, Belize, Guatemala
- New York
- Parcs nationaux de l'Ouest américain et Las Vegas
- Pérou, Bolivie
- Québec et Provinces maritimes
- Rép. dominicaine (Saint-Domingue)

Asie

- Birmanie
- **Chine**
- Inde du Nord
- Inde du Sud
- Indonésie
- Israël
- Istanbul
- Jordanie, Syrie, Yémen
- Laos, Cambodge
- Malaisie, Singapour
- Népal, Tibet
- Sri Lanka (Ceylan)
- Thaïlande
- Turquie
- Vietnam

Europe

- Allemagne
- Amsterdam
- Andalousie
- **Andorre, Catalogne**
- Angleterre, pays de Galles
- Athènes et les îles grecques
- Autriche
- Baléares
- Belgique
- **Croatie (mars 2002)**
- Écosse
- Espagne du Centre
- **Espagne du Nord-Ouest (Galice, Asturies, Cantabrie - mars 2002)**
- Finlande, Islande
- Grèce continentale
- Hongrie, Roumanie, Bulgarie
- Irlande
- Italie du Nord
- Italie du Sud, Rome
- Londres
- Norvège, Suède, Danemark
- Pologne, République tchèque, Slovaquie
- Portugal
- Prague
- Sicile
- Suisse
- Toscane, Ombrie
- Venise

Afrique

- Afrique noire
- Égypte
- Île Maurice, Rodrigues
- Kenya, Tanzanie et Zanzibar
- Madagascar
- Maroc
- Marrakech et ses environs
- Réunion
- Sénégal, Gambie
- Tunisie

et bien sûr...

- Le Guide de l'expatrié
- **Le Guide du chineur (printemps 2002)**
- **Le Guide du citoyen (printemps 2002)**
- Humanitaire
- Internet

LA CHARTE DU ROUTARD

À l'étranger, l'étranger c'est nous ! Avec ce dicton en tête, les bonnes attitudes coulent de source.

– Les us et coutumes du pays

Respecter les coutumes ou croyances qui semblent parfois surprenantes. Certains comportements très simples, comme la discrétion et l'humilité, permettent souvent d'éviter les impairs. Observer les attitudes des autres pour s'y conformer est souvent suffisant. S'informer des traditions religieuses est toujours passionnant. Une tenue vestimentaire sans provocation, un sourire, quelques mots dans la langue locale sont autant de gestes simples qui permettent d'échanger et de créer une relation vraie. Tous ces petits gestes constituent déjà un pas vers l'autre. Et ce pas, c'est à nous visiteurs de le faire. Mots de passe : la tolérance et le droit à la différence.

– Visiteur/visité : un rapport de force déséquilibré

Le passé colonial ou le simple fossé économique peuvent entraîner parfois inconsciemment des tensions dues à l'argent. La différence de pouvoir d'achat est énorme entre gens du Nord et du Sud. Ne pas exhiber ostensiblement son argent. Éviter les grosses coupures, que beaucoup n'ont jamais eues entre les mains.

– Le tourisme sexuel

Il est inadmissible que des Occidentaux utilisent leurs moyens financiers pour profiter sexuellement de la pauvreté. De nouvelles lois permettent désormais de poursuivre et juger dans leur pays d'origine ceux qui se rendent coupables d'abus sexuels, notamment sur les mineurs des deux sexes. C'est à la conscience personnelle et au simple respect humain que nous faisons appel. Combattre de tels comportements est une démarche fondamentale. Boycottez les établissements favorisant ce genre de relations.

– Photo ou pas photo ?

Renseignez-vous sur le type de rapport que les habitants entretiennent avec la photo. Certains peuples considèrent que la photo vole l'âme. Alors, contentez-vous des paysages, ou bien créez un dialogue avant de demander l'autorisation. Ne tentez pas de passer outre. Dans les pays où la photo est la bienvenue, n'hésitez pas à prendre l'adresse de votre sujet et à lui envoyer vraiment la photo. Un objet magique : laissez-lui une photo Polaroïd.

– À chacun son costume

Vouloir comprendre un pays pour mieux l'apprécier est une démarche louable. En revanche, il est parfois bon de conserver une certaine distanciation (on n'a pas dit distance), en sachant rester à sa place. Il n'est pas nécessaire de porter un costume berbère pour montrer qu'on aime le pays. L'idée même de « singer » les locaux est mal perçue. De même, les tenues dénudées sont souvent gênantes.

– À chacun son rythme

Les voyageurs sont toujours trop pressés. Or, on ne peut ni tout voir, ni tout faire. Savoir accepter les imprévus, souvent plus riches en souvenirs que les périples trop bien huilés. Les meilleurs rapports humains naissent avec du temps et non de l'argent. Prendre le temps. Le temps de sourire, de parler, de communiquer, tout simplement. Voilà le secret d'un voyage réussi.

– Éviter les attitudes moralisatrices

Le routard « donneur de leçons » agace vite. Évitez de donner votre avis sur tout, à n'importe qui et n'importe quand. Observer, comparer, prendre le temps de s'informer avant de proférer des opinions à l'emporte-pièce. Et en profiter pour écouter, c'est une règle d'or.

– Le pittoresque frelaté

Dénoncer les entreprises touristiques qui traitent les peuples autochtones de manière dégradante ou humiliante et refuser les excursions qui jettent en pâture les populations locales à la curiosité malsaine. De même, ne pas encourager les spectacles touristiques préfabriqués qui dénaturent les cultures traditionnelles et pervertissent les habitants.

Nous tenons à remercier tout particulièrement Gérard Bouchu, François Chauvin, Grégory Dalex, Carole Fouque, Michelle Georget, Patrick de Panthou, Jean Omnes, Jean-Sébastien Petitdemange et Alexandra Sémon pour leur collaboration régulière.

Et pour cette chouette collection, plein d'amis nous ont aidés :

Caroline Achard
Didier Angelo
Barbara Batard
José-Marie Bel
Thierry Bessou
Cécile Bigeon
Philippe Bordet et Edwige Bellemain
Nathalie Boyer
Benoît Cacheux et Laure Beaufils
Guillaume de Calan
Danièle Canard
Florence Cavé
Raymond Chabaud
Jean-Paul Chantraine
Bénédicte Charmetant
Franck Chouteau
Geneviève Clastres
Maud Combier
Sandrine Copitch
Sandrine Couprie
Franck David
Laurent Debéthune
Agnès Debiage
Fiona Debrabander
Charlotte Degroote
Vianney Delourme
Tovi et Ahmet Diler
Evy Diot
Sophie Duval
Flora Etter
Hervé Eveillard
Didier Farsy
Flamine Favret
Pierre Fayet
Alain Fisch
Cédric Fisher
Dominique Gacoin
Cécile Gauneau
Adélie Genestar
David Giason
Adrien Gloaguen
Olivier Gomez et Sylvain Mazet
Isabelle Grégoire
Jean-Marc Guermont
Xavier Haudiquet
Claude Hervé-Bazin
Catherine Hidé

Bernard Houliat
Christian Inchauste
Catherine Jarrige
Lucien Jedwab
François Jouffa
Emmanuel Juste
Florent Lamontagne
Jacques Lanzmann
Vincent Launstorfer
Grégoire Lechat
Raymond et Carine Lehideux
Alexis Le Manissier
Jean-Claude et Florence Lemoine
Mickaela Lerch
Valérie Loth
Pierre Mendiharat
Anne-Marie Minvielle
Thomas Mirande
Xavier de Moulins
Yves Negro
Alain Nierga et Cécile Fischer
Michel Ogrinz et Emmanuel Goulin
Franck Olivier
Martine Partrat
Nathalie Pasquier
Jean-Valéry Patin
Odile Paugam et Didier Jehanno
Côme Perpère
Jean-Alexis Pougatch
Michel Puysségur
Jean-Luc Rigolet
Guillaume de Rocquemaurel
Ludovic Sabot
Jean-Luc et Antigone Schilling
Emmanuel Sheffer
Michèle Solle
Guillaume Soubrié
Régis Tettamanzi
Thu-Hoa-Bui
Christophe Trognon
Anne de la Varende
Isabelle Verfaillie
Charlotte Viard
Stéphanie Villard
Isabelle Vivarès
Solange Vivier

Direction : Cécile Boyer-Runge
Contrôle de gestion : Joséphine Veyres
Direction éditoriale : Catherine Marquet
Édition : Catherine Julhe, Peggy Dion, Matthieu Devaux, Stéphane Renard, Sophie Berger et Carine Girac
Préparation-lecture : Nicolas Veysman
Cartographie : Cyrille Suss
Fabrication : Gérard Piassale et Laurence Ledru
Direction des ventes : Francis Lang
Direction commerciale : Michel Goujon, Dominique Nouvel, Dana Lichiardopol et Lydie Firmin
Informatique éditoriale : Lionel Barth
Relations presse : Danielle Magne, Martine Levens et Maureen Browne
Régie publicitaire : Florence Brunel et Monique Marceau
Service publicitaire : Frédérique Larvor et Marguerite Musso

Remerciements

Pour la réactualisation de ce guide, nous tenons à remercier tout particulièrement :

– Yves Negro
– Marimar Rey et Antonio de La Morena, de l'Office national espagnol du tourisme de Paris

NOUVEAUTÉ

CROATIE (avril 2002)

Les longues années de purgatoire d'après-guerre font désormais partie du passé. Les touristes commencent à revenir nombreux pour redécouvrir ce petit pays malheureusement méconnu. La Croatie possède le privilège d'offrir un patrimoine architectural d'une richesse époustouflante. Bien sûr, il y a ceux qui le savaient déjà, ceux qui venaient « avant » et reviennent aujourd'hui pour le savourer à nouveau. Et puis ceux qui y viennent pour la première fois et qui découvrent un pays à la situation unique, à cheval entre Orient et Occident, fascinante transition entre Europe du Nord et Méditerranée, carrefour de cultures et d'influences assez exceptionnel ! Illyriens, Celtes, Grecs, Romains, Croates (bien sûr !), Vénitiens, Italiens, Ottomans, Hongrois, Autrichiens, tous y laissèrent leur marque.
Et puis, on découvre une merveilleuse côte, protégée, tenez-vous bien, par près de... 2000 îles et îlots. On a déniché les plages les plus secrètes, ainsi que les chambres chez l'habitant les plus accueillantes ! Côte qui échappa d'ailleurs par miracle au béton et égrène de petits ports, encore laissés de côté par les bétonneurs. Sans oublier la perle de l'Adriatique, *Dubrovnik*, classée par l'UNESCO au patrimoine mondial de l'Humanité. À l'intérieur, Zagreb ravira aussi par son éclectisme architectural, la richesse de ses musées et de sa vie culturelle. Quant aux amoureux de la nature, ils seront comblés : parcs naturels intacts regorgeant d'une faune surprenante : plus de 400 ours dans les forêts montagneuses, chamois, mouflons, chats sauvages, loups et lynx à profusion, jusqu'aux mangoustes africaines qui se dorent la pilule sur les côtes de l'île de Mljet (et on ne vous parle pas des oiseaux !). Ah, les lacs de Plitvice et leurs 92 chutes !

COMMENT ALLER EN ANDALOUSIE?

EN TRAIN

Pour vous rendre en Andalousie, vous avez la possibilité de prendre un train de nuit jusqu'à Madrid puis d'emprunter le TGV espagnol (en espagnol, AVE : Alta Velocidad Española) jusqu'à Cordoue et Séville.
Madrid-Cordoue : 1 h 40 de trajet.
Madrid-Séville : 2 h 25 de trajet.

Comment aller à Madrid?

Train-hôtel *Francisco de Goya :* tous les jours de Paris-Austerlitz, de Poitiers et de Blois. Ce train est équipé uniquement de voitures-lits et offre un service de bar-cafétéria et restaurant. Départ de Paris à 19 h 43, arrivée à Madrid Chamartin à 8 h 59. Dessert Vitoria, Burgos et Valladolid.

Les réductions

– *Avec la carte Inter-Rail,* quel que soit votre âge, vous pouvez circuler librement en 2e classe dans 29 pays d'Europe. Ces pays sont regroupés en 8 zones dont une, la zone F, englobe l'Espagne, le Portugal et le Maroc. Vous avez la possibilité de choisir parmi plusieurs formules (*pass* 1 zone pour 22 jours de libre circulation, *pass* 2 zones pour 1 mois de libre circulation...).
– La formule *Euro Domino* vous permet, quel que soit votre âge, de circuler librement dans un pays d'Europe de 3 à 8 jours consécutifs ou non, et ceci dans une période de validité d'un mois.
Le *pass* pour l'Espagne (en 2e classe) coûte 106,10 € (696 F) pour 3 jours, 160,07 € (1 050 F) pour 5 jours et 241,02 € (1 581 F) pour 8 jours.
– Pour ces destinations, vous pouvez bénéficier des tarifs *Découverte J30/J8, Découverte 12-25* et *Découverte Senior* qui vous permettent de voyager à bas prix en réservant à l'avance.

Pour vous informer sur ces offres et acheter vos billets

– *Ligne directe :* ☎ 08-92-35-35-35 (0,34 €, soit 2,23 F/mn), tous les jours de 7 h à 22 h.
– *Internet :* • www.voyages-sncf.fr •
– *Minitel :* 36-15 ou 36-16, code SNCF (0,20 €, soit 1,29 F/mn).
– Dans les gares, les boutiques SNCF et les agences de voyages agréées.

Commandez votre billet par téléphone, par Minitel ou par Internet, la SNCF vous l'envoie gratuitement à domicile. Vous réglez par carte bancaire (pour un montant supérieur à 1,52 € soit 10 F) au moins 4 jours avant le départ (7 jours si vous résidez à l'étranger).

EN BUS

Qu'à cela ne tienne, il n'y a pas que l'avion pour voyager. À condition d'y mettre le temps, on peut se déplacer en bus – on ne dit pas « car », qui a ses relents de voyage organisé. En effet, le bus est bien moins consommateur d'essence par passager/kilomètre que l'avion. Ce système de transport est fort valable à l'intérieur de l'Europe, à condition d'avoir du temps et de ne pas être à cheval sur le confort. Il est évident que les trajets sont longs et les horaires élastiques. On n'en est pas au luxe des *Greyhound* américains où l'on peut faire sa toilette à bord, mais en général, les bus affrétés par les compagnies sont assez confortables : air conditionné, dossier inclinable (exiger des précisions avant le départ). En principe, des arrêts toutes les 3 ou 4 h permettent de ne pas arriver avec une barbe de vieillard.

N'oubliez pas qu'avec un trajet de 6 h, en avion on se déplace, en bus on voyage. Et puis en bus, la destination finale est vraiment attendue, en avion elle vous tombe sur la figure sans crier gare, sans qu'on y soit préparé psychologiquement. Prévoyez une couverture ou un duvet pour les nuits fraîches, le Thermos à remplir de bouillant ou de glacé entre les étapes (on n'a pas toujours soif à l'heure dite) et aussi de bons bouquins.

Enfin, le bus est un moyen de transport souple : il vient chercher les voyageurs dans leur région, dans leur ville. La prise en charge est totale de bout en bout. C'est aussi un bon moyen pour se faire des compagnons de route.

Organismes de bus

▲ EUROLINES

☎ 08-36-69-52-52 (0,34 €, soit 2,21 F/mn). Minitel : 36-15, code EURO-LINES (0,34 €, soit 2,21 F/mn). ● www.eurolines.fr ● Présents à Paris, Versailles, Avignon, Bordeaux, Dijon, Lille, Lyon, Marseille, Metz, Montpellier, Nantes, Nîmes, Perpignan, Rennes, Strasbourg, Toulouse et Tours.

Leader européen des voyages en lignes régulières internationales par autocar, Eurolines vous permet de voyager vers plus de 1 500 destinations en Europe au travers de 28 pays et de 80 points d'embarquement en France.

– *Eurolines Travel* (spécialiste du séjour) *:* 55, rue Saint-Jacques, 75005 Paris. ☎ 01-43-54-11-99. M. : Maubert-Mutualité. En complément de votre transport, un véritable tour-opérateur intégré qui propose des formules transport + hébergement sur les principales capitales européennes, notamment Bruxelles.

– *Pass Eurolines :* pour un prix fixe valable 15, 30 ou 60 jours, vous voyagez autant que vous le désirez sur le réseau entre 46 villes européennes. Le *Pass Eurolines* est fait sur mesure pour les personnes autonomes qui veulent profiter d'un prix très attractif et désireuses de découvrir l'Europe sous toutes ses coutures.

– *Cercle magique :* ce billet, valable 6 mois, permet de visiter deux métropoles européennes en toute liberté. Le voyage peut s'effectuer dans un sens comme dans un autre.

▲ BUQUEBUS

Représenté en France par EURO-MER : 5, quai de Sauvages, 34070 Montpellier. ☎ 04-67-65-67-30. Fax : 04-67-65-20-27. ● www.euromer.net ● Minitel : 36-15, code EUROMER.
Assure la traversée Algésiras-Ceuta en 35 mn.

▲ LINEBUS

Gare routière de Perrache, cours de Verdun, 69002 Lyon. ☎ 04-72-41-72-27. Fax : 04-72-41-79-40.
Ligne régulière d'autocars pour l'Espagne (en particulier Almeria et Grenade), au départ de Paris, Lyon, Avignon, Béziers, Bordeaux, Clermont-Ferrand, Montpellier, Narbonne, Nîmes et Perpignan.

faire du ciel le plus bel endroit de la terre

AIR FRANCE

Tarifs Tempo. Envolez-vous à prix légers,
www.airfrance.com

Membre de SKYTEAM

EN AVION

Par les lignes régulières

▲ AIR FRANCE

– *Paris :* 119, av. des Champs-Élysées, 75008. M. : George-V. Renseignements et réservations : ☎ 0820-820-820 de 8 h à 21 h. • www.airfrance.fr • Minitel : 36-15, code AF (tarifs, vols en cours, vaccinations, visas). Et dans toutes les agences de voyages.

➢ Air France dessert plusieurs villes en Espagne : Barcelone, Madrid, Bilbao, Séville, Málaga et Valence.

Air France propose une gamme de tarifs très attractifs sous la marque Tempo accessibles à tous : *Tempo 1* (le plus souple) ; *Tempo 2*, *Tempo 3* et *Tempo 4* (le moins cher). La compagnie propose également le tarif *Tempo Jeunes* (pour les moins de 25 ans). Ces tarifs sont accessibles jusqu'au jour de départ en aller simple ou aller-retour avec date de retour libre. Il est possible de modifier la réservation ou d'annuler jusqu'au jour de départ sans frais. Pour les moins de 25 ans, la carte de fidélité *Fréquence Jeune* est nominative, gratuite et valable sur l'ensemble des lignes nationales et internationales d'Air France. Cette carte permet d'accumuler des *Miles* et de bénéficier ainsi de billets gratuits ; elle apporte également de nombreux avantages ou réductions.

Tous les mercredis dès 0 h 00, sur Minitel : 36-15, code AF (0,20 €, soit 1,29 F/mn) ou sur Internet • www.airfrance.fr • , Air France propose les tarifs « Coup de cœur », une sélection de destinations en France métropolitaine et en Europe à des tarifs très bas pour les 7 jours à venir.

Pour les enchères sur Internet, Air France propose pour les clients disposant d'une adresse en France Métropolitaine, tous les 15 jours, le jeudi de 12 h à 22 h, plus de 100 billets mis aux enchères. Il s'agit de billets aller-retour, sur le réseau Métropole, moyen-courrier et long-courrier, au départ de France métropolitaine. Air France propose au gagnant un second billet sur le même vol au même tarif.

▲ IBÉRIA

– *Paris :* 1, rue Scribe, 75009. Également à Orly-Ouest, Hall 1. Central de réservations : ☎ 0802-075-075. • www.iberia.fr • Minitel : 36-15, code IBERIA. M. : Opéra.

➢ Ibéria propose 134 destinations dans 42 pays, dont l'Espagne avec 34 villes desservies.

▲ SPANAIR

– *Paris :* 4, rue du Faubourg-Montmartre, 75009. M. : Grands-Boulevard. Également à l'aéroport Charles-de-Gaulle, T1, porte 8. Réservations au : ☎ 0825-018-103. • www.spanair.fr • web@spanair.fr •

➢ Présente à Paris depuis mars 2000, Spanair propose 5 vols quotidiens Paris-Madrid, avec correspondances pour 20 villes espagnoles, dont Séville, Málaga, Jerez, Alicante et Valence. Tarifs attractifs, fréquences adaptées.

EN VOITURE

Le moteur à explosion n'est supportable que lorsqu'il sert la cause du nomadisme. La voiture peut être un fabuleux outil d'évasion. Bien conduite, elle permet d'éviter les sentiers battus ; bien aménagée, elle offre un maximum d'autonomie. Il suffit de savoir choisir ses itinéraires, de bricoler astucieusement son intérieur, de réviser soigneusement la mécanique et d'utiliser au mieux banquettes et vide-poches.

Le fait de voyager en voiture présente un certain nombre d'avantages :
– plus grande liberté de circulation et plus grande rapidité ;
– possibilité de dormir dans la voiture ;
– et... possibilité de prendre des stoppeurs.

Sigue el ritmo*

Suivez le rythme

Paris/Madrid
5 vols
par jour

Bien entendu, le coût en sera plus élevé, mais faites le calcul pour plusieurs. On s'y retrouve vite.

Voir aussi les rubriques « Routes » et « Transports intérieurs » dans le chapitre « Généralités ».

LES ORGANISMES DE VOYAGES

Encore une fois, un billet « charter » ne signifie pas toujours que vous allez voler sur une compagnie charter. Bien souvent, vous prendrez le vol régulier d'une grande compagnie. En vous adressant à des organismes spécialisés, vous aurez simplement payé moins cher que les ignorants pour le même service.

Ne pas croire que les vols à tarif réduit sont tous au même prix pour une même destination à une même époque : loin de là. On a déjà vu, dans un même avion partagé par deux organismes, des passagers qui avaient payé 40 % plus cher que les autres... Authentique ! De plus, une agence bon marché ne l'est pas forcément toute l'année (elle peut n'être compétitive qu'à certaines dates bien précises). Donc, contactez tous les organismes et jugez vous-même.

Les organismes cités sont classés par ordre alphabétique, pour éviter les jalousies et les grincements de dents.

EN FRANCE

▲ ANYWAY.COM

☎ 0803-008-008 (0,15 € soit 0,99 F/mn). Fax : 01-49-96-96-99. Du lundi au vendredi de 9 h à 19 h. ● www.anyway.com ● Minitel : 36-15, code ANYWAY (0,34 €, soit 2,23 F/mn).

Que vous soyez Marseillais, Lillois ou Parisien, l'agence de voyages Anyway.com s'adresse à tous les routards et sélectionne d'excellents prix auprès de 420 compagnies aériennes et l'ensemble des vols charters pour vous garantir des prix toujours plus compétitifs. Pour réserver, Anyway offre le choix : Internet, téléphone ou Minitel. Disponibilité des vols en temps réel sur 1 000 destinations dans le monde. Cliquez, vous décollez ! Anyway.com, c'est aussi la réservation de week-ends et de séjours, la location de voitures (jusqu'à 40 % de réduction) et des réductions de 20 à 50 % sur des hôtels de 2 à 5 étoiles. Voyageant « chic » ou « bon marché », tous les Routards profiteront des plus Anyway.com : simplicité, service, conseil...

▲ CLUB MED DÉCOUVERTE

Pour se renseigner, recevoir la brochure et réserver : ☎ 0810-802-810 (n° Azur ; prix appel local en France). ● www.clubmed.com ● Minitel : 36-15, code CLUB MED (0,29 €, soit 1,29 F/mn). Agences *Club Med Voyages, Havas Voyages, Forum Voyages* et agences agréées.

Département des circuits et escapades organisés par le Club Méditerranée. Présence dans le monde : Afrique du Sud, Antilles, Argentine, Australie, Birmanie, Brésil, Cambodge, Canada, Chine, Costa Rica, Corse, Cuba, Égypte, Espagne, États-Unis, Guatemala, Grèce, Inde, Indonésie, Israël, Italie, Jordanie, Laos, Madagascar, Malaisie, Mauritanie, Maroc, Mexique, Polynésie Française, Portugal, La Réunion, République dominicaine, Russie, Sénégal, Sicile, Singapour, Sri Lanka, Thaïlande, Tunisie, Turquie, Vietnam. Le savoir-faire du Club, c'est :

– le départ est garanti sur beaucoup de destinations, sauf pour les circuits où un minimum de participants est exigé ;

– la pension complète pour la plupart des circuits : les plaisirs d'une table variée entre spécialités locales et cuisine internationale ;

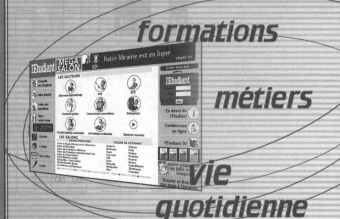

– les boissons comprises aux repas (une boisson locale avec thé ou café), et pendant les trajets, bouteilles d'eau dans les véhicules ;
– un guide accompagnateur choisi pour sa connaissance et son amour du pays.
Si vous voyagez seul(e), possibilité de partager une chambre double (excepté pour les auto-tours et les événements). Ainsi, le supplément chambre individuelle ne vous sera pas imposé.

▲ DÉGRIFTOUR - RÉDUCTOUR
☎ 0825-825-500 (n° Indigo). • www.degriftour.com • Minitel : 36-15, code DT.
Envie d'une semaine de soleil ou de montagne ? Juste une escapade le temps d'un week-end ? Dégriftour est la formule idéale pour satisfaire une envie soudaine d'évasion et vous propose, de 15 jours à la veille de votre départ, des séjours, des billets d'avion, des croisières, des thalassos en France et à l'autre bout du monde. Vous aimez préparer vos vacances à l'avance tout en valorisant votre budget ? C'est également possible avec degriftour.com, le voyagiste qui vend ses produits en direct de 11 mois à 1 jour avant le départ.

▲ EXPERIMENT
– *Paris :* 89, rue de Turbigo, 75003. ☎ 01-44-54-58-00. Fax : 01-44-54-58-01. M. : Temple ou République. Ouvert du lundi au vendredi de 9 h à 18 h sans interruption.
Partager en toute amitié la vie quotidienne d'une famille pendant une à quatre semaines, aux dates que vous souhaitez, c'est ce que vous propose l'association Experiment. Cette formule de séjour chez l'habitant à la carte existe dans une trentaine de pays à travers le monde (Amériques, Europe, Asie, Afrique ou Océanie).
Aux États-Unis, Experiment offre également la possibilité de suivre des cours intensifs d'anglais sur 10 campus pendant 1 à 9 mois. Les cours d'anglais avec hébergement chez l'habitant existent également en Irlande, en Grande-Bretagne, à Malte, au Canada, en Australie et en Nouvelle Zélande. Experiment propose aussi des cours d'espagnol, d'allemand, d'italien et de japonais dans les pays où la langue est parlée. Ces différentes formules s'adressent aux adultes et adolescents.
Sont également proposés : des jobs aux États-Unis, et en Grande Bretagne ; des stages en entreprise aux États-Unis, en Angleterre, en Irlande, en Espagne et en Allemagne ; des programmes de bénévolat aux États-Unis, en Équateur et au Togo, au Canada et en Australie ; du volontariat en Europe. Service *Départs à l'étranger* : ☎ 01-44-54-58-00.
Pour les 18-26 ans, Experiment organise des séjours « au pair » aux États-Unis (billet aller-retour offert, rémunération de 139 US$ par semaine, formulaire IAP-66, etc.). Service *Au Pair* : ☎ 01-44-54-58-09. Également en Espagne, en Angleterre, en Italie, et en Irlande.

▲ FUAJ
– *Paris :* Centre national, 27, rue Pajol, 75018. ☎ 01-44-89-87-27. Fax : 01-44-89-87-49 ou 10. • www.fuaj.org • M. : La Chapelle, Marx-Dormoy ou Gare-du-Nord.
– Renseignements dans toutes les auberges de jeunesse et les points d'information et de réservation en France.
La FUAJ (Fédération Unie des Auberges de Jeunesse) accueille ses adhérents dans 200 Auberges de Jeunesse en France. Seule association française membre de l'IYHF (International Youth Hostel Federation), elle est le maillon d'un réseau de 6 000 Auberges de Jeunesse dans le monde. La FUAJ organise, pour ses adhérents, des activités sportives, culturelles et éducatives ainsi que des expéditions à travers le monde. Les adhérents de

On peut tout rater mais pas ses vacances.

spécialiste en vacances réussies.

la FUAJ peuvent obtenir les brochures « Go as you please », « Activités été » et « hiver », le « Guide Français » pour les hébergements. Les Guides Internationaux regroupent la liste de toutes les Auberges de Jeunesse dans le monde. Ils sont disponibles à la vente ou en consultation sur place.

▲ GO VOYAGES
– *Paris :* 22, rue d'Astorg, 75008. Réservations : ☎ 0803-803-747. • www.govoyages.com • M. : Saint-Augustin. Et dans toutes les agences de voyages. Spécialiste du vol sec, Go Voyages propose un des choix les plus larges sur 1 000 destinations dans le monde au meilleur prix. Go Voyages propose aussi en complément des locations de voiture à des tarifs très compétitifs. Où que vous alliez, n'hésitez pas à les contacter, ils vous feront des offres tarifaires des plus intéressantes.

▲ IMAGES DU MONDE VOYAGES
– *Paris :* 14, rue Lahire, 75013. ☎ 01-44-24-87-88. Fax : 01-45-86-27-73. • images.du.monde@wanadoo.fr • M. : Nationale.
Spécialiste du monde latin (Italie, Espagne, Amérique Latine et une partie des Caraïbes), ce tour-opérateur propose des voyages sur mesure pour individuels et groupes constitués, « des prestations les plus simples aux plus sophistiquées », du vol sec au forfait complet.
Toutes ces prestations peuvent être réservées et réglées à distance en euros.
Images du Monde Voyages propose la réservation d'établissements de charme (haciendas, cortijos, palais, hôtels, fermes, monastères, couvents, moulins, châteaux...) principalement en Andalousie, mais aussi des vols à tarifs attractifs, des locations de voitures, des locations de maisons, pour la plupart de charme, et des prestations insolites...

▲ JET TOURS / JUMBO
La brochure Jumbo est disponible dans toutes les agences de voyages. Les agences Jet Tours et Forum Voyages sont particulièrement habituées à vous construire un voyage à la carte Jumbo. Vous pouvez aussi joindre Jumbo au ☎ 05-61-23-35-12 ; sur Internet • www.jettours.com • et par Minitel : 36-15, code JUMBO (0,20 € soit 1,29 F/mn).
Jumbo, les voyages à la carte de Jet Tours, s'adresse à tous ceux qui ont envie de se concocter un voyage personnalisé, en couple, entre amis, ou en famille, mais surtout pas en groupe. Tout est proposé à la carte : il suffit de « faire son marché » et d'ajouter aux vols internationaux les prestations de votre choix : locations de voitures, hôtels de 2 à 4 étoiles, des petits établissements de charme, des itinéraires tout faits ou à composer soi-même, des escapades aventure ou des sorties en ville. Tout est préparé avant votre départ, et sur place, vous aurez tout le loisir d'apprécier le pays sans contrainte et en toute liberté. Jumbo organise votre voyage où l'insolite ne rime pas avec danger et où l'imprévu ne se conjugue pas avec galère.
Avec Jumbo, composez le voyage de votre choix en Andalousie, Madère, Maroc, Tunisie, Grèce, Canada, États-Unis, Mexique, Martinique, Guadeloupe, océan Indien, Afrique australe, Thaïlande, Indonésie et en Inde.

▲ LOOK VOYAGES
Les brochures sont disponibles dans toutes les agences de voyages. Informations et réservations sur • www.look-voyages.fr • Minitel : 36-15, code LOOK VOYAGES (0,34 €, soit 2,21 F/mn).
Ce tour-opérateur généraliste propose une grande variété de produits et de destinations pour tous les budgets : des séjours en clubs *Lookéa*, des séjours classiques en hôtels, des mini-séjours, des safaris, des circuits découverte, des croisières, des auto-tours et sa nouvelle formule *Look*

Accueil qui vous permet de sillonner une région ou un pays en toute indépendance en complétant votre billet d'avion par une location de voiture et 1 à 3 nuits d'hôtel.

Look Voyages est un spécialiste du vol sec aux meilleurs prix avec 1 000 destinations dans le monde sur vols affrétés et réguliers.

▲ MARSANS INTERNATIONAL

– *Paris :* 49, av. de l'Opéra, 75002 Paris. ☎ 01-53-24-34-00. Fax : 01-53-24-34-69. ● clients@marsans.fr ● www.marsans.fr ● M. : Opéra. Agence spécialiste du voyage dans le monde hispanique.

L'une des brochures les plus complètes sur la destination. Un très grand choix d'hôtels de charme, et l'offre complète des paradors, pour un voyage à la carte dans l'Espagne intérieure, avec une voiture de location à des prix parmi les plus bas du marché. Le voyagiste propose aussi des auto-tours ou des circuits en voiture « prêt à partir ». Vous pourrez également choisir une formule complète avec avion, voiture et logement, ou l'hébergement seul. C'est le tour-opérateur français qui propose le plus grand nombre de destinations en Andalousie, des grandes capitales aux plus petits villages dans les sierras.

N'oublions pas non plus que l'Espagne du Sud, ce sont aussi les plages de la Costa del Sol. L'on trouve une sélection d'hôtels sympas et bien situés à des prix imbattables.

▲ NOUVELLES FRONTIÈRES

– *Paris :* 87, bd de Grenelle, 75015. M. : La Motte-Picquet-Grenelle.
– *Renseignements et réservations dans toute la France :* ☎ 0825-000-825 (0,15 €, soit 0,98 F/mn). ● www.nouvelles-frontieres.fr ● Minitel : 36-15, code NF (à partir de 0,10 €, soit 0,65 F/mn).

Plus de 30 ans d'existence, 2 500 000 clients par an, 250 destinations, 1 chaîne d'hôtels-clubs et de résidences *Paladien,* 2 compagnies aériennes, *Corsair* et *Aérolyon*, des filiales spécialisées pour les croisières en voilier, la plongée sous-marine, la location de voitures... Pas étonnant que Nouvelles Frontières soit devenu une référence incontournable, notamment en matière de tarifs. Le fait de réduire au maximum les intermédiaires permet d'offrir des prix « super-serrés ». Un choix illimité de formules vous est proposé : des vols sur les compagnies aériennes de Nouvelles Frontières au départ de Paris et de province, en classe *Horizon* ou *Grand Large,* et sur toutes les compagnies aériennes régulières, avec une gamme de tarifs selon confort et budget. Sont également proposés toutes sortes de circuits, aventure ou organisés ; des séjours en hôtels, en hôtels-club et en résidence, notamment dans les *Paladiens,* les hôtels de Nouvelles Frontières avec « vue sur le monde » ; des week-ends, des formules à la carte (vol, nuits d'hôtels, excursions, location de voitures...).

Avant le départ, des permanences d'information sont organisées par des spécialistes qui présentent le pays et répondent aux questions. Les 13 brochures Nouvelles Frontières sont disponibles gratuitement dans les 200 agences du réseau, par Minitel, par téléphone et sur Internet.

▲ OTU VOYAGES

– *Infoline :* ☎ 0820-817-817 (0,12 €, soit 0,79 F/mn). Consultez le site ● www.otu.fr ● pour obtenir adresse, plan d'accès, téléphone et e-mail de l'agence la plus proche de chez vous (37 agences OTU Voyages en France).

OTU Voyages est l'agence de voyages spécialisée étudiants. Elle propose le billet d'avion *Student Air* pour les jeunes et les étudiants, l'ensemble des titres de transports : train, bus, bateau, location de voitures, billets d'avions réguliers... mais aussi des hôtels en France et dans le monde, des séjours hiver et été, des week-ends en Europe, des assurances de voyage, etc.

Espagne du Sud et Andalousie

vols

Séville   **182 €**   1 193,84 F

Malaga   **176 €**   1 154,50 F

aller retour
taxes aériennes 16 € ou 104,95 F comprises

week-end

Libre à Séville 314 €   2 059,71 F

4 jours / 3 nuits
en hôtel 2 étoiles
avion et taxes aériennes 16 € ou 104,95 F compris

séjour

à Benalmadena Costa 396 €

une semaine   2 597,59 F
en hôtel 2 étoiles
en chambre double et en demi pension
avion et taxes aériennes 16 € ou 104,95 F compris

NOUVELLES FRONTIERES

nouvelles-frontieres.fr

Voyager ça fait avancer

c'est l'affaire d'un coup de fil

▶ N° Indigo   **0 825 000 825**

0,98 F TTC / MN

OTU Voyages propose l'ensemble de ces prestations à des tarifs étudiants tout en assurant souplesse d'utilisation et sécurité de prestations.

OTU Voyages est également responsable de la distribution et du développement de la carte d'étudiant internationale (carte ISIC).

▲ RÉPUBLIC TOURS

– *Paris :* 1 *bis,* av. de la République, 75541 Paris Cedex 11. ☎ 01-53-36-55-55. Fax : 01-48-07-09-79. ● infos@republictours.com ● republictours.com ● Minitel : 36-15, code REPUBLIC (0,34 €, soit 2,23 F/mn). M. : République.

– *Lyon :* 4, rue du Général-Plessier, 69002. ☎ 04-78-42-33-33. Fax : 04-78-42-24-43.

– Et dans les agences de voyages.

Républic Tours, c'est une large gamme de produits et de destinations tous publics et la liberté de choisir sa formule de vacances :

– Séjours « détente » en hôtel classique ou club.

– Circuits en autocar, voiture personnelle ou de location.

– Croisières en Égypte, Irlande, Hollande ou aux Antilles.

– Insolite : randonnées en 4x4, vélo, roulotte, randonnées pédestres, location de péniches...

– Week-ends : plus de 50 idées d'escapades pour se dépayser, s'évader au soleil ou découvrir une ville.

Républic Tours, c'est aussi :

– Le Bassin méditerranéen : Égypte, Espagne, Chypre, Grèce, Crète, Malte, Maroc, Portugal, Sicile, Tunisie, Libye.

– Les long-courriers sur les Antilles Françaises, le Canada, les États-Unis, l'île Maurice, la Réunion, les Seychelles et la Polynésie.

– L'Afrique avec le Sénégal.

– L'Europe avec l'Autriche, la Grande-Bretagne, la Hollande, les îles anglo-normandes (Guernesey, Aurigny, Herm, Jersey, Sercq), l'Irlande du Sud et du Nord, l'Allemagne, la Belgique, l'Italie, la République tchèque, la Hongrie, le Danemark et la Suède.

▲ UCPA

– *Informations et réservations :* ☎ 0803-820-830. Minitel : 36-15, code UCPA. ● www.ucpa.com ● Bureaux de vente à *Paris, Bordeaux, Lille, Lyon, Marseille, Nancy, Strasbourg, Toulouse* et *Bruxelles.*

Voilà plus de 35 ans que 6 millions de personnes de 7 à 39 ans font confiance à l'UCPA pour réussir leurs vacances sportives. Et ceci, grâce à une association dynamique, toujours à l'écoute des attentes de ses clients, une approche souple et conviviale de plus de 60 activités sportives, des séjours en France et à l'étranger en formule tout compris (moniteurs professionnels, pension complète, matériel, animations, assurance et transport pour les séjours à l'étranger) et à des prix toujours très serrés. Vous pouvez choisir parmi les 5 nouvelles formules de vacances : « Ucep » (encadrement permanent ou à mi-temps), « Automne » (en toute liberté), « Variation » (pour varier les activités selon les envies), « Découverte » (pour donner une dimension plus culturelle et touristique à vos vacances), « Séjour » (pour apprécier la détente sans contraintes). Plus de 100 centres en France, 4 aux Antilles et 26 à l'étranger (Crète, Cuba, Égypte, Espagne, Maroc, Tunisie, Turquie, Thaïlande...) auxquels s'ajoutent près de 300 programmes en *Sport Aventure* pour voyager à pied, à cheval, en VTT, en catamaran... dans 50 pays d'Europe, d'Asie, du Proche-Orient, d'Afrique, d'Amérique latine et d'Amérique du Nord.

▲ *USIT* CONNECTIONS

Informations et réservations : ☎ 0825-08-25-25. ● www.usitconnections.fr ●

– *Paris :* 14, rue Vivienne, 75002. Fax : 01-44-55-32-61. M. : Bourse.

– *Paris :* 31 *bis,* rue Linné, 75005. Fax : 01-44-08-71-25. M. : Jussieu.

– *Paris :* 85, bd Saint-Michel, 75005. Fax : 01-43-25-29-85. RER B : Luxembourg.
– *Paris :* 6, rue de Vaugirard, 75006. Fax : 01-42-34-56-91. M. : Odéon.
– *Aix-en-Provence :* 7, cours Sextius, 13100. Fax : 04-42-93-48-49.
– *Bordeaux :* 284, rue Sainte-Catherine, 33000. Fax : 05-56-33-89-91.
– *Lyon :* 33, rue Victor-Hugo, 69002. Fax : 04-72-77-81-99.
– *Montpellier :* 1, rue de l'Université, 34000. Fax : 04-67-60-33-56.
– *Nice :* 15, rue de France, 06000. ☎ 04-93-87-34-96. Fax : 04-93-87-10-91.
– *Toulouse :* 5, rue des Lois, 31000. Fax : 05-61-11-52-43.

Usit Connections est membre du réseau mondial Usit World aujourd'hui présent dans 27 pays avec plus de 250 agences. *Usit* Connections propose une gamme complète de produits pour tous : des tarifs aériens à prix réduits, des locations de voitures en France et à l'étranger, tous types d'hébergement, des formules découverte très bon marché à New York, Bangkok, Barcelone, Prague... et des *pass* (avion, bus ou train), des circuits actifs, des voyages d'aventure, des week-ends originaux et de nombreux services aux voyageurs comme l'assurance voyage ou la carte internationale d'étudiant ISIC.

Les jeunes et les étudiants ne sont pas oubliés. Ils pourront profiter du billet d'avion *Skytrekker* offrant une plus grande souplesse (validité de 6 mois à 1 an, modifiable, remboursable ; c'est le billet idéal pour les études, stages ou jobs à l'étranger !).

Avec ses relais partout dans le monde, les étudiants pourront trouver une assistance locale pour modifier leurs billets ou profiter des avantages proposés (visites locales, transports et hébergements économiques).

▲ VOYAGES WASTEELS (JEUNES SANS FRONTIÈRE)

68 agences en France, 160 en Europe. Pour obtenir l'adresse et le numéro de téléphone de l'agence la plus proche de chez vous : ☎ 08-36-68-22-06 (audiotel). Centre d'appels Infos et ventes par téléphone : ☎ 0825-88-70-70. • www.wasteels.fr • Minitel : 36-15, code WASTEELS (0,34 €, soit 2,21 F/mn).

Tarifs réduits spécial jeunes et étudiants.
– En avion : les tarifs jeunes Air France mettent à la portée des jeunes de moins de 25 ans toute la France, l'Europe et le monde aux meilleurs tarifs. Sur plus de 450 destinations, *Student Air* propose aux étudiants de moins de 30 ans de voyager dans le monde entier sur les lignes régulières des compagnies aériennes à des prix très compétitifs et à des conditions d'utilisation extra-souples.
– En train : pour tous les jeunes de moins de 26 ans en France jusqu'à 50 % de réduction, sans oublier les super tarifs sur Londres en *Eurostar* et sur Bruxelles et Amsterdam en *Thalys*.
– En bus : des prix canons.
– Divers : séjours de ski, séjours en Europe (hébergement, visite, surf...), séjours linguistiques et location de voitures à tout petits prix.

▲ VOYAGEUR EN EUROPE

– *Paris : La Cité des Voyageurs,* 55, rue Sainte-Anne, 75002. ☎ 01-42-86-17-20. Fax : 01-42-86-16-28. • www.vdm.com • (panorama complet des activités et services proposés par Voyageurs). Minitel : 36-15, code VOYAGEURS ou VDM. M. : Opéra ou Pyramides. Bureaux ouverts du lundi au samedi de 9 h 30 à 19 h.
– *Fougères :* 19, rue Chateaubriand, 35300. ☎ 02-99-94-21-91. Fax : 02-99-94-53-66.
– *Lyon :* 5, quai Jules-Courmont, 69002. ☎ 04-72-56-94-56. Fax : 04-72-56-94-55.
– *Marseille :* 25, rue Fort-Notre-Dame (angle cours d'Estienne-d'Orves), 13001. ☎ 04-96-17-89-17. Fax : 04-96-17-89-18.

– *Rennes* : 2, rue Jules-Simon, BP 10206, 35102. ☎ 02-99-79-16-16. Fax : 02-99-79-10-00.

– *Saint-Malo* : 17, av. Jean-Jaurès, BP 206, 35409. ☎ 02-99-40-27-27. Fax : 02-99-40-83-61.

– *Toulouse* : 26, rue des Marchands, 31000. M. : Esquirol. ☎ 05-34-31-72-72. Fax : 05-34-31-72-73.

Toutes les destinations des Voyageurs du Monde se retrouvent en un lieu unique, sur 3 étages, réparties par zones géographiques.

Tout voyage sérieux nécessite l'intervention d'un spécialiste. D'où l'idée de ces équipes, spécialisées chacune sur une destination, qui vous accueillent à la *Cité des Voyageurs Paris*, 1er espace de France (1 800 m^2) entièrement consacré aux voyages et aux voyageurs, ainsi que dans les agences régionales. Leurs spécialistes vous proposent : vols simples, voyages à la carte en individuel et circuits accompagnés « civilisations » et « découvertes » sur les destinations du monde entier à des prix très compétitifs puisque vendus directement sans intermédiaire.

La *Cité des Voyageurs*, c'est aussi :

– une librairie de plus de 15 000 ouvrages et cartes pour vous aider à préparer au mieux votre voyage ainsi qu'une sélection des plus judicieux et indispensables accessoires de voyages : moustiquaires, sacs de couchage, couvertures en laine polaire, etc. ☎ 01-42-86-17-38 ;

– des expositions-ventes d'artisanat traditionnel en provenance de différents pays. ☎ 01-42-86-16-25 ;

– un programme de dîners-conférences : les jeudis sont une invitation au voyage et font honneur à une destination. ☎ 01-42-86-16-00 ;

– un restaurant des cuisines du monde. ☎ 01-42-86-17-17.

EN BELGIQUE

▲ CONNECTIONS

Voir « *Usit* Connections ».

▲ JOKER

– *Bruxelles* : bd Lemonnier, 37, 1000. ☎ 02-502-19-37. Fax : 02-502-29-23. ● brussel @joker.be ●

– *Bruxelles* : av. Verdi, 23, Bruxelles, 1083. ☎ 02-426-00-03. Fax : 02-426-03-60. ● ganshoren@joker.be ●

Adresses également à Anvers, Bruges, Gand, Louvain, Schoten et Wilrijk, Malines et Hasselt.

Joker est « le » spécialiste des voyages d'aventure et des billets d'avion à des prix très concurrentiels. Vols aller-retour au départ de Bruxelles, Paris, Francfort et Amsterdam. Voyages en petits groupes avec accompagnateur compétent. Circuits souples à la recherche de contacts humains authentiques, utilisant l'infrastructure locale et explorant le vrai pays. Voyages organisés avec groupes internationaux (organismes américains, australiens et anglais). Joker établit également un circuit de Café's pour voyageurs dans le monde entier : *ViaVia Joker*, Naamsesteenweg 227 à Louvain, Wolstraat 86 à Anvers, ainsi qu'à Yogyakarta, Dakar, Barcelone, Copán (Honduras) et Arusha (Tanzanie).

▲ NOUVELLES FRONTIÈRES

● mailbe@nouvellesfrontieres.be ● www.nouvellesfrontieres.com ●

– *Bruxelles* : (siège) boulevard Lemonnier, 2, 1000. ☎ 02-547-44-44. Fax : 02-547-44-99.

Également d'autres agences à Bruxelles, Charleroi, Gand, Liège, Mons, Namur, Wavre, Waterloo et au Luxembourg.

30 ans d'existence, 250 destinations, une chaîne d'hôtels-club et de résidences Paladien, des filiales spécialisées pour les croisières en voilier, la

NOUVEAUTÉ

ANDORRE, CATALOGNE (paru)

Si la belle Andorre est surtout réputée pour son commerce détaxé et la multitude de ses boutiques, cela ne représente que 10 % de son territoire. Et le reste ? De beaux vestiges romans, des montagnes et des vallées, avec un climat idéal, doux en été et aux neiges abondantes en hiver. Un vrai paradis de la balade et du ski. Avant tout, l'Andorre, c'est l'ivresse des sommets. Un dépaysement qui mérite bien quelques jours, déjà en pays catalan, et pourtant différent.

La Catalogne, bourrée de charme, renferme un époustouflant éventail de trésors artistiques, alliant les délicieuses églises romanes aux plus grands noms de l'art moderne : Dalí, Picasso, Miró et Tápies, pour ne citer qu'eux. Et on les retrouve, bien sûr, dans la plus branchée des villes espagnoles, Barcelone, bouillonnante de sensations, d'odeurs et d'émotions. Aussi célèbre pour sa vie nocturne que pour ses palais extraordinaires cachés derrière les façades décrépies des immeubles, marqués par l'architecture incroyable de Gaudí, cette merveilleuse cité se parcourt à pied pour qui veut découvrir son charme propre. Et de la côte aux villages reculés, c'est avant tout cette culture, d'une richesse étonnante, qui a façonné l'identité catalane. Et les Catalans sont ravis de la partager avec ceux qui savent l'apprécier.

plongée sous-marine, la location de voitures... Pas étonnant que Nouvelles Frontières soit devenu une référence incontournable, notamment en matière de prix. Le fait de réduire au maximum les intermédiaires permet d'offrir des prix « super-serrés ». Un choix illimité de formules vous est proposé.

▲ PAMPA EXPLOR

– *Bruxelles* : av. Brugmann, 250, 1180. ☎ 02-340-09-09. Fax : 02-346-27-66. ● pampa@arcadis.be ● Ouvert de 9 h à 19 h en semaine et de 9 h à 17 h le samedi. Également sur rendez-vous, dans leurs locaux, ou à votre domicile.

Spécialiste des vrais voyages « à la carte », Pampa Explor propose plus de 70 % de la « planète bleue », selon les goûts, attentes, centres d'intérêts et budgets de chacun. Du Costa Rica à l'Indonésie, de l'Afrique australe à l'Afrique du Nord, de l'Amérique du Sud aux plus belles croisières, Pampa Explor tourne le dos au tourisme de masse pour privilégier des découvertes authentiques et originales, pleines d'air pur et de chaleur humaine. Pour ceux qui apprécient la jungle et les pataugas ou ceux qui préfèrent les cocktails en bord de piscine et les fastes des voyages de luxe. En individuel ou en petits groupes, mais toujours « sur mesure ».

Possibilité de régler par carte de paiement. Sur demande, envoi gratuit de documents de voyages.

▲ *USIT* CONNECTIONS

Telesales : ☎ 02-550-01-00. Fax : 02-514-15-15. ● www.usitconnections. com ●

– *Anvers :* Melkmarkt, 23, 2000. ☎ 03-225-31-61. Fax : 03-226-24-66.
– *Bruxelles :* rue du Midi, 19-21, 1000. ☎ 02-550-01-00. Fax : 02-512-94-47.
– *Bruxelles :* av. A.-Buyl, 78, 1050. ☎ 02-647-06-05. Fax : 02-647-05-64.
– *Gand :* Nederkouter, 120, 9000. ☎ 09-223-90-20. Fax : 09-233-29-13.
– *Liège :* 7, rue Sœurs-de-Hasque, 4000. ☎ 04-223-03-75. Fax : 04-223-08-82.
– *Louvain :* Tiensestraat, 89, 3000. ☎ 016-29-01-50. Fax : 016-29-06-50.
– *Louvain-la-Neuve :* rue des Wallons, 11, 1348. ☎ 010-45-15-57. Fax : 010-45-14-53.
– *Zaventem :* aéroport de Bruxelles, Promenade 4e étage, 1930.

Et au Luxembourg :

– *Luxembourg :* 70, Grand-Rue, 1660. ☎ 352-22-99-33. Fax : 352-22-99-13.

Spécialiste du voyage pour les étudiants, les jeunes et les « Independent travellers », *Usit* Connections est membre du groupe Usit, groupe international formant le réseau des *Usit* Connections centres. Le voyageur peut ainsi trouver informations et conseils, aide et assistance (revalidation, routing...) dans plus de 80 centres en Europe et auprès de plus de 500 correspondants dans 65 pays.

Usit Connections propose une gamme complète de produits : des tarifs aériens spécialement négociés pour sa clientèle (licence *IATA*) et, en exclusivité pour le marché belge, les très avantageux et flexibles billets *SATA* réservés aux jeunes et étudiants ; les *party flights ;* le bus avec plus de 300 destinations en Europe (un tarif exclusif pour les étudiants) : toutes les possibilités d'arrangement terrestre (hébergement, location de voitures, « self drive tours », circuits accompagnés, vacances sportives, expéditions) principalement en Europe et en Amérique du Nord ; de nombreux services aux voyageurs comme l'assurance voyage « Protections » ou les cartes internationales de réductions (la carte internationale d'étudiant ISIC et la carte jeune *Euro-26*).

▲ ZUIDERHUIS (BELGIAN BIKING)

– *Gand :* H. Frère-Orbanlaan, 34, 9000. ☎ 09-233-45-33. Fax : 09-233-55-49. ● reishuis@zuiderhuis.be ● www.zuiderhuis.be ●

TICKET POUR UN ALLER-RETOUR-ALLER-RETOUR-ALLER-RETOUR-ALLER-RETOUR...

LES PRÉSERVATIFS VOUS SOUHAITENT UN BON VOYAGE. AIDES

Association de lutte contre le sida
Reconnue d'Utilité Publique

3615 AIDES (1.29 F/MIN.) www.aides.org

« Maison de voyage » installée en Flandre qui centralise les propositions de *Vreemde kontinenten, Cariboo, Te Voet,* mais qui développe aussi, et c'est son originalité, ses propres programmes de vacances cyclistes, individuels ou en groupe, avec réservations d'étapes et assistance logistique en Belgique, en Europe et dans le monde. Circuits fléchés au Danemark, en Irlande, en Grande-Bretagne, en Allemagne, en Hollande, en Autriche, en Suisse, en Espagne, en Italie et en France.

EN SUISSE

C'est toujours assez cher de voyager au départ de la Suisse, mais ça s'améliore. Les charters au départ de Genève, Bâle ou Zurich sont de plus en plus fréquents ! Pour obtenir les meilleurs prix, il vous faudra être persévérant et vous munir d'un téléphone. Les billets au départ de Paris ou Lyon ont toujours la cote au hit-parade des meilleurs prix. Les annonces dans les journaux peuvent vous réserver d'agréables surprises, spécialement dans le *24 Heures* et dans *Voyages Magazine.*

Tous les tour-opérateurs sont représentés dans les bonnes agences : *Hotelplan, Jumbo,* le *TCS* et les autres peuvent parfois proposer le meilleur prix, ne pas les oublier !

▲ JERRYCAN

– *Genève :* 11, rue Sautter, 1205. ☎ 022-346-92-82. Fax : 022-789-43-63. ● info@jerrycan-travel.ch ●

Tour-opérateur de la Suisse francophone spécialisé dans l'Afrique, l'Asie et l'Amérique latine. Trois belles brochures proposent des circuits traditionnels et hors des sentiers battus. L'équipe connaît bien son sujet et peut vous construire un voyage à la carte.

En Amérique Latine, Jerrycan propose des voyages dès 2 personnes en Bolivie, au Pérou, en Équateur, au Chili, en Argentine, au Guatemala et au Mexique. En Asie, Jerrycan propose le Cambodge, la Chine, l'Inde, l'Indonésie, le Laos, la Malaisie, le Myanmar (Birmanie), le Népal, les Philippines, la Thaïlande, le Tibet et le Vietnam. En Afrique, Jerrycan propose des safaris en petits groupes au Botswana, en Namibie, au Zimbabwe, en Zambie, en Afrique du Sud et en Tanzanie.

▲ NOUVELLES FRONTIÈRES

– *Genève :* 10, rue Chantepoulet, 1201. ☎ 022-906-80-80. Fax : 022-906-80-90.

– *Lausanne :* 19, bd de Grancy, 1006. ☎ 021-616-88-91. Fax : 021-616-88-01.

(Voir texte en France.)

▲ SSR VOYAGES

– *Bienne :* quai du Bas 23, 2502. ☎ 032-328-11-11. Fax : 032-328-11-10.

– *Fribourg :* rue de Lausanne 35, 1700. ☎ 026-322-61-62. Fax : 026-322-64-68.

– *Genève :* rue Vignier 3, 1205. ☎ 022-329-97-34. Fax : 022-329-50-62.

– *Lausanne :* bd de Grancy 20, 1006. ☎ 021-617-56-27. Fax : 021-616-50-77.

– *Lausanne :* à l'université, bât. BF SH2, 1015. ☎ 021-691-60-53. Fax : 021-691-60-59.

– *Montreux :* av. des Alpes 25, 1820. ☎ 021-961-23-00. Fax : 021-961-23-06.

– *Nyon :* rue de la Gare 17, 1260. ☎ 022-361-88-22. Fax : 022-361-68-27.

SSR Travel appartient au groupe STA Travel, regroupant 10 agences de voyage dans le monde pour jeunes étudiants et réparties dans le monde entier. Gros avantage si vous deviez rencontrer un problème : 150 bureaux

STA et plus de 700 agents du même groupe répartis dans le monde entier sont là pour vous donner un coup de main *(Travel Help)*.

SSR propose des voyages très avantageux : vols secs *(Skybreaker)*, billets *Euro Train*, hôtels 1 à 3 étoiles, écoles de langues, voitures de location, etc. Délivre les cartes internationales d'étudiants et les cartes *Jeunes Go 25*.

SSR est membre du fonds de garantie de la branche suisse du voyage ; les montants versés par les clients pour les voyages forfaitaires sont assurés.

AU QUÉBEC

Revendus dans toutes les agences de voyages, les voyagistes québécois proposent une large gamme de vacances. Depuis le vol sec jusqu'au circuit guidé en autocar, en passant par la réservation d'une ou plusieurs nuits d'hôtel, ou la location de voitures. Sans oublier, bien sûr, l'économique formule « achat-rachat », qui permet de faire l'acquisition temporaire d'une auto neuve (*Renault* et *Peugeot* en Europe), en ne payant que pour la durée d'utilisation (en général, minimum 17 jours, maximum 6 mois). Ces grossistes revendent également pour la plupart des cartes de train très avantageuses : *Eurailpass* (acceptée dans 17 pays), *Europass* (5 pays au maximum), *Visit Pass Europe Centrale* (5 pays), mais aussi *Visit Pass France*, ou encore *Italie, Espagne, Autriche, Suisse, Hollande*... À signaler : les réductions accordées pour les réservations effectuées longtemps à l'avance et les promotions nuits gratuites pour la 3e, 4e ou 5e nuit consécutive.

▲ AMERICANADA

Ce voyagiste publie différents catalogues : États-Unis/Canada, Floride, croisières et circuits. Pour les voyageurs individuels, il offre un véritable service sur mesure, avec tous les indispensables : vols secs, sélection d'hôtels et locations de voitures.

▲ INTAIR VACANCES

Membre du groupe Intair Transit comme *Exotik Tours, Intair Vacances* publie plusieurs catalogues annuels avec choix de prestations à la carte (hôtels, location de voitures, achat-rachat, *passes* de train) : Europe (France, Hollande, Allemagne, Hongrie, Angleterre, Espagne, Portugal, Italie) ; Caraïbes / Floride ; Belgique/Suisse ; Hollande ; Intair USA, Intair Croisières (croisières Carnival) ; Boomerang Tours (Australie, Pacifique sud).

▲ TOURS CHANTECLERC

Tours Chanteclerc publie différents catalogues de voyages : Europe, Amérique, Floride, Asie + Pacifique Sud, Soleils d'hiver (Côte d'Azur, Costa del Sol, Tunisie, Portugal) et golf prestige. Il se présente comme l'une des « références sur l'Europe » avec 2 brochures : groupes (circuits guidés en français) et individuels. « Mosaïques Europe » s'adresse aux voyageurs indépendants (vacanciers ou gens d'affaires), qui réservent un billet d'avion, un hébergement (dans toute l'Europe), des excursions, une location de voitures, un itinéraire personnalisé ou une croisière fluviale en « pénichette » en France. Spécialiste de Paris, le grossiste offre une vaste sélection d'hôtels et d'appartements dans la Ville Lumière, que l'on peut aisément choisir sur vidéo (à demander à votre agent de voyages).

▲ TOURS MAISON

Spécialiste des vacances sur mesure, ce voyagiste sélectionne plusieurs destinations soleil (Antigua, Barbade, Bahamas, Bermudes, Costa Rica, Jamaïque) et offre l'Europe à la carte toute l'année (France, Angleterre et Portugal notamment). Au choix : transport aérien (vols secs réguliers ou nolisés), hébergement (variété d'hôtels de toutes catégories ; appartements dans le sud de la France), locations de voitures (depuis les luxueuses ber-

COMMENT Y ALLER ?

lines jusqu'aux mini-économiques, y compris fourgonnettes familiales), cartes de train, réservations de spectacles...

▲ TOUR MONT ROYAL / NOUVELLES FRONTIÈRES

Les deux voyagistes font brochures communes et proposent une offre des plus complètes sur les destinations et les styles de voyages suivants : Europe, destinations soleils d'hiver et d'été, Polynésie française, croisières ou circuits accompagnés. Au programme aussi, tout ce qu'il faut pour les voyageurs indépendants : locations de voitures, *passes* de train, bonne sélection d'hôtels et de résidences, excursions à la carte...

▲ VACANCES AIR CANADA

Le voyagiste de la compagnie aérienne est surtout présent sur les destinations « soleil » (Antigua, Barbade, Aruba, Jamaïque, Saint-Martin, Guadeloupe, Sainte-Lucie, Nassau...). Sur le Vieux Continent, sa production est beaucoup moins importante qu'auparavant : la brochure « Europe, Irlande et Israël », offre un petit choix d'hôtels dans les grandes villes avec vols Air Canada, bien sûr, et location de voitures.

▲ VACANCES AIR TRANSAT

Filiale du plus grand groupe de tourisme au Canada, qui détient la compagnie aérienne du même nom, Vacances Air Transat s'affirme comme le 1er voyagiste québécois. Ses destinations : États-Unis, Mexique, Caraïbes, Amérique centrale et du Sud, Europe. Vers le Vieux Continent, le grossiste offre des vols secs avec Air Transat, bien sûr (Paris, province française, grandes villes européennes), une bonne sélection d'hôtels à la carte, des bons d'hôtels en liberté ou réservés à l'avance, des appartements. Également : cartes de trains, locations de voitures (simple ou en achat-rachat) et de camping-cars. Original : les vacances vélo-bateau aux Pays-Bas, et les *B & B* en Grande-Bretagne, en Irlande, en Irlande du Nord et en France.

Vacances Air Transat est revendu dans toutes les agences de la province, et notamment dans les réseaux affiliés : Club Voyages, Voyages en Liberté et Vacances Tourbec.

▲ VACANCES ESPRIT

Ce voyagiste propose essentiellement des circuits guidés en autocar (France, Italie, Espagne, Angleterre, Tunisie, Maroc, Grèce) et des séjours en hôtels ou en appartements (Espagne, Côte d'Azur, Canaries, Baléares, Tunisie, Maroc, Polynésie française).

▲ VACANCES SIGNATURE / ROYAL VACANCES

Les deux voyagistes sont désormais associés et offrent une brochure Europe estivale (France, Angleterre, Allemagne) avec vols (Royal, bien sûr), locations de voitures, cartes de train et sélection d'hôtels. Pour l'hiver, les destinations soleil ont la vedette : Mexique, Cuba, Floride, République dominicaine, en séjours tout compris.

▲ VACANCES TOURBEC

Vacances Tourbec offre des vols vers l'Europe, l'Asie, l'Afrique ou l'Amérique. Sa spécialité : la formule avion + auto. Vacances Tourbec offre également des forfaits à la carte et des circuits en autocar pour découvrir le Québec. Pour connaître l'adresse de l'agence Tourbec la plus proche (il y en a 26 au Québec), téléphoner au ☎ 1-800-363-3786.

GÉNÉRALITÉS

> À l'instar de la vache,
> l'Espagnol va au taureau dès les premiers beaux jours.
> C'est la corrida.
>
> Pierre Desproges.

Comment expliquer l'exode de tant d'Européens, à chaque renaissance estivale, vers cette contrée gâtée du continent? Avouez-le, vous avez, vous aussi, rêvé de la Costa del Sol et de ses villages blancs, de sa terre rouge et de ses ciels désespérément bleus. D'ailleurs, vous avez acheté (ou emprunté) ce guide! Mais en Andalousie, il n'y a pas que le soleil, même si, sans lui, les belles Andalouses aux seins brunis (chères à San Antonio et à bien d'autres) ne seraient pas ce qu'elles sont... Malheureusement, l'Andalousie a saboté une partie de sa côte, et l'on ne peut que conseiller de fuir au plus vite vers l'intérieur.

Comme la France avec la Provence, le Portugal avec l'Algarve ou l'Italie avec la Sicile, l'Espagne se mue ici en une terre chaleureuse et nonchalante. En un mot, hospitalière. Cette hospitalité est la racine profonde de la terre andalouse. Elle a donné son lait à un peuple homogène malgré ses origines multiples (Maures, juifs, catholiques, gitans). Mais, dans tout cela, nous demanderez-vous à juste titre, où se cache cette mystérieuse âme andalouse? À vous de la trouver, entre les croûtons d'un divin gazpacho, dans les claquements de talons d'un flamenco, dans l'attitude virile d'un torero ou, tout simplement, dans le pot de fleurs d'un patio.

Voilà, l'Andalousie c'est tout cela à la fois et bien d'autres détails subtils : l'ombre des rues et l'ardeur des regards (attention aux coups de soleil), la quiétude de la *siesta* et le déchaînement des fiestas, la ferveur des processions et le parfum entêtant des olives. Pour calmer ce bel appétit de vivre tout en se rafraîchissant les idées, une bonne solution : tapas, manzanilla et *siesta*...

CARTE D'IDENTITÉ

De l'Espagne du Sud

- **Situation :** l'Andalousie occupe toute la partie sud de l'Espagne, ainsi que deux enclaves en terre marocaine, celles de Ceuta et Melilla. C'est la plus grande région d'Espagne.
- **Géographie :** de vastes plaines, des côtes bordées de plages et une haute chaîne de montagne, la sierra Nevada, qui possède le mont Mulhacén (3481 m), le plus haut d'Espagne.
- **Climat :** les températures les plus élevées d'Europe, oscillant entre 14 °C en janvier et 26 °C en août, avec des pointes à près de 40 °C.
- **Principales villes :** Séville (750000 hab.), Málaga (528079 hab.), Cordoue (315948 hab.), Grenade (242000 hab.), Jaén (107184 hab.), Almería

(165 000 hab.), Cadix (145 595 hab.) et Huelva (140 675 hab.). Sont également traitées dans ce guide Valence (746 683 hab.) et Alicante (274 577 hab.).

- **Ressources :** tourisme, agriculture et élevage.

De l'Espagne en général

- **Superficie :** 505 955 km^2.
- **Monnaie :** la peseta, puis l'euro à partir du 17 février 2002 !
- **Régime :** monarchie parlementaire.
- **Nature de l'État :** royaume. L'Espagne est divisée en 17 communautés autonomes.
- **Chef de l'État :** le roi Juan Carlos Ier, depuis 1975.
- **Chef du gouvernement :** José María Aznar, depuis mai 1996.

AVANT LE DÉPART

Adresses utiles

En France

🛈 Office national espagnol du tourisme : 43, rue Decamps, 75116 Paris. ☎ 01-45-03-82-50. Fax : 01-45-03-82-51. • www.espagne.info tourisme.com • Minitel : 36-15, code ESPAGNE (0,20 € ou 1,29 F/mn). M. : Rue-de-la-Pompe. Ouvert du lundi au vendredi de 11 h à 17 h. Très compétents et efficaces, n'hésitez pas à les contacter, notamment pour ce qui concerne le calendrier des fêtes dans la région où vous vous rendrez. Nombreuses brochures très bien faites.
■ Consulat d'Espagne : 165, bd Malesherbes, 75017 Paris. ☎ 01-44-29-40-00. Fax : 01-40-54-04-74 et 01-40-53-88-28. M. : Wagram ou Malesherbes. Ouvert du lundi au vendredi de 8 h 30 à 13 h 30 et le samedi de 8 h 30 à 12 h. Autres consulats à Bayonne, Bordeaux, Lyon, Marseille, Montpellier, Pau, Perpignan, Strasbourg et Toulouse.
■ Ambassade d'Espagne : 22, av. Marceau, 75008 Paris. ☎ 01-44-43-18-00. Fax : 01-47-23-59-55. M. : Alma-Marceau. Ouvert du lundi au vendredi de 9 h à 13 h 15 et de 15 h à 18 h 15.

En Belgique

🛈 Office du tourisme d'Espagne : rue Royale, 97, Bruxelles 1000. ☎ 02-280-19-26. Fax : 02-230-21-47. • www.tourspain.be •
■ Consulat général d'Espagne : bd du Régent, 52, Bruxelles 1000.
☎ 02-509-87-70. Fax : 02-509-87-84.
■ Ambassade d'Espagne : rue de la Science, 19, Bruxelles 1040. ☎ 02-230-03-40. Fax : 02-230-93-80. • ambespbe@mail.mae.es •

En Suisse

🛈 Office du tourisme d'Espagne : 15, rue Ami-Lévrier, 2e étage, 1201 Genève. ☎ 022-731-11-33. Fax : 022-731-13-66. • www.tourspain.es •
■ Consulat général d'Espagne : Marienstr. 12, 3005 Bern. ☎ 031-356-22-20. Fax : 031-356-22-21.
■ Ambassade d'Espagne : Kalcheggweg 24, 3000 Bern 16. ☎ 031-352-04-12 et 13. Fax : 031-351-52-29.

Au Canada

ℹ *Office du tourisme d'Espagne :* 2 Bloor Street West, 34th Floor, Office n° 34-02, Toronto M4W-3E2 (Ontario). ☎ 1 (416) 961-31-31. Fax : 1 (416) 961-19-92. ● www.tourspain.es ● toronto@tourspain.es ● Ouvert du lundi au vendredi de 9 h à 17 h.
■ *Consulat général :* Simcoe Place, 200 Ront Street (oficina 2401), PO Box 15, Toronto M5V-3K2 (Ontario).

☎ (416) 977-1661. Fax : (416) 593-4949.
■ *Consulat général :* 1 Westmount Square, suite 1456, Montreal H3Z-2P9 (Québec). ☎ (514) 935-52-35. Fax : (514) 935-46-55.
■ *Ambassade d'Espagne :* 74 Stanley Avenue, Ottawa K1M-1P4 (Ontario). ☎ 1 (613) 747-22-52. Fax : 1 (613) 744-12-24.

Formalités

Pour les ressortissants français, la carte d'identité en cours de validité ou le passeport, même périmé depuis moins de 5 ans, suffisent pour entrer sur le territoire espagnol.

Carte internationale d'étudiant (carte ISIC)

Elle permet de bénéficier des avantages qu'offre le statut étudiant dans le pays où l'on se trouve. Cette carte ISIC donne droit à des réductions (transports, musées, logements...).

Pour l'obtenir en France

– Se présenter dans l'une des agences des organismes mentionnés ci-dessous.
– Fournir un certificat prouvant son inscription régulière dans un centre d'études donnant droit au statut d'étudiant ou élève, ou votre carte du CROUS.
– Prévoir 9,15 € (60 F) et une photo.
On peut aussi l'obtenir par correspondance. Dans ce cas, il faut envoyer une photo, une photocopie de son justificatif étudiant, une enveloppe timbrée et un chèque de 9,15 € (60 F).

■ *OTU :* centrale de réservation, 119, rue Saint-Martin, 75004 Paris. M. : Rambuteau. ☎ 01-40-29-12-22. Fax : 01-40-29-12-20. ● www.otu.fr ● infos@otu.fr ●
■ *USIT :* 6, rue de Vaugirard, 75006 Paris. ☎ 01-42-34-56-90. M. : Odéon. Ouvert de 9 h 30 à 18 h 30.

■ *CTS :* 20, rue des Carmes, 75005 Paris. ☎ 01-43-25-00-76. M. : Maubert-Mutualité. Ouvert de 10 h à 19 h du lundi au vendredi et de 10 h à 13 h le samedi.

En Belgique

La carte coûte environ 8,68 € (350 Fb) et s'obtient sur présentation de la carte d'identité, de la carte d'étudiant et d'une photo auprès de :

■ *CJB... L'Autre Voyage :* chaussée d'Ixelles, 216, Bruxelles 1050. ☎ 02-640-97-85.
■ *Connections :* renseignements au ☎ 02-550-01-00.

■ *Université libre de Bruxelles (service « Voyages ») :* av. Paul-Héger, 29, CP 166, Bruxelles 1000. ☎ 02-650-37-72.

En Suisse

La carte s'obtient dans toutes les agences SSR, sur présentation de la carte d'étudiant, d'une photo et de 15 Fs (9,83 €).

■ *SSR :* 3, rue Vignier, 1205 Genève. ☎ (22) 329-97-34.
■ *SSR :* 20, bd de Grancy, 1006 Lausanne. ☎ (21) 617-56-27.

Pour en savoir plus

Les sites Internet vous fourniront un complément d'informations sur les avantages de la carte ISIC • www.isic.tm.fr • www.istc.org •

Carte FUAJ internationale des auberges de jeunesse

Cette carte, valable dans 62 pays, permet de bénéficier des 6 000 auberges de jeunesse du réseau *Hostelling International* réparties dans le monde entier. Les périodes d'ouverture varient selon les pays et les AJ. À noter, la carte des AJ est surtout intéressante en Europe, aux États-Unis, au Canada, au Moyen-Orient et en Extrême-Orient (Japon...).

Pour l'obtenir en France

■ *Fédération unie des auberges de jeunesse (FUAJ) :* 27, rue Pajol, 75018 Paris. ☎ 01-44-89-87-27. Fax : 01-44-89-87-10. • www.fuaj.org • M. : La Chapelle, Marx-Dormoy ou Gare-du-Nord (RER B). Et dans toutes les auberges de jeunesse, points d'information et de réservation FUAJ en France.

– *Sur place :* présenter une pièce d'identité et 10,67 € (70 F) pour la carte moins de 26 ans et 15,24 € (100 F) pour les plus de 26 ans.
– *Par correspondance :* envoyer une photocopie recto-verso d'une pièce d'identité et un chèque correspondant au montant de l'adhésion (ajouter 0,76 €, soit 5 F, pour les frais de port de la FUAJ).
On conseille de l'acheter en France car elle est moins chère qu'à l'étranger.
La FUAJ propose aussi *une carte d'adhésion « Famille »,* valable pour les familles de deux adultes ayant un ou plusieurs enfants âgés de moins de 14 ans. 22,87 € (150 F). Fournir une fiche familiale d'état civil ou une copie du livret de famille.
Selon les pays, la carte donne également droit à des *réductions* sur les transports, les musées et les attractions touristiques, ces avantages variant d'un pays à l'autre. Essayez ainsi de la présenter à chaque occasion, cela peut éventuellement marcher.

En Belgique

Le prix de la carte varie selon l'âge : entre 3 et 15 ans, 2,48 € (100 Fb) ; entre 16 et 25 ans, 8,68 € (350 Fb) ; après 25 ans, 12,39 € (500 Fb).

Renseignements et inscriptions

– *À Bruxelles :* LAJ, rue de la Sablonnière, 28, 1000. ☎ 02-219-56-76. Fax : 02-219-14-51. • info @laj.be • www.laj.be •
– *À Anvers :* Vlaamse Jeugdherbergcentrale (VJH), Van Stralenstraat 40, B 2060 Antwerpen. ☎ 03-232-72-18. Fax : 03-231-81-26. • info @vjh.be • www.vjh.be •
Les résidents flamands qui achètent

une carte en Flandre obtiennent 7,44 € (300 Fb) de réduction dans les auberges flamandes et 3,72 € (150 Fb) en Wallonie. Le même principe existe pour les habitants wallons. – On peut également se la procurer *via* le réseau des bornes *Servitel* de la CGER.

En Suisse

Le prix de la carte dépend de l'âge : 22 Fs (14,31 €) pour les moins de 18 ans ; 33 Fs (21,46 €) pour les adultes et 44 Fs (28,62 €) pour une famille avec des enfants de moins de 18 ans.

Renseignements et inscriptions

■ *Schweizer Jugendherbergen (SH) :* service des membres des Auberges de jeunesses suisses, Schaffhauserstr. 14, Postfach 161, 8042 Zurich. ☎ 01-360-14-14. Fax : 01-360-14-60. ● bookingoffice@youthhostel.ch ● www.youthhostel.ch ●

Au Canada

La carte coûte 35 $Ca (24,76 €) pour une validité jusqu'à fin 2002 et 200 $Ca à vie (141,48 €). Gratuit pour les enfants de moins de 18 ans, qui accompagnent leurs parents. Pour les mineurs voyageant seuls, compter 12 $Ca (8,49 €).

■ *Tourisme Jeunesse :* 4008 Saint-Denis, Montréal CP 1000, H2W 2M2. ☎ (514) 844-02-87. Fax : (514) 844-52-46.
■ *Canadian Hostelling Association :* 205, Catherine Street bureau 400, Ottawa, Ontario, Canada K2P 1C3. ☎ (613) 237-78-84. Fax : (613) 237-78-68.

ARGENT, BANQUES, CHANGE

AVERTISSEMENT : DE LA PESETA À L'EURO

À partir du 17 février 2002, nous n'aurons plus en poche que de la monnaie et des billets en euros pour payer des marchandises et des services libellés en euros. Pour permettre aux nombreux hésitants (et on les comprend !) de se familiariser avec des valeurs inhabituelles qui exigent une certaine gymnastique mentale, nous avons décidé pour la présente édition d'indiquer tous les prix dans la nouvelle devise et pour une période transitoire son équivalent en FF. Au moment de mettre ce guide sous presse, un grand nombre de nos adresses n'avaient pas encore converti leurs prix à la nouvelle donne. La tendance étant à arrondir les chiffres, nous faisons appel par avance à votre légendaire indulgence si les prix annoncés varient de quelque peu par rapport à la conversion arithmétique.

À titre d'information, 100 pesetas (Ptas) valaient 0,60 € (3,94 F) avant le passage à l'euro.
– D'une manière générale, les *banques* sont ouvertes du lundi au vendredi de 10 h à 14 h. Pour ceux qui sont concernés (nos amis suisses et canadiens, entre autres), les commissions sont sensiblement variables d'une

banque à l'autre. Pour ne pas perdre au change, s'abstenir de changer en face des sites touristiques.

– Dans la quasi-totalité des villes et des villages, on peut retirer de l'argent dans les **distributeurs automatiques** *Télébanco* (panonceau jaune et bleu), *ServiRed* (noir avec des flèches de couleur), *Argentaria, Caja España...* avec les cartes *Eurocard MasterCard* et *Visa*. Une commission est prélevée le jour où est effectuée la transaction.

Cartes de paiement

– La carte **Eurocard MasterCard** permet à son détenteur et à sa famille (si elle l'accompagne) de bénéficier de l'assistance médicale rapatriement. En cas de problème, contacter immédiatement le ☎ (00-33) 1-45-16-65-65. En cas de perte ou de vol (24 h/24) : ☎ (00-33) 1-45-67-84-84 en France (PCV accepté) pour faire opposition. ● www.mastercardfrance.com ● et Minitel : 36-15 ou 36-16, code EM (0,20 €, soit 1,29 F/mn) pour obtenir toutes les adresses de distributeurs par pays et villes dans le monde entier.
– Pour la carte **Visa**, en cas de perte ou de vol, composez le ☎ 08-36-69-08-80 (0,34 €, soit 2,23 F/mn) ou le numéro communiqué par votre banque. Avant de partir, composer sur Minitel le 36-16, code CBVISA pour consulter les adresses de distributeurs dans le monde entier.
– Pour la carte **American Express**, en cas de pépin : ☎ 01-47-77-12-00.
– Également le numéro d'appel quelle que soit votre carte de paiement : ☎ 0892-705-705 (0,34 €, soit 2,21 F/mn).

Besoin d'argent liquide

– En cas de besoin urgent d'argent liquide (perte ou vol de billets, chèques de voyage, cartes bancaires), on peut être dépanné en quelques minutes grâce au système **Western Union Money Transfer.** En cas de nécessité : ☎ 90-211-41-89, 90-219-71-97 et 91-454-73-06 (depuis l'Espagne) ou 01-43-54-46-12 (à Paris).

Les chèques-vacances

Simples et ingénieux, vous pouvez les utiliser dans un réseau de 130 000 professionnels du tourisme et des loisirs agréés pour régler hébergements, restos, loisirs sportifs et culturels... sur votre lieu de villégiature ou dans votre ville.
Nominatifs, ils vous permettent d'optimiser votre budget vacances et loisirs grâce à la participation financière de votre employeur, CE, Amicale du personnel...
Désormais, les chèques-vacances sont accessibles aux PME-PMI de moins de 50 salariés et sont édités sous forme de deux coupures de 10 et 20 € (avec leur contre-valeur francs jusqu'en 2002).
Renseignez-vous auprès des différents établissements recommandés par le *GDR* pour savoir s'ils acceptent ce titre de paiement.
Avantage : ils donnent accès à de nombreuses réductions, promotion, et vous assurent un accueil privilégié.
– Renseignements : par Minitel 36-15, code ANCV, par téléphone au ☎ 0825-844-344 (0,15 €, soit 0,98 F/mn) et sur Internet ● www.ancv.com ● ou dans le *Guide Chèques-Vacances*.

ACHATS

Bon à savoir, les magasins ferment pour la pause du milieu de la journée vers 14 h, pour rouvrir à 17 h.
L'époque n'est plus où l'on pouvait acheter des tas de choses pour une bouchée de pain... *O tempora, O mores...* L'Espagne aussi a connu sa petite inflation, un développement économique important, et se rapproche par son niveau de vie des autres pays de l'Union européenne.

CARTES ET PLANS
EN COULEURS

SOMMAIRE

ESPAGNE DU SUD – ANDALOUSIE

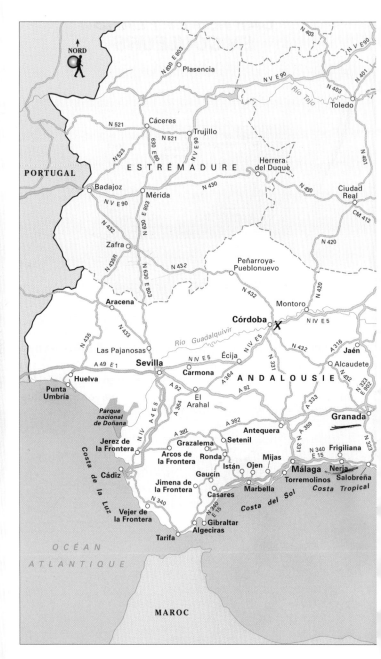

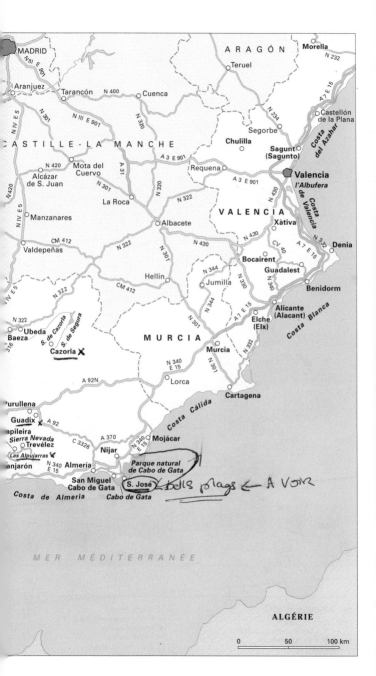

ESPAGNE DU SUD – ANDALOUSIE

ESPAGNE DU SUD – ANDALOUSIE

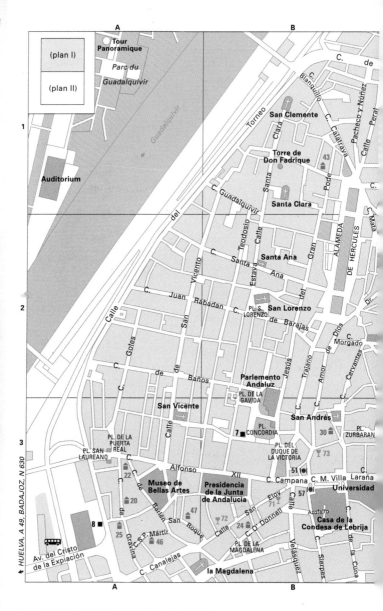

4

SÉVILLE – PLAN I

(plan I)

(plan II)

← HUELVA, A 49, BADAJOZ, N 630

Adresses utiles

🚌 Gare routière
   7 Commissariat de police
   8 Parking souterrain

🏠 **Où dormir ?**

   20 Hostal Romero

22 Hostal Bailén
24 Hostal-Residencia Lis II
25 Hostal Gravina
30 Hostal Sevilla
43 Patio de la Cartuja
46 Hostal Paris
47 Hostal Zaida

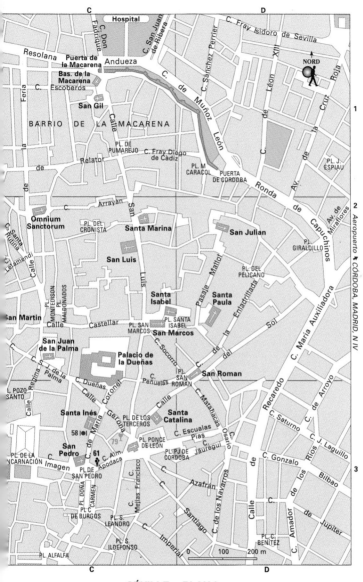

SÉVILLE – PLAN I

SÉVILLE – PLAN I

|●| ⵜ **Où manger ?**

51 Mesón Los Gallegos
57 Confitería La Campana
58 Couvent Santa Inès
61 Rayas

ⵜ **Où boire un verre ? Où sortir ?**

71 Patio San Eloy
72 La Bodega
73 El Caseron
79 El Rinconcillo

6

SÉVILLE – PLAN II

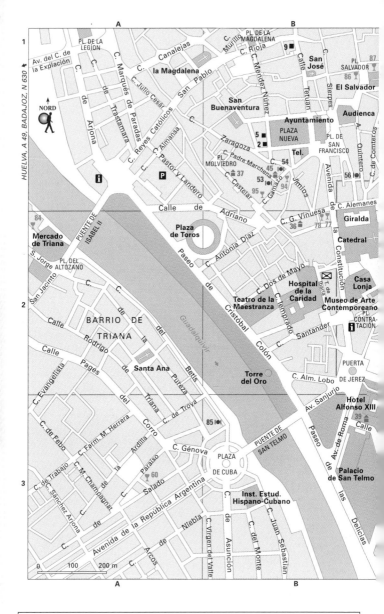

■ Adresses utiles

- **⌷** Offices du tourisme
- **✉** Poste
- **🚌** Gare routière
- **2** American Express
- **5** BNP
- **9** Pharmacie

⌂ Où dormir ?

- 36 Hotel Simon
- 37 Hotel La Rabida
- 39 Hotel Alfonso XIII
- 44 Hotel Los Seises
- 45 Hotel Maestranza

|●| Où manger ?

- 53 Bodega Paco Gongora
- 54 Enrique Becerra
- 56 Casa Robles
- 85 La Primera del Punte
- 95 Bodeguita Antonio Romero II

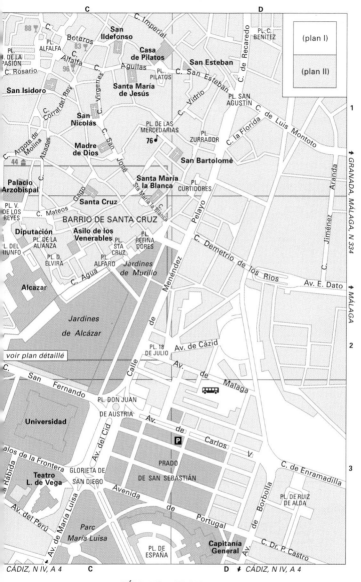

SÉVILLE – PLAN II

SÉVILLE – PLAN II

🍸 ♪ Où manger des tapas? Où boire un verre? Où sortir?	77 Horno San Buenaventura	86 La Antigua Bodeguita
	78 Hijos de Morales	87 La Alicantina
	83 Bar Garlochi	88 Calle Perez Caldos
60 Hostelera Las Cuevas	84 Cervecería Casa Cuesta	94 Cervecería Internacional
76 La Carbonería		95 Bodeguita Antonio Romero II
		96 Bodega Extremaña

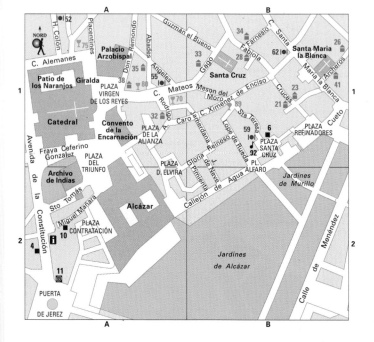

SÉVILLE – QUARTIER DE SANTA CRUZ

■ **Adresses utiles**

- ⓑ Office du tourisme
- 4 Banques et distributeurs
- 6 Consulat de France
- 10 Location de vélos
- 11 Internet

▲ **Où dormir ?**

- 21 Pensión Cruces El patio
- 23 Pensión San Pancrasio
- 26 Hostal Bienvenido
- 28 Pensión Fabiola
- 32 Hostal Monreal
- 33 Hostal Goya
- 34 Hostal Córdoba
- 35 Hostal Marco de la Giralda
- 38 Hostal Doña Maria
- 41 Pensión Archeros

|◉| **Où manger ?**

- 52 Restaurant Las Escobas
- 55 Restaurant A. Donaire El Tenorio
- 59 La Albahaca
- 62 Confiteria - bar Caceres

▼ ♪ **Où boire un verre ? Où sortir ?**

- 70 Bodega Santa Cruz
- 75 Antiguedades
- 80 Cervecería Giralda
- 89 Café-bar Las Teresas
- 92 Los Gallos

Il reste cependant des articles à des prix intéressants. Les chaussures sont assez bon marché si on les prend de qualité ; les chaussures pour enfants, par exemple, sont, à qualité égale, beaucoup moins chères qu'en France. Les articles en peau, les tissus de soie offrent un bon rapport qualité-prix. Enfin, les productions régionales méritent plus qu'un simple coup d'œil.

BOISSONS

La boisson la plus répandue est la *bière* (*cerveza ;* se prononce cerbesa), toujours servie très fraîche (une bénédiction en été). Le panaché se dit *una clara.* Si on demande une *cerveza,* on aura une bouteille. Une bière pression se dit *una caña.* Quelques précisions : un *quinto* = 20 cl. Un *tercio* = 33 cl, tout cela en bouteille. En pression, une *caña* = 25 cl. Une *tubo* : 33 cl. Une *tanque* ou *jarra* = 50 cl. Autre boisson très appréciée en Espagne, non alcoolisée celle-là, la **horchata,** que tout le monde traduit par « orgeat ». Or, tandis que l'orgeat est une boisson à base d'amandes, la *horchata* (d'origine valencienne) est fabriquée avec le suc des racines et des tiges de la *chufa* (en français le souchet jaune), une sorte de papyrus qui pousse dans les marais de Guadalquivir. Bon et rafraîchisssant, avec une texture qui rappelle celle du lait (en plus farineux quand même).

Enfin, on trouve un peu partout dans le pays du **granizado de limón** (jus de citron, sucre et glace pilée) ou de café (le citron est alors remplacé par du café). Rafraîchissant et requinquant par ces chaleurs.

Les vins andalous

N'oubliez pas que l'Andalousie est une grande productrice de vins, que vous pourrez goûter dans tous les bars à tapas. Quand on pense vins andalous, fatalement le mot *jerez* est lâché. Immanquablement on évoquera ce breuvage séculaire qui doit sa notoriété aux Anglais. À l'époque où les Anglais s'approprient le vin de Jerez, le nom de la ville s'écrivait « Xerez » et se prononçait Sherez, d'où... sherry, car les Anglais voyaient dans le z de Xeres, une indication de pluriel, prononcée « i »... C'est ainsi que la plupart des grandes maisons de jerez ont aujourd'hui des noms britanniques.

Outre le jerez produit évidemment dans la région de Jerez de la Frontera, le vin de Málaga est également parvenu à se tailler une certaine notoriété. Moins connu, le vignoble de Montilla-Moriles, situé aux alentours de Lucena, au sud de Cordoue, produit également des blancs intéressants.

Voici quelques indications sur les principaux vins que vous rencontrerez, région par région.

– **Les vins de Jerez :** nous nous étendons assez largement sur les vins de cette région dans la rubrique consacrée à cette ville. À Jerez, vous ne manquerez pas la visite des chais, très impressionnants. C'est ici que la famille Domecq est installée. De réputation internationale, ce sont des viticulteurs et des éleveurs de taureaux qui ont su donner ses lettres de noblesse au jerez.

– **Le vin de Málaga :** « Un vin de dames » ! Ainsi avait-on l'habitude de qualifier le vin de Málaga. Il est vrai que les vieilles Anglaises l'appréciaient particulièrement. Le vignoble ne couvre que 500 ha, ce qui en fait la plus modeste des appellations andalouses. Deux cépages sont utilisés : le *moscatel* et le *pedro ximénez.* C'est après un mûr vieillissement, grâce au système de la *solera,* que les vins sont mis en bouteilles. Il s'agit de faire passer le vin plus jeune dans une barrique avec du vin plus vieux, ce qui permet aux deux vins de se mêler et d'abolir la notion de millésime. Résultat, de très beaux vins liquoreux d'environ 16°, fortement sucrés, mais au goût presque démagogique tellement il est rond et aimable.

– **Les vins de Montilla-Moriles :** appellation de la région de Cordoue, non loin de Lucena, les vignes s'étendent entre des plantations d'oliviers. La bourgade de Montilla produit une bonne partie de ses vins blancs, assez voisins de ceux de Jerez. Ainsi, on trouve des *fino, oloroso, amontillado* et *pedro ximénez*. Ce dernier donne des vins doux, forts en arômes. La *solera* est ici aussi la technique utilisée, mais à la place des barriques, on emploie des jarres.

– *Autres curiosités :* le vin rosé mélangé à la limonade *(casera)* ou *el tinto de verano*. La plupart des vins produits en Andalousie sont des blancs. Si vous préférez le rouge, précisez *vino tinto*. Les jeunes Espagnols s'abreuvent allègrement de *calimocho,* une boisson qui n'est ni plus ni moins que du vin rouge mélangé au... Coca-Cola : dur, dur ! Enfin, le *vermuth al grifo*, littéralement vermouth au robinet, que l'on sert dans les bars traditionnels. Il s'agit de vin cuit (en général d'Andalousie, mais pas nécessairement) macéré avec des herbes et livré dans des petits fûts avec de l'eau gazeuse. On le tire un peu comme de la bière à la pression. C'est léger, rafraîchissant, mousseux et ça n'a rien à voir avec les vermouths en bouteille. À consommer avec beaucoup de tapas car ça monte vite à la tête.

BUDGET

Les prix ont bien augmenté en Espagne de manière générale. L'Andalousie a suivi le mouvement, et les bonnes affaires ne sont plus légion. Fini les pensions à 12 € (80 F) la nuit pour deux et les petits plats à 5 ou 6 € (30 ou 40 F). En outre, la notion de haute, moyenne et basse saison est importante en Andalousie, et il vous faudra en tenir compte. Quelle que soit la date de votre départ, si vous séjournez à Séville, Grenade et Cordoue, vous passerez par plusieurs saisons touristiques. À Séville, par exemple, la haute saison se déroule en deux fois 15 jours : la période de la Semaine sainte et celle de la feria. Le printemps et l'automne sont des saisons moyennes, tandis que le cœur de l'été est en basse saison car il y fait très chaud et tout le monde cherche à fuir la ville. Cordoue est en haute saison également au printemps et les prix peuvent être plus bas en été qu'au printemps, toujours à cause de l'attraction des plages. Grenade possède en revanche une haute saison bien plus étendue, grâce à sa proximité avec la mer.

Toute la côte est évidemment en haute saison tout l'été et les prix baissent en même temps que la température de l'eau, tandis que dans les sierras (hors grandes villes) la saison haute se situe au moment de la Semaine sainte et à Noël uniquement.

Tout cela est évidemment flexible en fonction des fêtes, des jours fériés, etc. Un sacré casse-tête, hein ?

Voici *grosso modo* l'échelle des prix dans chaque catégorie, sur la base d'une chambre double. On indique aussi dans le texte des fourchettes de prix pour chaque catégorie. Attention, bien demander si la taxe (IVA) est incluse ou pas. C'est rarement le cas, et il faut compter 7 % en plus.

Hébergement

– *Bon marché et prix modérés :* de 15 à 30 € (2 500 à 5 000 Ptas, soit 98 à 197 F), souvent avec douche dans le couloir.
– *Prix moyens :* de 30 à 42 € (5 000 à 7 000 Ptas, soit 197 à 276 F).
– *Un peu plus chic :* de 42 à 72 € (7 000 à 12 000 Ptas, soit (276 à 472 F).
– *Plus chic :* plus de 72 € (12 000 Ptas, soit 472 F).

Restos

On peut évidemment manger à tous les prix un peu partout. Cela dit, on ne mange plus correctement pour moins de 6 € (40 F) comme c'était encore le cas il y a peu. Les restos coûtent aussi cher qu'en France. Avec les tapas, on peut s'en sortir plus qu'honorablement. Les fourchettes de prix indiquées ci-dessous sont calculées sur la base d'un repas pour une personne.
– *Très bon marché :* moins de 7 € (1 200 Ptas, soit 46 F).
– *Bon marché :* autour de 9 € (1 500 Ptas, soit 59 F).
– *Prix modérés :* de 9 à 15 € (1 500 à 2 500 Ptas, soit 59 à 98 F).
– *Prix moyens :* de 15 à 24 € (2 500 à 4 000 Ptas, soit 98 à 157 F).
– *Plus chic :* plus de 24 € (4 000 Ptas, soit 157 F).

GÉNÉRALITÉS

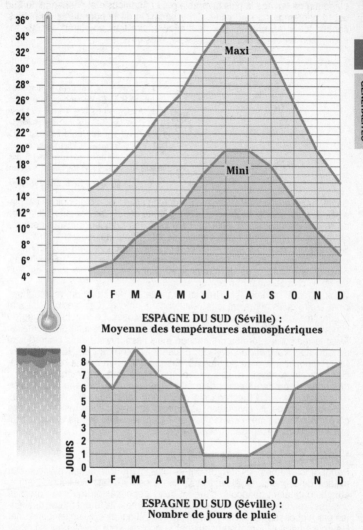

ESPAGNE DU SUD (Séville) :
Moyenne des températures atmosphériques

ESPAGNE DU SUD (Séville) :
Nombre de jours de pluie

Le midi, la plupart des restos proposent des petits menus, surtout dans les grandes villes touristiques. Leur seul avantage, le prix. Bien ficelés, ils sont souvent reconstituants. Cependant, ne pas s'attendre à une qualité haut de gamme.

CLIMAT

En Andalousie, le climat se caractérise par des hivers doux sur la côte mais plutôt froids dans les terres, des étés secs, prolongés (de mai à octobre) et très ensoleillés. Dans le Sud-Est, les pluies sont rares.

L'époque de voyage la plus favorable pour l'Andalousie et l'Espagne du Sud est le printemps ou l'automne. On y bénéficie de températures agréables, sans la foule. Au printemps, il peut encore faire frais en soirée. À cette période, bien faire attention aux dates de fêtes et ferias.

CORRIDA

Les taureaux s'ennuient le dimanche,
quand il s'agit de mourir pour nous,
[...] Ah! Qui nous dira à quoi ça pense
un taureau qui tourne et danse,
et s'aperçoit soudain qu'il est tout nu...
[...] Mais pourquoi, à l'heure du trépas,
ne nous pardonnerait-il pas,
en pensant à Carthage, Waterloo et Verdun.

Jacques Brel, *Les Taureaux.*

Saviez-vous qu'il existe un pays d'Europe où l'exécution d'un animal est planifiée et retransmise en direct à la télé ? Vous nous avez compris, c'est bien de la corrida qu'il s'agit. Rite barbare pour les uns, art sublime pour les autres, nous n'entrerons pas dans le débat. Retour aux sources.

Ses origines sont très anciennes et remontent probablement aux Ibères. À environ 70 km à l'ouest de Madrid, peu après San Martin de Valdeiglesias, on peut voir un groupe de taureaux en granit appelé les « toros de Guisando », probablement un ancien sanctuaire ibère.

Ceux-ci, tout comme les Crétois, pratiquaient le culte du taureaubole, c'est-à-dire qu'ils adoraient le taureau comme un dieu. Les rites consistaient à affronter les taureaux sauvages et à les sacrifier. La victoire obligée de l'homme sur la bête consacrait la force et la divine puissance des humains. Avec le temps, les formes ont changé mais l'esprit reste dans l'inconscient de bon nombre d'*aficionados*. En Espagne, la corrida doit NÉCESSAIRE-MENT aboutir à la mort du taureau. Bien sûr, il arrive que la bête soit graciée, car toute règle a ses exceptions. Mais tout argument tendant à défendre la corrida en prétendant que celle-ci offre au taureau une chance de gagner est nul. La corrida n'a pas à être défendue, elle est l'une des composantes de la civilisation espagnole et, à ce titre, résistera à ses contempteurs comme le camembert au lait cru résistera envers et contre tout aux tenants de l'aseptisation à outrance.

L'image sociale du torero

Pendant longtemps, les toreros ont eu une image très négative. Issus des milieux défavorisés, ils étaient assimilés à des voyous. D'ailleurs, comme eux, ils gagnaient beaucoup d'argent qu'ils dépensaient trop vite : grosses voitures, costumes de frimeurs et filles aguichantes. Ils furent même déshérités par Alphonse X et excommuniés par Pie XII qui n'en a jamais loupé une. Heureusement, ils furent soutenus par la noblesse qui toréait pour son seul plaisir. Les temps ont changé, et les toreros gèrent leur fortune comme des hommes d'affaires. En revanche, ils vivent moins longtemps. Le mot « toréador » n'a absolument rien d'espagnol. Il n'est dû qu'à l'imagination des librettistes de la *Carmen* de Bizet qui ont trouvé à juste titre que toréador « sonnait » mieux que torero.

En 1996, Cristina Sanchez fut consacrée matador. Cette jeune Madrilène a su démontrer aux machistes *aficionados* qu'une femme pouvait descendre dans l'arène avec autant de courage que ses homologues masculins : « Torera ? Olé ! » Est-ce un progrès, diront ses détracteurs ? Mais lors de la feria de San Isidro à Madrid en 1999, elle a annoncé sa retraite prématurée, excédée par la pression machiste... Dur, dur !

Ce qu'il faut savoir

Les courses, *corridas de toros,* ont lieu pendant les jours de feria et lors d'autres fêtes, ainsi que tous les dimanches en saison dans les grandes villes. La plupart sont des *novilladas* où les taureaux *(novillos)* ont moins de 4 ans, où les *novilleros* n'ont pas reçu la consécration de l'alternative, où il n'y a pas souvent de *picadores.* Les novilleros désireux de faire carrière y donnent souvent le meilleur d'eux-mêmes. Les *capeas* (de plus en plus rares) des villages, improvisées sur la place publique, sont très « sport ».
La plaza de toros peut contenir jusqu'à 25 000 spectateurs. Le prix des places est fonction du rang et de la situation : à l'ombre *(sombra)* ou au soleil *(sol).*
Les places du 1er rang *(barreras)* ainsi que les loges du 1er étage *(palcos)* sont les plus appréciées. Mais des gradins *(gradas),* on a une très bonne vue d'ensemble.

Les rites de la corrida

Si vous désirez assister à une corrida, il est utile d'en connaître tous les rites. Après le signal de l'entrée, donné par le président de la corrida, commence le *paseo* ou entrée des *cuadrillas* dans l'arène. Les *espadas,* ou *matadores,* suivent deux *alguaciles* (ou *alguazils,* représentants de l'ordre sur la piste, chargés de faire respecter le règlement) à cheval. Derrière eux viennent les *peones,* puis les *picadores* à cheval, les *monosabios* (ou serviteurs de la plaza) et enfin les attelages de mules pour l'enlèvement des taureaux et des chevaux tués.
Les *matadores,* vêtus de costumes brodés de paillettes, saluent la présidence, tandis qu'un *alguazil* demande la permission d'ouvrir le *toril.* Les *matadores* troquent alors leurs manteaux contre les *capas* roses doublées d'un tissu jaune, ou bleues doublées d'un tissu rose.
Le taureau sort du toril, portant la *divisa,* flot de rubans dont les couleurs indiquent le parc d'élevage *(ganaderia)* et son propriétaire.

Les différentes phases de la corrida

Le premier tercio

Au cours de cette période, le novillero torée avec la cape en de nombreuses figures *(pases)* ; parmi elles, citons les *largas,* passes faites avec l'extrémité de la cape en donnant au taureau une longue sortie (les *largas* sont à mi-chemin entre la course de taureaux et le jeu de la cape) ; la *véronique,* passe que le torero exécute en se plaçant en face du taureau avec la cape. Ensuite vient la *suerte de varas* (phase des piques). Tout le travail que réalisera le matador n'aura un véritable sens que si le taureau s'est réellement révélé sous les piques. Un taureau ne pourra obtenir la grâce que s'il a pris les 3 piques réglementaires. Le coup de pique doit être donné en haut du garrot, dans le *morrillo.* Les matadores sont chargés de faire le *quite,* qui a pour but de laisser un peu de répit au taureau après la phase des piques.

Le deuxième tercio : les banderilles

Ici, le matador va affronter la bête à corps découvert, avec seulement dans les mains deux bâtons, les deux banderilles, ornés de papier aux couleurs vives et au bout desquels il y a un crochet. Il existe de nombreuses manières d'exécuter cette phase, tout étant fonction du taureau et de la position dans laquelle il se trouve. Les différentes figures ont pour noms : *suerte de bande-rilles al quebro, de frente* (de face), *al relance, a toro corrido, al siesgo* (de biais), *a la media vuelta* (au demi-tour), *al cuarteo* (en décrivant un quart de cercle), etc.

Le troisième tercio : la faena (le travail)

Le toreo de muleta : la *muleta* (étoffe rouge repliée sur un bâton) doit aider le torero à tuer le taureau. Pour le public, c'est souvent la phase la plus attrayante, le spectateur attendant avec impatience que le clairon en donne le signal pour voir entrer en action les matadores.

Les *pases de muletas* sont nombreuses : *redondos* (en rond), *altos* (hautes), *de telón* (en rideau), *ayudados* (aidées), *de frente* (de face), *molinetes* (moulinets), *afarolados* (en flamme), *por la espalda* (dans le dos).

La mise à mort : selon la façon dont l'épée est enfoncée dans le taureau, l'estocade porte un nom différent : il y a l'estocade profonde, courte, contraire (l'épée reste sur le côté gauche du taureau), reculée, basse, etc. Quand le matador appelle le taureau et attend sans bouger sa charge, c'est la *suerte de recibir.* En revanche, si le taureau reste immobile et que le matador s'élance sur lui, la figure s'appelle *volapié.* Enfin, si chacun des « participants » s'avance en même temps, on parle d'une estocade *a un tiempo.*

Descabello (la manière de mettre à mort) : on exécute cette *suerte* quand le taureau est blessé à mort mais ne tombe pas. On s'efforce alors de faire baisser la tête de l'animal pour laisser à découvert l'endroit où doit être donné le coup d'épée, ou *descabello.* La pointe de l'épée est lancée dans les premières vertèbres cervicales, tuant instantanément le taureau.

El arrastre

C'est la fin de la corrida. Des chevaux de trait traînent le cadavre du taureau hors de l'arène. Si le public est satisfait du travail du matador, il le manifeste à l'aide d'un mouchoir blanc. Si au contraire, il est mécontent, il y aura la *bronca* (chahut, cris, etc.) ; à Séville, le mépris à l'égard du matador se traduira par un silence.

Lexique de la corrida

– *Aficionados :* passionnés de corrida.

– *Barrera :* barrière pleine, protégeant le public de la piste.

– *Bronca* (faire la) *:* manifestation de public en colère. Sifflets, cris, jets de coussins.

– *Cogida :* blessure que le taureau assène au torero.

– *Derechazo :* nom d'une passe de muleta de la main droite.

– *Descabello :* épée avec laquelle on donne le coup de grâce quand le torero a loupé son coup avec la première épée.

– *Estocada :* mise à mort.

– *Feria :* fête de deux semaines pendant laquelle se déroulent les corridas. Les ferias ont lieu à tour de rôle selon les villes.

– *Montera :* couvre-chef que porte le matador.

– *Muleta :* c'est la cape rouge utilisée par le matador dans le dernier *tercio.* On utilise la rose et jaune pour les deux premiers *tercios.*

– *Pase de muerte :* passe d'avant la mise à mort. Olé !

– *Plaza de toros :* arènes.

– *Temple :* c'est le rythme, la cadence entre les mouvements de la bête et ceux du matador.

– *Tercio :* c'est chacune des trois phases de la corrida.

– *Recibir :* au moment de la mise à mort, c'est une phase où le matador attend que le taureau charge.

– *Volapié :* au moment de la mise à mort, une autre façon d'agir. Il s'agit là d'aller vers le taureau, entre ses cornes, et de s'esquiver à l'ultime seconde.

CUISINE

Attention : à l'exception de certaines stations balnéaires, les horaires des repas sont différents de ceux pratiqués en France. Le petit déjeuner se prend de 8 h à 11 h, le déjeuner de 13 h 30 à 16 h et le dîner de 21 h à 23 h (il fait moins chaud). Même remarque que pour les hôtels : il faut toujours ajouter à la note une taxe (IVA) qui va de 7 % (normale) à 12 % dans certains restos chic. Attention : le pain est facturé en plus dans la plupart des restos. Les restaurants sont aussi obligés d'afficher un *menu del día,* ou, s'ils ne l'affichent pas, de le proposer. Bon, obligés, obligés... dans le texte...

Pour manger dans les bars, il faut savoir que *bocadillo* signifie sandwich, *sandwitch* (en espagnol) signifiant toast ou croque-monsieur, et que *tostada* signifie pain grillé.

Dans les bars à tapas on peut, selon l'importance de son appétit ou tout simplement pour goûter à plusieurs spécialités, commander *una tapa* (une toute petite portion), *una ración* (une assiette entière) ou *una media ración* (une demi-assiette).

Spécialités culinaires nationales

– **La paella :** fond de riz cuit dans l'huile en même temps que le poulet, porc maigre avec jambon, langoustines, petits pois, ail, oignons, épices, safran. La paella est d'origine valencienne. Elle est née au XIXe siècle dans la région d'Albufera, lagune d'eau près de Valence. Les pêcheurs ajoutèrent au riz les ingrédients trouvés sur place : anguilles, lapins, haricots verts, petits pois, artichauts des *huertas* (jardins potagers), etc. Le safran, extrait des stigmates séchées des crocus mauves, donne à la paella sa couleur jaune. Elle demande un certain temps de préparation. Traditionnellement, on la prépare en plein air ; une grande poêle *(paellera)* est posée sur un trépied sous lequel on dispose des sarments de vigne. Quand le feu prend consistance, le riz s'ouvre à la cuisson, s'imprégnant des saveurs des aliments et produisant le délicieux *soccarat,* croûte brune et croustillante, qui se forme autour du plat.

Quand elle n'est pas chère et rapidement servie, c'est en fait un « riz accommodé » *(arroz)* qui n'a que peu de choses à voir avec la vraie paella, qu'il vaut mieux commander.

– **La tortilla :** omelette servie froide ou chaude, le plus souvent avec pommes de terre *(patatas),* voire aux fines herbes, aux queues d'écrevisses (rare), au chorizo ou encore avec tomates, lardons, petits pois, etc.

– **Le cocido** (pot-au-feu) **:** plat de résistance servi partout, avec des variantes.

– Côté douceurs, les **churros,** ces bâtons de pâte à crêpes frits et les **buñuelos** (gros *churros*), sont probablement la meilleure pâtisserie de la péninsule. Trempés (sans honte) dans le traditionnel chocolat chaud bien épais, c'est le petit Jésus en culotte de velours ! Autres délices, le plus souvent à base de lait et d'œufs, la *leche frita,* sorte de béchamel sucrée et épaisse, refroidie puis coupée en gros carrés frits dans l'huile, puis saupoudrés de sucre, le **tocino del cielo** (gâteau aux cheveux d'ange), les **natillas,** crème anglaise épaisse et parfumée à la cannelle ou au citron, l'**arroz con leche** (riz au lait), les **torrijas,** l'équivalent de notre pain perdu...

Spécialités andalouses

Il y a encore une dizaine d'années, on disait la cuisine andalouse riche... et grasse. Aujourd'hui, il ne s'agit plus seulement de se nourrir, mais plutôt de déguster de savoureux mets. Aussi la cuisine andalouse est-elle plutôt riche et bonne que riche et grasse. Elle s'est élevée au rang d'art culinaire. Dans les bars à tapas, il vous suffira d'observer le nombre de plats pour vous rendre compte de la diversité de cette cuisine qui, si elle est toujours préparée avec de l'huile d'olive, a perdu une partie de sa lourdeur.

Entrées

– **Gazpacho :** la spécialité des spécialités andalouses. Il s'agit d'une soupe froide de légumes crus (tomates, poivrons, oignons, concombres, ail, huile d'olive, vinaigre et pain dur). D'ailleurs, *gazpacho* ne signifie-t-il pas en arabe « pain trempé » ? Généralement un délice, surtout bien frais. On sert le plus souvent le gazpacho accompagné de petits bouts de tomates, concombres, oignons et croûtons.

– **Salmorejo :** on le trouve plutôt à Cordoue. Un gazpacho plus épais et moins froid, souvent accompagné de menus morceaux d'œufs durs.

– **Ajo blanco** (ail blanc) **:** là aussi, c'est un gazpacho avec une dominante d'ail, amandes pilées, citron, huile d'olive et pain dur.

– **Les jambons :** une des grandes spécialités d'Andalousie. Des jambons de montagne qui ont transpiré en été et séché à l'air libre en hiver. Il en existe deux principales sortes : d'abord, le *jamón Serrano* issu de porcs roses (« pattes blanches ») venant de toute l'Espagne et exposé pendant un an à l'air vif des Alpujarras (près de Grenade). On le trouve partout, c'est le moins cher. Il est délicieux mais ne peut rivaliser avec le *jamón Iberico,* provenant de porcs noirs (« pattes noires ») de la vallée du Guadalquivir (entre Cordoue et Huesca), séché pendant deux ans dans la région de Trevélez (qui vient d'obtenir le droit à l'appellation contrôlée). Merveilleux de finesse, mais trois fois plus cher que le *Serrano.* Autre vedette : le *Jabúgo,* issu de « pattes noires » élevés aux glands. On atteint ici au sublime !

– **Chorizo :** il y a de tout. On est parfois déçu. Goûter avant car le vrai et bon est finalement assez rare.

– **Tortilla del Sacromonte :** du nom d'un quartier de Grenade ; on met dans cette omelette des abats de mouton et/ou de veau.

– **Espinacas** (épinards) **:** servis en cassolette, très cuisinés, c'est un délice, un régal, une merveille (rayez les mentions inutiles). On en trouve beaucoup dans la région de Jaén, Ubeda...

– **Habas :** ce sont de grosses fèves souvent servies avec du jambon à Grenade.

– **Ensaladas :** salades variées. Celle aux pommes de terre *(patatas)* est la plupart du temps bon marché et bien faite.

– **Sardines à l'huile :** fraîches et servies sous forme de tapas.

– **Anchois marinés :** on aime ou on n'aime pas. Nous, on adore !

Poisson

– **Poisson frit :** surtout dans les villes côtières. On goûtera le thon à la tomate, les seiches aux fèves, les anchois frais et le loup cuit au sel *(lubina al sal).* La daurade se prépare également ainsi. Le poisson est cuit dans une grosse couche de sel. Ça lui conserve tous ses arômes. Curieusement, il n'est pas trop salé.

– **Calamar a la plancha** (grillé) **:** pas spécifique à la région mais c'est ici qu'il est le meilleur.

– **Poisson au vin :** assez proche de ce que l'on fait en France. Vin blanc, épices, tomates, oignons. Simple et bon.

– **Fritures :** là, on met un peu de tout. On coupe le poisson en dés et on le fait frire. Si le poisson ou les calmars sont frais, cette recette joue gagnante. Dans certains ports, des petites échoppes sont spécialisées dans le poisson frit et frais. On vous l'emballe dans un papier et vous grignotez ça dans la rue. Pas cher.

Viande

– **Rabo de toro :** queue de taureau en sauce. Très fin mais peu copieux (il y a beaucoup d'os). On en trouve surtout dans la région de Cordoue.

– **Riñones al jerez :** rognons au jerez. Simple et excellent. Le jerez donne un goût subtil aux rognons qu'on fait griller. À goûter absolument.

- *Morcilla :* boudin. Plutôt bien fait, mais souvent plus gras que le français.
- *Cordero lechal :* c'est de l'agneau de lait. On n'en trouve pas partout.

Fromage

On en mange plutôt en dehors des repas, sous forme de tapas. Certains vieux fromages, vieilles tommes surtout, sont divins. À goûter absolument. On trouve de bons fromages de chèvre et de brebis (notamment à Ronda).

Desserts

L'Andalousie se révèle très riche en pâtisseries. Celle qui nous a le plus séduits est le *turrón,* à base d'œuf, de fruits et d'une sorte de pâte d'amandes. Mais on en trouve surtout du côté d'Alicante. Des gâteaux au saindoux et aux cheveux d'ange, des pains d'épice, des tourtes aux œufs durs et, bien sûr, des beignets de toutes sortes vous seront proposés tout au long de votre séjour, ainsi que d'autres desserts détaillés plus haut parmi les spécialités nationales.

Où manger ?

- **Les bars à tapas** et les **ventas,** à notre avis les endroits les plus sympas pour goûter de l'authentique cuisine andalouse, sont traités dans deux rubriques distinctes, plus loin.
- **Les restaurants des paradores :** considérés à juste titre comme des établissements de luxe pour l'hôtellerie, ils s'avèrent étonnamment abordables en ce qui concerne la table. Service de qualité, nappes en tissu, et surtout cuisine superbe la plupart du temps. On y propose toujours un menu comprenant une spécialité locale copieuse et bien préparée. Souvent, le service est effectué par des jeunes femmes en costume de la région.

DANGERS ET ENQUIQUINEMENTS

Comme toutes les régions très touristiques, l'Andalousie n'échappe pas à l'invasion de racketteurs en tout genre : pickpockets, voleurs de voitures... Désolés de vous rappeler que, même si vous êtes en vacances, vous ne devez pas plus relâcher votre attention que chez vous. Eh oui, c'est bien dommage !

Attention

Beaucoup de vols dans les voitures, surtout à Séville et à Cordoue. Choisissez de préférence des parkings gardés et, surtout, ne laissez rien traîner sur les sièges ou la plage arrière. Les bris de glace, même pour voler quelques livres, sont fréquents dans les voitures immatriculées à l'étranger. Voilà, on vous a averti.

Plusieurs solutions : laissez votre voiture ouverte pour ne pas retrouver vos vitres cassées, mais évitez de le faire avec une voiture de location, sauf si vous souhaitez avoir des problèmes d'assurance. Autre solution : laisser ostensiblement un journal espagnol ou encore mieux régional. Enfin, pour les complètement paranos, enlever la plage arrière du véhicule pour bien montrer que le coffre est vide. Ça vous économise là aussi un carreau et ça épargne du boulot au voleur. On indique un réparateur à Séville (voir « Adresses utiles »). Dans certaines villes, les voitures-*sitters* font partie d'un programme d'insertion. Le prix est modique, souvent moins de 1 € (7 F), et toujours inscrit sur le ticket qu'ils vous délivrent. Sinon, ne pas trop se fier aux types qui sortent d'une rue et qui promettent de surveiller votre voiture. Ils ne sont ni accrédités, ni sérieux, ni utiles. C'est une habitude assez agaçante. Libre à vous d'accepter leur tarif, que vous devez dans tous les cas négocier. De surcroît, payez-les systématiquement après, sinon ils se carapatent et laissent votre véhicule.

Avertissement

Sur la Costa del Sol, de Marbella à Málaga, de nombreux jeunes au look sympa et au sourire Ultra-Brite, à pied, en scooter ou en voiture, racolent les touristes afin de les rabattre vers des promoteurs immobiliers. Leurs techniques sont variées et plus ou moins agressives, mais ce sont souvent des jeux truqués où ils gagnent à tous les coups. Apparemment, le meilleur moyen de s'en débarrasser est de jouer la carte de l'indifférence et de ne surtout pas s'arrêter.

DROITS DE L'HOMME

El Ejido : un gros bourg situé dans la province d'Alméria, prospère, et *a priori* sans histoire. Mais ce pôle économique qui enfle d'année en année sur la carte andalouse est devenu le symbole d'une Andalousie raciste et « négrière », presque revendiquée par ses habitants.

Les 5, 6, et 7 février 2000 : trois jours et trois nuits de jets de pierres, de ratonnades et de chasse à l'homme ont suffit à montrer au monde entier le visage d'une région où règne quotidiennement un climat de haine. « Les Arabes, c'est les pires (...). Moi, l'autre jour, il y en a un qui est venu m'acheter quelque chose. Je lui ai dit tout net : "Pour toi, c'est pas à vendre !" Je préfère encore en faire cadeau que le vendre à un Arabe. » Dans son article : « À El Ejido, l'apartheid se vit au quotidien », publié dans *El Pais* un an après les événements le journaliste Francisco Peregil décrit cette atmosphère délétère, sans cacher son écœurement.

Et pourtant, la prospérité de la région est en grande partie due à l'exploitation éhontée de la population immigrée. « Alors que le prix d'une journée de travail est de 5 000 Ptas (200 F) pour un autochtone, il n'est plus que de 2 500 Ptas pour les 15 000 immigrés de la région (dont 40 % sont sans papiers). » Certains en viennent d'ailleurs à douter du caractère spontané de ces trois jours de folie xénophobe. Les populations immigrées commençaient en effet à se structurer et à demander l'accès aux droits les plus élémentaires, lorsque les heurts ont éclaté. Selon l'Organisation Marocaine des Droits de l'homme, affiliée à la FIDH, « ces événements illustrent de façon inquiétante la montée du racisme en Espagne, » et notamment « la recrudescence des crimes racistes » (communiqué du 08/02/2000) ». Mais ces agressions ne touchent pas que les ressortissants maghrébins, et toutes les communautés (Roms, Africains...) sont visées par cette xénophobie qui ne se cache plus.

Cette hostilité croissante conduit les autorités locales à adopter des attitudes plus que douteuses. Ainsi, le maire d'El Ejido (Parti Populaire) aurait farouchement critiqué une loi sur l'immigration adoptée en mars 2000, affirmant que celle-ci ne servirait qu'à amener « davantage de crapules » dans la région. À Algésiras, encore, où l'on retrouve régulièrement les cadavres de ces gens qui risquent leur vie en tentant de traverser la Méditerranée, « la mairie s'est plainte de ne pas avoir l'argent nécessaire aux enterrements » (*El Mundo*). Quand on parle de « crapules »...

Relativement épargné par la violence des séparatistes basques, le sud de l'Espagne y est cependant parfois confronté. Mardi 24 juillet 2001, une militante de l'ETA a été tuée en manipulant sa propre bombe, à Torrevieja, station balnéaire du sud-est de la péninsule. Cet attentat, survenu en pleine saison estivale, fait craindre aux autorités que d'autres actions terroristes ne soient commises dans la région, touchant prioritairement les zones touristiques.

Enfin, dans l'Espagne du Sud, comme partout dans le reste du pays, la violence domestique reste très importante, malgré de nouvelles dispositions législatives. Si la condition féminine s'est singulièrement améliorée ces dernières années – notamment sur le marché du travail – plus de 5 700 plaintes liées à des violences domestiques ont encore été recensées en 2000. Mais les experts s'accordent pour dire que seules 10 % des femmes osent entamer des démarches judiciaires à l'encontre de leurs maris. Les ONG estiment entre 600 000 à 800 000 le nombre de femmes victimes de violences domestiques ordinaires chaque année en Espagne. De quoi réfléchir sur le mythe du « latin lover », non ?

En France

■ *Fédération Internationale des Droits de l'Homme :* 17, passage de la Main-d'Or, 75011 Paris. ☎ 01-43-55-25-18. Fax : 01-43-55-18-80. ● www.fidh.org ● fidh@fidh.org ● M. : Ledru-Rollin.

■ *Amnesty International* (section française) : 76, bd de la Villette, 75940 Paris Cedex 19. ☎ 01-53-38-65-65. Fax : 01-53-38-55-00. ● www.amnesty.asso.fr ● admin-fr@amnesty.asso.fr ● Minitel : 36-15, code AMNESTY. M. : Belleville.

En Espagne

■ *Liga Española por la Defensa de los Derechos del Hombre (LEDH) :* calle Monte Pingarron 14, 28500 la Poveda, Arganda del Rey, Madrid.

■ *Asociación Pro Derechos Humanos de España (APDH) :* calle Jose Ortega y Gasset, 77-2A, 28006 Madrid. ☎ 91-402-32-04 ou 85-62. Fax : 91-535-27-10. ● apdhe@cibeles.com ●

N'oublions pas qu'en France aussi, les organisations de défense des Droits de l'homme continuent de se battre contre les discriminations, le racisme et en faveur de l'intégration des plus démunis. Pour en savoir plus, n'hésitez pas à contacter les organismes cités.

ÉCONOMIE

Le poids du passé

Le sud de l'Espagne est-il encore, à l'instar du Mezzogiorno italien, une région à la traîne, souffrant de mal développement, vivant aux crochets de la capitale et de Bruxelles ? Ou bien est-ce, comme certains journalistes n'hésitent pas à l'écrire, la Californie de l'Europe ? La réalité se situe bien sûr entre les deux, et est différente en Andalousie et dans la Communauté autonome de Valence. Commençons par examiner ce qui va mal en jetant un œil sur les statistiques, qui ne sont pas au premier abord très flatteuses pour la plus grande région du pays. L'Andalousie est en effet double championne d'Espagne de la pauvreté (relative) et du chômage, puisqu'en 2000 le PIB par habitant y était moitié moins élevé qu'à Madrid ou en Catalogne et que les sans emploi représentent encore le quart de la population active, contre moins de 14 % pour l'ensemble du pays. Voilà bien des indicateurs de retard économique, qui témoignent des maux dont pâtit cette région, à savoir la sous-industrialisation et la trop grande place dévolue à l'agriculture, où coexistent archaïsme et modernité. C'est que la révolution industrielle du XIXe siècle n'a pas eu lieu en terre andalouse, où s'est installé en revanche dès le Moyen Âge, un système agraire très inégalitaire car fondé sur les *latifundias*, grands domaines agricoles exploités d'une manière extensive. Au

XVIIᵉ siècle moins de 300 familles contrôlaient la plus grande partie de la campagne andalouse et aujourd'hui encore 2 % de la population possède 60 % des terres. À l'autre extrémité de l'échelle sociale se trouvent les ouvriers agricoles, *peones* ou *jornaleros*, qui aimeraient bien être employés en permanence. Cela n'a jamais été le cas et l'est encore moins de nos jours avec la mécanisation des travaux des champs (même la récolte des olives).

Une région tournée vers l'avenir

Voilà, succinctement, pour le côté face. Côté pile nous retrouvons... l'agriculture, au succès de laquelle il faut associer les régions de Valence et de Murcie, très dynamiques de ce point de vue. C'est que l'Espagne, en grande partie grâce à sa moitié sud, est un grand pays exportateur de produits agricoles et agroalimentaires : elle est au 1ᵉʳ rang mondial pour les oranges et l'huile d'olive, au 3ᵉ rang pour le vin, et exporte en quantité fruits et légumes dans toute l'Europe. L'essentiel de la production provient des zones irriguées, *huertas* anciennes héritées de la conquête arabe, comme dans la plaine de Valence et de Murcie, ou des (hideuses) *huertas* modernes, comme la déferlante de serres en plastique qui s'étend d'Alméria à Motril. Mais les éléments du renouveau économique de l'Espagne du Sud ne résident pas seulement dans l'agriculture, où l'association chaleur-eau-travail acharné fait des merveilles. L'industrie est parvenue malgré tout à s'implanter dans la région au cours des dernières décennies, les hautes technologies n'étant pas en reste. La construction aéronautique est ainsi présente à Séville et Cadix, la production d'énergie éolienne très développée autour de Tarifa, et les villes de Malaga et de Séville sont en passe de devenir deux puissantes technopoles grâce à leurs parcs technologiques, respectivement le Parque tecnológico de Andalucía et Cartuja 93. Le premier est spécialisé dans le secteur des télécommunications et le second, installé sur le site reconverti de l'Exposition universelle de 1992, abrite universités, centres de recherche et entreprises *high tech* vouées aux biotechnologies et autres industries scientifiques pointus. Les grandes gagnantes des mutations économiques contemporaines sont en fait les grandes villes, et notamment les deux plus grandes cités de cette Espagne du Sud, qui sont aussi les 3ᵉ et 4ᵉ villes du pays : Valence et Séville. Toutes deux sont en plein boom et bénéficient d'infrastructures dignes de leur statut de métropoles européennes : nouvel aéroport et liaison en train à grande vitesse avec Madrid pour Séville, multiples équipements culturels pour Valence, qui se pose en rivale de Barcelone.

ENVIRONNEMENT

Il faut bien en parler, de cette côte. Du gâchis ! Il n'y a pas d'autres mots. On aura beau tergiverser, tourner autour du pot... La côte sud du pays a globalement été défigurée par des promoteurs immobiliers sans scrupules. Nous n'avons certes pas de leçon à donner avec notre Côte d'Azur, mais ils ont vraiment poussé le bouchon très loin. Quelle catastrophe ! Heureusement, il reste Mojácar, San José, Salobreña, Nerja, Mijas (un peu en altitude), le vieux Marbella, Tarifa, Vejer de la Frontera (non loin de la côte)... Les grandes villes ont souvent été étouffées par le béton, même si elles possèdent encore un centre digne d'intérêt.

Alors, malgré le premier abord peu engageant, ne pas hésiter à faire un petit tour dans le centre de Málaga ou du vieux Cadix. On a toujours de bonnes surprises. Et puis, cela va de soi, il faut savoir abandonner cette côte pour grimper dans l'arrière-pays, notamment dans les Alpujarras entre Alméria et Grenade, aller explorer les villages blancs de la région de Ronda et de Jerez de la Frontera. De vraies surprises vous y attendent.

FÊTES ET JOURS FÉRIÉS

Ici, on ne dort pas ! Pour ceux qui sont venus chercher le soleil en Espagne, une surprise les attend : ce qui existe, c'est surtout la nuit. On finit même par dormir éveillé. La vie nocturne espagnole est certainement l'une des plus développées d'Europe, voire du monde. La nuit, la rue appartient aux noctambules qui fourmillent dans les quartiers les plus animés.

Toutes les excuses sont bonnes en Espagne pour organiser une fête. Bien sûr, tous les saints y passent mais aussi les escargots, les ânes, les récoltes, les taureaux ! Il y en a pour tous les goûts et pour toutes les folies. Si vous êtes là au bon moment, ne manquez pas la Feria de Séville, la fête des Patios de Cordoue, la Semaine sainte à Almonte ou ailleurs (mais très *people* à Marbella), le pèlerinage de la Vierge du Rocío...

L'origine de ces fêtes est avant tout religieuse. Un catholicisme très fort a récupéré toutes les fêtes païennes pour se faire accepter et, au contraire du protestantisme de l'Europe du Nord, est resté attaché à toutes les commémorations et à tous les vieux rites. Une vieille formule romaine ne disait-elle pas : « Pour le peuple : le pain et le cirque » ? N'empêche que les vieilles fêtes religieuses ont considérablement dévié au point de provoquer les critiques de l'Église.

Pour Gil Calvo, sociologue, la base réelle (de la fête) c'est qu'il n'y a pas assez de travail pour tout le monde ; les Espagnols compenseraient donc ce manque d'activité par la fête. Fait paradoxal, la chape de plomb franquiste une fois levée n'a pas eu d'effet sur la ferveur des fêtes, *idem* pour la déchristianisation de la péninsule. Preuve que ni les dictatures, ni les dogmes n'ont altéré l'attachement des habitants à leurs traditions, à cette volonté de se retrouver ensemble. Comme le souligne Philippe Noury, du *Monde* : « Pas touche à des choses aussi sérieuses ! Devant les assauts de l'Europe puritaine, l'Espagne dressera encore longtemps son mur de fêtes et de beauté. »

FLAMENCO

Vers la fin des années 1980, le flamenco s'est mis à résonner partout. À toutes les sauces, on nous le sert dans les night-clubs, sur la FM, et jusqu'aux robes vivement colorées et froufroutantes des danseuses de flamenco copiées par le prêt-à-porter. Et voici qu'un gitan nommé El Camarón est consacré star parce qu'il joue du flamenco et enflamme des foules de jeunes. Que se passe-t-il ? Et d'où vient cette musique ?

Ce n'est pas un hasard si El Camarón fut fils et petit-fils de gitans. Car ce sont les gitans qui chantent le mieux le flamenco. C'est chez eux presque une seconde nature, un atavisme. Des générations d'apprentissage en ont fait les détenteurs de la sensibilité flamenca. Et pourquoi spécialement les gitans andalous, nous direz-vous ?

Parce qu'ici, en Andalousie, se sont installés les gitans qui ont le plus voyagé ; et, durant leur périple – qui leur fit, au départ de l'Inde, traverser le Proche-Orient, puis l'Afrique du Nord pour les uns, l'Europe pour les autres, et qui les vit toujours chassés et méprisés –, ce peuple farouche puisa dans tous les chants sacrés qu'il put entendre et chanter à son tour pour soutenir sa peine. Alors, riches de cette connaissance unique, ils créèrent le *Cante Jondo*, c'est-à-dire la forme la plus puissante du flamenco. Un cri, une déchirure. La prière d'un peuple fier et bafoué, toujours indépendant, longtemps martyrisé. C'est donc en Andalousie qu'est né le flamenco. Les désastres des guerres napoléoniennes, la restauration de l'absolutisme de Fernand VII et le maintien des structures économiques de l'Ancien Régime étaient des facteurs qui poussèrent les petites gens du monde agricole à venir trouver un meilleur sort dans les faubourgs des grandes villes. Dès le début du XIXe siècle, le flamenco naquit dans les tavernes, notamment celles de Triana à Séville. Ce chant libre était la fierté, l'expression des pauvres. Une langue à part entière.

La première évocation historique du flamenco remonte à 1750, dans un ouvrage intitulé *Le Livre des gitans de Triana,* de Jeronímo de Alba Diéguez. On y évoque une danse (la Danza del Cascabel Gordo) interprétée par douze vierges gitanes.

Vers 1850, les cabarets connurent en Espagne une vogue subite. De Séville à Madrid, le flamenco fit rugir sa belle voix. À cette même époque, des marins ramenèrent de Cuba, de Porto Rico et d'Argentine des musiques nouvelles : *milongas, colombianas, guajiras.* Le flamenco, affamé comme les gorges qui le modulaient, se nourrit aussitôt de ces rythmes lointains.

À la fin du XIXe siècle, le flamenco passa du bar au théâtre. Lentement, il gagna ses lettres de noblesse et imposa sa violence triste, son ardente mélancolie. Vincente Blasco Ibáñez écrivait à l'époque : « Nous sommes un peuple triste, nous avons ça dans le sang. Nous ne savons pas chanter sans menacer ou sans pleurer, et plus nos chansons se mêlent de soupirs, de hoquets douloureux et de râles d'agonie, plus elles sont belles. »

Mais la réhabilitation et, en quelque sorte, la popularisation passèrent par le biais des élites en pleine ferveur romantique, qui trouvèrent dans ce chant une mélancolie, un spleen opportun. Parmi eux figurait Lorca, promoteur du *Concurso de Cante Jondo* à Grenade en 1922. Le flamenco s'y teinta de touches d'amour, acquit ses premières lettres de patriotisme et de culture ou patrimoine andalous.

Depuis ce temps, le flamenco a emprunté mille chemins. Du style le plus épuré (un chanteur pose simplement sa voix sur le rythme d'un marteau frappant une enclume, évoquant le travail d'un maréchal-ferrant) aux arrangements symphoniques des chansons de Camarón, le flamenco se décline sur toutes les gammes de la sensibilité gitane. Issues des *tablaos* (ces bars où l'on chante), la rigueur, la misère et la violence andalouses ont fini par carder un canevas de mille arpèges flamboyants.

Le flamenco possède en gros quatre styles de base ou *palos,* fleurissant dans les provinces de Cadix, Séville, Málaga ou Grenade ; vous apprendrez à reconnaître les *soleares,* les *siguiriyas,* les *tangos* et les *fandangos.* Ces styles se divisent ensuite en mille ramifications et essences rythmiques parallèles : *bulerías, malagueñas* (de Málaga), *cartageneras* (de Carthagène), *granaínas* (de Grenade), *rondeñas* (de Ronda), *alegrías, cantiñas, rumbas, tientos...*

Les gitans s'imposent donc désormais comme musiciens de génie. Car il y a du génie dans le flamenco, et lorsque le *duende* est là – c'est-à-dire quand le miracle se produit au cours d'un concert –, il n'y a pas un auditeur qui ne soit ébranlé, qui ne frémisse de la tête aux pieds ! Pour expliquer d'où lui vient ce pouvoir, le chanteur Antonio Nuñez, l'un des grands du flamenco, n'a que ces mots : « Ma voix passe par le nez, les poumons, l'estomac, la tête, le gosier... » L'émotion totale.

Les artistes

Si le flamenco se distingue par la diversité de ses styles, il n'en demeure pas moins remarquable par le choix et la qualité de ses interprètes. S'il faut parler de grandes voix, nous citerons en tête de liste : Enrique Morente et Camarón de la Isla. Enrique Morente, né en 1942, est connu pour ses adaptations de García Lorca, de saint Jean de la Croix et de poésies diverses. Doué à l'extrême, il est considéré comme le plus grand *cantaor* de flamenco vivant.

Le second est sans doute le plus étonnant. Né José Monge Cruz, Camarón de la Isla débuta sa carrière en chantant dans les bars de Cadix et Málaga. Sa rencontre avec le guitariste Paco de Lucia bouleversa l'éthique même du flamenco. Nos deux compères se mirent ensemble à explorer de nouveaux horizons. Ils introduisirent des arrangements pop, greffèrent des batteries, des basses, des guitares électriques. Admiré par Mick Jagger, Miles Davis ou Peter Gabriel, Camarón restera l'ultime prince gitan, le fils très inspiré d'un art qu'il voulut à la fois évolutif et sans trahison. Sa mort, à l'âge de 40 ans, le 2 juillet 1992, nous a privés d'un des fleurons les plus extraordinaires du flamenco chanté.

Très populaire en Espagne, nous citerons ensuite le duo Lole y Manuel. Lole Montoya a grandi à Casablanca ; Manuel Molina, lui, est originaire de Séville. La voix gitane, cristalline, épurée de Lole... et les arpèges de Manuel vont donner un cocktail détonant, populaire et noble. Ils seront les premiers à innover en composant de nouveaux textes, de nouvelles musiques. Jusqu'ici, le flamenco était resté fidèle à sa tradition.

Parmi les brillants interprètes du flamenco, il faudrait également citer Terremoto (Fernando Fernández Monge) dont la voix profonde évoque le tremblement de terre de son surnom... Et puis aussi Diego « El Cabrillero », Luis de Córdoba, El Indio Gitano, la Niña de Los Peines, El Pele, Susi, Fernanda et Bernarda de Utrera, la Perla de Cádiz. Parmi les guitaristes, on citera Paco de Lucía, Manolo Sanlúcar, Sabicas, Enrique de Melchor, Rafael Montoya, Ramon de Algeciras, Tomatito ou les frères Carmona Habichuela.

Disques

Difficile en France de trouver de bons enregistrements de l'essence même du flamenco. À croire que le *duende* sur le « microsillon laser » ne passe pas les Pyrénées. Alors pourquoi ne pas profiter du voyage pour faire un tour chez un disquaire ? On vous recommande l'excellent label *Fonomusic* (● www.fonomusic.es ●) qui a réuni les plus grands dans la collection *Cultura Jonda*. Son catalogue d'une vingtaine de disques réunit de nombreuses (et bonnes) prises de son dans les *ventas,* dans des festivals, donc du *live,* où (évidemment) le *duende* étincelle comme un joyau.

GÉOGRAPHIE

Sur une carte de l'Europe la péninsule Ibérique est comme une figure de proue qui s'avance loin vers l'ouest et le sud, la prédisposant ainsi à nouer des relations avec l'Afrique et, au delà de l'Atlantique, avec les Amériques. L'Andalousie est la région de l'Espagne qui a été la plus marquée par cette ouverture sur le reste du monde ; le détroit de Gibraltar ne fait que 14 km de long et la façade atlantique a constitué une parfaite base de lancement des navires en partance pour les « Indes occidentales », le port fluvial de Séville puis le port maritime de Cadix monopolisant pendant longtemps les contacts avec les colonies d'outre-mer. Aujourd'hui encore la proximité avec l'Afrique du Nord a ses conséquences, à travers notamment les flux d'immigration clandestine en provenance du Maroc (voir rubrique « Droits de l'homme »). Très présente aussi, l'Afrique, dans les paysages, particulièrement au Sud-Est où d'Alicante à Almería règnent un climat sub-désertique et de vastes étendues steppiques piquetées de palmiers. Et que dire des Alpujarras, sur le versant sud de la Sierra Nevada, où des villages blancs aux toits plats couverts de sable gris, séparés par de profonds ravins et entourés de champs en terrasse, rappellent furieusement l'Atlas marocain ? Mais la géographie de l'Andalousie ne peut se réduire à ces images « africanisantes » car à l'instar du pays elle demeure une région diverse où déserts et vertes prairies, montagnes et plaines se côtoient.

L'organisation générale est assez simple. Il s'agit d'un vaste amphithéâtre orienté vers le sud-ouest et dont les gradins seraient constitués :

– Au nord par la Sierra Morena, montagne peu élevée et dépeuplée que l'on franchit, venant de Madrid, au col de Despeñaperros (mot à mot : « précipite-chiens », allusion à une bataille meurtrière que se livrèrent là chrétiens et musulmans au XIIIe siècle).

– Au sud par les Chaînes Bétiques qui s'étendent sur 800 km du détroit de Gibraltar au cap de la Nao, en passant par la Serrania de Ronda, très verte et couverte de chênes lièges, et la Sierra Nevada, qui abrite le point culminant de l'Espagne continentale au Mulhacen (3 481 m, à 20 km de la mer !),
– À l'ouest par les Sierras de Segura et de Cazorla, très sauvages.

Et la scène de l'amphithéâtre ? Vous l'aurez deviné, c'est la vallée du Guadalquivir, qui s'élargit au fur et à mesure que l'on se dirige vers l'ouest et l'océan, à proximité duquel s'étendent de vastes zones marécageuses, les Marismas. C'est aussi là que se situe l'axe majeur de communication du sud de l'Espagne.

La région du Levante (Valence et Murcie) est tout aussi concernée par cette juxtaposition de hautes et de basses terres car la montagne n'est jamais très loin de la mer. Les petites vallées du Turia, du Jucar et du Segura sont autant d'oasis, transformées en *huertas* depuis des siècles grâce aux eaux descendues des reliefs environnants.

GITANS D'ESPAGNE

> J'appelle Gitan ce que l'Andalousie a de plus
> aristocratique et de
> plus représentatif.
>
> Federico García Lorca.

L'imagerie populaire les représente errant le long de vieux chemins, la peau bistrée, un anneau d'or à l'oreille. Les femmes, drapées dans de longs châles, portent des enfants blonds et des animaux barbares. Le luth à long manche égrène leur tristesse et une dague d'argent, lavée du sang de leurs crimes vagabonds, lance un éclat cruel qui force la méfiance.

Ces baladins de la Petite Égypte ont, depuis toujours, fait courir d'étranges frissons chez les Blancs sédentaires. On les désigne de mille noms : Tsiganes, bohémiens, caraques, romanichels, manouches... Chassés, raillés mais néanmoins redoutés, les gitans transportent, au creux de leurs roulottes, l'essence même du voyage, des horizons franchis. Maîtres de la fête, de l'oisiveté suprême vécue comme un art de vivre, ils ont affûté nos envies, nos frustrations occidentales. Leur mobilité, leur virtuosité dans le travestissement s'opposent férocement à nos mythes chrétiens de transparence et de constance morales. Nos communions solitaires s'effraient des leurs : sensuelles et collectives. Le gitan nous terrifie par sa force d'être multiple, soudé, indivisible. Chez lui, la famille est synonyme d'identité. Des parents aux enfants, cette noble transmission d'amour et de liberté nous semble presque hérétique. La loi du sang (un gitan n'est gitan qu'à l'intérieur d'un clan), leur pérennité, leur habileté à se fondre dans le canevas de nos traditions ont fini par les imposer dans une transcendance hors la loi de ceux que nous sommes. Le proverbe dit bien : « Sous la cape du gitan, toute l'Espagne peut tenir. »

L'origine

Il semblerait qu'on puisse classer aujourd'hui la langue gitane (ou romani) parmi les langues néo-indiennes et affirmer précisément que les gitans sont originaires du nord de l'Inde.

Ils auraient quitté ce pays entre le VIIIe et le Xe siècle. Cela peut surprendre car on les a longtemps cru fils d'Égypte (le mot « gitan » vient de l'espagnol *Egipcio* : les premières familles qui débarquèrent en Catalogne au XVe siècle s'étaient attribué le titre de « ducs de la Petite Égypte »). Une hypothèse plus hardie les a même prétendus rescapés de Babylone. Mais les historiens s'accordent à dire que les Rômes (c'est ainsi qu'ils se désignent entre eux –

rom signifiant « homme » dans leur langue) auraient quitté l'Inde en deux groupes distincts : l'un progressant à l'intérieur des terres et l'autre cheminant le long des côtes. Ainsi, ils traversèrent le Baloutchistan, la Perse, le désert d'Arabie, le désert de Syrie, l'Égypte... et une partie d'entre eux s'arrêta dans la péninsule Ibérique.

En Espagne, l'arrivée de ces nomades fit grand bruit. Leurs costumes intriguaient (ils étaient drapés de grandes couvertures bariolées et les femmes portaient un turban oriental monté sur une armature d'osier). En France, l'Église les jugea rapidement et leurs penchants pour la magie les voua définitivement à l'enfer. En Espagne, il semble que ce soit le contraire. Un comte gitan, Thomas d'Égypte, bénéficia de l'appui du roi et de la reine Blanche de Navarre lors de mini-incidents politiques. L'Andalousie est sous le charme. Ces bons rapports entre les gitans et la noblesse espagnole se maintiendront jusqu'au XVIIe siècle. Le magnétisme des gitanes, la science équestre des hommes, leurs danses et leur musique vont littéralement fasciner les Occidentaux, qui se mettent à rêver de voyages.

L'intégration

Ce XVe siècle en Espagne où débarquent les gitans est une rude époque de transformations et de bouleversements. 1478 voit naître la nouvelle Inquisition. 1492 marque la prise de Grenade, l'expulsion des juifs et la découverte des Amériques. Aussi rapidement, la cordialité du peuple va se transformer en suspicion. C'est dans cette frénésie de changement et d'intolérance rampante qu'en 1499 sera votée la première loi espagnole contre les gitans. Les Rois Catholiques leur adressent une sommation : ou vous travaillez, ou vous disparaissez. Isabelle et Ferdinand jugent immoral ce peuple qui vit de mendicité. De plus, un élément va leur porter préjudice : en Espagne, on assiste à la disparition des pèlerinages religieux. Et bientôt, les gitans ne peuvent plus rejoindre les rangs des fidèles pour errer selon leur bon vouloir. En peu de temps, de pèlerins improvisés, ils redeviennent vagabonds.

À cette époque, l'Inquisition lève un glaive sanglant sur l'Espagne. L'archevêché de Tarragone, à l'exemple des Français, condamne soudain les gitans. En 1539, Charles Quint renforce cette antipathie en signant une nouvelle loi anti-gitans. Tout Rom menant une vie de vagabondage et de mendicité sera passible d'une peine de galère de six ans. En 1544, on décide que tout gitan surpris en flagrant délit de vol aura les oreilles tranchées. La folie xénophobe est lancée ! Des lois visant les gitans pleuvent sans cesse. En 1594, un projet est proposé pour se débarrasser d'eux définitivement.

On les accuse de tous les maux : fainéants, voleurs d'enfants, fornicateurs, pilleurs d'églises, jeteurs de sorts... Aussi décide-t-on de séparer les hommes des femmes pour qu'ils ne puissent plus se reproduire ! Fort heureusement, ce projet grotesque est vite abandonné (songez seulement qu'il sera repris, trois siècles et demi plus tard, par les nazis qui pratiqueront la stérilisation systématique des Tsiganes).

En juillet 1611, le Conseil d'État vote l'expulsion des gitans. On tente çà et là d'interdire leurs danses, leurs costumes. L'Espagne d'alors, fanatique à l'excès, exsangue de ses prières, reconnaît en ces nomades ses idéaux perdus. Alors elle les rejette. Mais ce projet d'expulsion se révèle irréalisable. L'Espagne décide en dernier lieu de lentement digérer les gitans en les neutralisant par assimilation.

Quand l'Histoire bégaie

En 1748, le droit d'asile n'est plus reconnu au peuple gitan. En 1749, l'évêque d'Oviedo (très inspiré visiblement) met au point une véritable campagne d'anéantissement. Ce bon évêque propose une solution radicale : le bagne à perpétuité pour tous les Roms ! On se saisit des enfants dès l'âge de 12 ans, des femmes, des hommes, et on les soumet à des travaux obliga-toires. Le projet est accepté. En l'espace d'une nuit, plus de 10 000 gitans sont arrêtés et jetés aux travaux forcés. Mais bientôt, le pays furieux va réclamer ses artisans. Bien des gitans s'étaient intégrés et assuraient des tâches et des postes essentiels. Ferdinand VI sent confusément que cette rafle nationale est une bévue... et dans la consternation générale, on finit par relâcher les gitans « honnêtes ».

Le problème gitan n'est pas réglé pour autant. On propose de les envoyer aux Amériques où ils se reproduiraient avec les indigènes et disparaîtraient ainsi peu à peu. On lance mille hypothèses, on esquisse mille projets...

Le 19 septembre 1783, l'Espagne vote un décret et adopte un changement radical dans sa politique « gitans ». On exige de ces errants qu'ils envoient leurs enfants à l'école afin d'en faire de bons citoyens tout en refrénant leur nomadisme atavique.

Ainsi l'Espagne commence-t-elle peu à peu à digérer ses gitans.

Dans ces incessants va-et-vient de l'histoire d'Espagne, le peuple gitan, souvent malmené, a fini par s'ancrer tant bien que mal. Aujourd'hui, les Roms font toujours l'objet d'une surveillance particulière de la garde civile. Toutefois, le problème gitan contemporain varie selon les provinces du pays. Sédentaires à plus de 88 % depuis le XVIIIᵉ siècle, les gitans se sont surtout intégrés en Andalousie où leur communauté compte 300 000 individus. Cer-tains occupent des fonctions et des postes importants. Souvent, grâce à la tauromachie et au flamenco, ils imposent la fougue et la virtuosité de leur sang sauvage. Hélas, beaucoup des leurs survivent entassés dans des ban-lieues, des bidonvilles, où ils sont particulièrement exposés aux problèmes que posent la drogue et le chômage. Contraints aux tâches ardues et aux basses besognes (cireurs de chaussures, vendeurs à la sauvette), les gitans ont dû, tout en sacrifiant les saveurs de leurs langues, se fondre dans une peau d'emprunt qui les conduit à la caricature. Car en fait, s'ils volent, c'est qu'ils n'ont pas de quoi se nourrir. Et s'ils mentent, c'est qu'ils se protègent. Lequel du gitan ou du *payo* (« étranger ») est le plus redoutable ? Manuel Martín, de l'Association nationale de la présence gitane, répondait : « Que peut espérer un payo d'un gitan ? En principe, peu de chose. Pourquoi ? Qu'a fait le payo tout au long de cinq siècles pour le gitan ? Lui qui eut sur lui droit de vie et de mort, lui qui infligeait le supplice, lui qui lui fit payer dure-ment sa condition de gitan. Le problème gitan a été créé par les payos... et c'est donc à eux de le résoudre. »

Aux yeux des Espagnols de « pure souche », le Tsigane est tour à tour un être admiré et méprisé. Le qualificatif *gitano* est à la fois un compliment et une insulte...

HÉBERGEMENT

Dans les hôtels, mais aussi dans les bars, les restaurants, les taxis, il existe un livre des réclamations *(el libro de quejas)* visé par les agents de la répres-sion des fraudes de la mairie. En cas de litige, demandez ce document, et le problème s'arrangera...

Les auberges de jeunesse

La *Red de Albergues Juveniles de Andalucia* compte une vingtaine d'auberges de jeunesse et de campings « juvéniles » ouverts toute l'année en Andalousie (à Séville, Cordoue, Grenade, Huelva, Cadix, Málaga, Alme-ría et Jaén). Les auberges sont généralement bien tenues et l'accueil est, dans la majeure partie des cas, assuré par des étudiants. La carte est obli-gatoire (mais on peut l'acheter sur place). Les prix diffèrent selon l'âge : 3 € (20 F) pour les moins de 26 ans, 6 € (39 F) pour les plus de 26 ans. Bien sûr, la carte traditionnelle de la FUAJ est valable (voir la rubrique « Avant le départ » au début du chapitre « Généralités »).

Selon la localisation géographique, l'année, pour les deux catégories, est saucissonnée en trois saisons. Une basse, une haute et une promotionnelle. Dans les grandes villes (Cordoue, Grenade, Séville), les AJ pratiquent systé-matiquement un tarif haute saison. Les prix ne sont pas toujours bon marché puisque, à deux, cela ne revient pas moins cher qu'une petite pension dans le centre-ville. En fait, c'est surtout bien quand on est seul ou en grand groupe. De plus, il y a quelques inconvénients : situation excentrée dans les villes et heures de couvre-feu assez réglementées. La plupart des AJ pro-posent également des repas : petit déjeuner, demi-pension ou pension complète. Attention, on ne saurait trop vous recommander de réserver à l'avance. Dès avril, certaines sont bloquées par des groupes. Bon à savoir, les possesseurs de la carte Jeune se verront offrir 10 % de réduction sur le couchage.

■ *Inturjoven :* centrale de réserva-tion, Miño, 24, 41011 Séville. ☎ 954-277-087. Fax : 954-277-462. ● www. | inturjoven.com ● Ouvert de 9 h 30 à 14 h et de 17 h à 19 h 30.

Sachez aussi que :

– Il n'y a pas de limite d'âge pour séjourner en AJ, sauf en Bavière (27 ans). Il faut simplement être adhérent.

– La FUAJ (association à but non lucratif, eh oui ça existe encore) propose 3 guides répertoriant les adresses des AJ : France, Europe et le reste du monde, payants pour les deux derniers.

– La FUAJ offre à ses adhérents la possibilité de réserver depuis la France, grâce à son système IBN *(International Booking Network)* 6 nuits maximum et jusqu'à 6 mois à l'avance, dans certaines auberges de jeunesse situées en France et à l'étranger (la FUAJ couvre près de 50 pays). Gros avantage, les AJ étant souvent complètes, votre lit (en dortoir, pas de réservation en chambre individuelle) est reservé à la date souhaitée. Vous réglez en France, plus des frais de réservation (environ 2,59 €, soit 17 F). L'intérêt, c'est que tout cela se passe avant le départ, en français, et en francs ou en euros ! Vous recevrez en échange un reçu de réservation que vous présen-terez à l'AJ une fois sur place. Ce service permet aussi d'annuler et d'être remboursé. Le délai d'annulation varie d'une AJ à l'autre (compter 5 €, soit 33 F pour les frais).

À Paris

■ *FUAJ :* Centre national, 27 rue Pajol, 75018. ☎ 01-44-89-87-27. Fax : 01-44-89-87-10. ● www.fuaj. org ● M. : Marx-Dormoy, Gare-du-Nord (RER B et D) ou La Chapelle. | ■ *AJ D'Artagnan :* 80, rue Vitruve, 75020. ☎ 01-40-32-34-56. Fax : 01-40-32-34-55. ● paris.le-dartagnan @fuaj.org ● M. : Porte-de-Bagnolet.

Les campings

Le camping sauvage sur les plages est en principe toléré car il n'y a pas de plages privées en Espagne. Attention toutefois dans la région de Tarifa. Étant donné que les barques repues d'immigrés clandestins débarquent sur les plages de la région, la *Guardia civil* effectue des rondes héliportées et passe (quand elle le peut) le littoral au peigne fin. En fait, vu le prix de l'heure de vol, vous pouvez être tranquille. Mais un routard avisé en vaut deux... Néanmoins, si vous vous installez devant un hôtel, vous serez invité à déguerpir. Si vous désirez camper dans une propriété privée, ayez la correc-tion de demander l'autorisation avant.

Quant aux campings officiels, ils offrent un double avantage : prix relativement acceptables (comme en France) et absence de règlement draconien, contrairement aux AJ. Les prix et les catégories des campings sont fixés par le gouvernement ; les tarifs doivent figurer bien en évidence à l'entrée.

Les campings espagnols ne ressemblent pas ou peu à leurs homologues français : ils sont en général beaucoup plus vastes, disposent de petites épiceries, salons de coiffure (!) et de beauté. On vient s'y reposer ou s'y divertir : piscines, courts de tennis, jeux pour enfants... L'animation y a bonne place grâce aux discothèques et aux restaurants. Seuls problèmes réels : une situation souvent pourrie dans les grandes villes et le bruit. Souvent, en particulier le week-end, quand les Espagnols sont là, c'est très bruyant. La plupart disposent en effet d'une ou de deux télés et se couchent tard... Mais comme vous aurez appris à vivre la nuit, il n'y aura plus de problèmes !

Pensez à vous équiper de sardines très robustes. Le terrain est partout sec, parfois d'une dureté incroyable (à Séville en particulier).

Les hôtels

Les moins chers sont les *fondas* (avec restaurant). Puis viennent les *casas de huéspedes,* les *hospedajes,* les *pensiones.* Également bon marché, les *hostales* et les *residencias.* Tous ces vocables regroupent un peu la même chose, c'est-à-dire une sorte de pension de famille. C'est l'aubaine du routard. Attention, toutefois, le fait d'avoir le macaron F (pour *fonda*), CH (pour *casa de huéspedes*) et ainsi de suite ne signifie pas grand-chose sur la qualité du lieu. Tout dépend de l'âge de l'établissement. On peut en effet trouver une *fonda* nickel chrome refaite à neuf par un propriétaire scrupuleux et un *hostal* bringuebalant avec les papiers tue-mouches comme accueil... Si vous le pouvez, visitez bien l'établissement avant de réserver. Quoi qu'il en soit, tous ces établissements conviendront aux routards de la première heure, peu regardants sur le confort mais exigeants sur les prix. Ils sont rarement recommandés par les offices du tourisme car ils ne remplissent pas toujours les canons de salubrité. Si vous tchatchez bien en espagnol, négociez tout de suite le prix. Sachez que dans la plupart des pensions il y a un prix avec facture et un prix sans facture. Pour la simple et bonne raison que l'hôtelier est obligé de facturer l'IVA (la TVA espagnole). Dans le cas inverse, il ne déclare pas l'IVA, donc gagne plus, et vous pouvez alors lui demander une ristourne... Pas besoin d'en venir au chantage ; généralement les hôteliers le proposent mais, bon, vous savez ce que c'est... on ne peut pas se fier à tout le monde... Si vous restez plus de trois jours et que vous avez une bouille sympathique, vous pouvez légitimement demander un prix long séjour sans facture ; ce qui vous permettra également d'alléger votre budget. Enfin, les *hotels,* classés de 1 à 5 étoiles. Essayez d'arriver assez tôt pour être sûr d'avoir une chambre, et demandez à la visiter avant de déposer votre carte d'identité à la réception. Les prix affichés à la réception et dans les chambres peuvent varier selon les divisions de l'année touristique : haute, moyenne et basse saisons.

Pour une chambre simple, demandez une *habitación individual ;* pour une chambre double, une *habitación doble ;* et si vous voulez un grand lit, précisez *cama de matrimonio.*

Attention

En principe, les prix indiqués ne sont pas nets. Il faut ajouter une taxe (IVA) de 7 %.

Il existe un *guide des hôtels* (classés par région et catégorie, prix indiqués, ainsi que les caractéristiques) : *Guia de Hoteles Oficial España,* édité par le Ministerio de Transportes, Turismo y Comunicaciones et disponible dans toutes les librairies. Les offices du tourisme disposent également d'une liste exhaustive des hôtels et pensions avec les prix en cours. Demandez-la.

Dernier détail, pour les affamés du matin : dans les pensions espagnoles, c'est « bed » mais pas « breakfast »... On vous conseille donc de repérer la veille un bar ou un café proposant des petits déj' ou de demander aux patrons de votre pension de vous conseiller un endroit.

Les *paradores*

Réseau important d'établissements hôteliers exceptionnels. Leur principale originalité réside dans le cadre qu'ils proposent : châteaux forts, manoirs, anciens palais, couvents, monastères superbement restaurés et aménagés. Service impeccable et personnel très qualifié. Certains d'entre eux sont de construction récente, mais ils sont toujours situés dans des cadres uniques. Les prix varient, bien sûr, suivant la catégorie mais ils sont de toute façon relativement élevés. En moyenne, 122 € (800 F) la chambre double, petit déjeuner compris. Pour ceux qui le peuvent, c'est toujours moins cher que les *Relais & Châteaux* auxquels on pourrait les comparer. En général, tous pratiquent des prix basse saison intéressants ou des prix week-end. Se renseigner auprès d'*Iberrail France* sur les autres réductions possibles : plus de 60 ans, séjour d'au moins deux nuits, gratuit pour les enfants de moins de 2 ans, « livrets de 5 nuits », etc. À défaut d'y dormir, on peut toujours se restaurer dans les *paradores* et profiter du cadre. Menus à prix raisonnables pour le standing du lieu et cuisine surprenante de qualité. En été et pendant les week-ends, il est impératif de réserver. *Idem* pour les plus courus comme Grenade pour lesquels il faut parfois s'y prendre six mois à l'avance.

■ *Site officiel des paradores :* ● www.parador.es ●
■ *Iberrail France :* 57, rue de la Chaussée-d'Antin, 75009 Paris. ☎ 01-42-81-27-27. N° Indigo pour la province : ☎ 0825-07-92-00. Fax : 01-40-82-95-00. ● iberrail.France@wanadoo.fr ● M. : Trinité. Représentant officiel des paradores en France.
■ *Marsans International :* 4, rue du Faubourg-Montmartre, 75009 Paris. ☎ 01-53-34-40-01. Fax : 01-53-34-40-10. M. : Grands-Boulevards.

Possibilité également de réserver dans tous les paradores.
Location d'appartements ou de villas :
■ *RAAR, Red Andaluza de Alojamientos Rurales :* Apartado 2035, E04080 Almería. ☎ 950-26-50-18. Fax : 950-27-04-31. Cette association de propriétaires propose un certain nombre de maisons, appartements, hôtels, selon l'endroit où vous désirez séjourner et selon votre budget. Ils parlent le français. Envoi de brochures sur demande.

> Pour nos lecteurs qui souhaitent réserver leurs hébergements par courrier, nous précisons les codes postaux des établissements :
> – soit dans le bandeau-titre de la ville concernée lorsqu'il y a un code postal unique ;
> – soit dans le texte de l'hôtel, logiquement à la fin de l'adresse, lorsqu'il y a plusieurs « arrondissements » dans la même ville. Par ailleurs, nous indiquons également le code postal général de la ville dans le bandeau grisé de la ville.
> Enfin, aucun code postal n'est indiqué dans les villes ne proposant pas d'hébergement.

HISTOIRE

Quelques dates

Néolithique : des peuplades d'Ibères, sans doute venues d'Afrique, s'établissent dans le sud et dans l'est de l'Espagne.
202 av. J.-C. : occupation romaine.

484 apr. J.-C. : le royaume des Wisigoths s'étend sur toute l'Espagne.

711 : premières invasions des Maures venus d'Afrique du Nord.

756 : le calife de Damas s'établit à Cordoue et sera l'artisan du rayonnement de la civilisation arabe en Espagne.

1000-1500 : les États chrétiens reprennent progressivement possession des territoires perdus : c'est la « Reconquête » sur l'islam.

1469 : mariage de Ferdinand d'Aragon et d'Isabelle de Castille. Réunion des deux royaumes longtemps rivaux.

1478-1479 : mise en place de l'Inquisition par Tomás de Torquemada ; elle subsista même après sa disparition dans les pays voisins jusqu'à une époque encore récente mais sous une forme plus politique.

1492 : chute du royaume de Grenade le 2 janvier.
Découverte de l'Amérique par Christophe Colomb pour le compte des Rois Catholiques (Ferdinand V et Isabelle Ire).
Expulsion des juifs « pour protéger l'unité religieuse de l'Espagne » (200 000 environ partiront pour l'Afrique du Nord, l'Italie et l'Empire ottoman).

1512 : la Navarre est absorbée par la Castille.

1516-1556 : règne de Charles Quint (Charles Ier pour les Espagnols), petit-fils d'Isabelle la Catholique. Domination d'un immense empire, tant en Europe qu'en Amérique, « où jamais le soleil ne se couche ».

1588 : désastre de l'Invincible Armada, ruine de la marine espagnole.

1656 : Velázquez peint les *Ménines* et la famille de Philippe IV.

1700 : avènement au trône d'Espagne de Philippe V, petit-fils de Louis XIV, à l'origine de la guerre de Succession d'Espagne (1701-1714), qui se termine par la perte des Pays-Bas et du royaume de Naples.

1808 : Napoléon nomme son frère Joseph roi d'Espagne, surnommé « Pepe Botella ». Madrid, occupé par les troupes françaises, se soulève. Début de la guerre d'Indépendance.

1813 : victoire de l'armée anglo-portugaise de Wellington, jointe aux Espagnols. Ferdinand VII retrouve le trône d'Espagne.

1814-1833 : morcellement de l'empire espagnol d'Amérique en États indépendants.

1898 : indépendance de Cuba et perte de Porto Rico et des Philippines.

1902-1931 : règne d'Alphonse XIII, marqué par un renouveau économique et un régime dictatorial (entre 1923 et 1930) sous l'autorité de Primo de Rivera.

1931 : aux élections municipales, la gauche l'emporte dans les grandes villes et réclame la république. Abdication du roi.

1935 : constitution du *Frente Popular,* groupant syndicats et partis de gauche.

1936 : les élections de février sont un succès pour le *Frente Popular.* Très vite se dessine une réaction ; à l'assassinat du chef de l'opposition monarchiste José Calvo Sotelo, l'armée du Maroc donne le signal du soulèvement qui, dirigé par le général Franco, s'étend très rapidement. C'est le début de la guerre civile, qui durera trois ans. L'Espagne va devenir un banc d'essai des grandes puissances qui offrent une aide importante aux deux parties.

1939 : Barcelone, où le gouvernement républicain était replié, est pris par les nationalistes. Le gouvernement républicain se réfugie en France. Le 28 février, chute de Madrid, dernier point de la résistance républicaine.

1969 : le général Franco désigne officiellement son successeur en la personne du prince Juan Carlos, petit-fils d'Alphonse XIII.

1975 : mort de Franco, le 20 novembre. Le 22 novembre, Juan Carlos devient roi d'Espagne.

1977 : reconnaissance officielle du parti communiste espagnol.

1978 : la nouvelle Constitution d'un État espagnol, « social et démocratique », entre en vigueur.

1982 : victoire de Felipe González, socialiste, qui devient Premier ministre.

1986 : entrée de l'Espagne dans le Marché commun ; élections législatives. Felipe González conserve la majorité absolue, mais perd un million de voix.

1987 : aux élections européennes, régionales et communales, le PSOE de Felipe González se voit amoindri et perd la majorité absolue dans les conseils municipaux d'un certain nombre de grandes villes (dont Madrid).

1989 : le parti de Felipe González est majoritaire d'une courte tête. L'Espagne occupe la présidence de la CEE.

1992 : Exposition universelle à Séville (avril à octobre) ; Jeux olympiques à Barcelone (juillet).

1996 : après treize années de pouvoir, défaite du socialiste Felipe González face à José María Aznar, du parti populaire (droite). Le nouveau Premier ministre négocie le soutien des nationalistes et surtout des Catalans menés par Jordi Pujol, qui n'hésite pas à comparer son idée de la Catalogne avec le Québec...

1997 : des membres de l'ETA, l'organisation séparatiste basque, assassinent en juillet 1997 un jeune conseiller municipal de la ville d'Ermua, en Biscaye, l'une des trois provinces de la communauté autonome basque. L'ETA a réussi à stigmatiser toutes les haines et le dégoût contre elle et a fait descendre près de 2 millions de personnes dans les rues de Madrid et de Bilbao notamment. L'organisation séparatiste semble avoir choisi la fuite en avant comme nouvelle politique.

Octobre 1997 : mariage de l'Infante d'Espagne avec un handballeur. Tout fout l'camp !

Septembre 1998 : les partis nationalistes basques signent la déclaration de « L'Izarra » qui s'inspire du processus de paix nord-irlandais.

Octobre 1999 : visite officielle de Jacques Chirac à Madrid. Plusieurs gestes symboliques ont marqué cette visite d'État, la première depuis... 1913. D'abord, le discours du président Chirac devant les Cortes (le parlement), et surtout, la dépose d'une gerbe à la mémoire des victimes de l'insurrection de Madrid des 2 et 3 mai 1808. Les vieilles querelles napoléoniennes sont enfin digérées. « Il n'y a plus de Pyrénées », a titré le quotidien catalan *La Vanguardia.*

Mars 2000 : le Parti Populaire d'Aznar (PP) remporte les élections législatives avec 10,2 millions de voix et 183 députés, soit 7 de plus que la majorité absolue. L'Andalousie n'a pas échappé à la déferlante du centre droit : quatre provinces sur huit ont voté pour le PP (dont Almería), et le socialiste Manuel Chaves, gouverneur de la région depuis 1990, n'a ainsi pas obtenu la majorité absolue qu'il convoitait.

Des origines aux Wisigoths

Si les preuves les plus anciennes de la présence de l'homme dans la péninsule Ibérique remontent au paléolithique, les peintures rupestres des grottes d'Altamira nous montrent qu'il n'avait rien à envier à son collègue Cro-Magnon de l'autre côté des Pyrénées...

D'après les mythes de l'Antiquité, les Ibères seraient un peuple venu d'Afrique auquel se mêlèrent progressivement des tribus celtes à l'intérieur des terres, alors que toute la zone côtière subissait l'influence des Grecs et des Phéniciens. Puis un Carthaginois, Hamilcar Barca, fonde Barcelone au nez et à la barbe de Rome qui pensait pourtant avoir cloué le bec à sa rivale (241 av. J.-C.). À partir de ce moment, l'Espagne devient tour à tour un foyer de rébellion (Carthaginois menaçant Rome, Pompée défiant César), comme le lieu de naissance de personnages importants dans l'histoire romaine : Trajan, Hadrien, Sénèque – le précepteur de Néron –... Malgré ses gisements métalliques qui lui assurent une certaine prospérité économique, la péninsule Ibérique connaît une paix relative par rapport au reste de l'Empire romain. De ce fait, le christianisme y apparaît à la fin du Ier siècle après J.-C., pour se retrouver plus qu'ancré dans les mentalités dès le IVe siècle.

Mais, comme dans tout le reste de l'Europe, la paix ne résiste pas aux poussées des invasions barbares et, en 409, les Vandales arrivent... Puis c'est le tour des Alains et des Suèves qui, eux, prennent racine jusqu'à ce que les Wisigoths – chassés d'Aquitaine par Clovis en 507 – se replient sur le Languedoc et le nord de l'Espagne.

La perdida de España

Des luttes internes et des persécutions (notamment contre les juifs) vont affaiblir le royaume à la fin du VIIe siècle. Recarède, lors du concile de Tolède en 589, puis Réceswinthe ordonnèrent le baptême, l'éducation chez les chrétiens, de même qu'ils rendirent la Pâque et la circoncision hors la loi. On alla même jusqu'à la confiscation des biens. Il n'est pas étonnant alors que certains juifs, en voyant arriver quelques drôles de musulmans à Gibraltar et sur les plages de Barbate, glissent des planches savonneuses sous les pieds des Wisigoths. D'ailleurs, aider les Arabes, c'était aussi se faciliter un accès aux écoles talmudiques babyloniennes de Sura et de Pumbedita. Parmi les indigènes (les Wisigoths, pardi !), certains ayant vu le vent venir se réfugièrent en Afrique du Nord déjà envahie par les Arabes dans leur élan pour l'islamisation. Il n'en faut pas plus pour inciter Tariq ibn Zyad à lever un corps expéditionnaire de 7 000 Berbères et à passer le détroit de Gibraltar, en 711. Le royaume wisigoth est à ce point devenu impopulaire qu'il s'écroule. Deux ans plus tard, une majeure partie de l'Espagne est soumise et devient un émirat du Maghreb, dépendant de l'immense Empire arabe et de son calife. Longtemps cette perte de l'Espagne *(la perdida de España)* a été occultée dans l'historiographie hispanique, et l'idée que trois cultures (chrétienne, musulmane et juive) puissent coexister ne s'est pas imposée d'elle-même. Des générations d'étudiants (notamment au XIXe siècle) ont avalé l'interprétation théologique du châtiment divin... car Dieu aurait été offensé pas les nombreux forfaits de la clique wisigothe.

Al-Andalus

Une fois débarqué, Tariq (ou Tarik) surfe sur la victoire qu'il inflige aux chrétiens. Il se dirige fissa vers Tolède, obtient rapidement sa reddition, puis dans la foulée se rend à Guadalajara. Parallèlement, un détachement va damer le pion aux autorités cordouanes. Un an plus tard, le général Musa ibn Nusayr, le chef militaire de Tariq, débarque avec 18 000 fantassins en majeure partie d'origine arabe. À son tableau de conquêtes, il accroche, en un éclair, Medina Sidonia, Carmona, Séville (!), Mérida. Comme tout bon chef militaire, il laisse ses hommes sur le terrain et va rendre compte auprès de son état-major, à Damas, siège du califat des Umayyades. Avant de partir, il aurait prononcé une parole sentencieuse : « Al'bi baq. » Deux ans plus tard, c'est chose faite. Une crise de « conquistionite » aiguë le reprend. En 714, il s'empare de Saragosse, Lerida, Soria, Oviedo, Gijón et confie à son fils la tâche de soumettre le Levant jusqu'à Narbonne. Ils montèrent évidemment plus haut, mais on connaît l'histoire. Un certain Charles Martel leur offrit une belle déconfiture. Revenons à la péninsule Ibérique : en moins de cinq ans, les Arabo-Berbères, qui représentaient seulement 3 % de la population, assujettirent dix millions d'autochtones, sans compter le Portugal. *Grosso modo*, les deux tiers de la péninsule Ibérique étaient dans l'escarcelle des musulmans. Ils baptisèrent cette région Al-Andalus.

Mais croire que la vie s'écoule langoureusement au pays de l'« Oued el-kebir » (Guadalquivir), c'est se mettre le doigt dans l'œil. Déjà en ce qui concerne la cuisine interne des musulmans, la sauce tourne un peu au vinaigre entre les Berbères – premiers arrivés et partisans du *Haridji*, qui affirmait que tous les croyants étaient égaux devant Allah et jouissaient des mêmes droits – et les Arabes. Sans vouloir vous dévoiler la fin du roman,

rappelez-vous la parole biblique : « Les premiers seront les derniers. » Et puis, en 750, une nouvelle tombe sur les téléscripteurs de l'époque : révolution de palais à Damas. Aidé par des Arabes non musulmans et des chi'ites, Abu al-Abbas « détrôna » Marwan II. Les Abbassides prirent donc le pouvoir sur les Umayyades. Tout le monde déménagea à Bagdad. Qu'est-ce que ça change pour l'Andalousie, nous direz-vous ? Bah ! Où vont aller les Umayyades sachant que le Maroc vient de fonder la dynastie des Idrissides et la Tunisie celle des Aghlabides, hein ? Gagné ! Direction Al-Andalus. Abd al-Rahman, « l'émigré », débarque à Almuñecar en 756 et se fait proclamer émir (à la place du calife de Bagdad). Il reconnaît toutefois le califat. Mais Bagdad, ce n'est pas tout proche, et comme il a placé ses fidèles umayyades dans l'armée, il peut voir le vent tourner. D'autant que son trésor de guerre ne cesse de se garnir. En effet, le génie des musulmans était de contrôler la ville grâce à un tribut en garantissant la liberté de culte aux juifs et aux chrétiens. Bon, on ne va tout de même pas vous faire croire que les raids musulmans se sont déroulés dans une douceur loukoumesque. Non. Mais conquête musulmane rimait avec capitulation et impôts. Cordoue est dès lors le siège de l'émirat. À peine son aile droite calmée qu'un certain Charlemagne vient lui titiller la joue gauche. On connaît l'histoire, Roland, au lieu de se trouver dans la vallée de Echo, est resté coincé à Roncevaux.
Bon an, mal an, ici avec quelques révoltes de mozarabes (les chrétiens vivant sous la domination musulmane), là avec une arabisation progressive de toutes les structures de « l'État », l'hégémonie des Umayyades se maintint pendant 170 ans. Loin des yeux, loin du cœur, du coup, les Umayyades en finissent par oublier Bagdad. Abd al-Rahman III coupe les ponts et se nomme (enfin !) « calife à la place du calife ». Il remet réellement les pendules à l'heure de toutes les places fortes et de toutes les villes qui lui sont aféodées. Il remplit aussi les caisses de son pouvoir et sa richesse est estimée à un peu moins de 6 millions de dinars. Se trouvant trop à l'étroit dans l'Alcazar, il fait construire, selon la mode du moment (furieusement syrienne), une nouvelle Madinat al-Zahra. Or, ce qui fait tenir Abd al-Rahman III de 912 à 961, c'est sa poigne de fer. Ce n'est pas le cas de ses successeurs. Pourtant Hisam ibn abu Amir, plus connu sous le nom de al-Mansur ou Almanzor (« le conquérant »), essaie tant bien que mal d'éviter que ne se délite l'autorité du califat de Cordoue. Pendant 50 ans, Almanzor, une vraie tornade blanche, tentera de s'imposer à la fronde qui gronde. En vain. Les *Andalusís* prirent en haine ces Berbères. Califat et commandement militaire se séparèrent, et les soutiens locaux des Umayyades firent sécession. Les *reyes de taifas*, de petits roitelets gouvernant une paire de villages, étaient nés. Au final, les dissensions ethniques (Berbères, Arabes du Nord et du Sud), l'éclatement des fonctions militaires et religieuses et la géographie tourmentée de la péninsule ne jouèrent pas tellement en faveur de l'union contre les chrétiens qui, au nord, commençaient à reprendre du poil de la bête.

Les *reyes de taifas,* Almoravides, Almohades et chrétiens

Le bateau Al-Andalus, à la suite de la chute des Umayyades, prend l'eau de tous les côtés. De Grenade à Denia, d'Almería à Saragosse, les petits chefs locaux récupèrent le pouvoir et s'arrangent pour le garder en ayant recours aux services de mercenaires. En effet, toute la politique des *taifas* consistait en un savant jeu de clientèle. De leur côté, les chrétiens avaient négocié leur présence par la perception d'un tribut (les *parias*). En clair : « Vous êtes chez nous, donc si vous voulez qu'on soit sympa, par ici la monnaie. » Les musulmans restaient ainsi sur place, les chrétiens aussi et tout allait bien dans le meilleur des mondes. Enfin, presque. Les musulmans, passés maîtres en razzias, pouvaient effectuer des raids punitifs. Et les chrétiens de s'en servir. Si une *taifa* prenait trop de liberté, ils n'hésitaient pas à se payer sur la bête en demandant à une autre *taifa* plus puissante de taper sur leurs frères de sang... Chacun se servait des alliances des autres et c'est dans ce contexte que se distingua Rodrigo Díaz de Vivar, plus communément appelé le Cid. Le Cid (qui provient probablement de *Sidi* ou *Caïd*) est l'un de ces grands princes territoriaux qui perçoivent la poudre d'or des parias. Cependant en 1081, le Cid est condamné à l'exil par le roi. Il propose donc ses services et ceux de ses hommes à qui veut bien l'entendre, musulmans ou chrétiens de la région de Valence. Une petite précision d'importance : le « leader » loué dans *El Cantar del mio Cid* reste et demeure un mercenaire. Il compte donc parmi ses rangs des musulmans et des chrétiens enrôlés pour la cause chrétienne. Avec les parias, un tel afflux de liquidités permit aux chrétiens de garnir leurs caisses...

La situation devient tellement confuse qu'en 1086 les *taifas* tirèrent le signal d'alarme auprès des Almoravides qui, au Maghreb, contrôlaient les routes de l'or. Appelé à la rescousse, le grand frère almoravide vit que les roitelets n'arrivaient pas à s'accorder. Il finit par imposer son pouvoir de 1090 à 1145, et ceci en douceur puisque les Almoravides en la personne de Yusuf avaient, en quelque sorte, annexé Al-Andalus à leur émirat berbère. Mais, comme on pouvait s'y attendre, Berbères et Arabes se livrèrent une bataille de chiffonniers. D'autant que les Almoravides, puritains sur les côtés et guerriers sur le dessus, n'excitaient pas les zigomatiques des Andalusís.

Pendant ce temps-là, lentement mais sûrement, les chrétiens affûtaient leurs couteaux, préparaient leurs plans d'attaque et remplissaient toujours leurs caisses de l'or des Arabes.

Dans le contexte « plus je vis avec toi, moins je te supporte » débarquent les Almohades qui, en 1125, venaient d'infliger une déculottée aux Almoravides en Afrique. Le moment pour les chrétiens de porter l'estocade était enfin arrivé.

L'Espagne des trois cultures

Comment chrétiens, musulmans et juifs, plus tous les « sous-produits » des trois croyances (convertis, mudéjars, mozarabes, morisques), ont-ils pu cohabiter pendant près de six siècles ? Ont-ils vécu les uns avec les autres ou les uns à côté des autres ? Quelles étaient les relations entre ces croyances qui ont une histoire religieuse commune mais qui ont du mal à se l'avouer ?

Croire que ces différentes confessions vivaient en bon ordre est une idée fausse. Chacun restait dans son quartier. La juiverie ou l'*Aljama* pour les fils d'Israël. L'*Alcázar,* le quartier commerçant, ses souks et caravansérails, l'*Alcaicería* pour l'échange des matériaux coûteux pour les arabo-musulmans. Leur médina était protégée par de hauts murs et c'est seulement dans les *arrabales* (les faubourgs organisés autour d'une mosquée) que pouvaient se rencontrer les partisans des trois confessions. Seuls les juifs pratiquaient l'usure, le prêt étant interdit par les religions catholique et musulmane. La plupart des catholiques rédigeaient toujours un paragraphe concernant les rites des autres confessions, dans les chartes de fondation de ville ou dans la confirmation de l'existence d'une règle commune (le *fuero*). C'est ainsi que l'on apprend que certains juifs devaient porter un signe vestimentaire distinctif. C'est rarement le cas pour les Arabes. En fait, tout dépend réellement du droit local et coutumier, certains potentats locaux étant plus permissifs que d'autres, certains moins persécuteurs que leurs collègues. Au tournant du XIVe siècle, ça commence à sentir le roussi. La peste noire est sans cesse un motif de persécution (sous couvert de l'idée du complot...). Les Rois Catholiques n'ont pas été des plus tendres (voir plus bas). Les conversions forcées se multiplièrent, ce qui n'empêchait pas certains de pratiquer clandestinement.

À la mosquée de Cordoue, maintes fois agrandie, les hommes de différentes cultures se rencontrent. Musulmans mais aussi juifs et chrétiens travaillent ensemble. Jamais l'astronomie, la philosophie et la médecine n'auront fait autant de progrès. L'apport des juifs aux chrétiens est évidemment non négligeable. Le commerce, la finance étaient dans leurs mains, de même qu'ils excellaient dans la médecine (car ils pouvaient légalement procéder aux dissections humaines), dans les sciences et l'imprimerie. Côté musulman, il semble que les mudéjars (les musulmans vivant sous domination chrétienne) étaient plus ruraux que les juifs. Brillants en matière d'irrigation notamment, ils réalisèrent un travail exemplaire dans les *huertas* de nombreuses villes. Aujourd'hui encore, en se baladant dans la campagne andalouse, on peut tomber ici sur les restes d'une noria, là d'une citerne *(aljibe)*. C'est encore à deux Arabes qu'Alphonse X, « le Sage », commandita la rédaction des *Tablas Alfonsies,* la pierre philosophale de l'astronomie européenne. L'Andalousie connaît ainsi une période d'épanouissement scientifique intense. Le culturel n'est pas en reste : les palais se parent d'un raffinement tout oriental, les émirs et califes développent les arts et s'entourent de tout ce que l'Occident compte de grands hommes. Les harems se développent, l'esclavage aussi. L'artisanat connaît son heure de gloire : tisserands, ciseleurs d'or, céramistes participent à l'édification du royaume d'Al-Andalus. Enfin, le Livre réunit les trois confessions. Chrétiens et juifs partageaient déjà l'héritage commun de l'Ancien Testament, mais les uns possédaient les Écritures tandis que les autres détenaient la langue d'accès aux textes sacrés. Vers le milieu du XIIe siècle, les communautés mozarabe et juive de Tolède se retroussèrent les manches pour traduire une foultitude de textes anciens, de l'arabe au roman puis du roman au latin. C'est ainsi que les chrétiens purent découvrir les écrits d'Aristote.

La Reconquista

Il ne faut pas se leurrer. Martel a peut-être arrêté les musulmans mais cet événement n'est pas pour autant le début d'une « reconquête ». En 732, Cordoue ne tremble pas vraiment devant les Francs. La reconquête est difficilement résumable en quelques paragraphes. Plusieurs raisons permettent aux chrétiens de « récupérer » leurs terres. Tout d'abord, il semble que les souverains des différents royaumes espagnols se soient arrangés pour marier leurs filles avec les grands Français. Ensuite, le clergé français noue de fertiles relations avec son voisin espagnol. De nombreux moines bénédictins vont par exemple former le personnel religieux des abbayes. Puis Alexandre II, un peu excité par la mise à sac de Saint-Jacques-de-Compostelle par les Arabes en 997, appela même à une croisade contre l'infidèle. Et, il faut bien le dire, avec un peu de chance, un verrou du maillage musulman saute le 25 mai 1085 : Fernando Ier, premier roi de Castille, s'empare de Tolède. La nouvelle se répand comme une traînée de poudre dans le monde chrétien. Les comtes de Barcelone et de Cerdagne se mettent également à l'ouvrage et s'allient avec l'Aragon. On fonde des ordres militaro-religieux (les templiers, les santiaguistes, les calatravans) qui manient aussi bien le sabre que le goupillon. Une des clés de la reconquête repose dans les mains de ces moines soldats. En effet, quand ils ne bataillent pas, ils repeuplent les territoires conquis en offrant même parfois à des repris de justice des lopins de terre. Malgré quelques soubresauts, le ton est donné et les souverains espagnols reçoivent même l'aide des croisés. La Castille s'empare de Cordoue en 1236 et de Séville en 1248, tandis que l'Aragon reprend les Baléares, puis Valence (1238). Désormais, les musulmans sont confinés dans le royaume de Grenade. Mais la reconquête ne s'est pas faite en un jour et tout aurait pu basculer car l'efficacité militaire musulmane est sans commune mesure avec la chrétienne. Ainsi, en 1195 à Alarcos, les chrétiens se prennent une déculottée mémorable. Bon, certes en juillet 1212, les chrétiens tuent, dit-on, soixante mille musulmans à Las Navas de Tolosa, mais bon, une déculottée quand même... Et puis, pour ceux qui ne seraient pas convaincus dans le camp castillan, la guerre civile des Trastamarre (de 1354 à 1369) a bien risqué de faire capoter l'entreprise.

Naissance d'un empire

Il faudra attendre le mariage entre Isabelle de Castille et Ferdinand II d'Aragon (1469) pour que les deux royaumes – qui s'étaient agrandis et avaient affermi leur autorité sur la plus grande partie de la péninsule – oublient leurs rivalités et posent les fondements d'une Espagne unifiée. L'Aragon s'était taillé un véritable empire maritime en Méditerranée après la reconquête des Baléares.

Selon le principe des vases communicants, les possessions musulmanes de Abul-Hasan Ali (ou Muley Hacén) se réduisirent à une peau de chagrin. À la fin du XVᵉ siècle, il ne lui restait plus que le royaume de Grenade. Isabelle et Ferdinand raflèrent Gibraltar qui priva les musulmans d'une base arrière. Encore une fois, les fils de Muley Hacén se déchirèrent. L'un d'entre eux, Boabdil, se réfugia à Málaga et tomba dans les mains des chrétiens. Ces derniers le renvoyèrent dans ses foyers, ce qui eut pour effet de jeter de l'huile sur le feu. Les Arabes envoyèrent des émissaires auprès des sultans de Tlemcen, de Fez, d'Égypte, mais pas un ne leva le petit doigt pour leur venir en aide. En fait, ils ne croyaient déjà plus trop en l'avenir de Al-Andalus.

En août 1491, Isabelle fit édifier près de Grenade le camp de Santa Fé. Neuf mois plus tard, le royaume nasride de Grenade, retranché dans les murailles de la ville, à l'agonie, se rend. Les Rois Catholiques et Boabdil signèrent les « capitulations de Santa Fé », touche finale à la Reconquista. Mais une bonne nouvelle n'arrive jamais seule. Comme dans les aventures du baron de Münchhausen, un coursier ultra-rapide, mais qui s'était complètement planté dans son itinéraire, débarqua de Constantinople avec une nouvelle de taille : les Turcs avaient depuis 1453 fermé le détroit et, de ce fait, la route de la soie aux chrétiens. Un itinéraire de remplacement se devait d'être trouvé. En annexe aux « capitulations », les Rois Catholiques appuyèrent en avril 1492 un drôle de projet présenté par un Génois : Cristóbal Cólon.

L'Inquisition

Mais les Rois Catholiques ne voient pas seulement la naissance d'un empire colonial – par le traité de Tordesillas qui décide le 7 juin 1494 du partage du monde entre l'Espagne et le Portugal – mais aussi le durcissement d'une institution qui fait trembler l'Europe : la Sainte Inquisition.

Au fur et à mesure que les grandes villes espagnoles sont libérées de l'occupation arabe, les juifs, qui n'avaient pas été inquiétés jusque-là, sont systématiquement persécutés. Après la tuerie de Séville de 1391, les « baptêmes sanglants » se multiplient dans toute l'Espagne, obligeant les juifs à se convertir ou mourir. C'est pour surveiller ces nouveaux « chrétiens » de près qu'est créée l'Inquisition dont le chef, Torquemada, se montre dès 1485 d'une rare cruauté. Si les Rois Catholiques et le pape Sixte IV eux-mêmes se disent choqués par ses méthodes, ils n'en décrètent pas moins l'expulsion des juifs de la péninsule Ibérique le 30 mars 1492, trois mois après la chute du royaume de Grenade, dernier bastion maure en territoire espagnol.

Au-delà des mers

La terreur qu'inspire l'Inquisition est telle que les idées de la Renaissance n'ont que peu d'écho en Espagne. D'ailleurs, seules la découverte de nouvelles contrées et leur exploration retiennent l'attention de tout un peuple qui voit là une possibilité de s'enrichir rapidement et à bon compte. Apparaît alors une nouvelle race d'aventuriers rudes et sans scrupules, les *conquistadores,* qui s'enrôlent avec pour seul but la chasse aux trésors, sachant bien que plus ils en rapporteront à la cour espagnole, plus leur part sera importante. Les plus avides essaient même d'échapper à la tutelle de l'Espagne en se taillant leur propre « royaume » dans le vaste Nouveau Monde et n'hésitent pas à détourner des convois avant de disparaître dans la nature. De là à la piraterie, il n'y a qu'un pas qui est allègrement franchi par certains dès la fin du XVIe siècle...

L'administration de ces nouveaux territoires se pose rapidement comme un souci majeur pour la Couronne espagnole, sans parler des problèmes suscités par la surexploitation des Indiens. Bartolomé de Las Casas publie en 1516 un rapport d'enquête concluant à la nécessité d'intensifier la traite des Noirs afin de sauvegarder les populations indigènes ! Devenu moine dominicain en 1523, il se fait par la suite le champion de la cause indienne. Mais la course à l'Eldorado a déjà apporté son lot de malheurs, et la cupidité des conquistadores ne connaît plus de bornes quand ils ont un aperçu de la richesse des empires aztèque et inca. Et malgré les *Novas Leyes* promulguées en 1542 par Charles Quint, qui s'est prononcé en faveur des Indiens, Las Casas fait publier dix ans plus tard son pénible constat : *Brève Relation de la destruction des Indes*... (le mot « Amérique », qui apparaît pour la première fois sur une carte en 1507 à Metz, n'est pas encore très utilisé).

Charles Quint

Le 14 mai 1516, Charles Ier (déjà maître des Pays-Bas et de la Franche-Comté par son arrière-grand-père Charles le Téméraire) accède au trône après avoir destitué sa mère Jeanne la Folle qui était l'unique héritière des Rois Catholiques. L'union des deux royaumes de Castille et d'Aragon – qui n'était encore qu'une alliance maritale – devient alors une réalité politique. Puis, à la mort de son grand-père paternel, l'empereur Maximilien d'Autriche, en janvier 1519, Charles Ier hérite de toutes ses possessions personnelles (Alsace, Rhénanie, Autriche et Tyrol). Quand il est élu à la tête du Saint Empire romain germanique six mois plus tard, il prend le nom de Charles Quint. Il a alors en main une puissance jamais égalée par un souverain occidental, et son grand projet est d'instaurer pour l'empire une monarchie héréditaire.

Quasiment encerclée, la France voit cette ambition d'un sale œil, et François Ier – qui s'est porté candidat au titre d'empereur contre Charles Quint – ne manque pas une occasion de lui mettre des bâtons dans les roues. Mais un petit moine a déjà porté au Saint Empire romain germanique un coup dont il ne se remettra jamais : les idées de Luther font voler en éclats tout principe d'autorité, qu'il vienne de l'Église ou de l'empereur...

Grandeur et déclin

Ce dernier, découragé, abdique en 1556 pour se retirer au couvent de Yuste, dans une Espagne qu'il lègue à son fils Philippe II en même temps que les colonies et les Pays-Bas, laissant à son frère ses autres possessions de l'empire. La péninsule Ibérique connaît alors un grand essor culturel (arrivée du Greco à Tolède), économique et militaire (annexion du Portugal en 1580, avec un afflux de richesses venant des deux empires coloniaux), tout en se faisant l'apôtre de la Contre-Réforme et la protectrice de la foi catholique (Thérèse d'Ávila rédige la règle des carmélites en 1568). Mais elle connaît aussi des déboires cuisants : les Pays-Bas – où la Réforme a reçu une vive adhésion – se révoltent face aux persécutions.

Puis l'Espagne veut punir Élisabeth d'Angleterre après l'exécution de Marie Stuart – reine catholique d'Écosse – en envoyant le 18 juin 1588 une formidable flotte, l'Invincible Armada, mater les Anglais. Le but est de faire traverser la Manche à des troupes massées en Hollande, mais les tempêtes que rencontre la flotte et les corsaires anglais qui lui coupent la route l'obligent à battre en retraite : la suprématie maritime espagnole s'effondre...

Pendant les années qui suivent, l'Espagne perd pied en Europe : les Anglais, sous le commandement de Drake, prennent Cadix en 1595, et les Français récupèrent la Picardie. Puis, appelées en renfort par l'empereur romain germanique pour écraser la révolte des princes protestants allemands (1618-1648), les troupes espagnoles essaient en vain de museler les volontés séparatistes des Pays-Bas. Peine perdue, le traité de Westphalie reconnaît le nouvel État, ainsi que l'indépendance du Portugal qui récupère ses colonies. Ensuite, sous Louis XIV, la France reprend l'Artois, le Roussillon, les Flandres et la Franche-Comté.

Quant à l'Angleterre, elle s'installe purement et simplement à Gibraltar qu'elle ne lâchera plus jamais, gardant ainsi une base stratégique entre Atlantique et Méditerranée.

Après la guerre de Succession et les traités d'Utrecht (1713) et de Rastatt (1714), l'Espagne perd les Pays-Bas, Naples, la Sardaigne et la Sicile. Enfin, après la défaite franco-espagnole de Trafalgar (1805), Napoléon Bonaparte couronne cette déconfiture en imposant son frère Joseph sur le trône espagnol au détriment de Charles IV et de son fils Ferdinand VII, en 1808...

Métropole et colonies : nouvelles réalités

Dès mai de la même année, l'insurrection gronde. Grâce à l'aide des Anglais, Ferdinand VII retrouve son trône en 1813, avec une Constitution plutôt libérale pour l'Espagne. Mais une politique maladroite, à laquelle se joint l'impact des idées révolutionnaires (droit des peuples à disposer d'eux-mêmes), déclenche le morcellement de l'empire colonial espagnol, facilité par les problèmes de la métropole et le congrès de Vienne de 1815, abolissant la traite des Noirs et visant l'esclavage en général. D'abord l'Argentine (1816), le Chili (1818), le Mexique et le Pérou (1821), la Colombie (1822), puis la Bolivie (1825), l'Équateur et le Venezuela (1830) proclament leur indépendance. Privée des ressources de ses ex-colonies, épuisée par les tentatives faites pour les garder et mal préparée à la révolution industrielle qui s'annonce, l'Espagne, déjà très appauvrie économiquement, sombre alors dans un chaos politique qui facilite – malgré une première tentative républicaine de janvier 1873 à décembre 1874 – la mise en place de gouvernements de dictature.

À ce sujet, on pourrait s'étonner de l'évolution de la métropole et de ses ex-colonies, surtout si l'on essaie de faire un parallèle avec ce qui s'est passé pour les colonies anglaises, seul le sort des Indiens restant comparable... La grande différence réside dans le fait que les colons d'Amérique du Nord ont réellement voulu vivre dans le Nouveau Monde et le structurer comme une nouvelle patrie, avec son économie propre. En revanche, les colons espagnols et portugais n'ont fait que piller et vider l'Amérique du Sud et centrale de leurs ressources, leurs exigences se limitant à s'enrichir au plus vite pour aller profiter de leur nouvelle condition en Europe. L'indépendance des anciennes colonies espagnoles laisse ces dernières très appauvries et peu préparées à l'exploitation de leurs propres ressources. Quant aux métropoles, la perte sèche des revenus qui assuraient leur train de vie les met devant un gros problème de restructuration économique.

L'avènement de Franco

Le règne d'Alphonse XIII, dès 1902, n'améliore pas la situation et, après de nombreux remaniements ministériels, le général Miguel Primo de Rivera prend l'initiative du coup d'État de 1923. Tous les ingrédients d'une solide dictature sont réunis : Parlement dissous, plus de Constitution, parti unique...

Mais des conflits sociaux obligent Primo de Rivera à démissionner en 1930, et la monarchie elle-même se voit contestée. Des élections suivent, donnant à plusieurs reprises la majorité aux républicains et aux socialistes. Dès avril 1931, quelques grandes villes se proclament en république alors qu'Alphonse XIII n'a pas encore abdiqué. Entre-temps, un fort sentiment anticlérical se fait jour parmi la population, entraînant parfois des excès de violence. De nouvelles élections en février 1936 voient la victoire écrasante du *Frente Popular*, l'union des partis de gauche. Cette fois, la république est proclamée. Une nouvelle vague de violence et l'assassinat du député monarchiste Calvo Sotelo (13 juillet 1936) servent de prétexte au déclenchement de la guerre civile.

La guerre civile

Parti le 17 juillet des garnisons stationnées au Maroc (Ceuta et Melilla, actuellement toujours contrôlées par l'Espagne), et dirigé par le général Franco, le mouvement insurrectionnel se répand comme une traînée de poudre dans l'ouest et le nord de l'Espagne. C'est une guerre sauvage où les atrocités succèdent aux atrocités (exécution de Federico García Lorca, anéantissement de la ville de Guernica, populations civiles directement prises pour cibles), inaugurant des schémas qui vont bientôt se répéter partout pendant la Seconde Guerre mondiale. Si les grandes nations – sauf l'URSS – ne s'engagent pas franchement aux côtés des républicains, les troupes nationalistes du général Franco bénéficient largement du soutien de Hitler et de Mussolini.

Le 26 janvier 1939, Barcelone – où s'est réfugié le gouvernement républicain – tombe aux mains de Franco, suivie de Madrid le 28 mars. Aussitôt, un nombre considérable de gens passent les Pyrénées, fuyant un régime indésirable et la répression qui ne va pas manquer de suivre... Saignée à blanc (en trois ans, la guerre civile a fait 1 million de morts !), privée de son élite intellectuelle, l'Espagne s'enfonce peu à peu dans cette torpeur caractéristique des pays dont la population est muselée par une dictature, avec son lot d'attentats, une économie paralysée, et une vie culturelle réduite à néant...

La mort de Franco : une nouvelle Espagne

Le général Franco meurt le 20 novembre 1975, presque 40 ans après le soulèvement militaire de 1936. Sa mort était à la fois crainte et espérée : les plus pessimistes allaient jusqu'à annoncer une nouvelle guerre civile... C'était ne pas prendre en compte l'habileté du roi Juan Carlos, successeur désigné de Franco (en 1969), qui sut ménager les transitions : d'abord en prêtant serment devant les Cortes dès le 22 novembre, ensuite en faisant appel à un homme nouveau, Adolfo Suarez, comme Premier ministre. Et Suarez réussit à faire approuver à une forte majorité, par référendum, un projet libéral de réforme des institutions. En 1977, le parti communiste espagnol est reconnu légal, toujours grâce à l'autorité et à la souplesse de Juan Carlos.

Aux élections de juin 1977, le premier vainqueur est l'UCD (Union du Centre démocratique) qui soutient l'action du gouvernement, suivi du parti socialiste et du PC. La droite franquiste ne vient qu'après. Quant aux partis autonomistes, ils connaissent un net succès.

La démocratisation ne concerne pas seulement la politique mais s'exerce dans tous les domaines. Par le pacte de la Moncloa, qui tend à bloquer le pouvoir d'achat pour limiter l'inflation, les quatre principaux partis politiques font preuve d'un grand sens civique.

Progressivement, tous les monuments (ou presque) à la gloire de Franco qui jalonnent l'Espagne sont déboulonnés. Les nouvelles autorités débaptisent des milliers de rues, ponts, hôpitaux, etc. Madrid ne compte plus qu'une seule et modeste statue du « Caudillo », au ministère du Travail, sans nom...

La Constitution

La nouvelle Constitution d'un État espagnol « social et démocratique », qui en fait une monarchie parlementaire, est soumise au peuple espagnol par référendum. 88 % des voix exprimées l'approuvent, mais le taux d'abstention est élevé (32 % dont 56 % au Pays basque). Elle entre en vigueur le 29 décembre 1978, mettant définitivement fin au régime franquiste. Les élections de 1982 consacrent la victoire du parti socialiste et de son leader, Felipe González. Ils sont réélus en 1986 et 1989. Depuis 1996, c'est le parti de droite, le PP, avec José-María Aznar à sa tête, qui est au pouvoir.

Juan Carlos

S'il existe un homme aimé de tous les Espagnols, c'est bien Juan Carlos. Jeune et sympathique, les Madrilènes l'aperçoivent de temps à autre se promenant à moto ou au volant de sa Mercedes sur les larges avenues de la capitale. Juan Carlos jouit d'une grande popularité. Et pourtant, l'héritage du petit-fils d'Alphonse XIII n'était pas facile à assumer. Élevé à l'étranger, le roi fut mis sur le trône par Franco lui-même. À la mort du dictateur, Juan Carlos fait preuve d'un grand courage, d'une volonté de fer et de beaucoup de diplomatie en soutenant le Premier ministre dans sa tâche de démocratisation et de libéralisation. Il comprend rapidement l'intérêt que son pays pourrait avoir à s'ouvrir sur l'Europe, puis à s'y intégrer. L'Espagne trouve en lui un vrai chef de file.

Mais c'est lors de la tentative de putsch du 23 février 1981 qu'il entre vraiment dans le cœur du peuple. Durant toute une nuit restée historique, Juan Carlos réussit à dissuader un à un les militaires de participer à l'aventure putschiste. En dénonçant le complot, il témoigne d'un sang-froid et d'un courage que les Espagnols ne sont pas près d'oublier, et légitime définitivement la monarchie dans le pays. Depuis, le roi est un peu la vedette permanente, et sa photo paraît régulièrement dans les journaux. Les vieux nationalistes ont peu à peu appris à le respecter, les jeunes l'apprécient pour sa décontraction et son ouverture d'esprit, et les adolescentes l'adorent. Nous aussi !

La fin du XXᵉ siècle et le début du XXIᵉ siècle

En moins de 20 ans et depuis la mort du *Caudillo,* l'Espagne rattrape près d'un siècle d'évolution vis-à-vis de ses partenaires européens. Non seulement elle sait dompter ses vieux démons (putsch franquiste avorté de février 1981), mais elle retrouve vite un visage souriant et ouvert, malgré les problèmes qui se posent à une démocratie naissante. Le fait de retenir les villes de Barcelone pour les Jeux olympiques d'été 1992 et Séville comme hôtesse de l'Exposition universelle est significatif des bonnes volontés, des encouragements et des espoirs que l'Espagne a su susciter. Mais c'est surtout la preuve que le traumatisme des « années Franco » – qui l'ont longtemps reléguée au ban des nations en tant que symbole vivant des régimes fascistes et nazis – a pu être surmonté de part et d'autre. L'Espagne est en train de devenir un pays avec lequel il faudra compter dans l'Europe de demain, même si l'endettement de certaines grandes villes reste très important.

En effet, la préparation de l'Exposition universelle de Séville de 1992 a entraîné un gigantesque toilettage des routes, monuments... et a coûté une petite fortune à la région. Après l'euphorie de l'Expo, et le rêve d'un grand boom économique, la population semble avoir sombré dans une certaine sinistrose, sans conteste liée au surendettement de la région, ainsi qu'à un taux de chômage très élevé. En 1993, la dette de la commune de Séville s'élevait à un million de pesetas par heure... tandis que la ville de Málaga avait cessé de payer ses factures de téléphone depuis deux ans !

L'agriculture (vin, olives) et l'élevage étant les principales ressources de cette région peu industrialisée, frappée par une forte émigration, l'Andalousie avait, depuis plusieurs années, mis le doigt dans l'engrenage rémunérateur, mais ô combien dévastateur, d'un tourisme de profit rapide. C'est ainsi que la Costa del Sol perdit son âme dans ce mauvais calcul (voir « Torremolinos »), et d'autres provinces sont en passe de le faire. Si l'économie de l'Andalousie profite du tourisme, il n'est pas certain, en revanche, que les Andalous gagnent vraiment à user et abuser de cette manne.

IMMIGRATION CLANDESTINE

Andalousie : la porte d'entrée si convoitée de l'Europe

Les chemins de l'immigration clandestine qui débouchent en Andalousie sont bien connus. Ils rappellent d'ailleurs les parcours des cargaisons de « bois d'ébène », puisque c'est ainsi que l'on nommait les Africains qui, au XVIIIe siècle, étaient embarqués vers les États-Unis. Les ressortissants des pays de la ceinture saharienne rejoignent ainsi Maghnia en Algérie, puis Oujda, Fès, Rabat et Tanger au Maroc. Les autres proviennent de Lagos (Nigeria), puis Abidjan (Côte-d'Ivoire), Monrovia (Liberia) et Dakar (Sénégal). Au début des années 1990, la médina de Tanger était le haut lieu du trafic. Il suffisait de s'adresser à certains cafés pour organiser le voyage. Les autorités tant espagnoles que marocaines fermaient peu ou prou les yeux. Faut dire que les chantiers de construction des sites des JO et de l'Expo universelle de Séville faisaient une grosse consommation de main-d'œuvre bon marché. Avec la complicité des autorités, ils embarquaient (selon les témoignages recueillis par notre confrère Maurice Lemoine du *Monde Diplomatique*) sur le ferry Ceuta-Algésiras, « en toute simplicité ». Le passage est devenu aujourd'hui bien plus difficile, et prend un visage affligeant. De nombreuses ONG dénoncent les conditions précaires des enfants sans parents, ni papiers, dormant dans les rues de Ceuta, arrêtés manu militari par les policiers municipaux et reconduits à la frontière. Ayant tout à jouer et surtout rien à perdre, ils s'accrochent parfois aux essieux des camions embarqués sur les bacs ou se dissimulent dans des containers. Si ce mode d'immigration se fait plus rare sans être toutefois totalement abandonné, le plus spectaculaire est sûrement le second procédé.

Certains passeurs affrètent des barques à fond plat (les tristement célèbres *pateras*), indécelables par les radars des garde-côtes, et y entassent hommes, femmes et enfants. La plupart des passages se font sur l'axe Tanger-Tarifa, Ceuta-Algésiras, et Nador-Almeria pour les plus courageux. La confluence de l'océan Atlantique et de la mer Méditerranée rend très difficile la navigation pour ces barcasses de fortune : la Guardia Civil ne compte plus celles qui touchent le fond, la Méditerranée prélevant son tribut. Selon le journal marocain *Libération*, depuis le début des années 1990, plus de 3 500 cadavres d'immigrés clandestins ont été repêchés sur les côtes andalouses... La majorité des passages s'effectuent de nuit, les mois d'été. Parfois, certains mafieux qui organisent le trajet poussent le cynisme jusqu'à débarquer les clandestins sur les côtes du Maroc... les jetant dans la gueule du loup : la police marocaine. Certains de ces nouveaux négriers ont pignon sur rue au Maroc. Les autorités espagnoles laissant entendre que vu la chute des cours du poisson, les pêcheurs n'hésitaient pas à arrondir leurs fins de mois en faisant passer des clandestins munis de sachets de haschich scotchés sur la poitrine. Une partie de la provision de H étant destinée aux pêcheurs, l'autre étant le butin nécessaire au clandestin pour survivre un ou deux mois.

La troisième et dernière voie d'immigration ressemble très fortement au *mur de la honte*. La petite enclave de Ceuta (un territoire espagnol en terre marocaine) partage 8 km de frontière avec le royaume chérifien. Pour les séparer, un gigantesque mur de trois mètres de haut récemment super équipé de caméras thermiques et de détecteurs sensoriels. Du haut de ses points d'observation, la Guardia Civil, à l'aide de jumelles à vision nocturne, repère ceux qui viennent se brûler les ailes sur les barbelés de Schengen. Les courageux (ou les plus inconscients, au choix) munis de papiers sont immédiatement reconduits à la frontière. Les autres sont alors placés dans le camp de Calamocarro. Construit pour accueillir 500 personnes, on s'y entasse aujourd'hui à plus de 2 000. Certains de leurs occupants, maghrébins, africains francophones et anglophones, n'hésitent pas à attenter à leur propre santé afin qu'une ONG fasse accepter de la métropole un traitement urgent en Europe. Une solution, si l'on peut dire, à double tranchant car de plus en plus d'hôpitaux espagnols refusent les patients sans papiers et insolvables...

Le point commun de tous les candidats qui ont réussi le « grand saut » est d'être en contact avec un parent lui ayant fait part de son expérience. On sait pertinemment que la destination finale des clandestins est la France, la Suisse, l'Angleterre ou l'Allemagne. Tout juste passent-ils dans les fermes espagnoles pour quelques récoltes et quelques vendanges. Ils savent par ce même canal que ne pas avoir de papiers permet de ne pas être reconduit à la frontière.

Quel avenir ?

L'Europe riche constate aujourd'hui la porosité de ses frontières. Le nombre d'immigrants ne cesse d'augmenter (deux fois plus en 2001 qu'en 2000). Les Marocains sont « réexpédiés » dans leur pays dans les 24 heures, tandis que les dossiers des Africains (d'Afrique noire) sont d'abord examinés. La bunkérisation à l'espagnole ne réglera certainement pas le désarroi de ces populations attirées par les mirages de la croissance. L'Espagne a récemment mis sur un pied d'égalité ses ressortissants et les immigrés (clandestins ou non) vis-à-vis du droit du travail. La loi reconnaît à présent le droit à une couverture sociale ou à se syndiquer, et le pays devrait ouvrir ses portes et revoir ses quotas d'immigration. Un premier pas qui permettra sûrement de dissoudre en partie la mafia des passeurs.

INFOS EN FRANÇAIS SUR TV5

Si vous ressentez un besoin irrésistible d'entendre parler français, sachez que TV5 est présente en Espagne dans deux tiers des foyers équipés câble ou satellite. Elle est ainsi disponible sur la plupart des réseaux câblés, dans la majorité des grands hôtels et par satellite : réception directe analogique sur Eutelsat II F6 (Hot Bird 1) ; réception directe numérique sur Astra 19,2 ° Est et par le bouquet de Canal Satellite Digital.

Les principaux rendez-vous en heure locale avec l'info sont toujours à heures rondes où que vous soyez dans le monde mais vous pouvez surfer sur leur site • www.tv5.org • pour les programmes détaillés ou l'actualité en direct, des rubriques voyages, découvertes...

LANGUE

L'andalou est l'un des accents les plus faciles à reconnaître parmi ceux de la péninsule. Comme il fait chaud et qu'il est toujours difficile de faire des efforts (surtout lorsque l'on est en vacances), l'andalou facilite la tâche des *gabachos* (notre surnom chez les Ibères) causant l'espingouin. Vous pouvez donc supprimer tous les « s » finaux symbolisant le pluriel. Ex. : « Las cucarachas de las habitaciones » en espagnol, « Lah cucarachah de lah habitacioné » en andalou. Pareil pour les trucs trop longs dont on se demande bien d'ailleurs à quoi ça sert. « Sigä y to'o rè'to, tiray pa' abajo y te vay a encontchar co' un bar con un cartel que dice : « bar ». Ahi 'sta. » Traduction espagnole : « Siga todo recto hacia abajo y vas a encontrar un bar. Ahí está. » Traduction française (revue et corrigée !) : « C'est pas difficile à trouver, si tu descends la route tu tomberas dessus sans te planter, ou alors t'es vraiment pas doué, mon gars ! »

Vocabulaire usuel

oui	*sí*
non	*no*
bonjour	*buenos días*
salut	*hola ¿ qué hay ?*
salut la compagnie	*hola, muy buenas*
bonsoir	*buenas tardes*
bonne nuit	*buenas noches*
aujourd'hui	*hoy*
hier	*ayer*
demain	*mañana*
ce matin	*esta mañana*
ce soir	*esta noche*
au revoir	*adiós*
à bientôt	*hasta luego*
s'il vous plaît	*por favor*
merci	*gracias*
merci beaucoup	*muchas gracias*
de rien	*de nada*
excusez-moi	*perdóneme, disculpe*
parlez-vous français ?	*¿ Habla Usted francés ?*
comment vous appelez-vous ?	*¿ Cómo se llama Usted ?*
je ne comprends pas	*no entiendo*
je ne sais pas	*no sé*
comment dit-on en espagnol ?	*¿ Cómo se dice en castellano ?*
quelle heure est-il ?	*¿ Qué hora es ?*
poste restante	*apartado de correos*
bureau de tabac	*arrêtez plutôt de fumer !*
je voudrais	*quisiera*
d'accord	*de acuerdo, vale*
timbre	*sello*
enveloppe	*sobre*
tampons	*tampones*
serviettes hygiéniques	*toallas higiénicas*
cinq *pesetas*	*un duro*
monnaie, appoint	*cambio*
guichet automatique	*cajero automático / bancomat*
carte de crédit	*tarjeta de crédito*
pas cher/bon marché	*bárato*
cher	*caro*

À l'hôtel

hôtel	*hotel*
auberge	*albergue*
pension	*hostal, fonda, pensión*
garage	*garaje*
chambre	*habitación*
chambre double	*habitación de dos camas*
pourriez-vous	*¿ Me la puede*

me la montrer (la chambre)?	enseñar, por favor?
climatisation	aire acondicionado
lit	cama
lit à 2 places	cama de matrimonio
réservation	reserva
combien par jour?	¿ Cuánto por día?
service compris	servicio incluido
pourriez-vous me réveiller	¿ Me puede despertar
à 8 h?	a las ocho?
petit déjeuner	desayuno
couverture	manta
oreiller	almohada
serviette de bain	toalla
toilettes	servicios
savon	jabón
salle de bains	cuarto de baño
douche	ducha
je voudrais la note	quisiera la cuenta
la cour	el patio
le jardin	el jardin

Au restaurant

déjeuner	almuerzo
dîner	cena
repas	comida
menu	menú
carte	carta
mouton	carnero
agneau	cordero
porc	cerdo
bœuf	vaca
jambon	jamón
poulet	pollo
veau	ternera
filet de porc	solomo
côtelette	chuleta
rôti	asado
grillé	a la plancha
frit	frito
poisson	pescado
fruits de mer	mariscos
hors-d'œuvre	entremés
œufs	huevos
omelette	tortilla
salade	ensalada
légumes	verduras
dessert	postre
fromage	queso
glace	helado
vin rouge (hic!)	vino tinto
vin blanc (rehic!)	vino blanco
eau plate/gazeuse	agua sin gaz/con gaz
bière, panaché	cerveza, clara
café noir	cafe solo
café crème	cortado
l'addition	la cuenta (ou me cobras)
garçon	camarero
assiette	plato

verre (pour l'eau)	*vaso*
verre (pour le vin)	*copa*
couteau	*cuchillo*
cuillère	*cuchara*
fourchette	*tenedor*
serviette	*servilleta*
sel	*sal*
poivre	*pimienta*
moutarde	*mostaza*
huile	*aceite*
vinaigre	*vinagre*
beurre	*mantequilla*
pain	*pan*
bouteille	*botella*
je suis végétarien(ne)	*soy vegetariano(a)*
(c'est pas gagné...)	
prix du marché	*precio s/m (según mercado)*

Sur la route

où va cette route?	*¿ A dónde va esta carretera?*
est-ce la route de...?	*¿ Es ésta la carretera de...?*
à combien de kilomètres?	*¿ A cuántos kilómetros?*
à droite	*a mano derecha*
à gauche	*a mano izquierda*
tout droit	*todo recto*
je suis en panne (dur dur!)	*tengo una avería (¡ duro duro!)*
station-service	*gasolinera*
sans plomb	*sin plomo*
où y a-t-il de l'eau?	*¿ Dónde hay agua?*
au tournant	*a la vuelta*
loin	*lejos*
plus loin	*más lejos*
près	*cerca*
interdit	*prohibido*
descente	*bajada*
côte	*cuesta*
virage	*curva*
travaux	*obras*
village	*pueblo*
feu rouge (ou vert)	*semáforo*

Quelques repères

rond-point	*rotunda*
chapelle	*capilla*
église	*iglesia*
stop	*parada*
coin de rue	*esquina*
kiosque à journaux	*kiosko*
cabine de téléphone	*telefono público*
impasse (plus ou moins coupe-gorge)	*callejón*
tour	*torre*
entrepôt	*almacén*
zone industrielle	*poligono industrial*
marché	*mercado*
marché aux bestiaux	*mercado de abastos*
place	*plaza*
promenade	*paseo*

À la gare

gare	estación
billet	billete
à quelle heure le train arrive-t-il à...?	¿A qué hora llega el tren a...?
où faut-il changer de train?	¿Dónde hay que cambiar de tren?
le prochain	el próximo
le dernier	el último
le premier	el primero
réduction	precio reducido
aller simple	sencillo
aller-retour	ida y vuelta
entrée	entrada
sortie	salida
correspondance	enlace, cambio
guichet	taquilla
quai	andén
bagages	bultos
compartiment	compartimiento
wagon	coche
couchette	litera
contrôleur	revisor

Le temps

jour	día
semaine	semana
lundi	lunes
mardi	martes
mercredi	miércoles
jeudi	jueves
vendredi	viernes
samedi	sábado
dimanche	domingo
matin	mañana
midi	medio día
après-midi	tarde
soir	noche
minuit	media noche
heure	hora
quart	cuarto
demi	media
minute	minuto
nuageux	nuboso
pluie	lluvia
averses	churrascos
brouillard	niebla

Chiffres

un, une	uno, una
deux	dos
trois	tres
quatre	cuatro
cinq	cinco
six	seis
sept	siete

huit	*ocho*
neuf	*nueve*
dix	*diez*
onze	*once*
douze	*doce*
treize	*trece*
quatorze	*catorce*
quinze	*quince*
seize	*diez y seis*
dix-sept	*diez y siete*
dix-huit	*diez y ocho*
dix-neuf	*diez y nueve*
vingt	*veinte*
cinquante	*cincuenta*
cent	*ciento*
deux cents	*doscientos*
cinq cents	*quinientos*
mille	*mil*

Important

En espagnol, le « ñ » se prononce « gne » et le « v » se prononce plus « b » que « v ». Cerveza se dit *cerbesa,* España, *Espagna,* Sevilla, *Sebilla,* Valencia, *Balencia,* etc. Attention cependant, tout excès nuit. Essayez quand même de pondérer entre le « v » et le « b ».

LEXIQUE ANDALOU

– *Abbassides :* nom donné aux califes arabes issus de la dynastie de Abu Abbas al-Saffah.

– *Alcaliería :* souk où l'on trouvait des objets de luxe. Il était en général fermé.

– *Alcázaba :* cité ceinte de hauts remparts. À ne pas confondre avec l'*alcázar.*

– *Alcázar :* palais habité par les rois et gouverneurs.

– *Almohades :* nom des Berbères qui dominèrent une bonne partie de l'Espagne et tout le Maghreb du milieu du XIIe jusqu'au milieu du XIIIe siècle.

– *Art du califat de Cordoue :* on le retrouve dans l'art de la *Mezquita* (mosquée). L'influence syrienne y fut très grande.

– *Azulejos :* carreaux de faïence qui couvrent le bas des murs et qui forment de fantastiques combinaisons géométriques. Les dominantes de couleurs sont le bleu, le vert, l'ocre et l'argenté. Les formes s'entrelacent à l'infini et composent souvent de belles étoiles.

– *Churrigueresque* (style) : baroque exagéré, hyper chargé. Ce style provient du nom de l'artiste José de Churriguerra, qui ne faisait pas dans la dentelle.

– *Gothique flamboyant :* fin de l'époque gothique (tout au long du XVe siècle surtout). Bien souvent les armatures de pierre font penser à des flammes.

– *Mauresque :* nom donné à l'art musulman utilisé en Espagne de manière générale.

– *Mihrab :* niche vers laquelle on se tourne pendant la prière dans une mosquée. Elle est en général voûtée et ornée de motifs délicats et de textes sacrés calligraphiés.

– *Morisques :* musulmans qui restèrent en Espagne après la Reconquista. La répression qu'ils subirent les poussa à se réfugier dans les Alpujarras, avant qu'ils soient chassés du pays en 1609.

– *Mozarabe* (art) : art chrétien influencé par l'art musulman pendant l'occupation arabe, à partir du Xe siècle. C'est l'exact opposé de l'art mudéjar.

– *Mozarabes* : nom donné aux chrétiens pendant l'occupation musulmane.

– *Mudéjar* (art) : c'est l'art musulman appliqué aux palais et demeures chrétiennes après la Reconquête. Ce fut une manière pour l'art musulman de continuer à vivre après la défaite. Bien souvent, il se mélange à d'autres arts avec plus ou moins de bonheur. Les Rois Catholiques raffolaient du raffinement dont bénéficiaient les califes et sultans et souhaitaient avoir le même décor pour leurs propres palais. Le chef-d'œuvre de ce style reste l'Alcázar de Séville, du XIVe siècle. Les principaux endroits où s'applique le style mudéjar sont les plafonds, les murs, et les tours de porte.

– *Musulman* (art) : art propre aux différentes dynasties arabes, Omeyades (du IXe au XIe siècle), Almoravides (XIe siècle), Almohades (XIIe siècle), Nasrides (XIIIe et XIVe siècles).

– *Omeyades* ou *Umayyades* : dynastie qui domina l'Espagne du VIIIe siècle au milieu du XIe siècle. Fondée par Mu'awiyya, calife au VIIe siècle.

– *Plateresque* (style) : son nom provient de la manière dont on ciselait l'argent *(plata),* très minutieusement, comme le faisaient les orfèvres. Il apparaît avec les Rois Catholiques et trouve son influence dans les styles gothique et Renaissance italienne essentiellement. Le souci du détail et la richesse ornementale qui le caractérisent le rendent parfois lourd à digérer. Les portes et les fenêtres des églises sont le théâtre de son expression. Diego de Siloé en est un des représentants les plus fameux.

LIVRES DE ROUTE

– *Poésie II* (1928), de Federico García Lorca ; poèmes ; éd. Gallimard ; poche : Poésie-Gallimard n° 2 ; traduit par A. Belamich, P. Darmangeat, J. Supervielle et J. Prévost. Il faut lire ce deuxième tome des *Poésies* pour le célèbre *Romancero gitano*... Dans la période troublée que vit l'Espagne des années 1930, le gitan est pour García Lorca l'un des derniers témoins d'un âge d'or et d'innocence, sans morale ni contrainte. Le poète puise ici dans des formes populaires (la romance) pour leur insuffler sa propre vision du monde. Il convoque l'Andalousie, ses paysages, ses animaux, sa flore, et distille ce qu'il y a de plus authentique dans l'âme andalouse à l'aide d'une écriture d'une musicalité extrême.

– *Voyage en Espagne* (1843), de Théophile Gautier ; récit de voyage ; éd. Flammarion, 1998 ; poche : GF n° 367. Gautier est un romantique impénitent, tout autant fasciné par la violence des courses de taureaux que par l'élan de spiritualité qu'il décèle dans les églises espagnoles. Pourtant, il laisse paraître quelque déception et déplore, notamment, certaines nuisances de la civilisation moderne qui altèrent l'image qu'il avait de ce pays.

– *Pour qui sonne le glas* (1940), d'Ernest Hemingway ; roman ; éd. Gallimard, 1989 ; poche : Le Livre de Poche n° 28, traduit par D. Van Moppès. La guerre d'Espagne. Une vision plus lyrique et individualiste de la guerre que, par exemple, celle d'un Malraux. Le couple que forment Jordan et Maria constitue le centre du livre. Néanmoins, ce grand classique est symptomatique d'un certain état d'esprit chez les intellectuels engagés des années 1930.

– *Toreros de Salón* (1963), de Camilo José Cela ; nouvelles ; éd. Verdier, 1989 ; traduit par A. Martin. Chez Camilo José Cela, malgré une ironie mordante et parfois un soupçon de tendresse, on apprécie surtout la retenue et le refus du jugement de valeur. En quelques portraits il campe ces toreros de salon, et leurs taureaux, au ridicule plus accusé encore. Le prix Nobel de littérature 1989, on le sent, voit du torero de salon dans chacun de nous. Mais le rêve de l'« habit de lumière » n'est-il pas un beau symbole des vanités humaines ?

– **Le Baroud andalou** (2000), de Bertrand Delcour; collection le Polar du Routard; éd. Hachette. Vous ne connaissez pas encore les aventures d'Edmond Benakem, reporter au *Routard*? Alors découvrez-les dans ces péripéties andalouses, narrées par un auteur de romans policiers. Au cœur des splendeurs de l'Andalousie, sur les routes des Alpujarras, de Cadix, Séville et Cordoue, notre héros chemine à flanc d'abîme mené, à son insu, en un bateau qui connaîtra le sort d'un nouveau *Titanic*.

– **Don Quichotte de la Manche** (1605), de Miguel de Cervantès; roman; éd. Flammarion, 1969; poche : GF n°s 196 et 197; traduit par L. Viardot. Roman picaresque qui nous fait voyager dans toute l'Espagne du Siècle d'or, *Don Quichotte* est également une parodie des romans de chevalerie à la mode à cette époque. Un classique, indispensable pour quiconque aime l'Espagne... et la littérature. Sus aux moulins à vent !

– **La Vie de Lazarillo de Tormes,** éd. Aubier-Flammarion (éd. Bilingue). Écrit par un auteur inconnu, *La Vie de Lazarillo de Tormes* n'en demeure pas moins un véritable joyau de la littérature espagnole. Cette historiette, gorgée à cœur de truculence, d'intelligence vive et de bons mots, fut visiblement éditée vers 1554. L'histoire est simple : un garçon est confié dès son plus jeune âge à un aveugle dont il devient le serviteur. Puis, du mendiant aveugle, il passe chez un prêtre avare, puis chez un écuyer famélique et chez un marchand d'indulgences. Au cours d'un irrésistible parcours initiatique, notre apprenti Peter Pan devient le larbin de tout le monde et ne veut servir personne. Malicieux, il accède à la sagesse en rivalisant de cynisme et de coups bas. Peinture sociale géniale, pamphlet d'un sombre siècle, ce semblant d'autobiographie ouvre la voie d'une tradition picaresque que Cervantès peuplera bientôt de deux grands frères de ce Lazarillo : el señor Quichotte et son valet Pança.

– **L'Espoir** (1937), d'André Malraux; roman; éd. Gallimard, 1997; poche : Folio n° 2958. Malraux a vécu en direct les événements de la guerre d'Espagne; de fait, son roman est aussi une sorte de chronique où la réflexion politique prend une place centrale. Face aux franquistes, il préfère très clairement l'organisation et le pragmatisme des communistes à l'utopie anarchiste. *L'Espoir,* c'est l'espoir en l'homme.

Ces trois dernières œuvres ne concernent pas directement l'Andalousie, mais pour ceux qui désirent mieux connaître globalement l'Espagne, ce sont trois ouvrages de référence à ne pas manquer !

MÉDIAS

Presse

L'Espagnol lit peu mais lit proche. Les deux grands quotidiens nationaux *El Mundo* (380 000 exemplaires) de sensibilité libérale droitière et *El País* (560 000 exemplaires), plus socialisant, n'atteignent ces chiffres de diffusion que grâce à leurs éditions régionales (15 pour le premier, 7 seulement pour le second). Dans les hôtels, les restaurants, les campings, les quotidiens régionaux se taillent la part du lion et, le plus souvent, on ne trouve qu'eux. Mais ils sont bien différents des grands titres de la presse régionale française. Les régionaux espagnols dépassent rarement les 200 000 exemplaires et ne s'intéressent guère qu'à l'actualité d'une ou deux provinces. D'où une foultitude de titres (près de dix pour la seule Andalousie). La plupart traitent avec soin des nouvelles internationales (surtout européennes en fait) et nationales, mais y ajoutent d'innombrables pages locales où fleurissent les faits divers. Pour le voyageur ce peut être une aubaine : le moindre événement, le moindre concert, la moindre foire artisanale ou marché sympa est signalé. Ajoutons les annonces publicitaires, les agendas culturels souvent très détaillés (cinés, théâtres, spectacles...), les pages télé, etc. Bref, une aubaine que cette presse locale, même si, il faut bien le dire, elle est encore plus conservatrice que la presse régionale française.

En Andalousie, il existe une multitude de journaux locaux comme le *Diario de Almeria* qui ne traite que de la province d'Almeria, le *Diario de Cadiz* pour la province du même nom ou *Sur* qui recense tous les événements sur la Costa del Sol entre Malaga et Gibraltar. Les tirages sont loin d'être ridicules : *Ideal* qui diffuse sur la région Jaen-Granada tire chaque jour à 45 000 exemplaires. Et la région valencienne a aussi son quotidien : *Levante*.

Pour bien préciser l'importance de cette info locale, il suffit de dire que *Marca*, le grand quotidien sportif, imprime chaque jour dix éditions régionales. Forcément, les équipes de foot ne sont pas les mêmes à Vigo ou à Valence, tout le monde sait ça !

Côté magazines, la presse « people » caracole en tête derrière le vétéran *¡Hola!* et ses 730 000 exemplaires. Les concurrents sont nombreux : *Semana*, *Diez minutos* et le petit dernier *Que me dices ?* La presse « *people* » espagnole fouille nettement moins dans les poubelles que ses homologues européens. Certes, on y parle des top-models et de Caroline de Monaco, mais ce qui plaît aux Espagnols, ce sont les infos (pas les ragots) sur les toreros, les grands chanteurs de flamenco et les rejetons de la noblesse (la famille royale d'Espagne en particulier). Et quand la fille de la duchesse d'Albe épouse le fils d'un grand torero remarié avec une chanteuse de flamenco, c'est du délire ! En fait, c'est un bon moyen d'entrer dans la société espagnole par la petite porte.

Télévision

Une surprise : les petits tirages de la presse télé. *Teleprograma*, le leader, plafonne à 250 000 exemplaires. Les Espagnols regarderaient-ils peu la télé ? Certes, non. Dans les bars, les restos, les campings, il y a toujours une télé allumée, le volume de préférence à fond. C'est même une des plaies des campings espagnols. Mais la télé espagnole est simple : sports, séries, jeux, journaux télévisés, corridas et quelques films. Dans l'intervalle, des débats pour passer le temps.

Aux cinq chaines principales, TVE 1, TVE 2 et Antena 3 (télés d'État, la dernière avec des décrochages régionaux), Tele 5 (assez proche de notre M6) et Canal Plus, s'ajoutent quelques télés locales assez peu écoutées sauf au Pays basque. Les horaires des programmes se trouvent dans le journal local donc pas besoin de journal spécialisé. Sachez que les journaux télévisés suivent l'heure des repas (15 h et 21 h sur TVE 1 ou Antena 3, 22 h sur TVE 2). Ce qui plaît le plus aux Espagnols à part le foot, les corridas et le cyclisme, ce sont les émissions « people » (décidément, c'est leur truc) comme *Gente* sur TVE 1 ou *Rumore, rumore* sur Antena 3. Soyez certain que le patron du petit bistrot dans lequel vous dînez tranquillou va zapper d'un match de foot à une course cycliste, même de seconde catégorie, avant de vous infliger les amours de Lola Flores et la fin de la superbe corrida de Valence. Vous n'aurez plus qu'à vous réfugier dans votre hôtel pour visionner un bon reportage sur des sujets de société (les journalistes espagnols excellent dans cet exercice) ou des chaînes codées ou cablées. Voir aussi la rubrique « Infos en français sur TV5 » plus haut.

Radio

Quant à la radio, c'est un peu le foutoir. Des centaines de mini-radios inondent la bande FM (plus de 30 pour la seule ville de Bilbao). Pour écouter de la musique locale (surtout en Andalousie), c'est l'aubaine sauf en voiture car le *cantaor* au *duende* fabuleux se trouve soudain remplacé par un débat sur la culture des olives au détour d'une colline. Une valeur sûre : *Radio Clasica* (en général autour de 90.6 dans toute l'Espagne).

MUSÉES, SITES ET HORAIRES

De façon générale, l'Espagne a le mérite de pratiquer des prix encore à peu près raisonnables en ce qui concerne l'accès aux nourritures culturelles.

En fait, on peut classer les musées et sites en trois catégories : les sites majeurs sont tous payants et chers (environ 6,10 €, soit 40 F). Certains d'entre eux proposent l'entrée gratuite un jour par semaine. Ce jour-là, on conseille vivement d'arriver dès l'ouverture. Les musées plus mineurs sont payants mais abordables (entre 1 et 4 €, soit 7 à 26 F). Nombreux sont ceux qui proposent la gratuité aux membres de l'Union européenne (avoir son passeport ou sa carte d'identité). Les étudiants peuvent bénéficier de réductions, mais doivent présenter leur carte. En résumé, prix comparables aux prix français avec plus de musées gratuits. En revanche, les églises renommées sont payantes, ce qui est un comble !

IMPORTANT : pour les horaires, on entre là dans un domaine particulièrement délicat. On ne peut se fier à rien. Toutes les indications sont contradictoires : il y a les horaires officiels de l'office du tourisme, les horaires indiqués sur les sites eux-mêmes, les prospectus... et la réalité. Nous vous indiquons ceux effectivement relevés à un moment donné mais ils ne sont pas plus fiables que les autres puisque les autorités municipales ou régionales les font varier plusieurs fois par saison, parfois sans préavis. Nos informations sont donc à prendre avec des pincettes et, comme nous, vous vous casserez le nez plus d'une fois.

PATIOS

Bien avant les Arabes, ce sont les Romains qui instituèrent l'ordonnancement de l'habitat autour du patio, petite cour centrale non couverte. Cette organisation fut développée par les Arabes. Le patio possède de multiples avantages. Il permet d'avoir le sentiment d'être chez soi tout en étant à l'extérieur, il protège des regards curieux ainsi que du soleil. La chaleur y est moins forte et la lumière moins crue. C'est un lieu de réunion, de rencontre de toute la famille. Une multitude de plantes vertes en habille souvent les murs, tandis qu'une fontaine centrale fait bruisser un filet d'eau rafraîchissant.

Les patios de Cordoue sont sans doute les plus beaux d'Andalousie : petits pavés mal ajustés au sol, beaux panneaux d'azulejos sur la partie basse des murs, grille en fer forgé élégamment travaillé à l'entrée.

PERSONNAGES

Cinéma

– **Victoria Abril (1959) :** avec José Garcimore, c'est sûrement l'accent espagnol de France le plus connu. Plus de 80 films, tant en espagnol, en anglais qu'en français, font d'elle une actrice incontournable aux contours inoubliables. D'ailleurs, Antonio Banderas (plutôt spécialiste en belles plantes), après *Plaisir de tuer,* lui décerne les palmes du meilleur baiser. Sulfureuse et faussement ingénue, Victoria Merida Rojas excelle aussi bien dans les rôles qu'Almodovar lui confie *(Kika, Talons aiguilles)* qu'aux côtés d'Ana Belén et Ariadna Gil pour la belle saga que fut *Libertarias*.

– **Pedro Almodovar (1951) :** on doit à l'enfant terrible de la movida madrilène une fière chandelle pour avoir fait sauter la chape de plomb cinématographique coulée avec maestria lors de la dictature. Après quelques courts métrages, c'est *Pepi, Luci, Bom et les autres filles du quartier* (1980) qui le révèlent au grand public. Almodovar affirme s'inspirer du cinéma espagnol des années 1950 de la trempe de Fernando Fernan Gomez. *Femmes au bord de la crise de nerfs* (1987) délaisse le monde des marginaux et devient une satire de l'Espagne postfranquiste, des années fric et du « felipisme ».

Almodovar domine par sa tchatche hyper créative les années 1980 et 1990 en maître incontesté. En 1999, alors que toute la critique l'attend pour la Palme d'Or, il reçoit le Prix de la mise en scène au Festival de Cannes pour son film *Tout sur ma mère,* dédié à toutes les mères et à la sienne en particulier, qui est décédée quelques mois après la sortie du film.

– *Antonio Banderas (1960) :* originaire de Málaga, où il apprit d'ailleurs le métier d'acteur à l'école d'art dramatique, ce sex-symbol est l'un des acteurs fétiches d'Almodovar avec lequel il tourna *Labyrinthe de la Passion, Matador, Femmes au bord de la crise de nerfs, Attache-moi...* Mais depuis son mariage avec Melanie Griffith, il a délaissé les films d'auteur pour embrasser une carrière américaine, plus lucrative sans doute. Après avoir tourné dans *Philadelphia, Evita,* sans oublier quelques navets avec sa belle, Banderas a incarné Zorro dans une superproduction hollywoodienne.

– *Luis Buñuel (1900-1983) :* cinéaste espagnol naturalisé mexicain. En 1925, il fuit la dictature de Primo de Rivera pour la France où il fait ses premières armes comme assistant du réalisateur Jean Epstein. Avec quelques copains, dont Dalí qu'il fréquentait déjà sur les bancs de la fac de Madrid, il réalise en 1928 *Un Chien andalou,* manifeste surréaliste qui fait scandale. Après un exil aux États-Unis, il tourne au Mexique quelques productions commerciales et l'un de ses plus beaux films *(Los Olvidados),* sans toutefois s'éloigner de son précepte surréaliste et de son sens moral, puis retourne à ses premières amours, la France, où il réalise quelques-uns de ses chefs-d'œuvre : *Belle de jour* (1966) et *Tristana* (1970) avec Catherine Deneuve, *Le Charme discret de la bourgeoisie* (1972) et *Cet obscur objet du désir* (1977), avec la belle Carole Bouquet qui fait alors ses débuts au cinéma.

– Et aussi : l'acteur-chanteur *Miguel Bose,* fils du torero Dominguin et de l'actrice italienne Lucia Bose ; la sublimissime *Penelope Cruz* qui, révélée d'abord par José Juan Bigas Luna dans *Jamón Jamón,* puis par – devinez qui ? – Almodovar, s'est lancée récemment dans une carrière outre-Atlantique ; *Sergi Lopez,* qui entame en France une prometteuse carrière (d'abord *Western,* de Manuel Poirier, puis l'hallucinant *Harry, un ami qui vous veut du bien,* de Dominik Moll) ; *Rossi de Palma,* dont le physique pour le moins particulier inspira Jean-Paul Gaultier ; *Marisa Paredes* et *Cecilia Roth,* inoubliables héroïnes de *Tout sur ma mère* ; le réalisateur *Carlos Saura,* etc.

Littérature

– *Miguel de Cervantès Saavedra (1547-1616) :* né à Alcala de Henares (banlieue de Madrid) dans une famille de *conversos* (juifs convertis). Descendant d'une illustre famille, son père n'était qu'un modeste chirurgien-barbier, par ailleurs complètement sourd. Quant au petit Miguel, il était bègue, efféminé et... brillant poète. Condamné à l'âge de 20 ans à se faire trancher la main droite pour avoir blessé quelqu'un en duel, il s'enfuit du pays. On le retrouve à Rome, domestique d'un cardinal qui devient son amant. Il s'engage ensuite dans l'armée papale pour combattre les Turcs. Ironie du sort, il perd l'usage de la main gauche à la bataille de Lépante, en 1571. Après d'autres batailles, il est capturé par les Turcs et passe 5 ans emprisonné en Algérie. Selon ses biographes, il y deviendra l'amant du bey d'Alger ! Sa vie privée n'est d'ailleurs qu'une succession de scandales : il se maria pour des raisons financières, eut une fille qui n'était vraisemblablement pas de lui et vécut avec ses sœurs qui vendaient leurs charmes. Souvent endetté, il fait de la prison à plusieurs reprises (comme son père) et ne connaîtra la gloire qu'à la fin de sa vie, avec la parution de *Don Quichotte.* Il écrivit pourtant une vingtaine de pièces de théâtre, mais deux seulement sont parvenues jusqu'à nous. Preuve de sa grande force de caractère, il a réussi l'exploit de faire rire des générations de lecteurs avec son *Don Quichotte,* alors que sa propre existence n'aura été qu'une suite de malheurs et de catastrophes. Juste retour des choses : le père du roman moderne est aujourd'hui considéré comme l'un des plus grands écrivains de tous les temps...

– *Federico García Lorca :* la vie de l'auteur du *Romancero gitano* est détaillée dans l'introduction sur la ville de Grenade.

– *Eduardo Mendoza (1943) :* les stendhaliens et les bovarystes accordent leurs goûts, une fois n'est pas coutume, sur la production littéraire de cet auteur barcelonais. Il cultive sciemment et très discrètement son image de provocateur gentleman en écrivant en castillan à l'heure où le catalan n'a jamais été aussi fort. Titilleur professionnel mais loyal, un peu à la manière d'Albert Londres, dans *La Vérité sur l'affaire Savolta,* il s'étend à loisir sur la bourgeoisie et les anarchistes de l'année 1917. C'est sûrement pour mieux souligner les fortunes colossales de la cité catalane, bâties sur l'indigence du reste de la *Ville des prodiges,* ou encore pour vitupérer la Catalogne à l'heure du franquisme *(L'Année du déluge).* Avocat en droit international, Mendoza avait également ses entrées dans les arcanes du pouvoir. Il assista, entre autres, Felipe González aux États-Unis lors de sa rencontre avec Ronald Reagan.

– *Jorge Semprun (1923) :* né à Madrid, Semprun subit très tôt les conséquences du totalitarisme. Chassé d'Espagne par Franco à l'âge de 14 ans, il s'exile avec sa famille en France, où il étudie la philo à la Sorbonne. Quatre années plus tard, il devient résistant et entre au parti communiste espagnol, avant d'être arrêté par la Gestapo et déporté à Buchenwald en 1943. Dès lors, il ne cesse de s'engager politiquement, tout en menant parallèlement des activités littéraires : d'abord traducteur pour l'Unesco, il devient un écrivain de renom et décroche quelques prix, dont le Fémina en 1969 pour son roman *La Deuxième Mort de Ramon Mercader.* Semprun écrit aussi des scénarios engagés pour les cinéastes Alain Resnais *(La Guerre est finie, Stavisky),* Joseph Losey et Costa-Gavras *(Z, L'Aveu).* De 1988 à 1991, il est ministre de la Culture du gouvernement espagnol. Aujourd'hui, il vit à Paris et se consacre essentiellement à l'écriture.

Musique et comédie

– *Montserrat Caballé (1933) :* cette Barcelonaise s'est révélée aux yeux du public néophyte par son duo avec Freddie Mercury, le chanteur défunt des *Queen*, adepte des pantalons moule-b... C'est dans *La Bohème* de Puccini en 1956 que Montserrat se fait remarquer parmi les experts. Elle ébauche sa carrière lentement mais sa grande technique vocale, la versatilité de sa tessiture et sa prestance lui ouvrent bien des rôles, des plus primesautières romantiques aux plus mornes et dramatiques vengeresses. *Tosca* de Puccini, *Aïda* de Verdi, ou encore *Salomé* de Richard Strauss à l'Opéra de Vienne en 1959. Mais elle met réellement les pieds dans les « starting blocks » lors d'un concert au Carnegie Hall de New York en 1965, où elle remplace Marylin Horne dans *Lucrèce Borgia de Donizetti.*

– *Camarón de la Isla (1950) :* un véritable phénomène du flamenco chanté. La passion mystique que Jorge Monge Cruz (c'est son vrai nom) a déchaînée est extraordinaire. Dans les petits villages d'Andalousie, les grands-mères lui amenaient même les enfants pour qu'il les touche afin de leur porter chance... c'est dire ! Sa collaboration avec Paco de Lucia a évidemment marqué sa carrière. Malheureusement, la grande faucheuse est venue le cueillir prématurément (en 1992), laissant orphelins de nombreux Espagnols.

– *Lola Flores (1923) :* native de Jerez de la Frontera, Lola Flores est la Dalida du flamenco pop. Décédée en 1995, celle qu'on surnommait « la Faraona » laisse un souvenir ému aux *aficionados*. Sa fille, Lolita, a bien tenté de reprendre le flambeau, mais dans un style nettement plus commercial.

– *Paco Ibáñez (1934) :* le vieux loup valencien de la chanson espagnole engagée. Mis au ban par l'Espagne franquiste en 1967, Ibáñez se réfugie en France. De ce séjour forcé, il a contracté (pour notre plus grand plaisir) un amour maladif des textes de Brassens, de Ferré ou d'Atahualpa Yupanqui. Le regard lucide qu'il porte sur son pays reste une référence pour qui cherche à comprendre les évolutions de la péninsule.

– *Julio Iglesias (1943) :* le chouchou des ménagères de plus de 50 ans, sorte d'alter ego de notre Mireille Mathieu nationale. Pour conquérir les foules du monde entier, Julio n'hésite pas à chanter dans 7 langues différentes (japonais compris, s'il vous plaît, encore un point commun avec Mireille). Une recette gagnante puisqu'il détient le record mondial d'albums vendus. Outre ses légendaires « Non, jé n'ai pas channngé » et « Vous les femmes... », le *latin lover* ibérique a aussi à son répertoire des duos avec Diana Ross, les Beach Boys et les Pointer Sisters. La relève est assurée : Enrique Iglesias suit aujourd'hui les traces de son bellâtre de papa.

– *Paco de Lucía (1947) :* avec Camarón de la Isla, il a débarrassé le flamenco de son folklore régional en l'associant à des notes jazzy. L'autre originalité de ce guitariste, originaire de Cadix, est d'être soliste alors que la tradition veut que le guitariste ne soit qu'un accompagnateur du flamenco, soit chanté, soit dansé.

– *José Garcimore (1940) :* natif de Elche de la Sierra (dans la province d'Albacete) et décédé en France en 2000, Garcimore était le plus français des Espagnols et le plus espagnol des Français. Son initiation à la magie fut liée à une triste mais jolie histoire. Un cirque fit une halte dans son village, mais sur la route de l'étape suivante, versa dans un ravin. Ses grands-parents accueillirent les saltimbanques, qui apprirent au petit José des tours de magie. Comme tous les orphelins, il fut pris en charge par la *guardia civil* et apprit la musique dans la fanfare. Entre deux répétitions, il se produisait dans les cabarets de la capitale. Plus tard, il décrocha un diplôme de tuba au conservatoire de musique de Madrid et fit route pour la France, première étape d'un tour du monde jamais achevé. Philippe Bouvard lui donna sa chance dans son émission du samedi soir. Garcimore était lancé. Son accent (« deconntrachté ») et ses duos avec Denise Fabre ont indéniablement marqué une époque.

Beaux-arts

Ils sont trop nombreux ! Citons, en vrac, les peintres *El Greco, Vélasquez, Goya, Zurbarán, Miró, Picasso, Dalí* et *Tàpies,* l'architecte *Gaudí,* et bien d'autres...

Tauromachie

– *El Cordobès (Manuel Benítez Perez, dit ; 1936) :* une figure inclassable de la tauromachie. Né dans la province de Cordoue, El Cordobès a commencé par toréer dans des arènes privées de *fincas* pour tester les jeunes taureaux. Très vite, il se fait remarquer par son style original, audacieux et même périlleux, qui fait frémir les *aficionados* de la tauromachie classique. Ses passes font aujourd'hui partie du répertoire des jeunes toreros, comme le *salto de la rana* (le saut de la grenouille). Depuis sa retraite, un autre El Cordobès règne avec talent sur les arènes ibériques : il s'agit de son fils présumé, Manuel Diaz, qui, s'il n'a peut-être pas le même sang, a hérité de son sens du spectacle et de sa hardiesse. Un torero peut en cacher un autre...

– *El Juli (Julian Lopez, dit ; 1981) :* entré à l'âge de 11 ans dans l'école de tauromachie de Madrid, Julian Lopez se fait remarquer 5 ans plus tard comme novillero au Mexique. Après un retour triomphal au pays, il prend l'alternative en 1998 dans les arènes de Nîmes, alternative qu'il confirmera en mai 2000 lors de la feria de San Isidro, considérée par tous les *aficionados* comme le must de la tauromachie. Un parcours hors normes pour ce virtuose de... 19 ans qui, sous ses airs de collégien d'Eton un peu boutonneux, fait montre d'une audace et d'une personnalité incroyables dans l'arène face au taureau.

Politique

– *Felipe González Márquez (1942) :* que reste-t-il du jeune loup à la mode, cravate-cheveux mi-longs, qui, de Suresnes où il était en exil, haranguait les foules le doigt levé tandis que de l'autre main il prenait les rênes du PSOE (Parti Socialiste Ouvrier Espagnol) ? Après quatorze ans d'un long règne durant lequel on a progressivement oublié le mot « ouvrier », deux septennats de « Felipismo » ont résolument projeté le pays vers le futur. Démocratisation, entrée de l'Espagne dans l'OTAN, nouveau Code pénal, réforme de l'éducation, nouvelles infrastructures, hôpitaux, grands chantiers, traité de Maastricht sont à mettre à son actif et à celui de ses gouvernements. Et la liste n'est pas close. En 1993, 11 ans après son arrivée au pouvoir, González est confirmé dans ses fonctions. Mais cette fois-ci, il doit composer avec l'homme fort de la Catalogne, Jordi Pujol, leader de Convergencia i Unió. Déchu de son piédestal en 1996 avec 300 000 voix d'écart avec son adversaire du parti populaire (mais conservateur), il lui reste à manger le pain noir des politiques en fin de règne. Empêtré dans le scandale Filesa (financement occulte du parti socialiste), enquiquiné par le cas de Luis Roldan (l'ex-directeur de la Guardia Civil condamné à 27 ans de prison pour avoir détourné 2 milliards de pesettes placées sur divers comptes suisses), l'ex-locataire de la Moncloa s'est encore pris les doigts dans le cas des GAL, ces groupes paramilitaires (genre escadron de la mort) qui menèrent à la fin des années 1980 un nettoyage dans le sud-ouest de la France, causant une vingtaine de morts parmi les milieux basques.

Sports

– *Pedro Delgado (1960) :* né à Ségovie, Perico Delgado fait un peu pâle figure à côté de « Indu », mais il demeure pourtant le grand cycliste des années 1985-1990. Sa première victoire remonte à la *Vuelta de España* en 1985. Lors de sa première participation au Tour, en 1983, le précurseur du cyclisme espagnol se révèle être un bon grimpeur mais souvent un coureur irrégulier. Un an plus tard, il chute et se retrouve l'épaule dans une écharpe : clavicule cassée. Ce n'est que partie remise. En 1987, on y croit tous, mais l'Irlandais Stephen Roche caracole en tête et lui vole les 40 secondes qui auraient pu le sacrer champion. C'est donc en 1988 qu'il finit par embrasser les gisquettes du Crédit Lyonnais et repartir avec le petit lion en peluche et le maillot jaune. Aujourd'hui, il participe toujours au Tour, mais derrière les micros.

– *Miguel Indurain (1964) :* Miguel Indurain Larraya, originaire de la petite ville navarraise de Villava, gagne sa première course à l'âge de 11 ans. Pour seul et unique trophée, il remporte un sandwich et une boisson. Depuis lors, il a fait bien du chemin. Longtemps dans le sillage de Delgado, « Indu », en remportant, dès 1990, la difficilissime montée de Luz Ardiden, prévient qu'il faut désormais compter avec lui. Au sein de l'équipe de la banque Banesto, il a accumulé les victoires au point de le faire entrer au panthéon des grands cyclistes parmi Anquetil, Merckx et Hinault. Des preuves ? Entre autres, 5 Tours de France consécutifs, 2 Paris-Nice, 2 Giro d'Italie, le record de l'heure en 1994, la médaille d'or du contre la montre aux J.O. d'Atlanta en 1996...

– *Carlos Sainz (1962) :* né à Madrid. Jeunesse : s'est un peu cherché dans les débuts. Tendance : touche-à-tout mais va jusqu'au bout. Deux fois champion d'Espagne de squash, participe aux championnats de ski, tâte de la raquette et du filet mais aussi du club de golf. Initiation : par son frère, déjà dans l'automobile. Palmarès : premier mondial au volant d'une Toyota en 1988, puis enchaîne comme un stakhanoviste : le rallye de l'Acropole (Grèce), Les Mille Lacs (Finlande), le RAC de Grande-Bretagne...

– *Arantxa Sanchez Vicario (1971)* : « le bouledogue du tennis féminin », comme l'appellent souvent les journalistes sportifs. Sa carrière est relativement irrégulière mais son frère Emilio (jadis au « top ten » du tennis masculin) l'a reprise en main et a permis à cette spécialiste de la terre battue de revenir dans le haut du panier. Elle gagne Roland-Garros en 1989 et en 1994, l'US Open en 1994, est finaliste à Wimbledon en 1996 puis de nouveau vainqueur à Roland-Garros en 1998. Signe particulier : possède deux chiens, prénommés « Roland » et « Garros ».

POPULATION

Terre d'ombre et de lumière, de plateaux arides, de vallées fertiles, l'Andalousie fut aussi le berceau d'une culture également contrastée. Et, de même qu'une harmonie naît de ces paysages variés, une symbiose exceptionnelle naquit de la cohabitation des peuples juif, arabe et chrétien. C'était avant l'Inquisition. L'islam rayonna près de mille ans sur l'Espagne entière, et les arts et les sciences imprimèrent leur prestige aux Madrilènes mêmes. La Reconquista, lentement puis violemment, anéantit cet équilibre prospère, et l'Andalousie déclina à force de persécutions, de massacres et d'exils.

S'il faut évoquer un peu leur histoire avant de parler des Andalous, c'est que ceux-ci ont gardé de cet héritage riche et douloureux une dimension caractéristique. Ce sont d'abord les villes qu'ils habitent, aux monuments extraordinaires, où le style mudéjar brille incroyablement. La Giralda de Séville, la Mezquita de Cordoue et l'Alhambra de Grenade en sont autant de témoignages grandioses. Les habitations portent aussi la marque de l'Afrique du Nord : villes « blanches » aux maisons chaulées, avec en plus cet art du patio doux et fleuri qu'on ne trouve nulle part ailleurs. Ce sont des oasis de fraîcheur et de paix. Les Andalous, peuple pudique, aiment ces jardins secrets. Un amour de la qualité qu'on retrouve dans les productions régionales, telles celles du jerez de la province de Cadix, vin mondialement réputé, et des taureaux et chevaux de la campagne sévillane.

La philosophie des Andalous est un idéal de bonheur : « une vie de vin, de femmes et de chants ». Le côté un rien macho mis à part, comment ne pas leur donner raison ? En comparaison, la Castille attache bien plus d'importance au travail, à la religion, aux valeurs militaires et à la politique. En Andalousie, on reporte volontiers le travail au lendemain et on vénère bien plus un poète qu'un curé... Les Andalous ont un comportement difficilement compatible avec l'austérité du Nord : ils prennent leur temps, vivent leurs amours en machos et laissent toute liberté aux enfants.

Quand il n'est pas rêveur et silencieux, l'Andalou fait la fête. Alors éclate son tempérament passionné. Il faut voir les processions de la Semaine sainte de Séville pour saisir un peu de cette ferveur festive qui donne à l'événement un ton presque païen. Les ferias sont aussi l'occasion de se réunir et de s'animer. Et depuis que Franco se décompose dans son cercueil capitonné de satin rose, un vent de liberté souffle sur l'Espagne. La fête est plus que jamais présente, la jeunesse andalouse brûle de plaisir, gonfle les *bodegas*. Optimiste, dynamique et ouverte. Un grand renouveau secoue l'Andalousie, porté par le chant flamenco, expression peut-être la plus achevée de ce que l'âme contient de douleur, d'amour et d'espérance. Le cœur de l'Andalou.

POSTE

Les timbres (*segells*) peuvent s'acheter dans les postes (*correus* ou *correos*), ouvertes la plupart du temps de 9 h à 14 h en semaine, ou dans les bureaux de tabac (*estancs*).

En général, les services postaux sont plutôt lents et leur fiabilité n'est pas garantie à 100 %. En effet, il n'est pas rare qu'une carte postale mette plusieurs semaines avant d'arriver à bon port.

RELIGIONS ET CROYANCES

À ce propos les clichés ont la vie dure : l'Espagne apparaît pour beaucoup comme un pays très catholique, très empreint de religiosité, où toutes les femmes s'appelleraient Maria-Dolores et les hommes Jesus ou Jose. Qu'en est-il réellement ? Certes, d'après de récents sondages, 95 % des Espagnols se reconnaissent de confession catholique, ce qui laisse peu de place pour les autres obédiences religieuses. Mais ce chiffre, qui donne l'image d'un catholicisme triomphant, cache une baisse prononcée de la fréquentation des églises, notamment lors de la messe dominicale, et surtout chez les jeunes. Se déclarer catholique ne signifie pas forcément avoir la foi, mais plutôt être de culture catholique et se conformer à certains rites. Et dans ce domaine, en revanche, on peut affirmer que le pays demeure très traditionaliste et très attaché à certaines cérémonies et manifestations religieuses. Le baptême, la communion, le mariage à l'église sont autant d'événements sociaux incontournables dans la vie de tout Espagnol qui se respecte. Leur fonction consiste plutôt à étaler ses richesses et à impressionner sa famille et ses voisins qu'à manifester sa foi. Il suffit pour s'en convaincre de jeter un œil sur les accoutrements des communiants : pour lui, costume de capitaine de frégate le plus cher possible, robe de mariée couverte de franfreluches pour elle ; c'est clairement l'exhibition méditerranéenne (que l'on retrouve aussi en Italie, par exemple).

En fait, la religion reste souvent le meilleur prétexte pour faire la fête : aux nombreux jours fériés à caractère religieux s'ajoutent les différentes fêtes des villes et des villages données en l'honneur du saint local, tandis que la Semaine sainte et ses processions mettent les cités andalouses dans un état proche de l'hystérie collective.

Et les non-catholiques dans tout ça ? Et bien comptez environ 600 000 musulmans, issus pour la plupart de l'immigration, bien que se développe un îlot de nouveaux convertis à Grenade. Les quelques protestants égarés dans le pays (environ 160 000) sont également des immigrés, mais en provenance de l'Europe du Nord. Quant aux sectes, elles paraissent peu implantées, et souvent liées aux mouvements d'extrême-droite.

SANTÉ

Pour un séjour temporaire en Espagne, n'oubliez pas de demander à votre centre de Sécurité sociale le formulaire E111, plusieurs semaines avant votre départ.

– *En France,* vous pouvez bien sûr vous assurer auprès de « Routard Assistance ».

– *En Belgique,* vous pouvez faire appel à EUROCROSS. Si vous êtes malade, un coup de téléphone en PCV au ☎ 32-22-70-09-00 (numéro en Belgique) suffit pour qu'ils vous assistent.

– En Andalousie, pas de réel problème sanitaire, mais les moustiques sont bel et bien là, alors, méfiance et sus aux suceurs !

Beaucoup pour ne pas dire la totalité des répulsifs anti-moustiques/arthropodes vendus en grandes surfaces ou en pharmacie sont peu ou insuffisamment efficaces.

– Un laboratoire (Cartier-Dislab) vient de mettre sur le marché une gamme conforme aux recommandations du ministère français de la Santé : *Repel Insect* Adulte (DEET 50 %) ; *Repel Insect* Enfant (35/35 12,5 %) ; *Repel Insect* Trempage (perméthrine) pour imprégnation des tissus (moustiquaires en particulier) permettant une protection de 6 mois ; *Repel Insect* Vaporisateur (perméthrine) pour imprégnation des vêtements ne supportant pas le trempage, permettant une protection résistant à 6 lavages. Disponibles en pharmacie ou en parapharmacie et en vente web sécurisée sur ● www.santé-voyage.com ●
Par précaution, vous pouvez prévoir un répulsif anti-moustique.
– Il existe également un nouvel anti-moustique assurant jusqu'à 8 h de protection, non gras, d'odeur agréable, utilisable chez l'enfant dès 2 ans : le *Bayrepel*. Noms commerciaux : *Autan Family* pour les peaux sensibles (visage, cou, enfants) et *Autan Active* (activités de plein air et tropiques). Autres principes actifs DEET à 50 % ; nom commercial, *Insect Ecran Peau*. Attention, réservé à l'adulte. Et 35/35 : nom commercial, *5 sur 5 tropic*. D'efficacité équivalente mais utilisable chez l'enfant.
Il est conseillé de s'enduire les parties découvertes du corps et de renouveler fréquemment l'application.

SAVOIR-VIVRE ET COUTUMES

– *Horaires :* attention, à l'exception de certaines stations balnéaires (forcées de s'adapter aux touristes étrangers), les *horaires des repas* sont plus tardifs que ceux pratiqués en France. Pour le déjeuner, de 13 h 30 à 16 h ; pour le dîner, de 21 h à 23 h (il fait moins chaud). Quant aux *boîtes de nuit*, certaines ne commencent à s'animer que vers 3 h du matin... Il faut avoir une santé de fer pour vivre ici ! Les *magasins* sont généralement ouverts du lundi au samedi de 9 h 30 ou 10 h à 13 h 30 ou 14 h, et de 16 h 30 ou 17 h à 20 h ou 20 h 30. Ils respectent la sacro-sainte *siesta* ! En été, certains commerces restent même ouverts jusqu'à 22 h ou 23 h. Les grands magasins sont ouverts sans interruption le midi.
– Dans les hôtels comme dans les restos, il faut souvent ajouter à la note une *taxe* (IVA) qui va de 7 % (normale) à 12 % dans certains restos chic. Bon à savoir aussi, le pain est généralement facturé (et souvent pas terrible).
– Le *pourboire* n'est pas inclus dans la note : il n'est pas obligatoire, mais il est courtois de laisser quelque chose (environ 10 % de l'addition).
– Il est un rituel que l'on retrouve dans toute la péninsule Ibérique, celle du *paseo* (littéralement la promenade). Vers 19-20 h, avant le dîner, les Espagnols ont l'habitude de déambuler dans les rues de la ville, le long des promenades de bord de mer par exemple, en famille ou entre amis. L'élégance est de mise, chez les grands comme chez les petits. C'est un moment très convivial, souvent ponctué de retrouvailles : on croise un voisin, on dit bonjour à une cousine, « Et comment va Isabel ? », et on finit par s'asseoir sur un banc et regarder les autres passer... Un spectacle à ne pas manquer.
– Le *tutoiement* est presque toujours spontané, sauf si l'on s'adresse à une personnalité.
– Il y a peu de *toilettes publiques*, mais on peut plus facilement qu'en France utiliser les toilettes des cafés et restaurants.

SITES INTERNET

● *www.espagne.infotourisme.com* ● Le site officiel de l'office du tourisme.
● *www.elpais.es* ● et ● *www.elmundo.es* ● Les sites des quotidiens, pour lire les nouvelles fraîches du jour.
● *www.flamenco-world.com* ● Un site en anglais ou en espagnol sur le flamenco, avec la possibilité d'écouter quelques bandes-son.

AUTAN®

repousser les moustiques !

● *www.toros.viadigital.com* ● Pour les *aficionados,* un beau site consacré à la tauromachie, dans la langue de Cervantès.

● *www.turandalucia.com* ● Site complet et bien documenté sur l'Andalousie, réussi graphiquement et enrichi de nombreuses photos. Beaucoup d'infos pratiques, des renseignements sur les hôtels, restos, événements, fêtes, spectacles..., des propositions de circuits thématiques : la route du flamenco, de la gastronomie, du vin...

● *www.costadelsol.net* ● est une mine d'informations touristiques utiles sur la Costa del Sol. Excellente navigation renvoyant à de nombreux sites. Dupliqué en anglais, mais les liens vous renverront parfois sur des pages non traduites, surtout celles mises en œuvre par de petites villes.

● *www.costadelsol.sopde.es* ● est hélas réservé aux lecteurs hispanophones. Très complet, avec une recherche par thème, de la location de voitures aux casinos, en passant par les fêtes populaires et les musées. Le meilleur site pour trouver des itinéraires pédestres dans l'arrière-pays.

TAPAS

Un peu d'histoire

D'où vient la tradition des tapas ? Sachez que dans les couloirs de la rédaction du *GDR* une querelle fait rage. Un peu similaire à celle des Anciens et des Modernes. Les premiers affirment que l'origine des tapas est d'émanation royale. En effet, pour lutter contre l'alcoolisme, un roi – dont on a oublié le nom – aurait obligé les débits de boissons à poser une assiette avec un en-cas sur le verre de vin. Les Modernes, eux, soutiennent que les tapas auraient été créées dans un but uniquement utilitariste : pour éviter que les mouches ne tombent dans le verre de vin. Comme ça faisait un peu tristoune, une soucoupe vide, on ajouta une olive pour faire joli. Dans une théorie comme dans l'autre, *tapar* signifiant « boucher » ; l'en-cas prit rapidement le nom de *tapas.*

En Andalousie, tous les bars populaires proposent des tapas mais ne l'affichent pas forcément. Demander « ¿ de tapeo, que hay ? » Avant, le prix des tapas était compris dans la boisson. Mais aujourd'hui, les tapas sont facturées à part, à l'exception des olives et cacahuètes parfois offertes avec la bière.

Ir de tapeo

Si c'est la première fois que vous débarquez en Andalousie, vous vous demanderez probablement pourquoi le soir, quel que soit le jour, les bars sont bondés. Tout simplement parce que les Espagnols ont l'habitude de téléphoner à leurs potes pour « aller de tapas en tapas » *(ir de tapeo).* Ils se donnent tous rendez-vous dans leur bar favori et parcourent les *mesones,* les *tabernas taurinas,* les *peñas flamencas* au gré de leurs envies et des spécialités des maisons. Ici *morcilla,* là *tortillas,* ailleurs *pescadito frito.* On mange debout en s'essuyant le coin du bec avec les serviettes en papier cigarette, c'est souvent plus économique et moins formel qu'un restaurant où l'on doit s'asseoir et attendre les plats, faire risette au serveur, se faire servir du vin. Pour les néophytes, il ne faut pas avoir peur d'insister auprès des serveurs. Ils sont souvent débordés et il leur arrive d'oublier carrément la commande.

TÉLÉPHONE

– *Espagne* → *France :* 00 + 33 + numéro du correspondant à 9 chiffres (c'est-à-dire le numéro à 10 chiffres sans le 0).
Pour téléphoner en PCV, faire le 1008 (Europe et Afrique du Nord) ou le 1005 (autres pays). On peut aussi passer par le service direct *(servicio directo país) :* pour la France, ☎ 900-99-00-33. On tombe alors sur France Télécom.

– *France* → *Espagne* : 00 + 34 + numéro du correspondant à 9 chiffres.
Renseignements internationaux pour l'Espagne : ☎ 00-33-12-34.
Tarifs des communications téléphoniques : 0,23 € ou 1,50 F/mn en tarif normal (du lundi au vendredi de 8 h à 19 h) ; 0,12 € ou 0,80 F/mn en tarif réduit (le reste du temps).
– *Espagne* → *Belgique* : 00 + 32 + numéro du correspondant.
– *Belgique* → *Espagne* : 00 + 34 + numéro du correspondant à 9 chiffres.
– *Espagne* → *Espagne* : Pour les *appels locaux* (ex. : de Séville à Séville) et *nationaux* (ex. : de Séville à Grenade), on compose le numéro complet à 9 chiffres.

Télécartes

On trouve partout des cabines téléphoniques à carte *(tarjeta)*. On peut acheter les télécartes dans tous les kiosques à journaux. Deux tarifs : 6 € (40 F) et 12 € (80 F). À ce propos, *Correos* et *Telefónica* sont deux entités bien distinctes. Inutile, donc, de chercher un téléphone public à la poste !

Cartes France Télécom

Pour vous simplifier la vie dans tous vos déplacements, les *cartes France Télécom* vous permettent de téléphoner en France et depuis plus de 90 pays étrangers à partir de n'importe quel téléphone (d'une cabine téléphonique, chez des amis, d'un restaurant, d'un hôtel...) sans souci de paiement immédiat. Les communications sont directement portées et détaillées sur votre facture téléphonique. Pour appeler, vous composez le numéro d'accès au service, le numéro de votre carte et votre code, suivi du numéro de votre correspondant.
Les *Cartes France Télécom* sont sans abonnement et sans limite de validité. Plusieurs options vous sont proposées. Par exemple, pour les routards qui voyagent souvent à l'étranger, on recommande la *Carte France Télécom Voyage*, qui vous fait bénéficier en plus de 15 à 25 % d'économie sur le tarif *Carte France Télécom* pour vos appels internationaux (France métropolitaine/Étranger, Étranger/Étranger, Étranger/France).
Pour en savoir plus, composez le n° Vert : ☎ 0800-202-202 ou consultez le site ● www.cartefrancetelecom.com ●

PCV

– Si vous n'avez pas eu le temps de commander votre carte France Télécom avant de partir, depuis l'étranger vous pouvez composer le numéro de *France Direct* (☎ 900-99-00-33) pour effectuer un appel en PCV (vers la métropole ou vers les DOM). La communication sera alors facturée à votre correspondant.
– *En Belgique*, la compagnie de téléphone *Belgacom* propose le service « Belgique Direct ». En composant le n° Vert d'Espagne (☎ 900-99-00-32), une opératrice belge vous répond et vous permet de demander une communication en PCV avec un correspondant en Belgique (ce service existe pour de nombreux pays).

TRANSPORTS

Le train

Deux « Trainhôtel » franco-espagnols *(Elipsos Trainhôtel)*, uniquement composés de voitures-lits relient quotidiennement depuis Paris-Austerlitz les gares de Madrid-Chamartin (Trainhôtel Francisco de Goya) et Barcelone-

Sants (Trainhôtel Joan Míro). Ils offrent un service de bar-cafétéria et restauration traditionnelle. Le Trainhôtel Francisco de Goya prend des voyageurs en gare de Blois et Poitiers à destination de Vitoria, Burgos, Valladolid et Madrid, et le Joan Míro en gare d'Orléans-Les Aubrais et Limoges à destination de Figeras, Gérone et Barcelone. Ce sont les seuls trains directs depuis la France et ils changent l'écartement de leurs roues en deux temps trois mouvements. Réservation strictement obligatoire. La carte Inter-Rail est valable, mais il faut payer un supplément d'environ 63 € (environ 414 F) en classe touriste (et plus si vous avez des envies de luxe). On ne peut pas tout avoir, le grand luxe, le charme incommensurable des voyages en trains spéciaux et le prix abordable.

Il n'y a pas de train direct depuis la France pour les villes d'Andalousie (correspondance soit à Barcelone soit à Madrid). Tous les trains (banlieue comprise) sont maintenant climatisés. Madrid, Cordoue et Séville sont accessibles, elles aussi, par TGV (en espagnol AVE : Alta Velocidad Española), mais, comme en France, le tronçon de haute vitesse se limite à une partie du parcours. Les cartes Eurodomino et Inter-Rail sont valables sur l'AVE, avec un supplément de 9 € (59 F) en classe touriste.

Sur le réseau des trains de banlieue, la carte Inter-Rail est globalement acceptée partout. Sur le réseau des trains grandes lignes, les cartes Inter-Rail et billets BIGE sont valables (parfois avec un supplément). La réservation est obligatoire.

– **RENFE (Red Nacional de los Ferrocarriles de España) :** dans la plupart des gares, en plus des guichets normaux de vente, on trouve un guichet de « atención al cliente ». C'est le service commercial de la compagnie auprès duquel vous pourrez obtenir toutes les informations utiles (avec ou sans couchettes, prix, départ, fréquences...).

Ils sont généralement très pros et peuvent même vous sortir un listing, histoire de comparer à tête reposée. ☎ 913-28-90-20 (à Madrid), 954-54-03-03 (à Séville), 956-25-43-01 (à Cadix). ● www.renfe.es ●

Bon à savoir, on a également la possibilité d'utiliser le *Bono 10,* une carte de dix trajets valable sur tous les trains régionaux. Même formule sous le nom *Bono Expres* pour les TRD et Andalucia Express.

– **FEVE (Ferrocarriles Españoles de Vias Estrechas) :** société à classe unique, elle est gérée par les provinces et son réseau complète celui de la RENFE.

L'autobus

Un grand nombre de petites compagnies desservent les routes secondaires. Les bus coûtent à peu près aussi cher que les trains mais sont bien plus rapides et plus fréquents. C'est la meilleure formule de transport, de loin, quand on n'a pas de véhicule à soi.

La voiture

La plupart des stations-service acceptent les cartes de paiement traditionnelles *(Eurocard, MasterCard, Visa, Dinners, American Express).*

La limitation de vitesse sur autoroute est de 120 km/h (et non 130 comme chez nous). Important également : les stops ne sont pas toujours marqués par une bande blanche au sol.

Dans l'ensemble, circulation difficile dans les villes (surtout à Grenade) : manque d'indications, sens uniques, etc.

■ *Auto escape :* l'agence *Auto Escape* propose un nouveau concept dans le domaine de la location de voitures : elle achète aux loueurs de gros volumes de location, obtenant en échange des remises importantes dont elle fait profiter ses clients. Leur service ne coûte rien puisqu'ils sont commissionnés par des loueurs. C'est une vraie centrale de réservation (et non un intermédiaire) qui propose un service très

Tableau des distances (km) — matrice triangulaire

Ville	ALGÉSIRAS	ALICANTE	ALMÉRIA	ARCOS DE LA F.RA	BARCELONE	BAEZA	CADIX	CARMONA	CORDOUE	GIBRALTAR	GRAZALEMA	GRENADE	HUELVA	JAÉN	JEREZ DE LA F.RA	MADRID	MÁLAGA	MARBELLA	MOJÁCAR	RONDA	SÉVILLE	TARIFA	UBEDA	VALENCE
VEJER DE LA F.RA	81	650	318	114	1303	470	57	170	288	102	134	350	258	394	62	683	237	172	479	143		54	480	795
VALENCE	706	166	430	430	739	387	762	629	524	710	652	451	763	435	726	352	582	626	369	628	667	727	378	
UBEDA	399	376	243	500	753	10	378	262	146	378	370	112	406	57	518	332	243	308	346	245	426			
TARIFA	27	685	329	116	1249	416	104	197	370	48	146	314	312	369	116	737	183	118	490	124	197			
SÉVILLE	200	665	422	82	1046	255	125		145	180	130	256	94	242	81	540	220	285	408	125				
RONDA	97	582	348	85	1189	328	129	133	257	129	32	226	281	115	116		95	58	430					
MOJÁCAR	398	237	82	515	727	336	601	490	377		462	234	584	289	717	742	307	372						
MARBELLA	91	567	290	143	1131	298	196	133	252	90	90	196	251	340	207	609	65							
MÁLAGA	156	500	225	180	997	233	261	193	187	135	137	131	186	275	275	544								
MADRID	740	414	660	662	625	342	651	567	400	737	690	432	634	335	621									
JEREZ DE LA F.RA	119	607	635	30	1346	508	108	226	108	226	55	305	196	360										
JAÉN	342	433	207	330	804	47	367	220	104	321	313	55	336											
HUELVA	315	761	516	197	1140	349	226	260	260	274	224	350												
GRENADE	287	346	152	275	909	102	260	121	166	257	258													
GRAZALEMA	119	615	380	48	1135	360	159	126	289	161														
GIBRALTAR	21	658	360	121	1201	368	129	262	386															
CORDOUE	354	522	332	205	908	142	263	116																
CARMONA	227	627	395	109	1024	262	152																	
CADIX	127	646	519	60	1316	418																		
BAEZA	389	385	254	489	763																			
BARCELONE	1222	528	809	1316																				
ARCOS DE LA F.RA	104	583	120																					
ALMÉRIA	381	284																						
ALICANTE	664																							
ALGÉSIRAS																								

flexible : aucun frais de modification après réservation, remboursement intégral en cas d'annulation, même à la dernière minute. Kilométrage illimité sans supplément de prix dans presque tous les pays. Surveillance quotidienne du marché international permettant de garantir des tarifs très compétitifs. N° gratuit : 0800-920-940. ☎ 04-90-09-28-28. Fax : 04-90-09-51-87. ● info@autoescape.com ● www.autoescape.com ● 5 % de réduction supplémentaire aux lecteurs du *Routard* sur certaines destinations. Il est préférable de réserver la voiture avant le départ, pour bénéficier d'un meilleur tarif et assurer la présence du véhicule souhaité dès l'arrivée.

Attention

On vous le rappelle, beaucoup de vols dans les voitures, donc choisissez de préférence des parkings gardés et, surtout, ne laissez rien traîner sur les sièges ou la plage arrière (voir « Dangers et enquiquinements »).

Sur le bord des autoroutes andalouses, vous remarquerez sans doute d'énormes découpes métalliques noires en forme de taureau, de 13 m de hauteur. Ces panneaux publicitaires pour la marque de brandy « Osborne » devaient être retirés depuis que la publicité est interdite sur les bordures d'autoroutes. Mais un comité composé d'intellectuels, de politiques et d'artistes fit tellement de tapage, déclarant qu'on tuait là un véritable symbole national, que les autorités cédèrent en 1994. Ainsi subsistent quelques dizaines de vaillants taureaux aux attributs avantageux et aux cornes fièrement dressées, qui paissent impunément le long des autoroutes. Ouvrez l'œil !

État des routes

Le réseau est bon et bien souvent excellent. À noter tout de même que les jours de pluie (oui, ça arrive), il convient de redoubler de prudence, même sur les autoroutes, l'écoulement des eaux s'effectuant parfois assez mal. Conséquence : de gros risques d'aquaplaning. Pour le Sud et l'Andalousie, il n'y a aucun secteur payant (excepté les tronçons Cadix-Séville et Málaga-Marbella) et les routes sont impeccables. Les *autovías,* qui correspondent à nos voies express (4 voies avec un terre-plein central), sont elles aussi gratuites.

Les limitations de vitesse ne sont pas toujours les mêmes qu'en France et, malgré les apparences, le port de la ceinture est obligatoire. Les Espagnols conduisent un peu comme les Français (c'est-à-dire comme des dingues), mais ils nous ont tout de même semblé plus respectueux des autres et globalement moins hargneux et moins impatients : pas d'insultes, pas de coups d'avertisseur permanent...

La moto

C'est un moyen de transport génial pour visiter l'Espagne. Partout, on peut s'arrêter facilement et admirer les points de vue, surtout sur la côte. Faites attention quand même quand il pleut : les revêtements ne sont pas terribles. Ne roulez pas avec un sac à dos et portez toujours un casque, cela va de soi.

L'auto-stop

Il est possible de faire du stop un peu partout en Espagne. En Andalousie, sur le littoral, la présence des touristes rend l'exercice facile. Être pris par un autochtone s'avère plus difficile. On va encore se faire taper sur les doigts, mais sachez que si vous êtes un auto-stoppeur basané (d'origine nord-africaine) vous risquez bien d'user vos semelles... à moins d'être pris par vos lointains frères. Il faut bien le reconnaître, les Espagnols versent un peu trop souvent dans le délit de faciès... a fortiori en Andalousie dont le littoral est une tête de pont de l'immigration clandestine (voir plus haut).

Péniches et bateaux

■ **Blakes France Holiday :** 4 *bis,* rue de Châteaudun, 75009 Paris. ☎ 01-42-80-50-00. Fax : 01-48-78-22-55. ● www.blakes-france.com ● M. : Cadet. Ouvert du lundi au vendredi de 9 h 30 à 18 h 30. Permanence téléphonique le samedi de 9 h 30 à 18 h 30. Central de réservation pour la location de bateaux (sans permis) en Europe et notamment en Espagne du Sud.

TRAVAIL BÉNÉVOLE

■ **Concordia :** 1, rue de Metz, 75010 Paris. ☎ 01-45-23-00-23. ● www.concordia-association.org ● M. : Strasbourg-Saint-Denis. Travail bénévole. Logés, nourris. Chantiers très variés, concentrés essentiellement sur la période estivale pour l'Espagne : restauration du patrimoine, valorisation de l'environnement, travail d'animation... Places limitées. Attention, voyage à la charge du participant.

VENTAS

Un peu d'histoire

Je suis un routard bien connu. Je prends souvent ma vessie pour une lanterne. J'ai un don d'ubiquité chronique et une forte propension à vouloir détrousser tous les vilains. Au nom de la Santa Hermandad je file des bourre-pif à ceux qui manquent de respect aux femmes. Je suis espagnol de la meilleure race mais pas macho. Je suis amoureux d'une chimère nommée Dulcinea del Tobosso, je suis, je suis, je suis... Don Quichotte, pardi ! Eh oui, on va lever un voile ! Don Quichotte ne descendait pas dans les paradores. Contrairement à ce que son orgueil aurait pu vous faire croire. Mais, vu ses coups foireux, vous vous en doutiez un peu, non ? « Le chevalier à la triste figure » étant un peu « fauché comme les blés », notre cavalier se reposait dans les *ventas* (et y laissait souvent une ardoise).

La venta est une maison située en pleine campagne au bord du *camino real* (équivalent des voies romaines en France) où les voyageurs de passage s'arrêtaient pour déjeuner ou parfois pour dormir. Le coucher allait obligatoirement avec le couvert ou inversement. Les ventas sont encore présentes dans toute l'Andalousie et font partie d'une tradition oubliée. Pourquoi ? D'une part parce que le chemin de fer du XIXe siècle a quelque peu relégué aux oubliettes les voyageurs et autres postiers. D'autre part, parce que la venta, par définition, est un peu excentrée. Dans une contrée aride ou hostile. C'est pour cette même raison que les ventas ont souvent servi de repaires de bandits, de pistoleros et autres bandoleros qui se carapataient par la porte de derrière dès que dégainait la maréchaussée. Oui, oui, les ventas andalouses, du XVe à la fin du XVIIIe siècle, c'était un peu le western. Aujourd'hui, ces consommateurs ont disparu, de même que les femmes de petite vertu. Restent les gitans et les contrebandiers.

Les historiens ont pu aisément retracer les réseaux de diffusion de la contrebande. Au XIXe siècle, Gibraltar fournissait l'Andalousie en produits illicites. Tissus de soie, tabac brun de Virginie arrivaient jusque dans les sierras de Grazalema, Ubrique, Ronda, Gaucín, Castellar. Ce qui explique, au passage, pourquoi même dans n'importe quel trou perdu d'Andalousie on peut trouver, dans le moindre bar des Farias, les cigares du pauvre. Le deal et la distribution s'effectuaient dans les ventas perdues dans la campagne, ce qui limitait le risque de se faire choper pas les autorités.

Qu'y trouve-t-on ?

Dernière raison qui explique que les ventas ont perdu du poil de la bête : la venta est par définition artisanale. Donc, il n'y a ni menu, ni horaire. Mais toutes ont leur spécialité. Pain de paysan au levain, *rabo de toro* du *cortijo* du bout du champ, *morcilla* artisanale, *jabugo casero, manteca colorada* (prononcer *manteca colora'*). En période de chasse, c'est LE lieu pour se régaler de gibier. *Guiso* de lapin, lièvre mariné, perdrix dorée au *fino,* au cognac et au *ginebra, caldereta* de mouton...

Pour choisir votre venta : prenez la route et le village le plus reculé, si possible, à plus de 20 km d'une station balnéaire colonisée par le tourisme de masse. S'il y a un cheval attaché aux alentours à un arbre, pilez sur la pédale de frein ! Attention, la venta c'est aussi un labo social. On vient y chercher son journal, acheter un litre d'huile d'olive ou de moteur, s'envoyer sa manzanilla. On y mange avec des couverts de cantine sur de vulgaires tables de campagne. Éviter d'y chercher le charme à tout prix. Dernière précision, beaucoup sont malheureusement fermées le soir. Mais...

« Après la panse, la danse »

Des contrebandiers aux gitans, il n'y a qu'un pas, puisque les gitans sont souvent contrebandiers et inversement. Dans les petits villages, quand il n'y a pas de gitans, c'est souvent le barbier qui pousse sa complainte. D'où le barbier de... Federico García Lorca ne le démentirait pas. Sous la pergola, quand tombe le soir et que les bougies jouent de leurs ombres dansantes sur les visages burinés, il y a toujours une guitare pour venir chanter le sort des *venteros* et de leurs clients. Les plus grands ont commencé dans une venta en seconde voix d'un autre plus grand. C'était Terremoto et untel, la Perla et untel, Ramon de Algeçiras accompagné de... Même Camarón affectionnait les ventas. D'ailleurs, une légende court sur la *ventorillo del Chato* à San Fernando. Selon Paco de Lucia, Camarón était persuadé qu'un tunnel partait du ventorillo et débouchait sur les côtes marocaines, qui sait ?

LE CENTRE DE L'ANDALOUSIE

SÉVILLE (SEVILLA)   (41000)

> **Pour les plans de Séville, se reporter au cahier en couleurs.**

Le cœur de l'Andalousie, la quatrième ville d'Espagne et la plus importante de la province. Du départ de Christophe Colomb en 1492 à l'Exposition universelle de 1992, Séville a fait sa place dans l'histoire. Elle compte de nombreux joyaux architecturaux comme la Giralda ou l'Alcázar. Ses habitants sont chaleureux et rieurs, noctambules aussi. Séville est certainement la ville espagnole qui a su le plus intelligemment concilier le sens de son histoire et l'appel de la modernité pour devenir une cité internationale. Le quartier de Santa Cruz, avec ses ruelles pavées et ses patios généreusement fleuris, connaît une effervescence surréaliste les soirs de week-end. On passe de bars à tapas en bars à vin, on fait connaissance, on partage la bonne humeur d'une Espagne qui n'en finit pas de fêter sa liberté. Car Séville, c'est avant tout les Sévillans... et les Sévillanes.
Cité phare de l'histoire espagnole où les cultures chrétienne et musulmane ont vécu une « émulante » cohabitation, la ville étale fièrement ses monuments le long du Guadalquivir. Bien sûr, il faudra les visiter, mais il faut aussi se laisser aller dans les quartiers populaires, pousser les portes des patios, aller à la rencontre des habitants, qui se révèlent étonnamment cordiaux. Séville, un choc architectural bien sûr, un coup de cœur avant tout. On comprend qu'elle ait pu inspirer tant d'artistes, parmi lesquels Mérimée, créateur de la plus célèbre des bohémiennes *(Carmen)*, et bien sûr Beaumarchais, dont le non moins fameux *Figaro* n'est autre que le « barbier de Séville »...

AVERTISSEMENT

Revers de la médaille d'une ville touristique, on déplore beaucoup de vols à la tire et « visites » des voitures à l'immatriculation étrangère. Plusieurs de nos lecteurs s'étant fait arracher leur sac, on vous conseille d'être vigilant. Pour limiter les dégâts, ne rien laisser dans les voitures, qui sont cambriolées même dans les parkings gardés. Dernière trouvaille des petits voleurs : ils suivent votre voiture à moto, brisent une vitre en roulant et prennent le sac à main de madame. On n'arrête décidément pas le progrès...

LES SAISONS TOURISTIQUES

Séville, ville de l'intérieur, n'a pas le même rythme que le reste de l'Andalousie. Haute saison : période de la Feria et de la Semaine sainte. Les prix doublent et les chambres sont difficiles à trouver. Basse saison : juillet et août. Moyenne saison : le reste du printemps et de l'automne. Attention, les prix sont donc très fluctuants d'une période à l'autre.

UN PEU D'HISTOIRE

Inlassablement convoitée, la cité fut tour à tour aux mains des Phéniciens, des Grecs, des Carthaginois, des Romains avant que les Maures ne s'installent au VIIIe siècle et ne fassent de la ville l'un des joyaux architecturaux européens tout au long du XIIe siècle. L'implantation chrétienne, puis la découverte des Amériques lui donnent un nouvel essor puisque nombre de familles sévillanes s'enrichissent, notamment grâce aux mines d'or sud-américaines. Elles affichent leur opulence en faisant bâtir de superbes églises, des bâtiments impressionnants et des palais somptueux, au grand plaisir des voyageurs d'aujourd'hui. Pureté de l'art mauresque, du style mudéjar, du mélange de gothique et de musulman, fraîcheur de l'azulejo, mariage harmonieux de la pierre et du végétal (les jardins), maîtrise de la lumière et de la chaleur (les patios), le charme de Séville est comme les bons vins, il se bonifie avec le temps.

Après cette glorieuse époque vint le déclin, dû, entre autres fléaux, à l'épidémie de peste qui emporta une grande partie de la population. 1936 fut une autre date notable, qui vit l'armée attaquer les quartiers populaires pour prendre possession de la ville. Mais aujourd'hui Séville relève la tête, et de quelle manière ! Le flamenco ne s'y est jamais aussi bien porté, la mode andalouse continue d'embraser l'Europe plusieurs années après que Séville fut élue pour accueillir l'Exposition universelle de 1992.

Topographie de la ville

Pas aisé de circuler en voiture, surtout en semaine. D'ailleurs, c'est inutile. Les quartiers les plus intéressants se font impérativement à pied. Quand vous êtes fatigué, prenez un taxi. Pas chers et nombreux.

– **Le barrio Santa Cruz** (plan couleur II, C1-2 et plan couleur Santa Cruz) est le centre névralgique et historique de la ville. Quartier qui s'étend derrière la cathédrale, composé de ruelles, balcons richement fleuris, façades ouvragées, patios endormis...

– **Calle Sierpes** (plan couleur II, B1) : une longue rue piétonne, bordée de petits commerces animés, de bazars, de terrasses... de vie, quoi ! Toutes les rues environnantes sont à explorer avec l'œil curieux et le nez en l'air.

– **Les rives du Guadalquivir** : but de promenade dominicale, se trouvent à une quinzaine de minutes de marche du centre et délimitent la vieille ville.

– **Triana** (plan couleur II, A2) : rive droite, face au centre, de l'autre côté du fleuve. Quartier populaire (malgré les quelques maisons chic au bord de l'eau) où rayonnait, il n'y a pas si longtemps, la communauté gitane d'Andalousie. Ces trente dernières années, la modernisation et la spéculation immobilière en ont relégué une partie du côté de la banlieue. Une balade pleine de charme et de couleurs, la plupart des maisons étant recouvertes de céramiques. C'est aussi le quartier des boîtes de sevillana et de salsa. Pas toujours bien fréquenté le soir.

Adresses utiles

Infos touristiques

‖ Office du tourisme (plan couleur Santa Cruz, A2, et plan couleur II, B2) : avenida de la Constitución, 21B. ☎ 954-22-14-04. ● ot-sevilla @turismo-andaluz.com ● Ouvert toute l'année, du lundi au samedi de 9 h à 19 h et les dimanche et jours fériés de 10 h à 14 h. Demandez le plan détaillé de toute la ville (gratuit). Également un plan de toute l'Andalousie et une brochure sur les hôtels. Accueil sympathique et personnel parlant le français. Dans les offices du tourisme, ainsi que dans la plupart des lieux touristiques et les hôtels, on trouve *El Giraldillo*, un mensuel gratuit et précieux donnant toutes les infos, en espagnol, sur les spectacles, expos, corridas, musées, flamenco, etc. Moins complets, mais néanmoins utiles et également gratuits, *Welcome Olé* et *The Tourist*, en anglais et espagnol.

﬈ *Office du tourisme (Centro de información de Sevilla ;* plan couleur II, A1) : à l'angle du paseo de Cristóbal Colón et du puente de Isabel II. ☎ 954-50-56-00. Ouvert toute l'année, du lundi au vendredi de 8 h 30 à 20 h 30 et les samedi et dimanche jusqu'à 14 h. Infos sur la ville surtout et un peu de doc sur les autres régions.

Services

✉ **Poste** *(plan couleur II, B2) :* avenida de la Constitución, 32. Ouvert de 8 h 30 à 20 h 30 (14 h le samedi). Fermé le dimanche.

@ **Work Center** *(plan couleur Santa Cruz, A2, 11) :* puerta de Jerez. ☎ 902-11-50-11. ● www.work center.es ● Ouvert tous les jours 24 h/24. Centre de reprographie qui

propose une dizaine d'ordinateurs connectés à Internet (et 3 photocopieuses) à moins de 1 € (6,55 F) les 10 mn ou 4,6 € (30 F) l'heure. Il existe par ailleurs plusieurs cybercafés calle Betis, dans le quartier de Triana *(plan couleur II, A2),* aux mêmes types de prix.

Représentations diplomatiques

■ **Consulat de France** *(plan couleur Santa Cruz, B1, 6) :* plaza de Santa Cruz, 1. ☎ 954-22-28-96. Fax : 954-22-72-40. Ouvert du lundi au vendredi de 9 h à 13 h, ainsi que le samedi en cas d'urgence.

■ **Consulat de Belgique :** Zaragoza, 10. ☎ 954-22-90-90. Fax : 954-22-87-33.

Banques, change

– Sur l'avenida de la Constitución *(plan couleur Santa Cruz, A2, 4)* et notamment autour de l'office du tourisme, nombreuses **banques.** Elles font toutes le change et possèdent un distributeur automatique de billets. Aucun problème, donc.

■ **American Express** *(plan couleur II, B1, 2) :* plaza Nueva, à côté

de l'hôtel *Inglaterra.* ☎ 954-21-16-17. Ouvert du lundi au vendredi de 9 h à 20 h, et le samedi de 10 h à 13 h. Fermé le dimanche.

■ **BNP** *(plan couleur II, B1, 5) :* calle Pedro Parias, 2. ☎ 954-50-12-63. Ouvert de 8 h 30 à 14 h (13 h le samedi). Fermé le samedi.

Garages

■ **Garage Citroën :** Polígono industrial, carretera Amarilla, parcela 172. ☎ 954-55-45-00.

■ **Garage Renault :** *Bellavista Automoción,* Polígono industrial Pineda, Zona 3. ☎ 954-69-32-85.

■ **Garage Peugeot :** *Luis Montoto,* 170 B. ☎ 954-35-04-50. Sur l'autopista de San Pablo, la route à 4 voies qui vient de Madrid, presque en face de l'hypermarché *El Continente.*

En cas de bris de glaces :

■ *Auto Cristal Sevilla :* calle Almaden de la Plata, 14. ☎ 954-35-79-98. Ouvert du lundi au vendredi de 9 h à 14 h et de 16 h à 20 h, et les samedi et dimanche de 9 h à 14 h.

Location de vélos

■ *Sevilla Mágica (plan couleur Santa Cruz, A2, 10) :* calle Miguel de Mañara, 11. ☎ 954-56-38-38. ● se villamagica@wanadoo.es ● Ouvert toute l'année ; au printemps et en été, du lundi au samedi de 10 h à 21 h et le dimanche de 11 h à 15 h ; en hiver, ouvert du lundi au samedi de 10 h à 15 h et de 17 h à 20 h, fermé le dimanche. Constanza et Francisco louent des VTT et des vélos de promenade en excellent état, à la demi-journée, à la journée (environ 12 € ou 79 F), ou plus. Ils proposent pour les groupes uniquement des circuits guidés à thème, en ville (par exemple, Séville la nuit, églises et couvents, architecture andalouse, bars...). Après avoir exploré le centre à pied, le vélo est une très bonne formule pour partir à la découverte des coins un peu reculés. Possibilité également d'acheter des billets pour des spectacles de flamenco.

Santé

■ *Urgences :* ☎ 061.
■ *Hôpitaux :* en cas de gros pépin, les hôpitaux publics offrent des services gratuits pour les premiers soins aux membres de l'Union européenne munis d'une carte de Sécu.
■ *Casa de Socorro Esperanza Macarena :* Maria Auxiliadora. ☎ 954-42-01-05.
■ *Hospital Univ. Virgen del Rocío :* avenida Siurot s/n. ☎ 954-24-81-81.

■ *Pharmacies :* ouvertes du lundi au vendredi de 9 h 30 à 20 h 30 (fermées en général au cœur de l'après-midi) et le samedi matin. Système de roulement la nuit : sur la vitrine de chaque pharmacie figure la liste de celles qui sont ouvertes de 22 h à 9 h 30. En voici une très centrale : Farmacía Iberica *(plan couleur II, B1, 9)*, calle Tetuan, 4. ☎ 954-22-59-48.

Police

■ *Police :* ☎ 091 (urgences). Commissariat : *plan couleur I, B3, 7.*
■ *Objets perdus ou trouvés (plan couleur II, A1) :* Almansa, 21. ☎ 954-21-50-64.

Divers

– *Journaux français :* on en trouve dans les kiosques du centre sans problème, notamment dans la calle Sierpes *(plan couleur II, B1)*, la longue rue piétonne, ou autour de la plaza Nueva.
■ *Laverie (plan couleur II, B1) :* Auto-servicio de lavanderia, calle Castelar, 2. ☎ 954-21-05-35. Ouverte de 9 h 30 à 13 h 30 et de 17 h à 20 h 30. Fermée les samedi après-midi et dimanche. Bien organisée pour les routards. Instructions en français.
■ *Agence Iberia (hors plan II par D1) :* avenida Buhaira, 8. ☎ 954-98-82-08.

Transports

▄ *Gare ferroviaire de Santa Justa* (hors plan I par D2-3) : avenida Kansas City, à l'est de la ville. Informations et réservations : ☎ 902-24-02-02. Gare flambant neuve. Dessert toutes les grandes villes. Consigne.

🚌 *Gares routières :* il y en a deux. Plusieurs compagnies dans chaque gare, mais une seule compagnie par destination. Voir « Quitter Séville ».

✈ *Aéroport :* ☎ 954-44-90-00.

Transports urbains

– *Bus municipaux :* ils irriguent les quartiers excentrés de Séville. Peu utiles pour ceux qui séjournent dans la vieille ville. Toutefois, les bus circulaires (équivalents du PC parisien) sont bien pratiques pour faire le tour de la ville ou pour se rendre à la Cartuja, sur le site de l'Expo. Le circulaire intérieur est le C3-C4 (selon le sens de rotation), l'extérieur le C1-C2 (selon le sens). Vous trouverez le plan de circulation des bus au guichet d'information de la plaza Nueva et de la plaza de la Encarnación. Le billet est vendu à l'unité dans les bus (0,81 € ou 5 F) ou aux départs de lignes. Les cartes *Bonobus* de 10 voyages sont vendues aux départs de lignes : 3,96 € (26 F) sans possibilité de changement de bus ; ou 4,57 € (30 F) avec changement de bus possible dans un créneau d'une heure. Également des « cartes touristiques » pour 3 ou 5 jours, à acheter plaza Nueva, au kiosque Bonobus.
– *Taxis :* ☎ 954-67-55-55 ou 954-58-00-00 ou 954-62-22-22.
– *Parkings en ville :* très difficile de se garer en ville. Le mieux est d'aller déposer vos affaires à votre hôtel puis de garer votre voiture dans un lieu gardé. L'office du tourisme délivre une carte sur laquelle sont indiqués les parkings. En voici quelques-uns, ouverts 24 h/24 et proches du centre, d'autres ferment à minuit : calle Marqués de Paradas (plan couleur I, A3, 8) ; plaza de la Concordia ; plaza de la Encarnación (plan couleur I, C3). Certains hôtels vous proposeront des réductions pour ces parkings.
Quand vous vous garez dans la rue, vous constaterez rapidement qu'il arrive que des agents de la ville (en casquette) vous demandent un droit de parking contre un ticket. C'est tout à fait légal et plus sympathique que les horodateurs. En revanche, moins agréable, des types font le même boulot, mais tout à fait officieusement. Ils vous proposent de garder votre voiture en votre absence, pour éviter les vols. En fait, ils ne surveillent rien du tout. En revanche, si vous refusez de leur donner un petit quelque chose, il y a des chances que vous retrouviez une belle et harmonieuse rayure sur la portière, une antenne en tire-bouchon ou un rétro ayant effectué un salto avant. Bref, c'est une forme de racket déguisé.

Bus de (et pour) l'aéroport

🚌 La compagnie *Amarillos Tour* assure la liaison entre l'aéroport et la ville. Fonctionne de 6 h 45 à 23 h 30. Départ toutes les 30 mn. Prix : environ 2 € (13 F). Le 1er arrêt se fait à la gare Santa Justa et le terminus se situe puerta Jerez, devant l'hôtel Al-

fonso XIII (plan couleur II, B2). Possibilité de trouver des taxis à ces deux endroits. Pour le retour, on le prend aussi à la puerta Jerez. Départ de 6 h 15 à 21 h 30. Moins de liaisons les samedi, dimanche et fêtes.

Où dormir ?

Le logement à Séville n'est pas généralement problématique si l'on s'y prend tôt le matin. En revanche, trouver à se loger pendant les fêtes d'avril sans avoir réservé risque de vous laisser des souvenirs andalous amers ! Les prix varient selon les saisons, particulièrement dans les hôtels offrant un bon confort, avec une tendance à s'envoler sévèrement pendant la Semaine sainte et la Feria. Hélas, histoire de pimenter un peu les choses, le calendrier fixant la « haute » et la « basse » saisons n'a justement rien de fixe et peut fluctuer d'un établissement à l'autre. Bref, on s'y perd !

La ville paraît très étendue sur un plan, mais, en fait, les quartiers qui nous intéressent se mêlent tous les uns aux autres, et les distances ne sont pas énormes. En revanche, le dédale des rues nous fait souvent marcher plus que prévu... alors, encore une fois, munissez-vous du plan de l'office du tourisme ou demandez souvent votre chemin.

Si vous êtes en voiture, essayez de parvenir jusqu'à votre hôtel avec votre véhicule, déposez vos bagages et filez vous garer ailleurs.

Auberge de jeunesse

■ *Albergue Juvenil Sevilla :* calle Isaac Peral, 2, 41012 Sevilla. ☎ 955-05-65-00. Fax : 955-05-65-08. ● www.inturjoven.com ● Dans une rue annexe à l'avenida de la Palmera. Pour s'y rendre, bus n° 34 à prendre à la plaza Nueva *(plan II, B1)* ; descendre à la hauteur de la calle Sor Gregaria de Santa Teresa. D'avril à octobre, nuitée autour de 12 € (79 F) pour les moins de 26 ans et de 16 € (105 F) pour les plus vieux (avec la carte des auberges de jeunesse). C'est 1,80 € (12 F) de moins le reste de l'année. Située au sud du centre-ville, ce qui la rend assez inintéressante, compte tenu de son éloignement et de son prix (à peine moins cher pour deux qu'une petite *hostal*). Bien, en revanche, quand tout est complet, car elle dispose de près de 300 lits en chambres de 2 ou 3 lits. Possibilité de réserver par téléphone ou fax. Immeuble très propre, fonctionnel, dans un quartier aéré et assez vert. Rien à voir malgré tout avec le charme des *hostales* du centre. Cafétéria, jardinet. Possibilité de prendre un repas pour 4,27 € (28 F).

De bon marché à prix modérés

Les *hostales,* sortes de pensions déguisées en mini-hôtels, sont le meilleur moyen de logement pour routards. Elles se ressemblent presque toutes et ont le charme propre à l'Andalousie : patios pleins de fraîcheur, balcons fleuris, atmosphère familiale. Confort simple mais la propreté est généralement au rendez-vous. Notre classement tient compte du charme des lieux et de la chaleur de l'accueil, mais ce dernier reste aléatoire : le fiston qui ouvre la porte pendant la sieste n'est pas forcément aussi aimable que ses parents qui vivent grâce au tourisme...

■ *Hostal Bailén (plan couleur I, A3, 22) :* Bailén, 75, 41001 Sevilla. ☎ 954-22-16-35. Dans une rue parallèle à la calle Gravina, près du museo de Bellas Artes, dans un coin tranquille. Compter environ 30 € (197 F) pour les chambres avec salle de bains, et 24 € (157 F) pour les autres. La patronne vous accueille sans chichis avec son tablier dans une pièce qui semble être son salon. Les chambres sont distribuées autour d'un charmant petit patio clos et sont très propres, en général. Dans certaines, très beaux azulejos anciens. Atmosphère de pension de famille, patrons très sympas. Possibilité de louer l'été un appartement de 2 chambres.

■ *Pensión Cruces El Patio (plan couleur Santa Cruz, B1, 21) :* plaza de las Cruces, 10, 41004 Sevilla. ☎ 954-22-96-33. Pension idéale pour les routards avec des chambres bon marché : 36 € (236 F) avec salle de bains, et 24 € (157 F) sans, et il y a plusieurs petits dortoirs de 5 à 7 lits pour 12 € (79 F) par personne. Le tout s'organise autour d'un patio où règne un joyeux bric-à-brac fait de plantes vertes et de cages à oiseaux. Possibilité de laver son linge et de le faire sécher sur une terrasse inondée de soleil, au 2ᵉ étage. Dommage que l'accueil ne soit pas plus chaleureux et que le ménage ne soit pas forcément fait à fond.

🛏 *Pensión San Pancrasio (plan couleur Santa Cruz, B1, 23) :* plaza de las Cruces, 9, 41004 Sevilla. ☎ 954-41-31-04. Petite pension située au bout d'une venelle qui donne sur la plaza de los Cruces, calme et tranquille. Chambres avec salle de bains à 27 € (177 F), à 21 € (138 F) sans salle de bains. Accueil dans une ambiance familiale.

🛏 *Hostal Gravina (plan couleur I, A3, 25) :* calle Gravina, 46, 41001 Sevilla. ☎ 954-21-64-14. Fax : 954-21-96-45. Ici, les chambres n'ont pas de douche et vous coûteront environ 24 € (157 F). Parking public gardé à prix réduit pour les clients, à proximité. Rue souvent très bruyante, dommage.

🛏 *Hostal Romero (plan couleur I, A3, 20) :* calle Gravina, 21, 41001 Sevilla. ☎ 954-21-13-53. Chambres dans le genre cellules de moines, mais pas tristes pour autant, autour de 24 € (157 F) sans salle de bains et de 30 € (197 F) avec. Modeste. Bon accueil.

🛏 *Pensión Archeros (plan couleur Santa Cruz, B1, 41) :* calle Archeros, 23, 41004 Sevilla. ☎ 954-41-84-65. Chambres assez inégales, de 30 à 48 € (197 à 315 F), ce qui est bien surestimé. Joli patio ouvert et architecture tarabiscotée intéressante. Déco... pas de déco. Ambiance très latine.

🛏 *Hostal Bienvenido (plan couleur Santa Cruz, B1, 26) :* calle Archeros, 14, 41004 Sevilla. ☎ 954-41-36-55. Dans une rue piétonne calme. Chambres sans salle de bains et confort minimaliste pour 24 à 33 € (157 à 216 F). Le hall est décoré de fleurs artificielles et de vieilles affiches de flamenco. L'accueil fait souvent mentir le nom de l'hôtel.

Prix moyens

🛏 *Hostal Paris (plan couleur I, A3, 46) :* calle Pedro Mártir, 14, 41001 Sevilla. ☎ 954-22-98-61. Fax : 954-21-96-45. ● www.sol.com/hostal-paris ● Parking public souterrain payant. Compter environ 42 € (276 F) la chambre double. Toutes sont équipées de salle de bains, AC et TV. Pas de charme particulier mais clair et confortable. Bon accueil.

🛏 *Hostal-Residencia Lis II (plan couleur I, B3, 24) :* Olavides, 5, 41001 Sevilla. ☎ 954-56-02-28. ● www.sol.com/hostal-lisII ● Dans une venelle reliant San Eloy et O'Donnell. Chambres doubles sommaires et (pas toujours) propres à 72 € (472 F) avec salle de bains. Vieille maison pleine de charme avec ses plantes vertes qui dégoulinent des balcons donnant sur un patio intérieur. Quartier très animé, donc assez bruyant. Éviter les chambres du rez-de-chaussée. Peut-être un peu cher pour des petites chambres.

🛏 *Hostal Zaida (plan couleur I, A3, 47) :* calle San Roque, 26, 41001 Sevilla. ☎ 954-21-11-38. Fax : 954-21-88-10. ● www.andalunet.com/zaida ● Chambres confortables et climatisées avec salle de bains, TV et téléphone, toutes à 42 € (276 F) environ malgré des vues assez inégales. Belle demeure de style mudéjar du XVIIIᵉ siècle, dans une rue calme. La réception est située dans un joli patio, avec colonnes de marbre et stucs à profusion. Dans certaines chambres, bien jolis bow-windows en fer forgé.

🛏 *Hostal Sevilla (plan couleur I, B3, 30) :* calle Daoiz, 5, 41003 Sevilla. ☎ 954-38-41-61. Chambres climatisées et confortables, peintes en blanc et vert anis, toutes avec salle de bains, à partir de 36 € (236 F). Un hôtel charmant et calme sur une place bordée d'orangers, décoré avec sobriété et finesse. Joli patio et hall agréable avec TV pour les accros. Attention à leurs prix en période de fête, ils exagèrent un peu...

🛏 *Hostal Marco de la Giralda (plan couleur Santa Cruz, A1, 35) :* calle Abades, 30, 41004 Sevilla. ☎ 954-22-83-24. Chambres avec douche à partir de 36 € (236 F). Dans une belle petite rue tranquille près de la cathédrale. Une pension proprette et agréable, bien qu'assez neutre, avec un patio. Pas le grand confort...

🏠 *Pensión Fabiola (plan couleur Santa Cruz B1, 28) :* calle Fabiola, 16, 41004 Sevilla. ☎ 954-21-83-46. Pension située en plein cœur du barrio Santa Cruz (mais dans une rue calme) où vous trouverez, autour d'un patio, des chambres sans salle de bains à 36 € (236 F) et entre 42 et 60 € (276 à 394 F) avec bains. Chambres propres et dépouillées (voire modestes), quoique certaines soient égayées d'azulejos. Possibilité de loger à trois ou quatre.

🏠 *Hostal Córdoba (plan couleur Santa Cruz, B1, 34) :* calle Farnesio, 12, 41004 Sevilla. ☎ 954-22-74-98. Les chambres sans salle de bains sont autour de 36 € (236 F), les autres environ 42 € (276 F). On vient plutôt pour ces dernières. Dans Santa Cruz, en face du 10, calle Fabiola. Dans une ravissante petite rue, avec une vue très photogénique sur le clocher de Santa Cruz.

🏠 *Hostal Monreal (plan couleur Santa Cruz, A1, 32) :* calle Rodrigo

Caro, 8, 41004 Sevilla. ☎ 954-21-41-66. Idéalement situé, au cœur du barrio Santa Cruz. Chambres avec salle de bains autour de 48 € (315 F), et compter environ 36 € (136 F). La façade vous charmera d'emblée avec sa dégringolade de géraniums, ses colonnettes, ses moulures et ses frises. Proche de la cathédrale, à un petit carrefour très animé jusqu'à fort tard le soir. Déconseillé aux couche-tôt pour les chambres donnant sur la rue. Demandez à en voir plusieurs car elles sont toutes différentes ; certaines ont des plafonds superbes, d'autres des bow-windows, parfois un balcon. En été, les chambres donnant sur le patio sont étouffantes. Pas toujours très clean et accueil lunatique. Dommage, ce pourrait être une excellente adresse.

🏠 *Hostal Goya (plan couleur Santa Cruz, B1, 33) :* calle Mateos Gago, 31, 41004 Sevilla. ☎ 954-21-11-70. Fax : 954-56-29-88. Compter autour de 51 € (335 F) pour les chambres avec salle de bains et de 45 € (295 F) pour celles avec douche. Déco un peu disparate, avec des clins d'œil à l'Asie. Côté rue assez bruyant. Tenue et accueil versatiles...

Chic

🏠 *Hotel La Rabida (plan couleur II, B1, 37) :* calle Castelar, 24, 41001 Sevilla. ☎ 954-22-09-60. Fax : 954-22-43-75. • hotel-rabida@sol.com • Les chambres doubles valent 63 € (413 F) de mars à octobre et 56 € (367 F) le reste de l'année. Au nord de la plaza de Toros et à 5 mn à pied de la cathédrale. Dans le grand patio, un festival de marbres : rose aux murs, blanc au sol et vert pour les colonnes. Les chambres ne vous laisseront aucune émotion esthétique, mais elles sont calmes, confortables, avec téléphone, TV et salle de bains. Bonne climatisation. Demandez à être dans la partie ancienne de l'hôtel. Pas si cher pour un tel cadre.

🏠 *Hotel Simon (plan couleur II, B2, 36) :* calle García de Vinuesa, 19, 41001 Sevilla. ☎ 954-22-66-60. Fax : 954-56-22-41. • www.sol.com/hotel-simon • À 3 mn à pied de la cathédrale. Chambres doubles autour de 84 € (551 F). Patio majes-

tueux avec colonnes de marbre et fontaine. Dans les couloirs, des peintures des XVIIe et XVIIIe siècles. Certaines chambres sont décorées d'azulejos anciens. Préférez celles en étages, si possible. Dans la salle à manger au décor agréable, petit déjeuner très correct. Vieillot, mais beaucoup de charme. Un bémol : la rue est assez bruyante la nuit.

🏠 *Patio de la Cartuja (plan couleur I, B1, 43) :* calle Lumbreras, 8-10, 41002 Sevilla. ☎ 954-90-02-00. Fax : 954-90-20-56. Parking payant. Cet hôtel de luxe excentré propose plutôt des petits appartements agréablement décorés autour de 72 € (472 F) avec salle de bains, petite cuisine, salon (avec canapé-lit). Prix intéressant pour une famille puisqu'il vous en coûtera environ 84 € (551 F) pour 4 personnes. Les chambres doubles classiques sont, elles, un peu petites. Belle bâtisse du XVIIIe siècle restaurée avec goût, disposée autour d'un vaste patio en triangle. Demander de préférence les chambres à l'étage.

🛏 *Hotel Maestranza (plan couleur II, B1, 45) :* calle Gamazo,12, 41001 Sevilla. ☎ 954-56-10-70 et 954-22-67-66. Fax : 954-21-44-04. ● www.andalunet.com/maestranza ● À 100 m de la cathédrale et du quartier de Santa Cruz. Chambres offrant tout ce qu'on peut attendre de ce type d'hôtel, pour environ 63 € (413 F) de mai à début octobre et autour de 57 € (374 F) le reste de l'année (à l'exception de la période des fêtes d'avril). Un hôtel au confort passe-partout, mais intéressant pour sa situation on ne peut plus centrale.

Très, très chic

Dans cette catégorie, le calendrier des tarifs est particulièrement complexe et les différences de prix entre la basse et la haute saison sont importantes. Il est donc prudent de se renseigner au préalable pour éviter les mauvaises surprises. Enfin, on ne le répétera jamais assez, attention aux prix pratiqués pendant la Semaine sainte et la Feria !

🛏 *Hotel Los Seises (plan couleur II, C1, 44) :* calle Segovias, 6, 41004 Sevilla. ☎ 954-22-94-95. Fax : 954-22-43-34. Au cœur de Santa Cruz, à deux pas de la Giralda. Du luxe de charme, pour un peu plus de 174 € (1 143 F) en haute saison et 120 € (787 F) en basse saison. Un hôtel assez exceptionnel puisque les architectes sont parvenus à utiliser les structures de cette ancienne demeure du XVIIe siècle pour en faire un hôtel moderne de haut niveau. Moderne donc, confortable évidemment, accueillant cela va de soi. Sur le toit d'où l'on embrasse une vue exceptionnelle sur la Giralda et les toits ocre et brun du quartier, une superbe petite piscine et un bar.

🛏 *Hostal Doña Maria (plan couleur Santa Cruz, A1, 38) :* Don Remondo, 19, 41004 Sevilla. ☎ 954-22-49-90. Fax : 954-21-95-46. ● www.hdmaria.com ● À deux pas de la cathédrale, dans une petite rue tranquille. Si vous faites partie des 4 chanceux pouvant utiliser le parking de l'hôtel, tout va bien ; sinon, galère... En haute saison, compter autour de 162 € (1 065 F) pour une chambre double ; le reste de l'année, 90 € (590 F) environ suffiront. Petit hôtel douillet et chic où chaque chambre est personnalisée, certaines avec des vieux meubles baroques espagnols très beaux. Sur le toit, une terrasse, avec petite piscine (ouverte de juin à septembre), domine la Giralda... fort classieux, ma foi ! Dommage, on s'attendrait à un accueil plus chaleureux dans ce genre d'endroit.

Inabordable

🛏 *Hotel Alfonso XIII (plan couleur II, B3, 39) :* San Fernando, 2, 41004 Sevilla. ☎ 954-22-28-50. Fax : 954-21-60-33. Le très grand luxe a un prix... 385 € (2 525 F) ; pendant la Semaine sainte et la Feria... 438 € (2 873 F). Olé ! Cette merveille fut construite pour l'Exposition internationale de 1929 et est considérée comme le plus bel hôtel d'Andalousie. Toutefois, il semblerait que les prestations ne soient plus à la hauteur des tarifs. Allez au moins traîner quelques minutes dans ses galeries gigantesques ou y boire un verre.

Où dormir dans les environs ?

Campings

Pas terribles, les campings de Séville ! C'est le moins qu'on puisse dire. Les voici dans l'ordre de préférence et non dans l'ordre de proximité. Ils sont tous desservis par des bus, mais ça n'est pas super pratique.

SÉVILLE ET SES ENVIRONS

⚠ *Villsom :* à 12 km au sud de la ville, à Dos Hermanas (code postal : 41700), sur la route de Cadix (N IV). ☎ et fax : 954-72-08-28. En voiture, prendre la sortie Dos Hermanas-Isla Menor, puis à droite sous le pont. En bus, c'est un peu galère : prendre un bus vert et jaune de la compagnie *Los Amarillos* dans la calle Palos de la Frontera (vers le parc qui entoure la place d'Espagne), direction « Dos Hermanas ». Dites au chauffeur que vous allez au camping Villsom, il vous arrêtera tout à côté. Ouvert toute l'année. *Grosso modo* 3 à 4 € (20 à 26 F) par personne, par voiture et par tente. Y arriver assez tôt en saison, sinon c'est complet. Assez sonore (autoroute proche), mais reste le moins bruyant de tous, et agréablement ombragé. Le sol est en terre battue rouge, style Roland Garros, mais assez dur. Bien surveillé et bien tenu. Piscine gratuite, plutôt belle et surveillée par un maître-nageur. Épicerie (assez chère, allez plutôt à l'hypermarché, à 5 mn de l'autre côté de l'autoroute), mini-golf, bar, machine à laver. Le tout assez propre. Accueil assez froid.

🏠 ⚠ *Camping-motel Club de Campo :* avenida de la Libertad, 13, 41700 Dos Hermanas. ☎ 954-72-02-50. À 8 km de Séville, vers le sud. Ouvert toute l'année. En voiture, prendre direction Cadix, sortir à Dos Hermanas et poursuivre sur environ 5 km en suivant la SE 420, direction Dos Hermanas ; c'est juste à l'entrée de la ville. Les tarifs sont simples : un peu plus de 3 € (20 F) par personne, par voiture et par tente. Également quelques chambres doubles autour de 48 € (315 F). Grande piscine, bar et resto. Pas très ombragé et sa proximité avec la voie ferrée ne le rend pas très calme non plus. Environnement assez lugubre. Bus pour Séville le matin avec retour le soir.

⚠ *Sevilla :* à 5 km au nord-est, sur la route de Cordoue. ☎ et fax : 954-51-43-79. C'est le plus proche de la ville. Du centre, bus n° 70 à prendre près de la plaza de España, mais l'arrêt est à 1 km du camping ; sinon, plus pratique, une navette part de l'avenida Portugal à côté du bar *Citrone* (également proche de la plaza de España) et vous conduit jusqu'au camping pour moins de 3 € (20 F). Elle fait plusieurs fois l'aller-retour dans la journée. En voiture, sortie de l'autoroute « Brenes ». Sans grande conviction, on vous donne les tarifs : 3 € (20 F) par personne et par voiture et entre 2 et 3 € (13 et 20 F) pour une tente. Coincé entre l'autoroute et le bout de la piste d'atterrissage de l'aéroport... Les avions ne circulent pas la nuit, mais dans la journée, c'est très décoiffant. Une situation plus pourrie, on ne connaît pas ! Piscine payante. Douches gratuites. Assez bien entretenu, mais atmosphère désolante. Possibilité également de louer des bungalows.

Où manger ?

La cuisine sévillane est inventive et diversifiée. Beaucoup de restaurants dans la ville, mais nous conseillons plutôt de faire la tournée des bars à tapas (moins chers) et de savourer la délicieuse ambiance animée de ces lieux de rendez-vous. Cela dit, les restos ont à peu près tous un coin-bar où l'on peut grignoter des tapas en buvant un verre. Mais ce n'est pas le cas des restos chic. Bref, pas toujours évident de faire une franche différence. Disons que les adresses qui suivent ont l'avantage de proposer des tables et des chaises, détail non négligeable après des heures de promenade...

Assez bon marché

En fait, il n'y en a pas beaucoup dans la mesure où les restos pas chers du tout servent surtout des tapas. Bref, on tourne en rond ! Attention aux petits menus tout compris, souvent un peu piteux et ne proposant rien de bien typique.

Dans tout le quartier de Santa Cruz, sur les placettes ensoleillées, des terrasses occupent le terrain. La plupart des restos servent un menu attractif en ce qui concerne le prix. Sur le plan culinaire, c'est en général zéro pointé. Autant le savoir. En revanche, le charme est de la partie.

|●| **Mesón Los Gallegos** (plan couleur I, B3, 51) : Capataz Rafael Franco, 1. ☎ 954-21-40-11. Dans une ruelle parallèle à la plaza la Campana. Ouvert tous les jours midi et soir. Menu touristique honorable pour à peine plus de 10 € (66 F). Les tapas tournent autour de 1 à 2 € (7 à 13 F). Atmosphère populaire et bon enfant (les serveurs crient à tue-tête les commandes), cuisine traditionnelle et copieuse. Gazpacho généreux, bonne *tortilla* aux gambas et goûteux *pulpo a la gallega*.

|●| **Bodega Paco Gongora** (plan couleur II, B1, 53) : calle Padre Marchena, 1. ☎ 954-21-41-39. Fermé le dimanche en juillet et août. Compter 12 € (79 F) pour se rassasier. Petite bodega tranquille avec ses 3 têtes de taureaux aux murs semblant surveiller la clientèle, les éternels jambons, l'immuable comptoir en bois qui ondule et un bout de salle où *ración* et *media ración* sont proposées à prix équilibrés et en copieuses portions. Attention, le service a parfois tendance à vous bousculer, surtout si vous ne faites pas un repas copieux.

|●| **Restaurant Las Escobas** (plan couleur Santa Cruz, A1, 52) : calle Alvarez Quintero, 62. ☎ 954-56-04-16. Ouvert tous les jours de midi à minuit. Comptez entre 9 et 12 € (59 et 79 F) pour les différents menus proposés et entre 6 et 12 € (39 et 79 F) pour un plat à la carte. Nourriture correcte, avec quelques plats originaux comme la morue à l'orange, servie en terrasse ou à l'intérieur, sous un joli plafond à caissons. Clientèle exclusivement touristique. Finalement pas trop mal pour un resto situé à deux pas du monument le plus visité de Séville.

De prix moyens à plus chic

|●| **Enrique Becerra** (plan couleur II, B1, 54) : calle Gamazo, 2. ☎ 954-21-30-49. Ouvert de 13 h à 17 h et de 20 h à minuit. Fermé le dimanche. Dans le quartier de la cathédrale. Le bar a une déco « entre-deux » pas vraiment réussie, mais on y mange de bonnes tapas à moins de 2 € (13 F) la pièce. La *media ración*, genre paella, *bacalao*, *calamares con papas*, tourne autour des 6 € (39 F) mais ne suffira pas à vous rassasier. Pour un repas plus assis et traditionnel, on s'installe dans la salle de restaurant, citée dans plusieurs romans d'Arturo Pérez-Reverte. Cuisine espagnole typique mais bien plus chère.

|●| **Restaurante Las Cuevas :** voir « Où manger des tapas ? Où boire un verre ? Dans le quartier de Triana ».

|●| **La Primera del Puente** (plan couleur II, B3, 85) : calle Betis, 66. ☎ 954-27-69-18. Au bord du fleuve. Pas de menu, compter environ 15 € (98 F) pour un repas simple à la carte. Sorte de *Gégène* local, refuge de fraîcheur particulièrement agréable l'été, quand le centre-ville devient trop étouffant. Jolie terrasse en gradins, ombragée, avec vue sur le Guadalquivir et la torre del Oro. Très touristique, cependant.

|●| **Casa Robles** (plan couleur II, B1, 56) : calle Alvarez Quintero, 58. ☎ 954-21-31-50 ou 954-56-32-72. Repas autour de 27 € (177 F) au resto et de 15 € (98 F) au bar. Salle tout en longueur et comptoir couvert de bricoles à grignoter. On a adoré les *alcaparras* (entre la câpre et la figue miniature) à la place des olives, pour l'apéro, ainsi que les tapas de champignons et d'étranges fruits de mer. Installez-vous dehors, en terrasse, ou encore mieux, au comptoir. Le resto, chicos, est spécialisé dans le poisson et la viande (au 1er étage).

|●| **Restaurante A. Donaire El Tenorio** (plan couleur Santa Cruz, A1, 55) : Mateos Gago, 11. ☎ 954-21-40-30. Ouvert tous les jours sauf le dimanche. Le midi, un bon menu pour 12 € (79 F) environ est servi du lundi au vendredi. Le soir, on retrouve le chemin de la cuisine anda-

louse classique, bien réalisée, sans fausse note, à la carte uniquement. Ici, pas de bar à tapas, c'est un vrai resto. Confort (nappes et serviettes en tissu), atmosphère douillette, belle décoration (gravures, peintures, dessins et photos de toreros) et un gazpacho superbe.

Très chic

I●I *La Albahaca* (plan couleur Santa Cruz, B1, 59) : plaza de Santa Cruz, 12. ☎ 954-22-07-14. Menu autour de 27 € (177 F) le midi, mais ne proposant pas, et de loin, les mets les plus fins. Sur une charmante placette, un vrai resto chicos, classe, raffiné et tout et tout. La cuisine s'inspire des grandes traditions de la gastronomie andalouse et basque, épurée, dégraissée et servie dans un style plus français qu'espagnol : daurade, *merluza* et faisan vraiment réussis.

Où manger de bons gâteaux et de bonnes glaces ?

I●I *Confitería La Campana* (plan couleur I, B3, 57) : calle Sierpes, 1. Ouvert tous les jours de 10 h à 20 h. Au bout de cette rue piétonne (où l'on trouve quelques boutiques de fringues bien sympas et bien chères) et à l'angle de la plaza Campana. Existe depuis 1885 et fut moult fois photographiée pour sa superbe vitrine. Frise coquette d'angelots en azulejos derrière le comptoir et bonnes pâtisseries. Pendant la Semaine sainte, goûtez aux *torrijas*, pain de mie frit nageant dans le miel... bonjour le régime ! Comble de l'ironie : une vieille balance attend les clients à la sortie. Pas de panique, elle fait du zèle de 5 kg !

I●I *Confitería-bar Caceres* (plan couleur Santa Cruz, B1, 62) : calle San Jose, 24. *Desayuno* à moins de 4 € (26 F). En voilà une bonne adresse pour les voyageurs qui ont posé leurs bagages dans l'une des pensions du barrio Santa Cruz. Vous pourrez, à deux pas de la petite place Santa Maria la Blanca, y petit déjeuner, et même plus. Le choix est inversement proportionnel à la taille de la salle : gâteaux, viennoiseries, petites portions de fromage, confitures, mais aussi tapas et sandwichs. De quoi donc prendre un petit déjeuner sucré, salé (le *desayuno de la casa* propose un mélange des deux), ou casser la croûte. La clientèle est composée de jeunes touristes, surtout anglo-saxons, mais aussi de personnes du quartier, en costard ou décontractées. Prix raisonnables mais accueil impersonnel, on ne peut pas tout avoir...

I●I *Couvent Santa Inès* (plan couleur I, C3, 58) : calle Maria Coronel, 5. Ouvert de 9 h à 13 h et de 16 h à 19 h. Fermé le dimanche et les jours de fêtes religieuses. Au fond de la cour, sous les arcades. Il faut sonner pour que quelqu'un vienne. Les nonnes font passer leurs petits paquets de gâteaux sur un plateau tournant et l'on fait de même pour payer. Le plus drôle, c'est que tout est prévu pour qu'il n'y ait aucun contact visuel avec les clients... ce qui n'empêche pas un accueil particulièrement attentionné. En tout cas, les sœurs savent préparer les gâteaux, notamment les *tortas de chocolate*... On se régale, c'est un vrai péché !

♀ *Rayas* (plan couleur I, C3, 61) : Almirante Apocada, 1. Ouvert de midi à 1 h. Fermé en janvier. Glacier absolument délicieux, proposant une cinquantaine de parfums dont certains assez délirants. Entre autres, vous pouvez goûter le sorbet au citron avec des morceaux de génoise, la *crema sevillana* ou encore la glace au *mascarpone*... mémorable !

Où manger des tapas ? Où boire un verre ?

Bienvenue dans notre chapitre préféré ! La tournée des bars à tapas est un art (de vivre) espagnol auquel on se doit de rendre hommage... Vous serez vite converti. Pour ceux qui ne seraient pas passés par Madrid, rappelons que ces infernales gourmandises appelées tapas ont vite dépassé le stade des simples amuse-gueule pour devenir de véritables échantillons de dégustation. Certains bars à tapas fonctionnent comme nos traiteurs, avec un choix étonnant de spécialités maison, plats du jour, etc. L'avantage : quand on ne connaît pas le nom d'un plat, on peut se contenter de le montrer du doigt ! Goûter en priorité au chorizo (rien à voir avec celui vendu dans nos contrées), aux calmars, aux *tortillas*, à la morue *(bacalao)* et au poisson mariné, aux anchois marinés, à la salade de poulpes, aux *revueltos* (sorte d'œufs brouillés). De toute façon, tout est bon.

Les prix sont habituellement indiqués au-dessus du comptoir, ça permet de ne pas dépasser son budget. Quand ils ne le sont pas, gare aux arnaques ! Quant à l'addition, on l'inscrit souvent à la craie grasse sur le bar. En général, 3 ou 4 tapas constituent un repas. Les prix pratiqués sont sensiblement les mêmes partout, allant d'un bon 1 € (7 F) pour les classiques anchois, *tortillas, espinacas*, etc., à 8 € (52 F) environ pour une assiette de jambon et fromage. Mais nous vous conseillons de suivre la bonne vieille tradition des tournées, de manière à tester plusieurs adresses au cours de votre itinéraire de visite. Vous verrez, ça repose et c'est fou comme vos journées passeront vite ! En prime, ambiance chaleureuse et animation garantie, sauf à l'heure de la sieste où tous les bars sont fermés (entre 15 h et 19 h environ).

Dans le centre historique

Bodega Santa Cruz *(plan couleur Santa Cruz, A1, 70)* : calle Rodrigo Caro, 1. À deux pas de l'*Hostal Monreal*, au cœur du quartier de Santa Cruz. Ouvert tous les jours jusqu'à minuit. Plus connue sous le nom de *Las Columnas,* en raison des colonnes qui se trouvent juste devant. Le week-end, l'animation délirante rend l'accès au bar plutôt périlleux. Pour les courageux qui y seront parvenus, goûtez les *tortillitas de bacalao* ou le *roquefort pringa,* petit sandwich chaud au roquefort, préparé devant vous. Et puis, vous faites comme tout le monde, vous essayez de ressortir avec votre verre et votre sandwich, et vous allez déguster tout ça adossé aux voitures dans la rue...

Patio San Eloy *(plan couleur I, B3, 71)* : calle San Eloy, 9. ☎ 954-22-11-48. Ouvert tous les jours, mais fermé le week-end en août. Là aussi, l'ambiance est vraiment chaude aux heures de pointe. On boit beaucoup, bien sûr, et on mange des petits sandwichs de toutes sortes (saumon, roquefort) ou des *empanadas,* assis sur de jolis gradins en carreaux de faïence ou sous les jambons qui sèchent. La déco est franchement étonnante. On se croirait plus dans un ancien ham-

mam que dans un bar ! Dès l'entrée sur la droite, petit bar à vin. Salle plus intime à l'étage, clientèle plutôt jeune.

La Bodega *(plan couleur I, B3, 72)* : Fernan Caballero, 6. ☎ 954-21-19-20. Fermé le dimanche et une quinzaine de jours en août. Dans une petite rue perpendiculaire à San Eloy. Ouvert de 12 h à 2 h. Minuscule bar populaire, typique, sans esbroufe, peu connu des touristes. On s'y retrouve le soir entre habitués, sous des néons sans pitié. Patron très gentil, qui prend le temps de vous décrire chaque tapa (si vous comprenez un peu l'espagnol). Bonne bière fraîche, délicieuses tapas et *montaditos* (petits sandwichs) aux crevettes, anchois, fromage et saumon. Également un chorizo pimenté de qualité.

Bodeguita Antonio Romero II *(plan couleur II, B1, 95)* : calle Gamazo, 16. ☎ 954-21-05-85. Les clients se serrent le long du comptoir pour savourer d'excellentes tapas particulièrement inventives. Il faut essayer le *bacalao en aceite,* genre de *carpaccio* version morue, absolument succulent, ou le *piripi al cerdo.* Bon accueil. Ambiance bavarde et lieu méconnu des touristes... Profitons-en, ça risque de ne pas durer !

Hijos de Morales *(plan couleur II, B2, 78)* **:** calle García de Vinuesa, 11 ; à l'angle de la calle Cristobal de Castillejo. Non loin de la cathédrale, en allant vers le fleuve. Fermé le dimanche. Le bistrot à vin le plus vieillot de la ville : près de 150 ans d'existence, et pas un coup de peinture depuis 50 ans ! Installez-vous de préférence dans la salle aménagée (c'est beaucoup dire) dans une ancienne cave, laissée pratiquement intacte : immenses cuves à vin en forme de jarre sur lesquelles on peut lire la liste des tapas, vieux tonneaux, murs écaillés, etc. Le *vino* est *bueno* et, vu l'atmosphère générale, on se sent prêt à tous les essayer ! Clientèle locale l'après-midi.

Café-bar Las Teresas *(plan couleur Santa Cruz, B1, 89)* **:** calle Santa Teresa, 2. ☎ 954-21-30-69. Tout y est : le sol à carreaux, le bar en marbre et en bois, les murs tapissés d'affiches jaunies, une vieille pendule arrêtée, des jambons qui dégraissent doucement... la carte postale ! Un brin attrape-touristes quand même, mieux vaut se contenter d'y boire un verre, d'autant que les tapas n'y sont pas extraordinaires et que la tournée n'est pas terminée !

El Rinconcillo *(plan couleur I, C3, 79)* **:** calle Gerona, 42 ; à l'angle d'Alhondiga. ☎ 954-22-31-83. Derrière l'église Santa Catalina. Ouvert toute la journée, sans interruption. Fermé le mercredi. Superbe bar fondé en 1670, dans la grande tradition : jambons au plafond en bois, murs jaunis, azulejos, etc. Goûtez, par exemple, aux *espinacas con garbanzos* (épinards aux pois chiches), très bien préparés. Les *pavias de bacalao* (beignets de morue) sont également excellents. Jetez un coup d'œil à la salle sur la gauche, remarquable meuble-vitrine et plafond peint, héritages d'un ancien magasin d'alimentation contiguë au bar. Aujourd'hui, le bar est fréquenté par une clientèle variée, touristes et locaux. Il fut pourtant le QG des marginaux, à une certaine époque.

Bodega Extremeña *(plan couleur II, C1, 96)* **:** à l'angle de la calle Alfalfa et de la calle Candilejo.

☎ 954-41-70-60. Adorable et chaleureuse petite bodega où l'on s'arrête et se serre pour déguster les spécialités d'Estrémadure, toutes sortes de cochonnailles dont le célèbre *serrano*, et la *torta de la serena* parmi d'autres délicieux fromages. Tout est riche en saveurs, rappelant un peu les produits corses. Arrosé d'un petit verre de *pitarra*, c'est magnifique !

Cervecería Giralda *(plan couleur Santa Cruz, A1, 80)* **:** calle Mateos Gago, 1. ☎ 954-22-74-35. Au nord de la cathédrale. Ne pas confondre avec le resto du même nom, à l'angle de la rue, beaucoup moins sympa. C'est, en fait, un ancien bain maure converti en café-bar raffiné et superbe. Ambiance gentiment branchée. Également une petite terrasse. Idéal pour les rencontres. Globalement un peu plus cher qu'ailleurs.

Bar Garlochi *(plan couleur II, C1, 83)* **:** calle Boteros, 26. Ouvre vers 22 h, tous les soirs. Un bar moderne, richement décoré de mille objets divers. Bustes féminins taillés dans le bois des piliers, chaises en osier, statuettes, toiles au mur. Un monde franchement rococo à tendance religieuse, noyé dans la musique. Clientèle de branchés sympas. Déguster l'*agua de Sevilla*, cocktail succulent : cognac, cointreau et whisky, jus d'ananas, champagne et crème chantilly.

Antiguedades *(plan couleur Santa Cruz, A1, 75)* **:** Argote de Molina, 40. Ouvert uniquement le soir, de 20 h 30 à 3 h ou 4 h, c'est selon. Dans un quartier animé plein de petits restos. Clientèle jeune, cela va de soi. Sangria bon marché.

Cervecería Internacional *(plan couleur II, B1, 94)* **:** calle Gamazo, 3. ☎ 954-21-17-17. Ouvert tous les jours sauf le dimanche, de 14 h à 16 h et de 20 h à 2 h. C'est surtout le soir qu'il faut y aller. Bienvenue au royaume de la bière. Plus de 200 marques sont proposées, tous pays confondus... il y en a partout, et leur dégustation peut s'accompagner de tapas bon marché ! Enseignes et miroirs ornent les murs, et les bruits des voix couvrent le son de la mousse qui coule à flots. Beaucoup de jeunes, on s'en doute.

♟ Horno San Buenaventura *(plan couleur II, B2, 77)* : angle de l'avenida de la Constitución et de la calle Vinuesa. Face à la cathédrale. ☎ 954-22-18-19. Ouvert tous les jours de 7 h 30 à 23 h. C'est plus qu'un bar à tapas puisqu'il s'agit en fait d'un bar-salon de thé-épicier-pâtissier-traiteur ! Grande salle archi-propre, clinquante, pour ne pas dire nouveau riche. Tout est prévu pour le plaisir des yeux : jambons qui pendent, bouteilles superbes, beaux plats cuisinés, gâteaux aguicheurs et appétissants sandwichs. On y sert même du *gazpacho* au verre. Sans surprise, un peu plus cher qu'ailleurs (les hommes d'affaires du quartier y invitent leurs secrétaires !) mais pratique quand on sort de la cathédrale avec un petit creux.

♟ El Caseron *(plan couleur I, B3, 73)* : calle Javier Lasso de la Vega, 9. Ambiance brique et bois, dans un quartier excentré mais animé, l'endroit vaut le détour. Plus ou moins bien installés par toute une guirlande de bars. L'Espagne est un pays jeune, mais à ce point... Il faut dire que dans cette ville plus qu'ailleurs, les Sévillans sortent le soir dès leur plus jeune âge et cela jusqu'à fort tard dans la nuit. Vieille tradition ici puisque Séville est la ville dans laquelle l'animation nocturne est la plus vivante en Europe depuis le XVIe siècle. Voici donc les points névralgiques du quartier... À voir absolument !

Et encore...

Autour de la plaza El Salvador *(plan couleur II, B-C1)*, le soir et surtout pendant le week-end, le quartier se transforme en un gigantesque rassemblement de jeunes attirés par toute une guirlande de bars. L'Espagne est un pays jeune, mais à ce point... Il faut dire que dans cette ville plus qu'ailleurs, les Sévillans sortent le soir dès leur plus jeune âge et cela jusqu'à fort tard dans la nuit. Vieille tradition ici puisque Séville est la ville dans laquelle l'animation nocturne est la plus vivante en Europe depuis le XVIe siècle. Voici donc les points névralgiques du quartier... À voir absolument !

♟ La Antigua Bodeguita et La Alicantina *(plan couleur II, B1, 86 et 87)* : tous deux plaza El Salvador, à côté de l'église du même nom. Fermés le dimanche. Dans l'un des quartiers les plus jolis de Séville, surtout le soir. Attention, *La Alicantina* est fermée le mercredi soir et le jeudi soir pendant la Feria. Ces bars ne cassent pas des azulejos niveau déco, mais visiblement on n'y vient pas pour cela, mais plutôt pour boire des *cervezas* bon marché avec les copains... De toute façon, tout le monde est installé dehors, sur les marches de l'église... le délire ! Sur la petite place, des vieux nourrissent les pigeons, les enfants jouent, des jeunes mamans promènent le petit dernier...

♟ Dans la *calle Perez Caldos* *(plan couleur II, C1, 88)* : nombreux bars... Même heure, mêmes mœurs, même ambiance. Vraiment, ne quittez pas la ville avant d'avoir traîné un soir dans le quartier. C'est le coin branché. Une kyrielle de troquets.

– En fin de semaine, le soir, la *calle Adriano* est le lieu de rendez-vous de centaines de jeunes qui apportent dans des sacs en plastique des bouteilles d'alcool, du *Schweppes*, des gobelets, de la glace, des cacahuètes, et hop ! Que la fête commence ! Adossés aux bagnoles, radios hurlantes, on improvise des bars de rue, à la franche convivialité et à l'étonnante spontanéité, sous le regard des policiers qui, à chaque extrémité de la rue, semblent se dire qu'il faut bien que jeunesse se passe ! Ah, Andalucia !

Dans le quartier de Triana

Un coin agréable et populaire, peu touristique, de l'autre côté du fleuve. Depuis quelque temps, Triana bouge et devient un des lieux préférés de la jeunesse sévillane. Peu d'animation dans la journée (sauf le long du fleuve, calle Betis), ce quartier vit plutôt le soir.

🍸 **Hostelera Las Cuevas** (plan couleur II, A3, 60) : calle Virgen de las Huertas, 1 ; à l'angle de la calle Paraíso. ☎ 954-27-80-42. L'addition peut ne pas dépasser les 12 € (79 F), sans faire d'excès. Une de ces adresses authentiques, loin des concessions pour touristes, où les gens du quartier (beaucoup de cadres au déjeuner) viennent faire un bon repas sans se ruiner. Tapas au bar et bonnes spécialités en salle ou en terrasse. Ceux qui se moquent des régimes peuvent choisir la cola de toro et les beignets d'aubergines particulièrement réussis. Le mérou a la plancha n'est pas mal non plus et nettement moins culpabilisant pour la ligne ! Excellent rapport qualité-prix-fraîcheur. De ce point de vue, probablement une des meilleures adresses de Séville.

🍸 **Cervecería Casa Cuesta** (plan couleur II, A2, 84) : Castilla, 3. ☎ 954-33-33-37. Dans une rue parallèle à la rive. Vieux bar avec des affiches faites d'azulejos et des tables en marbre. Un de ces troquets authentiques, pas trop connus des touristes. On n'y vient pas exprès, mais la halte est bien agréable quand on passe dans le secteur. Inutile de s'attarder sur les tapas, qui sont très banales.

🍸 Tout au long de la calle Betis qui suit le Guadal (c'est son p'tit nom), nombreux **bars** modernes et branchés. Ambiance inégale, y aller au feeling.

🍸 **Casa Anselma, Bar Joaquim Arenas** (hors plan couleur II, par A2) : à l'angle de la calle Antillano Campos et du 49, calle Pagès del Corro. Vous ne pouvez pas le rater : c'est la superbe maison recouverte d'azulejos anciens. Ouvert seulement le soir, à partir de minuit (si, si, vous avez bien lu, ça ouvre à l'heure où les carrosses se transforment en citrouilles !). Fermé le dimanche. Décoration soignée : petits objets liés à la corrida, miroirs, portraits... Un guitariste prend son instrument et hop, on se lève et on danse ! Olé !

Où écouter un concert ?

🎵 **La Carbonería** (plan couleur II, C1, 76) : calle Leviés, 18. ☎ 954-21-44-60. Ouvert tous les soirs de 20 h à 4 h. Entrée gratuite, conso payante (compter moins de 2 € ou 13 F pour une bière). Ancienne fabrique de charbon, transformée en un ensemble de salles de concerts-bars, dont une grande salle aux murs chaulés et à la superbe cheminée sculptée. On vient boire un coup en assistant à un concert (se renseigner par téléphone ou dans le journal gratuit El Giraldillo). En général, 4 concerts par soir. Au fond, immense patio rempli de plantes vertes pour prendre un bol d'oxygène et discuter tranquillement. Fréquenté à la fois par les étudiants espagnols et étrangers, et les familles sévillanes, selon les heures et les saisons. Comme partout dans cette ville, plus on avance dans la nuit, plus l'animation s'intensifie.

Où danser ?

Près des remparts de Séville,
chez mon ami Lillas Pastia, j'irai
danser la séguedille et boire du manzanilla.

Séville a dû bien changer depuis Carmen, mais elle n'a pas perdu ses traditions. Le flamenco y est bien présent, mais plus vivante encore est la sevillana, ce dérivé populaire et domestiqué du flamenco. On la danse le soir dans les boîtes du quartier de Salado, accompagné par de petits groupes locaux parfois excellents. Là, on s'aperçoit que la *sevillana* – et à plus forte raison le flamenco – ne s'improvise pas. Les couples virevoltent avec grâce (ou lourdeur). Outre la technique, la *sevillana* demande un talent inné pour être bien dansée. Allez donc faire un tour, un vendredi ou un samedi soir.

♪ **El Salsaya :** sur les quais, entre les deux ponts de Sevilla 92. Entrée gratuite. Là, on a la place pour danser. Déco branchée.

♪ **Disco Terraza Verve :** paseo Torneo, entre le pont Barqueta et le pont El Alamillo, au bord du fleuve. Uniquement l'été. Deux pistes : une pour la techno (pour les jeunes), l'autre pour les « vieux », plus cool : reggae, disco, rock, etc.

Où voir et écouter du flamenco ?

Expression pure et puissante de ce que l'âme andalouse possède de noble et tragique, voici le flamenco, art bouleversant en vérité, qui sort du ventre et prend au ventre, quelque chose d'indiciblement fort comme jailli du tréfonds de l'être, de la souffrance, du bonheur et de la mort. Il y a plusieurs flamencos, plus ou moins graves, plus ou moins profonds ; le meilleur s'appelle *Cante Jondo,* et rares seront les touristes qui auront eu le privilège de le connaître. Les spectacles qu'on leur propose s'apparentent davantage au pastiche. Pourrait-il en être autrement, quand le flamenco est avant tout spontané ? Mais si les amateurs, souvent passionnés, ne sauraient se contenter de ces pâles représentations folkloriques, les profanes que nous sommes pour la plupart trouveront enivrants, sensationnels, les rythmes des guitares, des claquements de mains, et tous ces jupons qui virevoltent, et ces voix qui détonnent. Les *tablaos flamencos* sont quand même plus ou moins « vrais » ; en voici deux qu'on a trouvés méritants, plutôt authentiques et pas attrape-touristes.

♪ **Los Gallos** *(plan couleur Santa Cruz, B1, 92) :* plaza de Santa Cruz, 11. ☎ 954-21-69-81. Ouvert tous les jours de 21 h à 1 h 30. L'entrée est à 21 € (138 F), consommation comprise. Deux spectacles par soir, à 21 h et à 23 h 30, de 2 h chacun. Une des grandes qualités de ce *tablao* est son côté intime et sa petite scène. On s'y sent bien et on voit les artistes de près, ce qui est important pour comprendre et ressentir le chant et la danse. Groupes de musiciens et danseuses de qualité, qui donnent toute leur énergie. Un bon souvenir de Séville. Conseillé de réserver.

♪ **El Arenal :** calle Rodo, 7. ☎ 954-21-64-92. Le prix d'entrée est autour de 25 € (164 F), consommation comprise. Beaucoup moins sympathique que *Los Gallos,* mais spectacles de qualité et salle assez chic. Le premier commence à 21 h, l'autre à 23 h.

– Tous les deux ans, un festival de flamenco gratuit se tient en plein air à travers la ville. Le prochain se tiendra lors de l'été 2002.

La Semaine sainte

Pendant la semaine sainte, qui s'étale du dimanche des Rameaux à Pâques, Séville est envahie par les touristes, eux-mêmes noyés dans la foule espagnole. L'ambiance de pénitence et de dévotion se mêle à une atmosphère de spectacle. On ne sait plus très bien si l'on est venu pour se repentir, ou si seul le plaisir de voir défiler les *pasos* surchargés et d'admirer les costumes insolites nous a attirés là. La Semaine sainte de Séville est-elle une fête de la piété ou permet-elle seulement aux Sévillans d'honorer leur foi en la fête ? Les mécréants y verront une parade digne d'un carnaval, occasion rêvée de jouer les reporters, tandis que ceux pénétrés de sentiments religieux, mystiques ou « bigotesques » seront d'abord sensibles à ce qui semble être une communion fervente et qui l'est peut-être bien, nous ne portons ici aucun jugement.

Voici comment se passent les choses : chacune des paroisses que compte la ville s'organise en *confrérie,* héritière de l'ancienne *hermandad.* Ces confréries convergent en procession vers la place San Francisco, transformée pour l'occasion en grand-scène, comme s'il s'agissait d'un vaste théâtre religieux. Les pénitents encagoulés suivent une imposante croix de bois, les plus jeunes ouvrant la marche ; derrière, lentement, avance le *paso,* large plate-forme richement décorée, souvent de manière baroque, et que supportent des dizaines d'hommes. Impressionnant d'accompagner ce cortège, impressionnant vraiment ! Sur le *paso* se dresse une statue du Christ en croix ou de la Vierge en larmes ; à leur passage, des chanteurs flamencos scandent des *saetas,* incantations poignantes et quasi déchirantes, c'est à vous mettre sur les genoux ! Enfin, tout le monde se retrouve sur la place San Francisco, où la fête continue.

Remarque : il est possible de voir les *pasos* de près dans les églises des confréries, les Jeudi et Vendredi saints (le matin seulement).

La Feria

Elle a lieu tous les ans, deux semaines après la Semaine sainte, entre les avenues Juan Pablo II et Ramón de Carranza.

Au départ, il s'agissait d'une vaste foire agricole organisée pour stimuler l'économie locale. Au fil des années, elle devint de plus en plus festive, et aujourd'hui c'est un étonnant rassemblement de couleurs, de danses et de joie simple, aux racines paysannes.

Pendant la Feria défilent à cheval les belles Andalouses vêtues de leur splendide robe à volants *(flamencas),* avec leurs cavaliers sanglés dans leur gilet court. Les grandes familles et la bourgeoisie se ruinent dans l'entretien des *casetas,* ces loges de bois où, durant 6 jours, on mange et on danse des *sevillanas* et des *seguidillas* au son des guitares, des tambourins et des castagnettes. Les badauds n'hésitent pas à se masser devant les entrées des casetas pour mieux voir les festivités. Mais attention, les casetas se monnayent aussi chères qu'une loge à Roland Garros. À moins de faire de l'œil au service de sécurité, le touriste restera sur sa faim pour y accéder. Même si elle passe au rang de folklore, la Feria ressuscite la grandeur passée d'une aristocratie sur le déclin. Mais la Feria, c'est aussi bien sûr les grandes courses de taureaux...

– Pour les petites corridas, acheter ses places directement aux arènes *(plaza de Toros).* Pour les grands rendez-vous, réservations calle Tetuán à « La Teatral », mais c'est plus cher.

– Pendant la Feria, la plupart des magasins sont fermés dès 14 h.

– La Feria est désormais sur Internet : ● www.estuinfo.es/toroensevilla ● Si vous n'avez pas accès à Internet, renseignez-vous auprès de l'Office national espagnol du tourisme (voir le chapitre « Généralités »). Les dates de la Feria varient, en effet, de quelques jours chaque année.

À voir

Cher ami et néanmoins lecteur, les horaires que nous vous indiquons sont ceux donnés sur les sites. Or la réalité des heures d'ouverture est souvent liée à des paramètres non maîtrisables. Entre les horaires officiels, les panneaux et la réalité, il existe souvent des variations importantes. Ajouter à cela les horaires d'été, d'hiver et de demi-saison... Bref, on n'y comprend plus rien ! Ceux qu'on vous donne sont donc indicatifs, rien de plus. Dans le mensuel gratuit *El Giraldillo*, distribué dans les lieux touristiques, vous trouverez un tas d'informations sur l'actualité culturelle du moment, un bon complément à votre guide préféré !

Dans le vieux quartier Santa Cruz

★ *La cathédrale (plan couleur Santa Cruz, A1) :* ouverte du lundi au samedi de 11 h à 18 h et le dimanche de 14 h à 19 h ; il s'agit là des horaires officiels, mais la cathédrale est aussi ouverte pendant les offices ; les horaires sont rarement respectés. ☎ 954-21-49-71. Entrée bien chère : autour de 5 € (33 F) ; tarif réduit pour les étudiants ; gratuit le dimanche. Prévoir au minimum 20 mn d'attente en saison. Essayer d'y aller vers 15 h-16 h, il y a nettement moins de monde. On vous fournit un plan à l'entrée avec le billet. Des gitanes vous « racketteront » en échange d'un œillet qu'elles essaieront de vous mettre de force à la boutonnière. Soyez ferme. Elles sont parfois accompagnées de malicieux pickpockets qui profitent de la diversion. Comme beaucoup d'autres édifices catholiques de la région, celui-ci fut bâti sur l'emplacement d'une mosquée, en l'occurrence celle des Almohades, édifiée au XIIe siècle ; de cette époque ne subsistent que la Giralda et quelques murs. La reconquête de Séville achevée par les Rois Catholiques, la grande mosquée fut aussitôt transformée en église, la troisième du monde par sa taille et la plus large de toutes les cathédrales gothiques, après Saint-Pierre de Rome et Saint-Paul de Londres.

Maintenant qu'on est à l'intérieur, on se sent un peu perdu ! Dieu que c'est grand : 130 m de long, 76 m de large et des voûtes qui culminent à 56 m de hauteur ! On ne va pas vous faire une liste détaillée des choses à voir, un guide entier n'y suffirait pas, mais voici simplement quelques éléments à ne pas rater.

– Tout d'abord la *capilla Real,* de style Renaissance (XVIe siècle). Solennelle et assez chargée. Au centre, le *tombeau de Ferdinand III le Saint,* patron de la ville. On y voit aussi celui d'*Alphonse X le Sage,* roi de Castille et de León, qui voulut réunir les trois cultures juive, chrétienne et islamique, pour la paix du monde et le bonheur des hommes. Jamais royaume ne fut si près de l'harmonie. La science y gagna les premières tables astronomiques. Période faste s'il en fut que celle du règne d'Alphonse ! Recueillez-vous deux minutes sur sa sépulture et méditez sur ce que notre monde aurait de merveilleux si le rêve de ce sage y était partout réalisé. Amen !

– Dans la *capilla Mayor,* le maître-autel est sans doute l'œuvre la plus marquante de la cathédrale : 220 m de figurines sculptées ! En tout, 1 500 figures sculptées dans le bois, puis dorées. Plus de 2 tonnes d'or furent utilisées pour recouvrir cette œuvre magistrale. C'est le plus grand retable du monde. Richesse époustouflante. Réalisé dans un style gothique fleuri des plus travaillés, au XVe siècle, à Bruxelles. 45 scènes de la vie du Christ et de la Vierge y sont représentées. Au centre, tableau de la *Nativité.* À noter que l'artiste a réalisé ses personnages en perspective réduite. Les sculptures du haut sont bien plus grandes que celles du bas. Ainsi, il module l'effet de perspective et redonne de l'importance à des personnages trop loin des yeux puisque très en hauteur.

– Dans le *chœur,* jetez donc un œil aux belles stalles gothiques.

– La *sacristie de Los Calices* renferme plusieurs œuvres de Goya et Murillo. À ne pas manquer.

– Dans la *Grande Sacristie,* ostensoir en argent de plus de 300 kg.

– Dans le bras droit du transept, on peut voir le *monument funéraire de Christophe Colomb* rapporté de La Havane à la fin du siècle dernier. Son tombeau est porté par quatre chevaliers vêtus des costumes représentant les quatre grands royaumes d'Espagne. Celui de gauche porte une rame, symbolisant la découverte de l'Amérique. Il a dû beaucoup ramer pour y arriver ! Un autre tient une croix représentant la victoire du christianisme. Christophe Colomb est peut-être le seul défunt à posséder deux tombeaux : un à Séville et un autre à Saint-Domingue, première terre américaine découverte par lui. Il transita de Saint-Domingue à Cuba avant d'être ramené ici. Mais à Saint-Domingue, on dit que ce n'est pas le bon qui a été embarqué, et que, par conséquent, il y est toujours. Bref, ce cher Christophe, en vrai routard, n'a pas fini de voyager... Et puis encore de belles orgues ciselées, en bois, supportées par des colonnes de marbre rose.

★ *La Giralda* (plan couleur Santa Cruz, A1) : mêmes horaires que la cathédrale. C'est la grande tour (97,50 m) superbement sculptée qui domine la cathédrale. C'était autrefois le minaret de la Grande Mosquée. Les catholiques ont eu le bon goût de ne pas l'abattre. Voici un bel exemple de la cohabitation qui existait aux XIIᵉ et XIIIᵉ siècles entre chrétiens et musulmans. L'observateur sera frappé par l'élégance et la légèreté que les arabesques et les aérations confèrent à cette tour, malgré sa large section carrée. Un clocher baroque la surmonte. Il fut ajouté par les catholiques, afin de rappeler qu'il s'agissait de la maison de Dieu et non de celle d'Allah. On voit bien la parenté qui existe entre ce monument et la Koutoubia de Marrakech, ou la tour Hassan de Rabat ; les trois constructions datent de la fin du XIIᵉ siècle, époque almohade.

Le nom *Giralda* est une altération de Giraldilla, nom de l'allégorie du Triomphe de la Foi qu'on a placée au sommet de la tour. Cette pièce tourne au moindre souffle de vent et il y en a beaucoup là-haut : la tour fut donc rebaptisée Giralda, qui signifie « girouette » en espagnol.

Nous vous conseillons la montée par la large rampe, qui offre un superbe panorama sur Séville dont les environs se diluent dans l'intense lumière. Vue intéressante également sur les fines arches de la cathédrale qui semblent se multiplier à l'infini. De là-haut, on saisit mieux la configuration de ce vaste édifice.

★ *El patio de los Naranjos* (la cour des Orangers) : on remarque encore dans ce joli jardin accolé à la cathédrale, qui servait aux ablutions des musulmans, les canaux d'irrigation creusés par les Arabes. Au-dessus de la porte d'entrée, admirez cette splendide scène des *Marchands chassés du Temple*. Sur les lourdes portes d'entrée, on peut lire des inscriptions coufiques. Comment ? Vous ne savez pas lire le coufique ? Au centre, fontaine qui date de la cathédrale wisigothique.

★ *L'Alcázar* (**Reales Alcazares** ; plan couleur Santa Cruz, A2) : entrée par la plaza del Triunfo. ☎ 954-50-23-23. D'avril à septembre, ouvert du mardi au samedi de 9 h 30 à 19 h et les dimanche et jours fériés de 9 h 30 à 17 h ; d'octobre à mars, ouvert du mardi au samedi de 9 h 30 à 17 h et les dimanche et jours fériés de 9 h 30 à 13 h 30. Fermé le lundi. Entrée autour de 4-5 € (26-33 F) ; gratuit pour les étudiants, les enfants de moins de 16 ans et les personnes de plus de 65 ans. Un système de casque audio peut être loué à l'entrée.

Ancienne forteresse arabe transformée en palais d'habitation. Isabelle la Catholique et Charles Quint y vécurent. Curieusement, ce chef-d'œuvre ne fut pas construit par les Arabes mais par les conquérants chrétiens qui copièrent le style de leurs prédécesseurs en employant des artistes musulmans. C'est ce qu'on appela le style mudéjar. Ainsi, ce fut Pierre III le Cruel qui fit bâtir l'Alcázar. De sorte que, par une curieuse pirouette, les vaincus imposèrent leur art aux vainqueurs. Le site fut judicieusement choisi. C'était à l'époque romaine la place du marché. Au fil des siècles, tous les illustres occupants de l'Alcázar ajoutèrent leur pierre à l'édifice, démolissant en partie les remaniements du précédent propriétaire et utilisant à leur tour les styles architecturaux en vogue à l'époque, ce qui explique que se mélangent allègrement le gothique, l'hispano-musulman, le mudéjar, le baroque, plus tous les styles intermédiaires. Christophe Colomb et Magellan vinrent y chercher des subsides pour leurs voyages.

– **El patio de León :** réalisé un siècle après la construction, il s'agit d'une ancienne caserne militaire. Sur le côté gauche, la salle de justice, de style mudéjar. C'est là que Pierre le Cruel fit exécuter son frère. Faut dire qu'il faisait la bête à deux dos avec sa femme. Y'a de quoi l'avoir mauvaise !

– **La salle des Azulejos :** quelques exemples d'azulejos à la géométrie complexe et surtout quelques toiles intéressantes.

– **La salle des Amiraux (cuarto del Almirante) :** du début du XVIe siècle. On peut y voir des tableaux du XIXe et du XXe siècle. Ne pas manquer le détonnant tableau sur l'inauguration de l'Exposition universelle de 1929.

– **La salle des Audiences :** dans le prolongement de la précédente. Plafond en bois doré, murs tapissés des armoiries des amiraux de Castille qui participèrent à la découverte des Amériques. Frise plateresque tout autour. On va ici surtout s'intéresser au tableau de la *Vierge des Navigateurs,* du XVIe siècle. Sous son large manteau, elle protège Christophe Colomb, Ferdinand, Charles Quint, Amerigo Vespucci... ainsi que quelques Indiens ramenés de là-bas. Vous êtes devant le tout premier tableau traitant de la conquête des terres nouvelles.

– **El patio de Montana :** ici, le style mudéjar est à l'honneur, mélange d'art chrétien et d'art musulman. Piliers octogonaux au rez-de-chaussée. La famille royale y habite encore quand elle séjourne à Séville, au 1er étage. Belles arches polylobées sous la corniche et colonnettes de marbre. « Et le seul vainqueur est Allah », annonce une inscription.

– **Le vestibule :** c'est là qu'étaient reçus les visiteurs de marque. On leur ôtait leurs armes. De ce lieu, il leur était impossible de voir l'intérieur du palais. Ainsi la vie privée était préservée des regards extérieurs, tout en proposant à l'hôte une réception personnalisée. On ne vous décrit pas la richesse des entrelacs géométriques, polychromes, et d'une extraordinaire variété. Remarquable porte marquetée qui mène au patio de las Doncellas.

– **El patio de las Doncellas :** l'âme du palais, son poumon et son cœur à la fois. Il possède les plus beaux azulejos du palais et des panneaux de stucs finement ouvragés dans la pure tradition d'Afrique du Nord. Dans certains patios, les frises sont en fait des versets du Coran qui s'intègrent merveilleusement à l'art décoratif. C'est ici que les grandes réceptions avaient lieu, et notamment les rencontres entre princes et califes, sultans et rois. Parfois des jeunes filles étaient offertes en guise de présent. Malheureusement, la tradition s'est perdue. Ici, on trouve les styles mudéjar et plateresque combinés fort harmonieusement. Au-dessus des portes, les armoiries de Castille et León. Fontaine centrale et sol en marbre blanc, réfléchissant abondamment la lumière.

– **Le salon des Ambassadeurs :** nous sommes dans le cœur politique du palais et l'un des joyaux de l'Alcázar. Arabesques de stucs polychromes, linteaux finement ciselés, extraordinaire coupole en forme de demi-orange décorée de stalactites. Porte de bois sculptée. À l'époque où Edison n'avait pas encore éclairé le monde de ses lumières, les architectes usaient d'ingénieux artifices pour dompter les sources lumineuses. Ainsi, vous remarquerez dans les niches du plafond de minuscules miroirs d'acier. La lumière qui entre par les arches est d'abord réfléchie par le marbre clair du sol, puis va frapper ces petits miroirs qui illuminent à leur tour la pièce. Si l'on n'était pas attentif, toutes ces beautés relégueraient presque à l'arrière-plan la richesse infinie des *azulejos.* Il n'y a pas un motif identique. La salle du trône est la plus décorée. Triples arcs outrepassés de chaque côté de la salle. Balcons soutenus par des dragons de bois.

– Les autres salles sont plus belles les unes que les autres et tout n'y est qu'azulejos, *yeserías* polychromes, plafond *artesonados,* portes finement travaillées. Parmi les plus magnifiques, le **Salón del Techo** de Felipe II ou **las Habitaciones de los Infantes,** notamment pour leurs plafonds.

– **La cour des Poupées (palacio de las Muñecas) :** attribuée à Pierre le Cruel et consacrée à la vie familiale. Son nom proviendrait des petits visages que l'on devine (il faut bien chercher) à l'intersection des arches et qui ressemblent (vaguement) à ceux de poupées. Stucs extrêmement raffinés. Petit patio entouré de galeries superposées. Certains plâtres ont été copiés sur ceux de l'Alhambra de Grenade.

À l'étage

– **La chapelle de Charles Quint (capella Palacio Carlos V) :** on grimpe à la chapelle. Admirables motifs d'azulejos dans les tons vert-bleu, du XVIe siècle. Tableaux religieux.

– **El palacio Carlos V :** on y verra de remarquables tapisseries sur la conquête du Maghreb. Tissée avec de la soie de Grenade, l'une d'elles illustre la bataille de Tunis. Voir aussi la carte des continents. Étonnant comme on imaginait les contours des pays aux siècles précédents. À regarder de près, on découvre que la carte a été réalisée à l'envers, avec l'Espagne sur la gauche. La visite se poursuit agréablement par les jardins.

★ **Les jardins de l'Alcázar** (plan couleur Santa Cruz, B1-2) : mêmes horaires que ci-dessus. Seuls les Arabes ont su allier avec autant de génie la végétation et l'eau. Les allées sont recouvertes de briques plates. Certaines d'entre elles sont percées de trous d'où s'échappent des filets d'eau. Le roi, Pierre le Cruel, qui était un grand plaisantin, organisait souvent de vastes fêtes dans ces jardins. Il aimait à y réunir les femmes. Alors il faisait ouvrir largement les vannes, et les filets d'eau venaient jaillir sous leurs robes. Amusant, non ? Une autre tradition consistait à boire l'eau des bassins dans lesquels les femmes se baignaient. On raconte qu'un jour un des invités de la Cour refusa de boire cette eau. Le roi s'en étonna. Le courtisan lui répondit que « s'il ne buvait pas la sauce, c'était de crainte de la trouver trop à son goût et de convoiter alors la perdrix ! »... de l'art de dire élégamment des choses crues.
Balade très agréable aux heures les plus chaudes de la journée, tout empreinte de tranquillité et de fraîcheur. On déambule au gré de son inspiration au milieu des allées, des fontaines, des orangers et des palmiers.

★ Derrière la cathédrale, la charmante **plaza de la Virgen de los Reyes.** Remarquez le palais archiépiscopal, doté d'une belle porte baroque.

★ **Le barrio de Santa Cruz** (plan couleur II, C1-2 et plan couleur Santa Cruz) : probablement le quartier le plus enchanteur de Séville, bâti sur les fondations de l'ancien quartier juif coincé entre l'Alcázar et la cathédrale. Son nom vient de la croix en fer forgé datant de 1692 sur la place Santa Cruz. On peut commencer par le patio de las Banderas, en sortant de l'Alcázar et se rendre sur la magnifique plaza de Doña Elvira. Ensuite, le mieux est de se perdre joyeusement au hasard de ces belles ruelles tortueuses. Placettes bordées d'orangers, églises, superbes demeures aux couleurs chaudes, maisons blanchies à la chaux avec leurs fenêtres protégées par des grilles en fer forgé d'où dégoulinent plantes et fleurs, patios délicieux... L'Andalousie des cartes postales ! Balade merveilleuse à la nuit tombée. Dans l'après-midi, tout est calme. Profitez-en pour pousser les portes et admirer les patios. Dans la calle Guzman el Bueno notamment, au n° 4, un superbe exemple de cet art qui marie lumière et végétation au cœur des demeures.

★ **La casa Lonja** ou **Archivo de Indias** (plan couleur Santa Cruz, A2) : située plaza del Triunfo, à droite de l'Alcázar. ☎ 954-21-12-34. Ouvert seulement de 10 h à 13 h. Fermé les samedi et dimanche. Entrée gratuite.
Édifice du XVIe siècle abritant les « archives des Indes », avec un escalier monumental en marbre très impressionnant. On sait que les grands navigateurs découvrirent les Amériques alors qu'ils voulaient atteindre les Indes. Comme quoi la navigation s'est, depuis, quelque peu améliorée ! Des milliers

de documents et d'archives, parmi les plus riches du monde dans le genre, tapissent les murs qui paraissent infinis. En fait, relativement peu à voir, mais ceux qui se passionnent pour l'Amérique centrale et l'Amérique du Sud jetteront un coup d'œil intéressé sur les plans de Mexico, Cuzco, Lima, dessinés à cette époque. Dictionnaires du XVIIIe siècle, carnet de voyage d'un gouverneur du Mexique, documents sur les coutumes indigènes... Quelques autographes de célèbres navigateurs : Magellan, Pizarro, Amerigo Vespucci... Expos temporaires aussi.

Dans le reste de la ville

★ **La casa Pilatos** *(plan couleur II, C-D1)* : plaza de Pilatos, 1. ☎ 954-22-52-98. Ouvert tous les jours de 9 h à 18 h. On peut visiter la partie basse et la partie haute avec 2 tickets séparés valant chacun 3 € (20 F) environ. Superbe palais construit du XVe au XVIe siècle, peut-être la demeure seigneuriale la plus éblouissante de Séville, à voir absolument, tant la visite est enchanteresse. Admirable expression de l'art mudéjar où, au-delà de l'aspect purement esthétique, on perçoit un art de vivre d'un raffinement extraordinaire. Dans le patio principal, sous les arcades, superbes panneaux d'azulejos tous différents et, à chaque angle, des statues grecques et romaines. Dans les corniches, bustes d'empereurs romains rapportés d'Italie. Les salles autour du patio présentent toutes un intérêt et leurs portes d'accès sont de remarquables exemples de marqueterie. Dans celle de droite, les murs d'azulejos sont d'une richesse folle avec des motifs moulés en plâtre et un plafond à caissons en bois sculpté. En continuant à tourner dans le sens contraire des aiguilles d'une montre, le *salon de détente des juges* est également tapissé de stucs et d'azulejos impressionnants, avec les armoiries des familles *Enríquez* et *Ribera,* propriétaires dès le XVe siècle. Au fond, la chapelle *de la flagelación* (!), considérée comme la partie la plus ancienne du palais. En poursuivant, autre salle dotée d'une minuscule fontaine centrale et un plafond en marqueterie remarquable. On rejoint un somptueux jardin plein de senteurs autour duquel dorment quelques statues romaines. Retour dans le patio central. Gravir le majestueux escalier entièrement tapissé de mosaïques en admirant la stupéfiante coupole de bois en nid d'abeilles. Après la grille, visite obligatoirement guidée pour la partie haute. Celle-ci est nettement moins spectaculaire. Il s'agit d'une succession de vastes salons encore richement meublés, souvent chargés de tableaux et de tapisseries.

★ **Le parc Maria Luisa et la plaza de España** *(plan couleur II, C-D3)* : grands jardins aménagés en 1929 pour l'Exposition hispano-américaine et dessinés par le Français Forestier. Allez vous promener l'été, à l'ombre de ses orangers, palmiers et eucalyptus. Il ne faut pas manquer, le long du *paseo de las Delicias,* ces extraordinaires pavillons de l'Exposition. Cachées derrière les palmiers, on peut encore voir les somptueuses demeures de grandes familles sévillanes.
La plaza de España, grandiose, aérée, forme un demi-cercle dans lequel s'élèvent les installations de l'Exposition. Gracieux, élégants, les pavillons ont été construits avec des matériaux nobles : brique, azulejos, pierre, tout fut conçu pour durer. Pari tenu puisque, aujourd'hui, les parcs, les bassins et les arcades des pavillons accueillent tous les week-ends des milliers de Sévillans qui viennent s'y promener. Vous pourrez voir 58 bancs d'azulejos représentant les différentes provinces espagnoles, d'élégants ponts enjambant les bassins, etc. Une bien belle balade, en vérité. N'oubliez pas de saluer les trois charmantes Sévillanes de pierre qui se prélassent autour d'un arbre. Location de barques.

★ **Le Musée archéologique :** dans le parc Maria Luisa. Bâtiments construits pour l'Exposition. Ouvert le mardi de 15 h à 20 h, du mercredi au samedi de 9 h à 20 h et les dimanche et jours fériés de 9 h à 14 h. Fermé le lundi. Simple comme tout, non ? Entrée (gratuite pour les Européens) par le paseo de las Delicias qui longe le Guadalquivir, ou en traversant le parc à pied.

Nombreuses œuvres de l'époque romaine et beaucoup d'objets en or d'inspiration orientale. On suit chronologiquement le parcours des différents peuples ayant sévi dans la région. À noter surtout les mosaïques des IIe et IIIe siècles, provenant pour certaines du site d'Italica dans les environs de Séville. Et puis le torse supposé de Claudio, très expressif, remontant au Ier siècle de notre ère.

★ **El museo de Artes y Costumbres :** dans le pabellón Mudéjar, face au Musée archéologique. Mêmes horaires que ce dernier... on l'a échappé belle ! Gratuit pour les membres de l'Union européenne.

Superbe édifice avec ses deux grandes tours ajourées en brique et à colonnettes de marbre. À l'intérieur, le musée flotte un peu dans des habits trop grands : costumes (très belles dentelles), instruments de musique, objets religieux, intéressant mobilier... Bon, l'ensemble se révèle tout de même un peu ennuyeux et semble avoir été posé là pour occuper l'espace.

★ **La torre del Oro** (plan couleur II, B2) : le long du fleuve. ☎ 954-22-24-19. Ouvert du mardi au vendredi de 10 h à 14 h et les samedi et dimanche de 11 h à 14 h. Fermé le lundi et en août. Entrée à moins de 1 € (7 F) ; gratuit le mardi.

C'est non point, comme son nom inclinerait à le croire, un hôtel des Monnaies ou une tour renfermant le Trésor, mais un môle d'ancrage d'une énorme chaîne que l'on tendait en travers du río pour en barrer l'amont aux éventuelles incursions des navires chrétiens. Son nom vient des azulejos dorés qui le couvraient autrefois. Petit musée naval à l'intérieur : gravures, demi-coques, quelques instruments de marine, cartes... Ne vaut pas plus que son prix d'entrée modique.

★ **La plaza de Toros** (plan couleur II, A-B2) : il s'agit des célèbres arènes de Séville. Entrée par le paseo de Cristóbal Colón. ☎ 954-21-03-15. ● www.realmaestranza.es ● Ouvert tous les jours de 10 h à 14 h et de 15 h à 19 h ; les dimanches de corrida et pendant la Feria, de 9 h 30 à 15 h. Visite guidée uniquement, toutes les 15 mn, moyennant environ 3 € (20 F). Histoire de fouler le sable de la piste sur laquelle « les plus grands » ont toréé depuis le début de sa construction, en 1761.

L'ocre, le blanc, le bleu du ciel et le rouge du sang. Voilà les couleurs dominantes des arènes qui peuvent, ici, accueillir jusqu'à 14 000 spectateurs. La forme légèrement ovale provient d'une erreur de l'architecte qui s'est un peu planté dans ses calculs, le plan original s'étant perdu au cours du siècle et demi qu'a duré sa construction. Dans le petit musée situé dans les caves voûtées sous les gradins, gravures (copies) ayant appartenu à la reine Eugénie. Informations sur le juego de cabezas y lancas en vogue jusqu'à la fin du XVe siècle et considéré comme l'ancêtre de la corrida. Portraits de toreros, costumes. Trois pièces à noter : la tête naturalisée de la mère du taureau qui tua Manolete en août 1947, Cape rose peinte par Picasso, et enfin un dessin de Cocteau. Bon, visite probablement passionnante pour les aficionados mais les banderilles resteront en travers de la gorge des autres, sans aucun doute. Il y a une quarantaine de corridas par an à Séville, entre Pâques et octobre, en général le dimanche. Tiens, une coïncidence curieuse : on ne déplora aucun accident mortel à Séville pendant 70 ans, et soudain en 1992 (l'année de l'Expo), 2 morts coup sur coup !

★ À partir de la torre del Oro, une longue promenade s'étire le long du Guadalquivir, sur le **paseo de Cristóbal Colón**. Agréable en fin d'après-midi.

★ **La plaza del Salvador** (plan couleur II, B1) : hyper animée le week-end (plus calme en août). Beaucoup de monde aux terrasses des cafés, devant la façade baroque de l'église (voir « Où manger des tapas ? Où boire un verre ? »). Non loin, la *calle Sierpes,* longue rue piétonne, centre commercial le plus animé de la ville, très vivant en fin d'après-midi. Belle façade d'azulejos au n° 39, et au n° 45 chouette pâtisserie.

★ Tout le ***quartier situé en face de la cathédrale*** *(plan couleur II, B2),* de l'autre côté de l'avenue de la Constitución, se révèle moins touristique, plus populaire que Santa Cruz. S'il n'a pas le charme des maisons blanches et des placettes endormies, on y trouve une atmosphère peut-être plus vraie. Baladez-vous autour des rues *García de Vinuesa, Gamazo, Arfe...*

★ ***El museo de Bellas Artes*** *(plan couleur I, A3) :* plaza del Museo, 9. ☎ 954-22-07-90. Ouvert le mardi de 15 h à 20 h, du mercredi au samedi de 9 h à 20 h, et le dimanche de 9 h à 15 h. Fermé les lundi et jours fériés. Gratuit pour les citoyens de l'Union européenne.
Installé dans un ancien couvent du XVIIe siècle, dont la décoration intérieure vaut à elle seule le détour, il se compose de trois patios et d'un cloître. Dans les 14 salles, 2000 tableaux sont exposés, dont près de la moitié en alternance. Excellent musée de peinture superbement aménagé. On trouve regroupés ici l'art médiéval espagnol, l'époque maniériste, la baroque européen, la peinture sévillane des XVIIIe et XIXe siècles, le romantisme et une approche du début du XXe siècle. La partie médiévale possède de petites merveilles (admirable *Christ* du XVe siècle). La salle suivante présente une étonnante *Vierge à l'Enfant.* Dans l'ancienne église, dont on peut remarquer au passage les belles fresques des voûtes et de la coupole, œuvres de Uceda et de Murillo. Également plusieurs toiles de l'excellent Juan de Valdés Leal. Dans la section consacrée au XXe siècle, voir le travail de Gonzalo Bilbao et de Villegas Cordero.
À l'étage, très beaux retables du XVIe siècle (dans la salle IV), beaucoup d'œuvres de Murillo et de Zurbarán, et deux magnifiques tableaux de Brueghel dont un représentant Adam et Eve au Paradis terrestre, entourés de tous les animaux de la création, rappelant le travail du Douanier Rousseau.

★ ***La basilique de la Macarena*** *(plan couleur I, C1) :* ouverte de 9 h à 13 h et de 17 h à 21 h. Cette basilique est célèbre pour sa statue baroque de la vierge de la Macarena, patronne de Séville. Sa sortie, le Jeudi saint à minuit, constitue un des temps forts de la *Semana santa.* Un petit musée attenant rassemble les ornements de la Macarena : bijoux, vêtements brodés... En face de l'église, ne pas manquer la *puerta de la Macarena,* reconstruite au XVIIIe siècle à partir de vestiges musulmans.
Au sud s'étend le quartier de la Macarena, paisible et parsemé de belles églises (San Luis, San Marcos). Promenade agréable, loin de l'agitation des quartiers plus centraux, et plus touristiques.

★ ***La faculté de Droit et de Lettres*** *(plan couleur II, C3) :* entrée en face de calle San Fernando, 31. Non loin de l'hôtel *Alfonso XIII.* Fermé le dimanche. Ancienne fabrique de tabacs, construite au XVIIIe siècle dans un beau style sobre et classique. Il s'agit de la deuxième plus grande construction d'Espagne après l'Escorial, où travaillaient plusieurs milliers de cigarières (dont la célèbre Carmen).

★ ***El hospital de la Caridad*** *(plan couleur II, B2) :* calle Temprado, 3. ☎ 954-22-32-32. Ouvert du lundi au samedi de 9 h à 13 h 30 et de 15 h 30 à 18 h 30. Entrée à moins de 23 € (20 F).
Cet hospice ancien possède une église baroque, la seule partie visitable, intéressante surtout pour les peintures qui l'ornent. De l'extérieur, on aura déjà noté son beau clocher multicolore de style baroque. Dans la cour-patio, plusieurs allégories religieuses en azulejos dont les thèmes sont très parlants (la Passion du Christ, la Tentation...). La décoration de l'église est due à don Miguel de Mañara, personnage du XVIIe siècle à la vie dissolue, et qui ressentit le besoin de racheter tous ses péchés. Grâce à ses dons, on bâtit

donc cet hôpital pour les pauvres ainsi que cette église, au seuil de laquelle il se fit enterrer. La légende voudrait que ce soit ce personnage qui inspirât à Molière son *Don Juan*. Manque de chance, il faudrait une sacrée gymnastique de calendrier pour aboutir à un tel résultat.

Reste que don Miguel demanda aux peintres Valdés Leal et Murillo de traiter les sujets qui lui tenaient à cœur : le premier peignit ainsi la Mort et la Vanité avec un réalisme cru et implacable (toiles qui encadrent la nef, à l'entrée). Voir la Mort apportant un cercueil sous son bras et éteignant la dernière lueur de vie. L'autre toile présente un seigneur vaniteux, rongé par les vers. Dans un tout autre registre, Murillo peignit *La Multiplication des pains* et *Le Miracle de Moïse faisant jaillir une source*. Là, c'est le bonheur qui resplendit de la toile, la douceur. On devine, grâce à ces quatre toiles, les contradictions et les remords qui devaient ronger le malheureux don Miguel.

★ **Le quartier de Triana** (*plan couleur II, A2*) ne présente un intérêt architectural que dans la partie longeant le Guadalquivir. En revanche, le soir, c'est là que les habitants se retrouvent pour danser la *sevillana* dans des bars-boîtes où se produisent les groupes locaux. Vous pourrez même avoir la chance d'assister à d'excellentes prestations. Depuis quelque temps, Triana devient un des lieux branchés de la capitale andalouse (voir plus haut la rubrique « Où manger des tapas ? Où boire un verre ? Dans le quartier de Triana »). C'est le quartier qui monte !

En dehors du centre

★ **La Cartuja :** sur la rive droite du Guadalquivir, vers l'est. ☎ 954-48-06-11. On peut parfaitement y accéder à pied en empruntant la pasarela de la Cartuja, située à l'extrémité de la calle de Baños (*plan couleur I, A2*). Ouvert du mardi au samedi de 10 h à 21 h et le dimanche de 10 h à 15 h. Entrée gratuite le mardi. Visites guidées à 12 h et à 19 h en été, à 12 h et à 17 h en hiver. Entrée à moins de 2 € (13 F). Brochure en français distribuée à l'entrée, avec un plan. Pratique.

Cœur et symbole de l'Expo universelle de 1992 comme l'avait été la tour Eiffel, la Cartuja, restaurée en 1986, est une ancienne chartreuse. De fait, elle est tout ce qui reste de vivant sur le site de l'Expo. Tout autour, ce ne sont qu'installations défraîchies et rongées par la rouille, la plupart ceintes de grands grillages pour en empêcher l'accès. On mesure une nouvelle fois dans ce type de projet une certaine vanité incurable de l'homme. Toute cette énergie dépensée pour un lustre éphémère, sans pensée pour le lendemain. Un tas de ferraille, voilà ce qui reste, alors que de vastes projets devaient permettre, avait-on promis alors, d'exploiter de manière intelligente et rationnelle nombre de pavillons pour le futur. Rien ne fut fait. Il faut bien constater que plus on a vu grand, moins on a vu loin. Reste la Cartuja, qui fut à nouveau largement restaurée pour l'Expo 92 et le Parc des Sciences et des Technologies, zone d'activité qui semble assez dynamique.

Fondée à la fin du XIVe siècle à la suite d'une apparition de la Vierge en 1248, la vie de la Cartuja subit des hauts et des bas. Les images les plus fortes de son histoire sont évidemment ses grandes cheminées qui témoignent de sa transformation en fabrique de céramique en 1841. Par chance, ces hautes tours en forme de bouteilles entourant l'église ne la déparent en rien et lui confèrent même un supplément d'harmonie. L'autre grand jalon historique est le séjour de Christophe Colomb à la Cartuja, de son vivant, pour préparer son second voyage, puis son long séjour de trente ans, dans la crypte de l'église, une fois mort. On se souvient également encore de l'invasion des troupes napoléoniennes en 1810, qui délogèrent les chartreux. À noter tout particulièrement le parvis de l'église, l'église elle-même, le cloître mudéjar, la chapelle de Sainte-Anne où reposa Colomb de 1509 à 1536...

– Dans la chartreuse se trouve le **Museo de Arte Contemporano,** réunissant des collections de peinture, sculpture et céramique espagnoles de ce siècle. Œuvres très diverses et expos temporaires. Une balade agréable, avec un parfum d'insolite, puisqu'il peut vous arriver de la faire seul, même en pleine saison touristique.

★ **Isla Mágica :** un nouveau parc d'attractions sur une partie du site de l'Expo de 1992, autour du lac. Nombreux bus du centre de Séville : C1, C2, C3, C4, 2, 13 et 14. ☎ 902-16-17-16. ● www.islamagica.es ● Ouvert tous les jours, de mi-mars jusqu'à mi-septembre, de 11 h à 21 h, 22 h ou 2 h du matin selon la période, puis uniquement le week-end en octobre. Ce calendrier est susceptible de changer, mieux vaut téléphoner avant de se déplacer, en particulier pendant les périodes intermédiaires. Tarifs : avant 16 h, autour de 21 € (138 F) par adulte et de 14 € (92 F) par enfant ; après 16 h, environ 14 € (92 F) par adulte, et 11 € (72 F) par enfant. Plan parfaitement détaillé offert à l'entrée, dans le *Guía del explorador...* le ton est donné.

On reste donc dans le thème moteur de l'Expo 92, puisque le fil conducteur tourne autour de la découverte de l'Amérique. Six thèmes composent ce parc de 35 ha plutôt bien ficelé où le visiteur, devenu un authentique explorateur, revit l'esprit colonial : Séville-Port des Indes ; Puerta de America ; l'Amazonie ; le Repaire des pirates ; la Fontaine de Jouvence (pour les tout-petits) et enfin l'Eldorado. Attractions à sensations, balade en bateau, spectacles, vidéos, boutiques, restos, décors, pirates... bref, tout y est, dans une ambiance « devinez qui, du père ou du fils, s'éclate le plus ? ».

Les marchés

– **Marché aux puces** *(plan couleur I, B2) :* petit marché tous les jeudis et dimanches de 8 h à 13 h environ, sur Alameda de Hercules. Brocante et bibelots en tout genre. Beaucoup de petites babioles, mais on y va surtout pour l'atmosphère et pour le quartier populaire, tranquille, avec ses façades ocre, rouge brique et ses gentils balcons. Oh ! rien à voir avec la séduction quasi démagogique du quartier de Santa-Cruz, mais la balade plaira aux amoureux des coins authentiques, à l'écart du tumulte du centre.

– **Petit marché :** plaza del Duque *(plan couleur I, B3).* Les jeudi, vendredi et samedi, de 10 h à 21 h. Le rendez-vous des babas cool, en quête de bijoux en argent, colliers exotiques et autres tee-shirts...

À faire

– Deux piscines en ville, ouvertes de juin à septembre, mais seulement le samedi et le dimanche pour barboter. Une au nord de la ville : *piscine municipale Virgen de los Reyes (hors plan I par C1),* avenida Doctor Fedriani, ☎ 954-37-68-66 ; une autre, plus loin, au-delà de la gare Santa Justa, dans le *Centro deportivo San Pablo (plan I, D2),* avenida Kansas City, ☎ 954-59-68-42.

– **Location de pédalos** *(plan couleur II, B2-3) :* sur les deux rives du Guadalquivir, légèrement en aval de la torre del Oro. Superbe promenade sur le Guadalquivir, en fin d'après-midi. Le fleuve est lent car Séville ne se trouve qu'à 10 m au-dessus du niveau de la mer. Enfin, c'est l'endroit du fleuve le plus joli avec, en toile de fond, la torre del Oro, la plaza de Toros...

➢ **Le tour de la ville dans un autobus à impériale :** 2 compagnies proposent ce service, *Sevilla Tour* et *Tour por Sevilla* (noter au passage l'originalité des noms), toutes deux situées au pied de la Torre del Oro, Paseo de Cristobal Colón. Le billet est valable deux jours pendant lesquels vous pouvez à votre guise laisser et reprendre le bus à l'un des quatre arrêts prévus. Prix : environ 9 € (59 F). Durée du parcours : 1 h 20 mn. Un bus toutes les demi-heures de 10 h à 19 h (minuit l'été). Vous trouvez ça ringard ? Bon, d'accord, la clientèle est composée de mamies qui camescopent tout ce qui bouge, les commentaires et la musique qui dégoulinent des écouteurs sont limités, mais le parcours permet de passer devant quelques sites ou monuments incontournables et la validité permanente du billet pendant 2 jours est commode. Cela reste un peu cher tout de même.

Achats, souvenirs

Céramiques et céramiques ! C'est le maître mot de l'artisanat sévillan. La *calle Garcia de Vinuesa* en possède de belles, ainsi que la *calle Antillano Campos (plan couleur II, A2),* dans le quartier de Triana. On trouve de tout et de toutes les qualités. Même sans acheter, un vrai plaisir pour les yeux.

➤ *DANS LES ENVIRONS DE SÉVILLE*

★ *Itálica :* à une dizaine de kilomètres, par la route de Mérida. Ouvert du mardi au samedi de 9 h à 17 h 30 (20 h en été) et le dimanche de 10 h à 16 h (15 h en été). Fermé le lundi. Entrée gratuite.
De l'antique *Hispalis,* on ne sait pratiquement rien. Plusieurs passages de populations successives semblent avoir marqué ce site superbe avant que celui-ci ne trouve une véritable naissance avec l'arrivée des Romains qui y posèrent leurs valises. Ainsi Scipion l'Africain fonde, en l'an 206 av. J.-C., la partie appelée « vieille ville », pour accueillir ses blessés. Puis Trajan y naquit, mais c'est Hadrien, bien qu'originaire de Rome, qui fit construire « la nouvelle ville ». Cette dernière est la partie la plus intéressante. Depuis la découverte du site en 1781, les fouilles n'ont pratiquement pas cessé.
Entre les larges dalles des rues qui desservent les différents quartiers, on peut apercevoir le système d'égoûts étonnamment sophistiqué pour l'époque. Parmi les principaux édifices, vous ne pouvez manquer l'*amphithéâtre,* un des plus grands de l'Empire romain, avec sa capacité de 25 000 spectateurs. À voir également, la *maison du Planétarium* pour ses exceptionnelles mosaïques en forme de médaillons représentant les divinités planétaires et la *maison des Pajaros* dont les murs ont été remontés entièrement. Indépendamment de son intérêt archéologique évident, Itálica peut être le prétexte d'une balade très sympa dans un site agréable.
Après la visite, si vous cherchez un coin tranquille pour manger, allez à *Guillena*, à 10 km au nord, au *bar Juan-Luis.* Un bar tout simple dans un village ordinaire mais avec une très bonne cuisine familiale.

★ *El Rocío :* à 64 km en direction d'Almonte, c'est un sanctuaire de la Vierge qui draine un pèlerinage renommé, au moment de la Pentecôte. Fête pendant deux jours. Atmosphère indescriptible. Puis, après la liesse des hordes de pèlerins, un calme quasi désertique s'installe à nouveau dans le village.

QUITTER SÉVILLE

En train

⛯ *Gare de Santa Justa :* voir « Transports ». Dessert quasiment toutes les villes d'Espagne. ☎ 954- | 54-02-02 (informations) et 954-54-03-03 (réservations).

En bus

Deux gares routières :

🚌 *Estación Prado de San Sebastian (plan couleur II, D3) :* calle Manuel Vasquez Sagastizabal. ☎ 954- | 41-71-11. Consigne. Pour les moyens et longs trajets.

➤ Bus notamment pour *Algésiras*, *Alicante*, *Almería*, *Arcos de la Fron-tera*, *Barcelone*, *Cadix*, *Carmona*, *Cordoue*, *Grenade*, *Jaén*, *Jerez de la Frontera*, *Málaga*, *Nerja*, *Ronda*, *Tarifa*, *Valence*...

– Quelques compagnies : *Comes* (☎ 954-41-68-58), *Bacoma* (☎ 954-41-46-60), *Amarillos* (☎ 954-41-52-01), *Alsina* (☎ 954-41-88-11), *Casal* (☎ 954-41-06-58).

🚌 **Estación Plaza de Armas** *(plan couleur I, A3) :* av. Cristo de la Expiación. ☎ 954-90-80-40.

➤ Pour les courts trajets *(Aracena, province de Huelva)* et le *Portugal* (Lisbonne), ainsi que pour *Madrid*, *Mérida*, *Almonte*.

ARACENA (21200)

À 89 km au nord-ouest de Séville. Empruntez la N630 sur 35 km puis la N433 sur 54 km. La deuxième portion de route traverse d'agréables pay-sages verdoyants et des champs d'oliviers.
Aracena est un joli petit village dominé par les ruines d'un château, mais dont il ne se dégage pas un charme fou. Les rues, comme les habitants, semblent un peu endormies. Le village doit sa renommée à ses grottes, que visitent moult touristes.

Comment y aller (et en revenir) ?

➤ Bus de (et pour) *Séville* 2 fois par jour (matin et après-midi), avec la compagnie *Casal* (départ de la plaza de Armas à Séville).

Où dormir ? Où manger ?

⚴ *Camping :* à 5 km à l'est de la ville, sur la droite quand on vient de Séville. Bien situé, sur une petite colline. Moderne et propre. Piscine. Pas beaucoup de monde : un avan-tage.
📶 Nombreux *restos* à prix moyens sur la plaza San Pedro, à 50 m en contrebas des grottes.
📶 Les fauchés se contenteront de quelques tapas au bar *Los Angeles* dans la calle San Pedro, la rue qui monte de la plaza San Pedro vers le centre-ville.

À voir

★ *Les grottes :* accès clairement indiqué à l'entrée du village. Entrée payante. Visite guidée environ toutes les heures du lundi au vendredi, de 10 h 30 à 18 h ; les samedi et dimanche, visite toutes les 30 mn. Durée : 1 h. Les 1 500 m de galeries naturelles sont superbes, il est vrai ; on emprunte d'étroits boyaux pour se retrouver dans de vastes poches où stalactites et stalagmites paraissent féeriques. Pour qui n'a jamais vu ce genre de curio-sité, c'est impressionnant ; pour les autres, ce sera une répétition. On peut regretter que les visites se fassent en groupe uniquement et que les com mentaires ne soient donnés qu'en espagnol. La voix monocorde et lénifiante du guide, le flash aveuglant du photographe qui vous attend au détour d'une grotte, tout cela ôte au site beaucoup de son romantisme, et finalement les visiteurs ont raisonnablement l'impression d'être pris pour un troupeau de beaufs tout à fait cabuesque. Pour la petite histoire, c'est quand même là qu'ont été tournées certaines scènes des *Mines du roi Salomon* et de *Voyage au centre de la Terre*.

CARMONA (41410)

À 38 km à l'est de Séville (10 bus quotidiens assurent la liaison). Ne vous laissez pas décourager par la laideur de l'entrée de la ville. Les remparts passés, on découvre une superbe petite cité médiévale perchée à 430 m d'altitude, dominant ainsi les plaines environnantes. Peuplée depuis 5 000 ans, la ville a vu passer du monde... Il en reste une quantité assez extraordinaire d'églises et de monuments parfois très anciens, réunissant tous les styles possibles en Andalousie, allant de la simplicité romaine au délire baroque en passant par le charme oriental. Surtout, laissez votre voiture à l'extérieur des fortifications et baladez-vous à pied dans les ruelles tortueuses et paisibles. En revanche, en voiture, allez faire un tour à la nécropole romaine qui se trouve à la sortie de la ville.

Adresse utile

🄸 *Office du tourisme :* arco de la Puerta de Sevilla ; sous l'arche de cette large porte. Bien indiqué dès l'entrée en ville. ☎ 954-19-09-55. Fax : 954-19-00-80. Ouvert du lundi au samedi de 10 h à 18 h et le dimanche de 10 h à 15 h. Bonne documentation sur la ville et plan. On y parle le français.

Où dormir ?

Prix modérés

🛏 *Casa Carmelo :* juste en face de l'église San Pedro. ☎ 954-14-05-72. Confort approximatif.

Prix moyens

🛏 *Hostal San Pedro :* San Pedro, 1. ☎ et fax : 954-14-16-06. Compter au moins 42 € (276 F) la chambre double climatisée. Pas donné donné, mais propre et confortable. Accueil froid. N'accepte pas les cartes de paiement.
🛏 *Pensión Comercio :* torre del Oro, 56. ☎ 954-14-00-18. À l'intérieur des remparts. En entrant par la puerta de Sevilla, juste sur la gauche le long des remparts. Autour de 48 € (315 F) la chambre double. Maison typiquement andalouse, avec un patio très agréable et une terrasse face aux remparts et à l'église San Pedro. Chambres avec ou sans salle de bains, air climatisé, mais trop chères pour les prestations et qui n'incluent pas le sourire, dommage. Repas possible au petit resto.

Très chic

🛏 *Parador Alcázar del Rey Don Pedro :* tout en haut de la ville ancienne, dans l'Alcázar. ☎ 954-14-10-10. Fax : 954-14-17-12. Un des plus beaux hôtels de la célèbre chaîne. Installé dans une forteresse musulmane transformée en résidence par Pierre le Cruel, le *Parador* surplombe toute la plaine sur des kilomètres. Piscine, jardins et restaurant.

Plutôt austère mais superbe. Entièrement rénové. On déconseille d'y dormir car c'est hélas bruyant : parking bondé, en activité tard le soir et tôt le matin ! Pour le prix, c'est gênant. Contentez-vous de prendre un verre dans le patio fleuri.

Où manger ?

I●I *Bar Plaza :* à l'angle de la calle José Ramón de Oya et de la plaza San Fernando, centre névralgique de la vieille ville. Ouvert tous les jours. Un petit bar sur la place, comme son nom l'indique, qui sert d'excellentes tapas : *pulpo a la gallega,* délicieux *espinacas, merluza.* Le dimanche, c'est le jour de la paella.

I●I *La Almazara :* Santa Ana, 33. ☎ 954-19-00-76. Près de l'église Santa Ana. Menu autour de 12 € (79 F). Tapas au bar et cuisine régionale de qualité au resto. Patron parlant le français.

À voir

★ Sillonner les **ruelles de la vieille ville** qui convergent vers la place centrale est un véritable plaisir. Quelques palmiers fatigués et surtout de vénérables demeures à arcades, à doubles arcades parfois, ornées de balcons, d'azulejos, aux façades de brique ou de pierre, ocre ou saumonées. Quelques troquets autour. Un fort bel ensemble, d'une grande cohérence. Les ruelles adjacentes abritent de vieux palais aux façades travaillées. La calle Martin Lopez mène à l'église Santa Maria, massive et austère. À l'intérieur, retable typique du style plateresque. Un peu plus loin, derrière, le couvent Santa Clara.

★ *El Alcázar de la Puerta de Sevilla :* entrée par l'office du tourisme et mêmes horaires que celui-ci. Brochure en français. Agréable balade sur les ruines restaurées de l'ancien Alcázar. Escaliers, terrasses, tourelles. Chouette point de vue sur la ville et la plaine.

★ *L'église San Pedro :* juste à l'extérieur des remparts, calle San Pedro. Surtout notable pour sa tour construite d'après celle de Séville (Giralda). Intérieur baroque.

★ *La nécropole romaine :* à l'entrée de la ville, bien indiquée. Ouvert de 9 h à 14 h et de 16 h à 18 h ; le dimanche, uniquement le matin. Vaste nécropole romaine où l'on trouve plus de 900 tombes datant du IIe siècle avant J.-C. au IVe siècle de notre ère. Voir aussi les restes du grand amphithéâtre, dont on devine la forme.

CORDOUE (CÓRDOBA)   (14000)

Cordoue, ville de tolérance, de fusion des cultures, d'harmonie réussie entre des peuples différents : musulmans, juifs et catholiques y vécurent longtemps dans un accord presque parfait. C'est en ayant toujours présente à l'esprit cette sagesse qui régnait alors qu'il faut visiter la ville. Bien sûr, les hordes de touristes ne facilitent pas cette entreprise, mais pourtant c'est ainsi que l'on parvient à comprendre l'infinie richesse du vieux quartier juif, *la Judería,* qui se blottit autour de la Grande Mosquée, *la Mezquita,* joyau architectural d'une incomparable pureté. La Judería, c'est un peu comme un village à part entière posé au milieu d'une grande ville. Rien n'est plus séduisant que de se perdre dans ses ruelles étroites et biscornues, de jouer avec la lumière réfléchie par les façades si blanches, de se laisser mener par la découverte des patios toujours plus fleuris. Tout le quartier historique se parcourt à pied, les centres d'intérêt n'étant jamais très éloignés les uns des autres.

Sorti du cœur de la ville, on pourra également se balader sur les bords du Guadalquivir, mais le charme de la cité est bien dans son centre. D'ailleurs, vous avez de la chance, c'est là que se trouvent les charmants petits hôtels et les chouettes petits bars.

ATTENTION

Comme à Séville, nombreux vols à la tire, « visites » des voitures à l'immatriculation étrangère, même dans les parkings gardés. Soyez très vigilant, tenez fermement votre sac et veillez à ne rien laisser d'attirant dans la voiture.

UN PEU D'HISTOIRE

On se demande pourquoi les Carthaginois, puis les Romains, fondèrent une ville en un lieu si vulnérable sur le plan militaire. Peut-être furent-ils enchantés par la beauté et la fertilité des terres environnantes ? Quand les Maures s'emparèrent de la cité, sans doute furent-ils séduits à leur tour puisqu'ils en firent la capitale d'un vaste empire musulman. Les émirs tentèrent d'étendre leur territoire vers le nord et furent arrêtés par Charles Martel, en 732 bien sûr. À l'époque, Cordoue rivalise par son faste avec Constantinople et compte plus de 300 mosquées. Pendant près de trois siècles, une grande harmonie régnera entre les cultures musulmane, juive et catholique. Le raffinement oriental laisse son empreinte sur chaque maison. Les califes et les émirs, amoureux d'art et de savoir, évitent les ségrégations religieuses. Les artistes et penseurs de l'Europe entière affluent à Cordoue, la tolérance n'étant pas si fréquente à cette époque. Philosophes, historiens, scientifiques de différentes obédiences partagent leur savoir. Ciseleurs d'or, tisserands, céramistes et musiciens sont reçus et choyés par des souverains qui apprécient les belles choses.

Pourtant, cette tolérance que l'histoire retient ne va pas sans une grande sévérité des lois qui régissent la ville et qui retiennent moins l'attention aujourd'hui : les habitants sont soumis à une taxe s'ils veulent conserver leur autonomie civile et pratiquer leur religion. L'esclavagisme est autorisé. Il faut aussi offrir une part de sa récolte aux émirs ou les couvrir de dons pour qu'ils ne se fâchent pas. C'est que ces derniers sont irascibles... et rusés : sachant diviser pour mieux régner, ils ont l'art de semer la discorde entre les différentes communautés. Tolérance donc, mais sous bonne garde.

La ville atteint son apogée tout au long du Xe siècle. Cordoue est alors la cité phare de l'Europe. Mais des querelles intestines qui opposent différents émirs surviennent et marquent le début d'une certaine décadence. En 1212, l'écrasement des troupes almohades par celles des rois de Castille, d'Aragon et de Navarre porte un coup fatal à l'islam. Les musulmans repassent alors le détroit de Gibraltar, tentent timidement de revenir mais sont refoulés. Les siècles qui suivent n'auront pas le prestige des califats. Les catholiques font subir aux musulmans plus d'humiliations que les musulmans ne leur en avaient imposées. Cordoue délaisse son agriculture, abandonnant les ingénieux systèmes d'irrigation mis au point par les Maures.

Aujourd'hui, c'est pourtant l'agriculture qui reprend le dessus, et les vastes étendues cultivées qui ondulent tout autour de la ville se parent de chaudes couleurs.

Adresses utiles

Infos touristiques

🖹 *Office du tourisme* (plan B3) : calle Torrijos, 10. ☎ 957-47-12-35. Fax : 957-49-17-78. • otcordoba@andalucia.org • En face de la Mezquita. Ouvert du lundi au samedi de 9 h 30 à 18 h (20 h en été), ainsi que le dimanche matin. Informations sur toute l'Andalousie et sur Cordoue, bien sûr. On y parle aussi le français.

🖹 *Office du tourisme* (plan A2-3) : plaza Juda Levi, dans le palais des congrès. ☎ et fax : 957-20-02-77. • turismo@aix.ayuncordoba.es • Ouvert de 8 h 30 à 14 h 30 du lundi au vendredi. À 2 mn à l'ouest de la mosquée. Informations sur Cordoue uniquement. On y parle le français. Plan de la ville et horaires de visites des monuments.

Services

✉ *Poste* (plan B1) : calle Cruz Conde, 15. Ouvert du lundi au vendredi de 8 h 30 à 20 h 30, et le samedi de 9 h 30 à 14 h. Fermé le dimanche.

@ *Internet :* à l'Hostal El Pilar del Potro (plan C3, *27*), accès pour tous à toute heure pour moins de 1 € (7 F) le quart d'heure.

Argent

■ *Banques et change :* la plupart des établissements se situent sur l'avenue Ronda de los Tejares (plan B1). Toutes possèdent des distributeurs. La plus centrale : *Caja Sur,* face à la mosquée.

Police, santé

■ *Police :* ☎ 091 (pour les déclarations de vol) et 092.
■ *Commissariat :* calle Doctor Fleming, à l'angle de Conde Vallellano. ☎ 957-59-45-00.

■ *Objets trouvés :* ☎ 957-47-75-00.
■ *Hôpital Reina Sofia :* avenida Menendez Pidal. ☎ 957-61-00-00. À l'ouest du centre.

■ **Adresses utiles**

- 🖹 Offices du tourisme
- ✉ Poste
- 🚉 Gare RENFE
- 🚌 Gare routière
- 2 Location de vélos
- 27 Internet

🛏 **Où dormir ?**

- 10 Albergue Juvenil
- 12 Hostal El Portillo
- 13 Hostal Rey Heredia
- 14 Hostal Seneca
- 15 Martinez Rücker
- 16 Hostal La Milagrosa
- 17 Hostal Trinidad
- 18 Hostal Internacional
- 19 Hostal Maestre
- 20 Hostal Los Arcos
- 21 Hostal Almanzor
- 22 Hostal Luis de Gongora
- 24 Hotel Albucasis

- 25 Hotel González
- 26 Hotel Marisa
- 27 Hostal El Pilar del Potro
- 28 Hotel Mezquita

🍽 **Où manger ?**

- 30 Taberna San Miguel
- 32 Taberna Casa Rafaé
- 34 Casa Pepe de la Judería
- 35 Mesón Restaurante El Burlaero
- 36 La Fragua
- 38 El Caballo Rojo
- 40 Taberna Salinas
- 41 Mesón El Rey de las Tapas
- 50 Bar Santos
- 52 Croissantería-Heladería Queen

🍸 ♪ **Où boire un verre ?**
Où sortir ?

- 51 Bodega Guzman
- 55 La Bulería
- 56 Tablao Cardenal
- 57 Cafetin Halal

CORDOUE

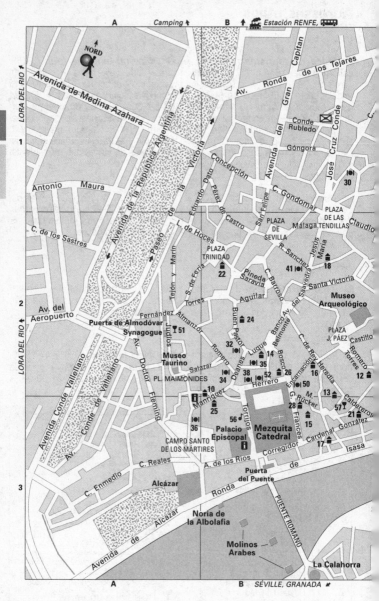

NORD

LORA DEL RIO ←

Avenida de Medina Azahara

Av. Ronda de los Tejares

Antonio   Maura

Conde Rubledo

Góngora

Concepción

C. Gondomar

C. de los Sastres

L. de Hoces

PLAZA DE SEVILLA

PLAZA DE LAS TENDILLAS

Málaga

Claudio

PLAZA TRINIDAD

22

41 ●|

18

Museo Arqueológico

Aguilar

Santa Victoria

Av. del Aeropuerto

Puerta de Almodóvar Synagogue

Y 51

24

PLAZA J. PÁEZ   Castillo

LORA DEL RIO ←

Museo Taurino

32

14

12

PL. MAIMONIDES

Salazar

38 52 26

Herrero

16

●| 34

●| 35   50

15

●| 10

13

25

M. Rücker

57

●| 36

28

21

56

Palacio Episcopal

Mezquita Catedral

CAMPO SANTO DE LOS MÁRTIRES

17

Alcázar

C. Reales

A. de los Rios

Corregidor

Isasa

Puerta del Puente

C. Enmedio

Ronda

Noria de la Albolafia

PUENTE ROMANO

Avenida   de   Alcázar

Molinos Arabes

La Calahorra

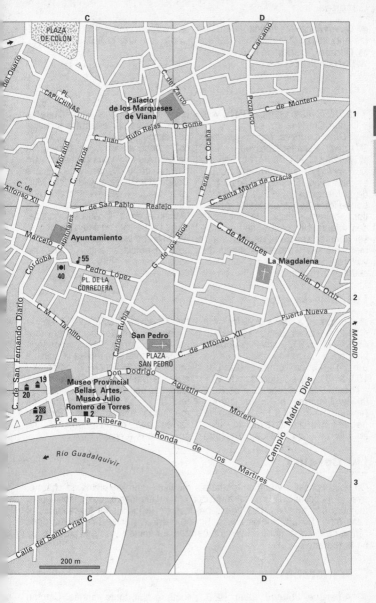

CORDOUE

CORDOUE

Garages

■ *Garage Renault :* avenida Virgen de las Angustias, 20. ☎ 957-28-12-03.

■ *Citroën :* avenida de la Torrecilla. ☎ 957-29-92-18.

■ *Peugeot :* avenida de Madrid-Cádiz, km 398. ☎ 957-32-62-57.

Transports

🚄 *RENFE (hors plan par B1) :* voir « Quitter Cordoue ».

🚌 *Gare routière (hors plan par B1) :* voir « Quitter Cordoue ».

■ *Taxis :* ☎ 957-76-44-44.

■ *Parkings :* le centre de Cordoue se fait à pied. *Parking public* au bas de la Mezquita *(plan B3),* sur Amador de los Ríos (horodateurs). Attention, souvent « visité » la nuit... par des voleurs. Un conseil : ne rien laisser dans sa voiture et ne pas la fermer à clé : il n'y a pas de voleurs de voitures, seulement des petits casseurs. Le risque de se faire briser une vitre est fréquent. Il paraît que les petits voleurs surveillent les touristes qui cachent leurs affaires dans le coffre pour, après, le cambrioler. On ne sait plus quoi vous conseiller... Un parking de 8 étages, *Edaco,* calle Conde de Rubledo *(plan B1).* Surveillé 24 h/24. Autres endroits, non loin du centre : le long du paseo de la Victoria et de la República Argentina, ou de l'autre côté du fleuve, le long de l'Avenida de la Confederación. Beaucoup d'emplacements. Évitez de vous garer n'importe où, sous peine de fourrière.

Location de vélos

■ *Córdoba La Llana en Bici (plan C3, 2) :* paseo de la Ribera, 9. ☎ 639-42-58-84. ● www.cordobaenbici.com ● Ouvert tous les jours de 9 h à 14 h et de 16 h à 21 h (ou de 15 h à 18 h l'hiver). Location de VTT à l'heure (3 à 4 €, soit 22 à 26 F), à la demi-journée ou à la journée (envrion 14 €, soit 92 F). Possibilité de faire des circuits avec un guide en ville et jusqu'à Medina Azahara (21 € environ, soit 138 F) ou, le dimanche, dans les sierras environnantes où un minibus vous emmène le matin et vous récupère le soir. Le prix, environ 36 € (236 F), comprend aussi le petit déjeuner et le repas. Quel que soit votre choix, Alfonso se fera un plaisir de vous donner les meilleures adresses de Cordoue. Celles que même nous on ne connaît pas (encore) !

Où dormir ?

On vous conseille vraiment les hôtels du vieux quartier, pleins de charme, avec leurs belles grilles en fer forgé qui gardent les merveilleux patios fleuris, toujours très soignés. Les hôtels proches de la gare sont fonctionnels et sans âme. Un peu moins chers. Si vous arrivez par le train, faites donc l'effort de téléphoner aux hôtels du centre pour voir s'il y a de la place, vous ne le regretterez pas.

Bon marché

🏠 *Albergue Juvenil (plan B2-3, 10) :* plaza Juda Levi, 14003 Córdoba. ☎ 957-29-01-66. Fax : 957-29-05-00. ● www.inturjoven.com ● À 2 mn à pied de la mosquée, juste à côté de l'office du tourisme. Ouvert toute la nuit, toute l'année. Comme dans les autres villes andalouses, d'avril à octobre, compter environ 12 € (79 F) la nuit pour les moins de 26 ans et 16 € (105 F) pour les plus vieux (avec la carte des auberges de jeunesse). C'est un peu moins cher le reste de l'année. Une soixantaine de chambres de 2, 3 ou 4 personnes, avec salle de bains et AC. Très propre, déco moderne et mixité autorisée. Personnel aimable, parlant un peu le français ou l'anglais.

🛏 *Martinez Rücker* (plan B3, 15) : calle Martinez Rücker, 14, 14003 Córdoba. ☎ 957-47-25-62. À 50 m à l'est de la mosquée. Parking payant. Chambres doubles autour de 18 € (118 F) en basse saison et de 24 € (157 F) en haute saison. Maison bourrée de charme avec un ravissant patio, de jolis meubles sculptés et des tableaux du XIXe siècle dans l'escalier. Accueil courtois et chambres basiques mais agréables. Une chambre pour 3 personnes et une pour 5 à prix intéressant. Un petit côté désuet et typique. Douche commune. Bon rapport qualité-prix.

🛏 *Hostal Internacional* (plan B2, 18) : calle Juan de Mena, 14, 14003 Córdoba. ☎ 957-47-83-49. Charmante pension dans une rue étroite interdite aux voitures, à deux pas de la plaza de las Tendillas. Chambres toutes simples entre 24 et 30 € (157 et 197 F) selon le confort. Possibilité de loger à trois ou quatre. L'accueil est très sympathique, ce qui semble devenir une denrée de plus en plus rare dans cette ville touristique.

🛏 *Hostal Rey Heredia* (plan B2-3, 13) : calle Rey Heredia, 26, 14003 Córdoba. ☎ et fax : 957-47-41-82. Chambres doubles de 18 à 24 € (118 à 157 F). Grande maison andalouse au patio un peu encombré. Les chambres sont simples, hautes de plafond, avec un ventilo et un lavabo et, pour certaines, un petit balcon mignonnet. 3 salles de bains à l'étage, absolument impeccables.

🛏 *Hostal El Portillo* (plan B2, 12) : calle Cabezas, 2, 14003 Córdoba. ☎ et fax : 957-47-20-91. Près de la mosquée. Chambres doubles à partir de 30 € (97 F) avec lavabo. Voilà une bonne adresse, dans une jolie maison, avec une propriétaire pleine de gentillesse qui soigne sa petite affaire avec amour et a récemment rénové l'ensemble. Attention ! Les chambres sur la rue sont assez bruyantes et les autres (sur le patio) sont un peu sombres.

🛏 *Hostal Los Arcos* (plan C2-3, 20) : calle Romero Barros, 14, 14003 Córdoba. ☎ 957-48-56-43. Fax : 957-48-60-11. Chambres doubles de 21 € (138 F) environ sans salle de bains en basse saison à 30 € (197 F) avec salle de bains en haute saison. Une belle entrée et des chambres bien. Elles donnent pour la plupart sur le patio ou sur une petite rue tranquille, ce qui explique le calme. Un bon rapport qualité-prix. Mais demander à voir la chambre avant, car toutes ne sont pas spacieuses. Éviter les chambres à côté de la grille d'entrée et de la sonnette qui n'arrêtent pas la nuit ! Le soir, de la terrasse, superbe vue sur la Mezquita.

🛏 *Hostal Almanzor* (plan B3, 21) : calle Cardenal González, 10 (anciennement corregidor Luis de la Cerda), 14003 Córdoba. ☎ et fax : 957-48-54-00. À 5 mn de la mosquée. Chambres doubles autour de 30 € (197 F), avec salle de bains, TV et AC pour la plupart d'entre elles. Cartes de paiement acceptées mais pas tellement appréciées (d'ailleurs, petit supplément). Pas de patio, pas de déco particulière, dénué de charme mais confortable et impeccablement tenu pour un prix raisonnable. Et pour emballer le tout, les propriétaires sont sympas.

🛏 *Hostal Trinidad* (plan B3, 17) : calle Cardenal González, 58 (anciennement corregidor Luis de la Cerda), 14003 Córdoba. ☎ 957-48-79-05. Petite pension proposant des chambres doubles à environ 23 € (151 F) sans salle de bains. Deux courettes en terrasses et chambres correctes, sans plus. Pas le grand luxe, mais calme.

🛏 *Hostal La Milagrosa* (plan B2, 16) : calle Rey Heredia, 12, 14003 Córdoba. ☎ 957-47-33-17. Chambres doubles très propres de 24 à 30 € (157 à 197 F) selon le confort, disposées autour d'un patio croquignolet (sur)chargé de fleurs artificielles et autres objets décoratifs. Joli façade blanche et ocre, dans une rue relativement calme pourtant très proche de la mezquita. Pour vous garer, en revanche, n'attendez pas de miracle...

Prix moyens

🛏 *Hostal Seneca* (plan B2, 14) : Conde y Luque, 7, 14003 Córdoba. ☎ et fax : 957-47-32-34. Fermé 15 jours en août et à Noël. Chambres doubles sans ou avec douche, allant de 30 à 39 € (197 à 256 F) selon la saison. Pension bien coquette, tenue par une sympathique Française. Calme, simplicité, cordialité et propreté s'accordent harmonieusement autour d'un patio particulièrement séduisant. Petit déjeuner sur place. Une de nos adresses préférées dans Cordoue.

🛏 *Hostal Maestre* (plan C2, 19) : calle Romero Barros, 16, 14003 Córdoba. ☎ et fax : 957-47-53-95. Parking privé à prix raisonnable. Chambres doubles avec salle de bains et, en principe, AC autour de 24 € (157 F) en basse saison, et de 33 € (216 F) en haute saison. Attention, ne pas confondre avec l'hôtel du même nom, situé juste à côté, très bien aussi mais plus cher. Les patrons sont les mêmes (ainsi que le numéro de téléphone). Entièrement refait, l'*hostal* propose du petit luxe à un prix très abordable. Intérieur élégant avec son carrelage blanc et ses céramiques partout. Propreté digne d'une pub M. Propre. Calme. Également quelques appartements pour familles autour de 48 € (315 F).

Plus chic

🛏 *Hotel Mezquita* (plan B3, 28) : plaza Santa Catalina, 1, 14003 Córdoba. ☎ 957-47-55-85. Fax : 957-47-62-19. Face à la porte principale de la Mezquita. Chambres doubles parfaitement confortables avec TV, téléphone et AC, de 39 à 90 € (256 à 590 F) selon la saison. Magnifiques horloges et meubles anciens dans le hall, beaux tableaux dans toutes les pièces communes, ensemble élégant et idéalement situé : en bref, pas ruineux pour un tel luxe.

🛏 *Hotel González* (plan B3, 25) : calle Manriquez, 3, 14003 Córdoba. ☎ 957-47-98-19. Fax : 957-48-61-87. Face à l'office de tourisme de la plaza Juda Levi. Chambres doubles de 42 à 69 € (275 à 453 F).

🛏 *Hostal Luis de Gongora* (plan B2, 22) : Horno de la Trinidad, 7, 14003 Córdoba. ☎ 957-29-53-99. Fax : 957-29-55-99.
À la lisière du quartier de la Judería et à côté de l'escuela de Artes Aplicadas. Fermé une semaine en juin et à Noël. Chambres doubles avec salle de bains impeccable et téléphone, de 30 à 36 € (197 à 236 F) selon la taille de la chambre et la saison. Hôtel classique, confortable, mais pas une ombre de charme ni patio. En revanche, calme et gentillesse sont au rendez-vous.

🛏 *Hostal El Pilar del Potro* (plan C3, 27) : calle Lucano, 12, 14003 Córdoba. ☎ 957-49-29-66. Chambres doubles de 30 à 42 € (197 à 275 F) selon la saison. Cet *hostal* n'a peut-être pas le charme des petites pensions du cœur historique, parce que moderne, mais il est quand même bien situé, confortable et relativement bon marché, et toutes les chambres disposent d'air conditionné et d'une salle de bains. Et pour les accros du Net, il y a aussi 3 ordinateurs, accessibles à tous, tous les jours, pour moins de 1 € (7 F) le quart d'heure. Que demander de plus ?

Un sympathique hôtel de caractère, dans un hôtel particulier du XVIᵉ siècle, entièrement restauré. Beau patio faisant office de restaurant. Patrons accueillants et polyglottes, ce qui soulagera ceux qui ne le sont pas. Chambres petites, assez mal insonorisées, avec salle de bains, AC, TV et téléphone.

🛏 *Hotel Marisa* (plan B2, 26) : Cardenal Herrero, 6, 14003 Córdoba. ☎ 957-47-31-42. Fax : 957-47-41-44. En face de la Mezquita. Chambres doubles de 56 à 63 € (367 à 413 F) selon le confort et la saison. Très bien situé, mais les chambres sont quelconques bien que confortables, avec douche ou salle de bains et w.-c. Un poil moins cher que les précédents, moins bien aussi. Accueil en français si vous le souhaitez, mais relativement froid.

♨ *Hotel Albucasis* (plan B2, 24) : calle Buen Pastor, 11, 14003 Córdoba. ☎ et fax : 957-47-86-25. Fermé en janvier. Parking payant (environ 12 €, soit 79 F). Chambres doubles autour de 54 € (354 F) en basse saison, dont l'été, et 66 € (433 F) en avril et mai. Hôtel récent, très agréable et confortable (salle de bains, climatisation), mais sans aucun charme, dans un coin joli et calme. De certaines chambres, on peut apercevoir la tour de la Mezquita.

Où dormir dans les environs ?

Campings

⚕ *Camping M. El Brillante* : avenida Brillante, 50, 14012 Córdoba. ☎ : 957-40-38-36. Fax : 957-28-21-65. À 2 km au nord de la ville, direction Villaviciosa. Bus n° 10, 11 ou 12 (toutes les 10 mn jusqu'à 23 h) ; devant la plaza de Colón pour les nos 10 et 11 ; à l'angle de José Cruz Conde et de Ronda de los Tejares pour le n° 12. En voiture, prendre à droite au niveau de la plaza, puis emprunter le viaducto El Nogal qui passe au-dessus de la voie ferrée ; ensuite, suivre l'avenue Brillante : c'est sur la droite. Bien indiqué. Compter moins de 4 € (26 F) par adulte, par voiture et par tente familiale. Entièrement clos de murs. Ombragé par des eucalyptus. Laverie, épicerie. Installations sanitaires rénovées mais pas toujours impeccables. Machine à laver. Piscine payante, juste à côté. Sol dur, accueil sympa. Son vrai plus, c'est sa proximité de la ville.

⚕ *Camping Los Villares* : parc de Los Villares, 14811 Córdoba. ☎ 957-33-01-45. À environ 10 km au nord de Córdoba. Pas évident de s'y rendre en bus. En voiture, prendre l'avenue Brillante, puis suivre les panneaux « Parque forestal Los Villares ». Comptez environ 12 € (79 F) pour deux personnes, une voiture et une tente. Au cœur d'un parc naturel. Beaucoup d'espace et de verdure, d'ombre également puisqu'on est dans une forêt de pins. Sanitaires bien équipés. Sentiers de balades. Seule ombre au tableau : la proximité du poste de coordination des opérations d'incendie d'Andalousie. En plein été, les petits avions et autres hélicos ne chôment pas et ça vrombit sec !

⚕ *La Campiña* : 14547 La Guijarrosa. À 38 km de Cordoue. ☎ et fax : 957-31-53-03. De Cordoue, prendre la N IV, sortie n° 424 (Aldea Quintana) ; aller jusqu'à Aldea Quintana, poursuivre jusqu'à Victoria et prendre ensuite la direction La Guijarrosa ; c'est à 2 km après le village. Si l'on vient de Séville, sortir à La Carlota ; à l'entrée de La Carlota, prendre à droite vers La Guijarrosa. En bus, ça fait vraiment trop loin. Ouvert toute l'année. Environ 3 € (20 F) par personne, par voiture et par tente. Accueil familial sympathique. Agréable, en plein milieu d'une oliveraie, et très bien tenu. Très calme durant la journée. La nuit, les insectes font leur tam-tam et étouffent les bruits de la discothèque toute proche. On y parle le français. Piscine, bar-resto (bonne cuisine et pain maison). Petite épicerie.

⚕ *Carlos III* : 14100 La Carlota. À 28 km de Cordoue. ☎ 957-30-03-38. Sortie Carlota sur l'autoroute Madrid-Séville. Bus pour Cordoue à 50 m, qui passe toutes les 2 h. Situé entre l'autoroute et la nationale. Compter un bon 3 € (20 F) par adulte, par voiture, et par tente familiale. Immense et agréable, malgré un certain laisser-aller de l'entretien récemment. À l'accueil, ils parlent le français. Piscine gratuite, supermarché, jeux pour enfants. Propose également des bungalows assez modestes, de 2 à 6 personnes. Terrain bien ombragé mais un peu bruyant à cause de l'autoroute proche.

Où manger ?

Beaucoup d'endroits attrape-touristes dans le centre. Regardez-y à deux fois. Buvez de préférence de l'eau en bouteille, sous peine de *turista* désagréable.

Bon marché à prix moyens

|●| **Mesón El Rey de las Tapas** *(plan B2, 41)* : Rodriguez Sanchez, 5. ☎ 957-48-56-92. Ouvert de 9 h 30 à 16 h et de 19 h 30 à 1 h environ. Ici, les tapas coûtent environ 1 € (7 F). Difficile de faire moins cher ! Un peu excentré, mais 100 % authentique, loin de l'atmosphère touristique. Rien de mignon-coquet, la TV trône sur le frigo et la lumière est un peu trop crue. Repas simple et bon marché. Barbecue en hiver dans le petit patio central. Le moins cher de tous, sûrement pas le moins sympa.

|●| **La Fragua** *(plan A3, 36)* : calle Tomás Conde, face au n° 12, au fond du passage calleja del Arco. ☎ 957-48-45-72. Fermé le samedi soir et le dimanche soir, ainsi que le lundi toute la journée. Menu sans prétention mais complet à moins de 6 € (39 F). Accepte les cartes de paiement. Maison climatisée et patio aussi minuscule que plaisant, où l'on sert un choix de quelques plats classiques à la carte. Clientèle discrète et touristique.

|●| **Taberna Casa Rafaé** *(plan B2, 32)* : calle Deanes, 4 ; à l'angle de Buen Pastor. ☎ 957-29-90-08. Au nord-ouest de la mosquée. Ouvert de 12 h à 16 h et de 19 h à 22 h 30. Fermé le mardi. Avec 6 € (39 F) environ, on mange simplement : tapas, *tortillas* et paella (un peu pauvre en fruits de mer). Les touristes, en majorité français, se mêlent aux habitués du quartier, dans un brouhaha que tout le monde semble ignorer. L'accueil et le service gagneraient à être plus aimables.

|●| **Mesón Restaurante El Burlaero** *(plan B2, 35)* : calleja de la Hoguera, 5 (entrée par la rive Deanes ou Cespedes, derrière la Mezquita). ☎ 957-47-27-19. Les 2 menus autour de 12 € (79 F) ne cassent pas trois pattes à un taureau. Mieux vaut viser les spécialités de viande. Tables sur une placette ensoleillée et calme, et c'est là son grand plus. Souvenirs de corrida au bar. Tout de même pas donné pour sa catégorie.

De prix moyens à plus chic

|●| **Casa Pepe de la Judería** *(plan B2, 34)* : calle Romero, 1. ☎ 957-20-07-44. Compter environ 15 € (98 F) pour un repas tout en haut du restaurant et dans le patio. Plantée au cœur du quartier touristique, on pourrait passer dix fois devant la Casa sans même la remarquer. Elle reste pourtant une adresse incontournable pour les Cordouans. S'installer au bar ou dans une des salles du rez-de-chaussée pour manger sur le pouce d'excellentes tapas : beignets d'aubergines au miel, chorizo frit, anchois marinés ou encore salade de merlu aux poivrons. Superbe *rabo de toro*. Attention, les prix s'envolent sur la terrasse.

|●| **Taberna Salinas** *(plan C2, 40)* : Tundidores, 3. ☎ 957-48-01-35. Ouvert midi et soir. Fermé le dimanche et en août. Pour environ 10 € (66 F), à la carte, on peut faire un repas savoureux, dans un cadre tranquille, avec un excellent service. À l'entrée, joli bar, proposant évidemment de bonnes tapas, décoré de tonneaux, photos, cadres anciens et tout ce qui caractérise un bar andalou typique. Maison pleine de charme fondée en 1879, avec un patio couvert, de jolies salles sur le côté et une ambiance douce et élégante. La cuisine ne déçoit pas et ressemble bien au lieu. Quelques plats inventifs comme les *naranjas picas con aceite*

y bacalao, un mariage inhabituel et heureux d'oranges et de morue.

|●| ***Taberna San Miguel*** *(plan B1, 30) :* plaza San Miguel, 1. ☎ 957-47-83-28 et 01-66. Ouvert de 12 h à 16 h et de 20 h 30 à minuit. Fermé le dimanche et en août. Compter environ 12 € (79 F) à la carte. Un des plus beaux et des plus typiques restos de Cordoue. Maison fondée en 1880, superbe. Plusieurs petites salles aux atmosphères différentes, c'est toute l'Andalousie traditionnelle qui se trouve ici : lanternes, azulejos anciens, tonneaux, miroirs, photos de toreros, et même des proverbes inscrits sur des carreaux de faïence d'une des salles. Dont celui-ci : « une belle femme est un danger, une femme laide est un danger et un malheur ». Dépêchez-vous d'y aller avant que les chiennes de gardes ne fassent fermer l'établissement... À part ça, nourriture correcte, sauf les boulettes de viandes au bouillon.

Très chic

|●| ***El Caballo Rojo*** *(plan B2, 38) :* calle Cardenal Herrero, 28. ☎ 957-47-53-75. Compter entre 24 et 30 € (157 et 197 F) à la carte ; sinon, un menu autour de 23 € (151 F), également très raffiné, est servi midi et soir. Une des meilleures tables de Cordoue. Si la salle fait un peu nouveau riche et un tantinet bourgeoise, la table est inventive et traditionnelle à la fois, le service attentionné et la carte variée. Tous les notables s'y retrouvent dans une atmosphère un peu coincée qui sied à tout endroit chic. On y réinvente des recettes ancestrales, du genre perdrix à l'oignon. Le gazpacho, s'il fait chaud, vous fera le plus grand bien. Vraiment délicieux.

Où boire un verre ? Où grignoter ?

|●| ***Bar Santos*** *(plan B2, 50) :* calle Magistral González Frances, 3. Dans la rue longeant le côté est de la Mezquita. Fermé le jeudi. Petit boui-boui dans lequel vous n'auriez jamais eu l'idée de mettre les pieds si on ne vous l'avait pas conseillé (si si, avouez-le). Intérieur typiquement populo-andalou, aux murs ornés de photos jaunissantes de toreros. L'endroit est réputé pour ses *tortillas españolas* (omelettes aux pommes de terre). On pourra également opter pour le fameux chorizo frit, à déguster comme il se doit au comptoir, accompagné d'une *cerveza.* C'est gras et bon à la fois.

♟ ***Bodega Guzman*** *(plan A2, 51) :* calle Judíos, 7. Ouvert le midi et, le soir, à partir de 20 h. Bodega spécialisée dans le vin blanc, fermée le jeudi. Photos de toreros, *azulejos,* tête de taureau. Au fond, on peut apercevoir la cave et éventuellement demander à y jeter un œil, si les garçons ne sont pas trop occupés. Néons blafards et TV, pas de concession touristique et un excellent *montilla* en direct du tonneau. Quelques tapas à grignoter sur le pouce, pour accompagner le vin.

♟ ***Cafetin Halal*** *(plan B3, 57) :* calle Rey de Heredia, 28. ☎ 957-47-76-30. Ouvert tous les jours de 17 h à 20 h. Atmosphère arabe avec coussins, banquettes, tapis et plateau de cuivre. Une halte thé à la menthe et dattes, très fréquentée par les jeunes.

|●| ***Croissantería-Heladería Queen*** *(plan B2, 52) :* calle Herrero, 4. Ne cherchez pas de pittoresque, il n'y en a pas. C'est juste pour prendre un petit déjeuner face à la Mezquita, dans une ambiance cafétéria passe-partout. Viennoiseries un peu chères.

Où écouter et voir du flamenco ?

♪ ***La Bulería*** *(plan C2, 55) :* calle Pedro López, 3. ☎ 957-48-38-39. Fermé en décembre, janvier et février. À l'extérieur du vieux quartier.

Spectacle presque tous les soirs, vers 22 h 30. L'entrée tourne autour de 10 ou 11 € (66 ou 72 F), consommation comprise. Le moins cher qu'on ait trouvé pour un spectacle flamenco. Vraiment touristique, mais les professionnels qui se produisent sont souvent bons. Fait aussi resto.

♪ *Tablao Cardenal* (plan B3, 56) : calle Torrijos, 10. ☎ 957-48-33-20. Fermé le dimanche et en janvier. En face de la Mezquita. Spectacles de qualité (vers 22 h 30) pour un petit 17 € (112 F), avec des artistes de grand renom. L'été, on est dans un grand patio agréable, ce qui ne gâche rien.

Fêtes et manifestations

– *Fête des Croix :* tout début mai. On célèbre le printemps. Les dates précises varient un peu.

– *Fête des Patios :* en mai. La ville est en folie tous les soirs. Les patios se mettent sur leur 31, s'habillant de mille fleurs. Un jury passe dans chacun d'entre eux pour les admirer et les classer.

– *Feria :* fin mai, durant une semaine. Toujours beaucoup d'animation pour la Feria. La fête bat son plein et l'ambiance est chaude. Billets aux arènes ou au Ronda de los Tejares. Attention, les musées et certaines boutiques ferment en début d'après-midi pendant toute la semaine de la Feria.

– *Cata del Vino :* dégustation de vin en mai, pendant quelques jours. Tous les producteurs apportent leur vin. Cela se passe avenida de America, à l'angle de Acera Guerrita.

À voir

Certains musées et sites sont gratuits un jour par semaine. On vous l'indique, mais malheureusement ce jour a la bougeotte. Alors, vérifiez à l'office du tourisme ! Et comme partout, les horaires indiqués ci-dessous le sont à titre indicatif.

★ *La torre de la Calahorra* (plan B3) : située de l'autre côté du pont romain. ☎ 957-29-39-29. Fax : 957-20-66-77. Du 1er mai au 30 septembre, visite de 10 h à 14 h et de 16 h 30 à 20 h 30 ; le reste de l'année, de 10 h à 18 h. Entrée : environ 4 € (26 F) ou 5 € (33 F) avec projection.

On vous conseille vivement de visiter ce lieu avant de pénétrer dans la Mezquita. Dans cette grosse tour mauresque a été installée une sorte de musée consacré à l'islam. On doit l'initiative de cette fondation à Roger Garaudy (négationniste, condamné par la justice française pour avoir nié à plusieurs reprises l'existence des chambres à gaz, converti à l'islam), auteur des textes que vous entendrez. À l'entrée, on vous fournit un casque à infrarouges doté d'un sélecteur de langues (français, anglais, allemand, espagnol). En pénétrant dans les différentes salles, on peut ainsi entendre le commentaire approprié. Inutile d'y chercher l'histoire du califat de Cordoue, de sa grandeur aux IXe et Xe siècles et de sa décadence ensuite. Les textes exposent la conception religieuse de Garaudy. Ils sont dits avec beaucoup de lyrisme et, selon sa sensibilité propre, ils peuvent émouvoir... ou bien agacer. Cela dit, les maquettes sont magnifiques.

– La *première salle* est consacrée à la présentation des courants de pensée qui marquèrent les XIIe et XIIIe siècles espagnols, où une grande tolérance régnait alors.

– La *deuxième salle* reprend le discours des penseurs expliquant en quoi toutes les religions se rejoignent dans le but unique et commun de voir les hommes s'aimer. On apprécierait bien ! On entend les propos de Maimonide, Averroès, Ibn al-Arabi et Alphonse X.

– La **salle 3** expose les grandes inventions qui révolutionnèrent le cours de l'histoire. Cartes du ciel et de la terre, l'astrolabe, des instruments chirurgicaux d'Abulcasis...

– La **salle 5** abrite l'une des plus grandes réussites du musée : une *maquette de l'Alhambra de Grenade*, avec ses jeux de lumière et le texte poétique, merveilleux et optimiste, qui l'accompagne. Écoutez Roger Garaudy parler de « ces bassins silencieux, ces fontaines bourdonnantes, cette lumière qui rebondit à la surface des paisibles bassins et fait danser mille arabesques scintillantes sur les murs dorés ».

– Dans la **salle 7**, la *maquette de la Mezquita de Cordoue,* où Alphonse X voulait être enterré, est également une réussite. On la voit dans son état initial du XIIIᵉ siècle, avec ses 900 colonnes, « son envol d'arcs-en-ciel balisant l'infini, ses pierres se transforment en lumière... ». L'éclairage est savamment distillé.

– La **salle 8 :** dioramas sur la vie à Cordoue pendant le califat. Certaines scènes donnent tout à fait envie.

– Pour terminer, ceux qui auront été sensibles aux textes de Garaudy ne manqueront pas la séance Multivision, *Comment l'homme devient humain,* qui pose, en 800 diapos et 1 h de temps, des questions d'ordre philosophique de première importance. Supplément à payer. Du 1ᵉʳ mai au 30 septembre, séances à 10 h 30, 11 h 30, 12 h 30, 17 h, 18 h et 19 h ; le reste de l'année, toutes les heures de 11 h à 16 h.

★ **La Mezquita** *(la mosquée-cathédrale; plan B2-3)* : ☎ 957-47-05-12. Ouvert tous les jours, de 8 h 30 à 19 h en été (dernière entrée à 18 h 30), de 10 h à 19 h en hiver. Entrée payante (6 €, soit 39 F) sauf, théoriquement, pendant les offices, notamment le dimanche matin. Casquette interdite pour la visite.

C'est le nombre croissant de musulmans à Cordoue qui poussa Abd al-Rahman Iᵉʳ, à la tête de son émirat indépendant, à racheter la basilique Saint-Vincent pour construire, en 784, ce qui allait devenir la plus grande mosquée du monde islamique de l'époque.

Rappelons que déjà, bien avant les chrétiens, un temple avait été édifié par les Romains, dédié à Janus, le dieu aux deux visages (guerre et paix). Les temples romain puis wisigoth furent ensuite détruits, et les pierres réutilisées pour la partie la plus ancienne de la mosquée. Ainsi retrouve-t-on de nombreux chapiteaux romains et wisigoths dans toute la Mezquita. Il faut aussi avoir en mémoire que la mosquée n'était pas seulement un lieu de culte mais également une université et faisait office de palais de justice. Bref, dès la fin de la construction de la première mouture, la vie grouillait déjà à l'intérieur de l'édifice.

Le successeur du créateur, Abd al-Rahman II, agrandit la mosquée, devenue déjà trop petite, de 8 nefs transversales. Puis de nouveau, au Xᵉ siècle, on ajouta 12 nefs. Ainsi fut bâtie la Mezquita, l'un des plus purs exemples d'art religieux. C'est l'édifice le plus intéressant de Cordoue, et sans doute de l'Andalousie avec l'Alhambra de Grenade. Il s'agit de l'une des plus belles forêts de colonnes de toute l'histoire de l'architecture.

La cour des Orangers

C'est l'accès principal à la Mezquita. Elle fut réorganisée à l'époque chrétienne. Durant la période musulmane, il n'y avait que des palmiers, ainsi que trois fontaines pour les ablutions. Celle que l'on voit aujourd'hui est beaucoup plus tardive. On dit que les orangers furent plantés à l'époque d'Isabelle la Catholique car celle-ci appréciait particulièrement la marmelade d'oranges amères. Malgré l'entretien quelque peu négligé de la cour, on aperçoit encore les canaux d'irrigation entre les arbres, creusés par les Arabes.

L'intérieur

On pénètre dans la forêt de colonnes. Avant la reconquête catholique, la mosquée en comportait plus de 900. Aujourd'hui, il en subsiste 856. Véritable trait de génie du constructeur, la surélévation de la voûte par une hauteur d'arcades doublant la première lui fut certainement inspirée par le dessin des aqueducs antiques, qui sont l'une des gloires de la péninsule.

L'élégance et la finesse des arches superposées sont étonnantes. Les colonnes de marbre montrent d'incroyables couleurs et sont quasiment toutes différentes, ainsi que les chapiteaux. On reconnaît facilement ceux qui proviennent de l'ancienne basilique, d'un style très épuré. Noter d'ailleurs que certaines colonnes sont plus longues que d'autres ; ainsi il a fallu les enfoncer plus profondément dans le sol. On les repère facilement. L'une d'elles provient même d'Égypte et date du règne d'Aménophis IV. Les Arabes réutilisèrent tous les anciens matériaux, dans un étonnant œcuménisme. Les yeux avertis noteront encore que quelques colonnes sont penchées, souvenir du grand tremblement de terre de Lisbonne qui résonna jusque-là. Un coin de la mosquée présente également quelques vestiges de l'ancienne basilique Saint-Vincent. Il faut errer au milieu des colonnes, laisser jouer son regard avec les perspectives et les alignements, s'étonner de la multitude des sources lumineuses et s'abandonner à cette sensation d'infini qui habite encore l'édifice malgré l'implantation, en son centre, d'une cathédrale.

Le mascura et le mihrâb

On atteint ici le sommet du « baroque » arabe : moulures, mosaïques dorées, arabesques et inscriptions coufiques se mêlent dans une étroite harmonie. Cœur de la mosquée, le mascura est l'espace situé devant le mihrâb, lieu le plus sacré de l'édifice. Seuls le calife et sa cour y avaient accès. L'imam y donnait le signal de la fin de la prière. Le mihrâb où se trouvait le Coran est entièrement décoré de panneaux de marbre ouvragé. Les fidèles, comme à La Mecque, devaient en faire sept fois le tour à genoux. On aperçoit encore le frottement sur le marbre, à la hauteur des coudes. La coupole du mihrâb, exécutée dans un unique bloc de marbre, est d'une richesse époustouflante. Elle est de style byzantin et fut offerte au milieu du Xe siècle à l'émir en signe d'amitié. Elle se compose de milliers de petits carreaux d'or, de cristal et de céramique. Tout autour du mihrâb court une frise or et bleu qui donne les 99 noms d'Allah. Au-dessus, on devine les fenêtres par lesquelles on autorisait les femmes à voir ce qui se passait à l'intérieur de la mosquée. De chaque côté du mihrâb, un arbre de vie en albâtre, symbole de l'éternité (pas de début ni de fin). La chaîne qui pend de la coupole retenait une lampe à huile volée par les Berbères au XIe siècle.

La chapelle Santa Teresa

À gauche du mihrâb. Chrétienne et baroque, elle détonne, évidemment. Elle accueille la sépulture d'un cardinal et quelques tableaux. Le trésor, juste à côté, abrite un christ en ivoire du XVIIe siècle. Admirable de finesse.

La cathédrale

Après la reconquête de Cordoue, Charles Quint donna son accord pour détruire la partie centrale de la mosquée afin d'ériger cette cathédrale. Quand il vint ensuite à Cordoue, il regretta amèrement cette décision : « Si j'avais su, dit-il aux chanoines, ce que vous vouliez faire, vous ne l'auriez pas fait car ce que vous faites là peut se trouver partout et ce que vous aviez auparavant n'existe nulle part ! »

Cette cathédrale du XVIe siècle, de style Renaissance, aurait pu, après tout, dégager un charme propre si elle avait été construite ailleurs. En effet, l'œil aurait pu s'arrêter sur cet étrange transept, très chargé, dont les multiples nervures redondantes contrastent fort avec la sérénité de l'architecture arabe. Le chœur présente un florilège ou un pot-pourri, comme on voudra, de tous les styles du moment : gothique, Renaissance, plateresque et baroque. Ainsi le transept est gothique, la nef proto-baroque et la coupole principale Renaissance. Quant aux colonnes, c'est un cocktail indéfini. Voir aussi les belles stalles churrigueresques sculptées en bois de mahogany de Cuba, ainsi qu'un intéressant retable de marbre rose. Deux chaires méritent également le détour (voir la statue de taureau). Tout autour, quelques chapelles présentent des retables de bonne facture. Si cette cathédrale jure au milieu de la Mezquita, on se console en pensant que sa construction a peut-être évité la destruction de la mosquée dans sa totalité, sacrilège que nous pleurerions encore.

– **La partie la plus récente de la mosquée** (fin du Xe siècle) se différencie par ses colonnes toutes identiques, en marbre noir. Les arches, quant à elles, sont en pierres recouvertes de peinture rouge pour imiter la brique, afin de s'harmoniser avec la partie la plus ancienne. À noter que chaque colonne porte la signature en arabe du sculpteur qui l'a façonnée. Une vitrine regroupe les empreintes des signatures de tous les artistes.

★ **El Alcázar** (plan A3) **:** entrée par la calle Caballerizas Reales. ☎ 957-42-01-51. En été, ouvert de 10 h à 14 h et de 18 h à 20 h ; en hiver, de 10 h à 14 h et de 16 h 30 à 18 h 30 ; le dimanche, ouvert de 9 h 30 à 15 h. Fermé le lundi. Entrée à moins de 2 € (13 F) ; réduction pour les étudiants ; gratuit le vendredi. Forteresse datant du XIVe siècle et dominant le Guadalquivir. Ancien palais des Rois Catholiques, il fut le siège de l'Inquisition pendant plus de 300 ans. Rien à voir avec celui de Séville. Celui-ci est beaucoup plus modeste, en tout cas pour ce qu'on en voit aujourd'hui. Quelques pièces (en entrant sur la gauche) possèdent des éléments d'archéologie. À voir surtout, les mosaïques romaines du temps de l'empereur Auguste. L'une d'elles alterne d'intéressants motifs géométriques. Une autre représente Neptune. Voir encore dans un couloir le remarquable sarcophage romain du IIIe siècle, d'un étonnant réalisme. Mais le plus intéressant est sans doute la vue sur le Guadalquivir, que l'on surplombe des remparts (à nouveau accessibles, les travaux devraient être finis lorsque vous lirez ces lignes). Beau panorama sur le pont romain, long de 240 m, dont la construction est attribuée à l'empereur Auguste. C'est grâce à ce pont que la ville put se développer. Il était défendu par l'imposante tour carrée et crénelée que l'on observe sur l'autre rive, construite par les Maures, et appelée tour de la Calahorra. Cette tour abrite aujourd'hui le superbe **musée de la Ville,** qu'il ne faut louper sous aucun prétexte (voir plus haut). En redescendant, on parvient aux **jardins de l'Alcázar,** délicate évocation de l'élégance passée, du charme des ruisseaux, du romantisme des allées et du judicieux équilibre des rythmes qui composent un ensemble harmonieux, propre à l'architecture arabe.

★ **La Judería** (plan A-B2) **:** ancien ghetto juif, ce quartier, le plus ancien de la ville, entoure la mosquée. La communauté juive de Cordoue était alors la plus importante du monde ibérique et contribua beaucoup à la prospérité de la ville. Il faut se perdre dans ses venelles biscornues, longeant des demeures opulentes, des couvents, des églises. Là, Cordoue respire déjà l'Orient. On peut toujours visiter la *synagogue,* un des seuls monuments qui rappelle la judaïcité de ce quartier.

– **La synagogue** (plan A2) **:** calle Judíos, 20. Ouvert de 10 h à 14 h et de 15 h 30 à 17 h 30 ; le dimanche, de 10 h à 13 h 30. Fermé le lundi. Il s'agit d'une petite synagogue ayant appartenu à un particulier et datant du début du XIVe siècle. C'est la seule (avec celle de Tolède) qui subsiste de cette période. Partie supérieure décorée de stucs mélangeant inscriptions hébraïques et motifs géométriques.

★ *La casa Andalusi* (plan A2) : calle Judíos, 12. ☎ 957-29-06-42. À côté de la synagogue. Ouvert de 10 h 30 à 20 h 30 (18 h en hiver). Entrée à moins de 2 € (13 F). Une vieille maison du XIIᵉ siècle superbement restaurée dont on visite le sous-sol (mosaïques de l'époque du califat), le patio et quelques autres pièces. Tapis, vaisselle, mobilier et une maquette intéressante sur la fabrication du papier, Cordoue ayant été la première ville d'Europe à en fabriquer au Xᵉ siècle. Atmosphère bien reconstituée.

– En ressortant, en descendant la petite rue, sur la droite, un bronze de Maïmonide qui marqua de son empreinte l'atmosphère de la ville.

★ *La calle de las Flores :* non loin de la cathédrale, elle donne dans la calle Velázquez Bosco. Cette charmante ruelle, ornée de pots débordant de fleurs et de plantes, aboutit à une place croquignolette. Demandez, tout le monde connaît cette rue, image de carte postale. De la place, on a vue sur la tour de la cathédrale.

★ Dans le même genre, la *calle Pedro Jimenez* est célèbre comme étant la plus petite de la ville. Connue sous le nom de *calle del Pañuelo* (rue du Mouchoir), en raison de sa taille.

★ À l'angle des calles Cardenal Herrero (flanc nord de la Mezquita) et Magistral González Frances, en haut d'une double volée de marches, trône la *Virgen de los Faroles* (Vierge des Lampes). Il s'agit d'une copie d'une toile réalisée par le frère du peintre Julio Romero de Torres. Les deux femmes au pied de la Vierge représentent l'amour profane et l'amour sacré.

Les musées

★ *El palacio de Viana* (plan C1) : plaza Don Gome, 2. ☎ 957-48-01-34. Au bout de la calle Enrique Redel. Attention, ouvert seulement de 10 h à 14 h en été ; en hiver, de 10 h à 13 h et de 16 h à 18 h. Fermé le samedi après-midi et le dimanche. Entrée payante : environ 3 € (20 F). Splendide, surtout pour les amateurs de patios. La visite se déroule en deux parties : on peut tout d'abord se balader à travers les 13 superbes *patios* qui entourent la demeure avant de participer à la visite guidée (en espagnol) du palais (tickets séparés ou pour l'ensemble). Patios à arcades, d'autres avec des bassins, jardins, parterres fleuris, cours avec orangers et belles glycines... il y en a pour tous les goûts. Un document en français est délivré avec le ticket. Bien fait.
Le palais proprement dit date du XIVᵉ siècle mais fut plusieurs fois transformé, notamment au XVIIᵉ. La plupart des pièces visitées ont une décoration des XVIIᵉ et XVIIIᵉ siècles. Outre l'intérêt que présente l'aménagement intérieur du palais, on verra aussi de nombreuses toiles, une collection de céramiques de l'aristocratie espagnole, une galerie de cuirs superbement travaillés (du XVᵉ au XIXᵉ siècle), des tapisseries réalisées à partir de dessins de Goya, de jolies vitrines de porcelaines du XVIIIᵉ siècle et de beaux plafonds de bois richement sculptés. La « chambre française » abrite un tableau de Franco, qui y séjourna. Sans doute a-t-on oublié de le mettre au feu ! La visite est instructive bien que les guides ne parlent que l'espagnol.

★ *El museo provincial de Bellas Artes* (plan C2-3) : plaza del Potro. ☎ 957-43-33-45. Ouvert toute l'année, le mardi de 15 h à 20 h, du mercredi au samedi de 9 h à 20 h, les dimanche et jours fériés de 9 h à 15 h. Fermé le lundi. Gratuit pour les Européens, sur présentation d'une pièce d'identité. Ce musée et le suivant sont situés dans un beau patio ombragé par des orangers et pavé de minuscules cailloux qui décrivent d'élégantes arabesques.
Dans une belle bâtisse qui fut un hôpital des Rois Catholiques au XVIᵉ siècle,

le musée expose quelques toiles de peintres baroques espagnols, dont certains de l'école de Zurbarán. Le rez-de-chaussée est consacré aux XIXᵉ et XXᵉ siècles avec plusieurs toiles intéressantes d'artistes de Cordoue. Dans une salle principalement consacrée aux sculptures de Mateo Inurria Lainosa, on peut aussi voir de belles toiles de Rafael Romero de Torres (frère du célèbre Julio), dont la très pathétique *Ultimos sacramentos*. Le travail de Tomás Muñoz Lucena est également fort intéressant. Dans la chapelle, peinture baroque, dont quelques œuvres de Valdés Leal. En haut, jolie collection de dessins et d'estampes, et très intéressants tableaux des XVᵉ et XVIᵉ siècles, dont un curieux et beau *Christ à la colonne* qui mêle conception médiévale de la peinture (dans les proportions des personnages) et influences Renaissances nouvelles (dans le décor et la perspective utilisée).

★ *El museo Julio Romero de Torres* (plan C2-3) : même adresse. ☎ 957-49-10-09. Ouvert de 10 h à 14 h et de 17 h à 19 h (en été, de 18 h à 20 h) ; le dimanche, de 9 h 30 à 15 h. Fermé le lundi. Entrée payante : environ 3 € (20 F) ; gratuit le vendredi.
Ce peintre cordouan du début du XXᵉ siècle a toujours habité dans cette belle maison du XVIᵉ siècle, aujourd'hui transformée en musée. Il peignit essentiellement des femmes, aux regards sombres et envoûtants, toujours plus ou moins érotiques. Grande star à Cordoue, vous trouverez des cartes postales de ses œuvres à chaque coin de rue. Un bien joli musée qui mérite une visite. Voir les superbes *Naranjas y Limones, Nieta de la Trini,* les regards froids de *Angeles y Fuensanta.* Plus lugubre est *Salomé,* plus tragique *Mira que bonita ere,* tandis que les yeux des femmes de *Poema de Córdoba* ne peuvent laisser indifférent. Troublante et vibrante, sans aucun doute, sont la toile *Cante Hondo* qui semble relater les différentes phases d'une tragique passion et la superbe *Chiquita piconera,* son œuvre la plus connue.

★ *El museo municipal taurino* (plan A2) : plazuela de Maimonides. ☎ 957-20-10-56. À 150 m à l'ouest de la mosquée. En été, ouvert du mardi au samedi de 10 h à 14 h et de 18 h à 20 h, le dimanche et le lundi de 9 h 30 à 15 h ; en hiver, de 10 h à 14 h et de 17 h à 19 h. Entrée à moins de 3 € (20 F) ; gratuit le vendredi.
Dans cette maison du XVIᵉ siècle, égayée par un joli patio, on a placé un tas d'objets, affiches, peintures, habits de lumière, documents liés à la tauromachie. Il y a même la copie du mausolée de Manolete, célèbre torero qui fut *corneado* en 1947. On voit son bureau, ses costumes...

★ *El Museo arqueológico* (plan B2) : plaza Jerónimo Paez, 7. Ouvert le mardi de 15 h à 20 h, du mercredi au samedi de 9 h à 20 h et le dimanche jusqu'à 15 h. Fermé le lundi. Gratuit pour les Européens, sur présentation d'une pièce d'identité.
Abrité dans une belle demeure Renaissance, un musée très agréable. Dommage que les explications ne soient qu'en espagnol ! Dans les salles entourant des patios, riche collection allant de la préhistoire au Moyen Âge. Parmi les pièces importantes, de superbes mosaïques, statues, sarcophages et autres vestiges romains. Également nombre de très beaux objets datant de la domination musulmane, avec toute une série de margelles de puits mudéjars.

À voir encore

★ *La plaza de la Corredera* (plan C2) : grande place style « plaza Mayor », entourée d'immeubles sur galeries marchandes avec bodegas, vieux style. Marché sur la place le matin tous les jours sauf le dimanche. Le vrai « vieux Cordoue ».

★ *Les quais du Guadalquivir :* multitude d'îles sur lesquelles, au milieu des lauriers-roses, on peut voir de vieux moulins arabes, notamment la Noria de la Albolafia, récemment restaurée, qui servait à irriguer les jardins de l'Alcazar.

À faire

– **Piscines :** *El Fontanar,* parque Cruz Conde, à environ 4 km vers le sud-ouest. Ouvert en été. Prendre le bus n° 5 en face de l'hôtel *Media,* sur l'avenue de la República Argentina, en direction de l'hôpital ; descendre puis prendre le chemin de terre sur la droite (environ 200 m). Plus qu'une piscine, un vrai parc aquatique. Pas trop cher. Bondé le dimanche. Le *camping municipal,* sur la route El Brillante, ouvre sa piscine aux non-résidents également. Beaucoup de monde. Entrée payante.

➤ *DANS LES ENVIRONS DE CORDOUE*

★ **Medinat Al'-Zahra** *(hors plan par A1) :* à environ 8 km à l'ouest de Cordoue. ☎ 957-32-91-30. Prendre l'avenue Medina Azahara à partir de l'avenue de la República Argentina ; tout droit sur 5 km puis à droite ; c'est encore à 3 km. Bien fléché. En bus, ligne n° 1 à prendre sur l'avenue de la República Argentina, un peu avant l'angle avec l'avenue Medina Azahara ; toutes les 45 mn environ ; on vous dépose au bord de la route ; ensuite, 3 km à pied. Du 1er mai au 30 septembre, ouvert du mardi au samedi de 10 h à 14 h et de 18 h à 20 h 30, et les dimanche et jours fériés de 10 h à 14 h ; le reste de l'année, du mardi au samedi de 10 h à 14 h et de 16 h à 18 h 30, et les dimanche et jours fériés de 10 h à 14 h. Fermé le lundi. Gratuit pour les ressortissants de la CEE, sur présentation d'un justificatif. Brochure avec plan en français distribuée à l'entrée (quand il en reste !).

Il s'agit des ruines d'une véritable ville, fondée au Xe siècle par Abd al-Rahman III pour son califat. Elle était reliée à Cordoue par d'importantes voies de communication. Curieusement, sa vie fut éphémère puisque, moins d'un siècle après sa construction, elle périclita lors de l'invasion des Berbères d'Afrique du Nord. Il n'est pas vraiment évident de « lire » ce site composé essentiellement de ruines, à part une petite partie.

La ville fut organisée en trois terrasses : la première, tout en haut, accueillait la résidence des dignitaires et celle du calife, l'intermédiaire abritait les jardins, les potagers et les administrations, tandis que les habitations, les casernes et la mosquée se situaient tout en bas, sur la terrasse inférieure. Malheureusement, les limites de chacune de ces terrasses ne sont pas très visibles.

Parmi les principaux points d'intérêt, voir le *dar Al-Wazara (maison des vizirs)* où se tenaient les conseils et les audiences civiles et où gouvernait le vizir (et sa vizirette ?). Quelques chapiteaux ciselés subsistent, tranchant par leur style avec la simplicité des arches outrepassées. Plus grand-chose à voir dans ce qui fut la zone résidentielle. Passons immédiatement au *salon d'Abd al-Rahman III,* l'édifice le mieux conservé. Il s'agit d'un superbe salon, composé d'une remarquable série d'arcades outrepassées, supportées par des colonnes de marbre, alternant le rose et le noir, et d'arches alternant le rouge et le blanc et agrémentées de riches et fins motifs floraux. Les murs sont recouverts de feuillages ciselés en stuc, décoration originale, mais aussi de motifs épigraphiques laïcs qui racontent la construction de l'édifice par ses architectes. C'est ici que se déroulaient les audiences politiques. Nous sommes dans le cœur de la demeure du calife. Beaucoup d'arbres de vie un peu partout, très stylisés. Il faut bien entendu imaginer cet ensemble avec force tapis, coussins, danseuses et musique. La grande mosquée, un peu à l'écart, n'offre plus rien à voir.

La ville est aujourd'hui en cours de restauration, le projet le plus ambitieux consistant à redonner vie aux jardins en réutilisant un ancien bassin.

Peu avant le parking, un chemin sur la droite vous mènera en 20 mn à pied au monastère *San Jerónimo de Valparaiso*. Il ne se visite pas mais sa façade faite de plusieurs niveaux d'arcades, les terrasses d'orangers en contrebas et la montagne couverte d'oliviers qui le surplombe constituent un magnifique paysage, surtout au printemps. La famille du gardien qui vit dans une maison à côté a bien de la chance...

★ *Le château d'Almodovar del Río* : situé à environ 25 km à l'ouest de Cordoue, dans le village d'Almodovar del Río. En arrivant près du village, on voit d'emblée ce château qui trône au sommet de la colline. Visite possible de 11 h à 19 h environ. C'est le gardien qui dirige la visite. On peut le joindre par téléphone (☎ 957-63-51-16). Pas grand intérêt si ce n'est la vue sur la région du haut des cinq tours crénelées. Cette forteresse édifiée par les Arabes au XIIᵉ siècle est malgré tout particulièrement bien conservée. Le château appartient aujourd'hui à l'Opus Dei. Bon, si vous passez par là, c'est une halte possible mais on ne fait pas le détour exprès. Le gardien attend sa grosse pièce pour la visite (il est même un peu gourmand !).

★ *La Rambla* : à 30 km au sud de Cordoue, sur la route de Málaga. Vous trouverez là de belles céramiques et terres cuites. Ouverture au public des usines et magasins vers 18 h.

QUITTER CORDOUE

En train

🚆 *RENFE (gare centrale ; hors plan par B1)* : avenida de las Tres Culturas. ☎ 957-40-02-02. Au nord de la ville. Toute neuve.

➢ Essentiellement pour les longs trajets comme Madrid, Séville, Cadix, Málaga ou Barcelone. Pas de train direct pour Grenade, il faut changer à Séville (beaucoup plus rapide en bus).

En bus

🚌 *Gare routière (hors plan par B1)* : plaza de las Tres Culturas. ☎ 957-40-40-40. Derrière la gare RENFE.

➢ Bus pour Grenade, Séville, Almería, Cadix, Badajoz, Cáceres, Jaén, Ubeda, Baeza, Bailen, Madrid, Mérida.

DE CORDOUE À GRENADE

La traversée de ces plaines vallonnées et fertiles, plantées de vastes champs d'oliviers, fait du parcours une balade agréable au point qu'on en oublie les camions qui lambinent et derrière lesquels on risque fort de rester coincé.

Ceux qui ont du temps profiteront des jolis villages anciens disséminés sur le parcours, comme **Alcalá la Real** (50 km avant Grenade), surmonté d'un château d'époque arabe. Plus à l'ouest, la charmante cité de **Cabra,** pleine de maisons baroques. Tous les ans, le 18 juin, des gitans venus de tout le pays se réunissent sur une colline des environs, c'est la *Romería de Los Gitanos,* fête inoubliable.

JAÉN
(23000)

Située à 107 km de Cordoue et à 93 km de Grenade, Jaén, capitale de la province du même nom, n'a pas vraiment le charme de ses voisines. Sur la colline, une forteresse mauresque, reconstruite au XIIIe siècle, permet de découvrir de beaux panoramas sur la région. Un parador y est installé, le *castillo Santa Catalina*. La vieille ville, toute petite, mérite également une balade. Quelques églises intéressantes et des rues agréables. Et puis basta ! On jettera aussi un œil à la cathédrale. Franchement, on ne séjourne pas ici. On s'y arrête un petit moment si l'on passe par là... et on file.

Adresses utiles

⬛ Bureau du tourisme : Arquitecto Berges, 1. ☎ 953-22-27-37.

🚌 Station de bus : plaza Coca de la Piñera. ☎ 953-25-01-06.

Où dormir ? Où manger ?

🛏 Hostal La Española : calle Bernardo Lopez, 9, 23004 Jaén. ☎ 953-23-02-54. Dans le quartier piéton, près de la cathédrale. Prendre la calle Maestra (la rue piétonne à droite de la façade de la cathédrale), puis la 2e ruelle sur la droite. Chambres doubles entre 21 et 25 € (138 et 164 F). Patio lugubre, chargé de fleurs artificielles. Chambres avec ou sans salle de bains, un peu chères et tristounettes à mort. Pour dépanner.

🍴 Bar Doframi : calle de Martinez Molina, 65 (au bout de la rue en venant de la cathédrale). ☎ 953-24-16-53. Fermé la 2e quinzaine d'août.

Bistrot de quartier animé, près des bains arabes. C'est là sa principale qualité, mais pas de quoi traverser la ville, même si les tapas sont plutôt réussies.

🍴 Marisquería La Gamba de Oro : calle Nueva, 5. Dans une ruelle entre Roldán y Marin et V. de la Capilla. Ouvert tous les jours, midi et soir. Populaire à fond, avec son comptoir en alu, ses néons blafards et sa joyeuse animation. On vient ici déguster des coquillages, des crevettes, des crabes tout frais, frits ou *a la plancha*. Simple et bon. D'ailleurs, les gens du coin connaissent l'adresse depuis bien longtemps.

Très chic

🛏 🍴 Parador de Jaén, Castillo de Santa Catalina : 23003 Jaén. C'est le château au sommet de la colline. Bien fléché. ☎ 953-21-91-16. Rien de l'ancienne forteresse n'a été utilisé pour l'hôtel de luxe qui tente pourtant de singer les constructions du Moyen Âge. Ainsi, ce parador manque totalement de charme. En revanche, son restaurant propose

une cuisine particulièrement intéressante. Menu cher, mais la carte permet de se mettre sous les papilles certains plats traditionnels fort bien réalisés : épinards à la Jaén, cerf à la mode de Baño, gazpacho épais... dans une vaste salle-cathédrale un peu froide. Par ailleurs, la vue sur la vallée est époustouflante.

À voir

★ **La cathédrale :** calle Campanas. Ouvert de 8 h 30 à 13 h et de 16 h à 19 h (de 17 h à 20 h en été). Façade à l'allure de retable baroque. Date du XVIIe siècle. On trouve son intérieur lourd et pompeux. À noter toutefois les stalles du chœur, très ouvragées, et, derrière l'autel, un tabernacle porté par une volée d'anges. Dans la chapelle de gauche (derrière le déambulatoire), le char de procession, utilisé pendant les fêtes.

★ *El palacio de Villardompardo* *(bains arabes)* : plaza Santa Luis de Marillac. Ouvert du mardi au vendredi de 9 h à 20 h et le week-end de 9 h 30 à 14 h 30. Fermé le lundi et les jours fériés. Gratuit. Il s'agit *d'anciens bains arabes* (au sous-sol) sur lesquels fut édifié un palais assez austère abritant aujourd'hui un *musée d'Art et des Costumes populaires,* ainsi qu'un étonnant petit *musée d'Art naïf.*
– Voir d'abord les bains, superbement restaurés, avec leur coupole de brique et leurs chapiteaux sculptés. Le musée d'Art populaire, modeste, mérite pourtant un petit coup d'œil, ainsi que ce curieux musée d'Art naïf qui expose des artistes du monde entier. À l'origine de cette initiative, le legs d'un peintre originaire de la ville. Aujourd'hui, le musée a acquis une renommée internationale et accueille des expos tout à fait attrayantes.

★ *La calle San Clemente,* piétonne, constitue le point d'animation principal de la ville, ainsi que la *plaza de la Constitución.* Précision pour ceux qui ont une heure à tuer. Tiens d'ailleurs, pourquoi dit-on « tuer le temps » ? Celui-ci n'a-t-il pas le droit de vivre ? Est-il tellement insupportable qu'il faille le tuer ? (Bon, arrêtons là nos réflexions, l'éditeur va nous taper sur les doigts.)

BAEZA

(23440)

À 48 km au nord-est de Jaén, petite ville riche en monuments, aux rues dallées et étroites. D'origine lointaine, cette ville fut successivement ibérique, romaine, wisigothe et musulmane. Elle atteindra son apogée au XVIᵉ siècle (fondation d'une université) et au XVIIᵉ siècle. Une petite visite pour ses quelques monuments sera un complément sympathique à la visite d'Ubeda sur la route de Grenade. L'odeur persistante et très moyennement appétissante qui flotte dans l'air ne provient pas d'une usine chimique comme on serait tenté de le penser, mais des nombreuses fabriques d'huile d'olive qui entourent la ville.

Adresses utiles

🏠 *Office du tourisme :* plaza de los Leones. ☎ 953-74-04-44. Ouvert du lundi au vendredi de 9 h à 14 h 30 et le samedi de 10 h à 13 h. Plan gratuit où figurent tous les monuments de la ville.

■ *Torreón Puerta de Ubeda :* dans la grande tour de la porte d'Ubeda. ☎ et fax : 953-74-02-30. ● RENACIMENTO@ineformail.lacaixa.es ● Ouvert tous les jours de 10 h à 14 h et de 16 h à 19 h (20 h 30 en été).

Organisme privé très efficace proposant visites guidées, infos diverses, cartes, brochures, etc. Accueil excellent et polyglotte. Du haut de la tour, vue panoramique superbe moyennant quelques pesetas.

✉ *Poste :* calle Julio Burell, 19. ☎ 953-74-08-39.

🚌 *Gare routière :* avenida Puche y Pardo, 1. ☎ 953-74-04-68.

■ *Distributeur automatique :* calle de San Pablo, 3.

Où dormir ?

Bon marché

🏠 *Hostal El Patio :* calle Conde Romanores, 13. ☎ 953-74-02-00. La double à partir de 24 € (158 F) avec salle de bains, 18 € (118 F)

sans. Dans le cœur historique, un ancien palais du XIIIᵉ siècle transformé en *hostal.* Le mobilier est de la fin du XXᵉ siècle, de style Galeries

Barbès. Sombre, et pas très guilleret, mais rien de mieux à ce prix.

🛏 *Hostal Comercio* : calle San Pablo, 21. ☎ 953-74-01-00. Chambres de 18 à 24 € (118 à 158 F) en fonction du confort, avec lavabo uni-quement, avec douche ou avec salle de bains. Son seul mérite est d'être en plein centre. Ensemble vieillot et déprimant. Le charme andalou n'a pas franchi la porte. Dommage, la maison est assez belle.

Plus chic

🛏 *Hotel Baeza :* calle Concepción, 3. ☎ 953-74-81-30. ● confcom@once.es ● À 5 mn du centre à pied. Parking payant. La double revient à plus de 78 € (512 F), petit déjeuner compris. Dans un ancien couvent carrément massacré par une modernisation affreuse. Aseptisé à mort. Cela dit, les chambres sont plutôt agréables, parfaitement confortables, et l'accueil tout sourire.

Où manger ?

Prix moyens

|●| *Taberna El Pájaro :* portales Tundidores, 5. ☎ 953-74-43-48. Compter 9 € (59 F) pour calmer une petite faim. Sous les arcades de la plaza de la Constitución. Pas le grand charme inoubliable, mais de quoi passer un moment agréable autour d'une assiette de jambon ou de fromage dans une ambiance chaleureuse et animée.

Plus chic

|●| *Juanito :* paseo del Arca del Agua. ☎ 953-74-00-40. Fax : 953-74-23-24. À la sortie de la ville sur la route d'Ubeda, à côté d'une station-service, à 15 mn à pied du centre. Fermé les dimanche soir et lundi soir. Compter un bon 24 € (158 F) par personne, sans faire de folie. Pas de menu. Dans l'hôtel du même nom, une des meilleures tables du coin, dans un cadre assez chicos. Mieux vaut ne pas s'y pointer en guenilles, ça risquerait de jurer avec les chaises en velours rouge ! Une cuisine inventive et fine qui se conjugue autour de l'huile d'olive. Si vous souhaitez en acheter, on vous en fera déguster plusieurs avec un sérieux digne des caves du Bordelais. Parmi les plats intéressants, vous pouvez choisir le faisan aux champignons, un festival de saveurs assez inhabituelles.

À voir

★ *La plaza de los Leones* ou *plaza del Pópulo :* on peut y voir deux intéressants monuments Renaissance, de l'époque glorieuse de Baeza. L'actuel office du tourisme est installé dans la *casa del Pópulo,* bâtisse de 1530 remarquable pour sa façade platéresque. Dans le prolongement de celle-ci, la *porte de Jaén,* crénelée et armoriée, sous laquelle passa Charles Quint pour se rendre à son mariage à Séville. De l'autre côté, l'*Antigua Carnicería,* les anciennes boucheries, datant du XVIᵉ siècle. Au milieu de la place, la *fuente de los Leones,* fontaine dont les éléments proviennent des ruines romaines de Cástulo, près de Linares.

★ *La cathédrale :* plaza Santa Maria. Ouvert de 10 h 30 à 13 h et de 16 h à 18 h (le matin et de 17 h à 19 h en été). L'extérieur, bien que très chaotique et sans homogénéité, ne manque pourtant pas de puissance. Deux portes particulièrement belles, celle de *la Luna,* de style mauresque, et la *puerta del*

Perdón, de style gothique. À l'intérieur, c'est bien le style Renaissance qui l'emporte avec des chapelles richement décorées comme celles d'*El Sagrario* et de *la Dorada* d'inspiration italienne. Au fond, un petit escalier discret monte en haut de la tour.

En face, remarquer sur les murs de l'ancien séminaire (aujourd'hui université d'été) les inscriptions que les étudiants fraîchement diplômés traçaient avec du sang de taureau.

Au centre de la place, petite *fontaine* Renaissance.

★ *Le palais de Jabalquinto :* plaza Santa Cruz. Ouvert de 11 h à 13 h et de 16 h à 18 h. Superbe façade aux huit blasons de style isabélin très pur, avec d'élégantes fenêtres gothiques magnifiquement ouvragées. Un mélange superbe de styles gothique flamboyant et plateresque. Hélas, l'intérieur très ruiné ne se visite pas. On ne peut qu'entrer dans le patio et voir l'incroyable escalier baroque... s'écrouler peu à peu. Normalement, encore en pleine restauration. À suivre...

UBEDA (23400)

D'abord arabe, puis reconquise en 1234 par Ferdinand III, Ubeda est une ville sympathique possédant en son centre un ensemble d'une grande cohérence architecturale. En se promenant dans ses rues pavées, on comprend vite qu'elle connut ses jours de gloire au XVIe siècle, époque à laquelle fut construit un grand nombre d'églises ambitieuses et d'élégants palais. Bâtie à 757 m d'altitude et surplombant une vaste plaine où les plantations d'oliviers courent jusqu'aux montagnes de la sierra Mágina, Ubeda constitue une halte agréable encore timidement visitée par les touristes. Il ne faut pas quitter la ville sans avoir fait une balade sur les remparts et, pour les amateurs de céramiques, aller jusqu'à la calle Valencia qui part de la plaza Olleros.

Adresses utiles

Office du tourisme : avenida Cristo Rey. ☎ 953-75-08-97. Dans le palais des congrès, gros édifice ancien, au centre. Ouvert du lundi au vendredi de 8 h à 15 h et le samedi de 8 h à 13 h.

Gare routière : calle San José. ☎ 953-75-21-57.

Taxis : plaza de Andalucía. ☎ 953-75-12-13.

Distributeurs automatiques : un peu partout et plus particulièrement autour de la plaza de Andalucía.

Où dormir ?

Dur, dur d'être routard fauché à Ubeda ! Pas le moindre petit hôtel sympa, *nada !* En revanche, une étape divine pour les autres. Dans la calle Ramón y Cajal, grande artère bruyante et sans le moindre charme, quelques hôtels moches et pas bon marché pour autant.

Prix moyens

Hostal Victoria : Alaminos, 5. ☎ 953-75-29-52. Au 1er étage. Parking. Chambres doubles plus ou moins grandes autour de 30 € (197 F). Dans une rue calme. Chambres confortables avec TV et salle de bains, bien tenues, dans un petit immeuble sans intérêt. Patronne très souriante. Loin d'être génial mais on n'a rien trouvé de mieux.

Très, très chic

🏛 *Palacio de la Rambla :* plaza del Marqués, 1. ☎ 953-75-01-96. Fax : 953-75-02-67. Fermé du 15 juillet au 15 août. Chambres doubles sublimissimes à partir de 84 € (551 F), copieux petit déjeuner compris (quand même !). Dans le centre historique. Alors là, on a rarement vu plus beau ! Il s'agit d'un palais du XVIe siècle d'une beauté renversante, avec un patio central superbe entouré d'élégantes arcades. Seulement 8 chambres, toutes différentes, d'une préciosité inimaginable, où chaque objet semble sorti d'un musée (y compris la literie, qui n'en demande pas tant et mériterait bien d'être changée). Une immersion dans un univers où tout est luxe, calme et raffinement. Incroyable !

🏛 *Parador Nacional :* plaza Vasquez de Molina. ☎ 953-75-03-45. Fax : 953-75-12-59. En haute saison, la chambre double est autour de 111 € (728 F) ; le reste de l'année, 99 € (649 F). Calme et sérénité sont les maîtres mots de cet établissement de charme et de luxe, organisé autour d'un élégant patio. Ceux qui n'auront pas les moyens de s'offrir ce palace pourront peut-être néanmoins faire une entorse à leur budget pour se mettre à table. Car le resto est tout simplement formidable (voir « Où manger ? »).

Où manger ?

Bon marché

|●| *Restaurante El Gallo Rojo :* Manuel Barraca, 3. ☎ 953-75-20-38. Menu autour de 8 € (52 F), copieux et réconfortant. Ce n'est pas le resto le plus typique d'Espagne, ni la table la plus fine, mais l'accueil est soigné et le rapport qualité-prix très correct.

Prix modérés

|●| *Restaurante El Seco :* calle Corazón de Jesús, 8. ☎ 953-79-14-52. En plein centre, près de la plaza del Ayuntamiento. Plaisant petit resto tout propret où 12 € (79 F) suffisent pour faire un bon repas. Service particulièrement attentif et pro, cuisine simple mais agréable avec quelques spécialités locales comme les haricots à la perdrix, rustiques et bons à la fois. Terrasse tranquille sur une placette.

Plus chic

|●| *Restaurant du Parador Nacional :* voir « Où dormir ? ». Tout d'abord, un truc : plutôt que d'opter pour le menu, autour de 24 € (158 F), choisir de préférence un plat à la carte. En effet, avec les copieuses tapas servies en amuse-bouche (gratuit), votre repas est fait ! Voilà une cuisine classique de bon aloi, parfaitement réalisée, goûteuse et parfumée. Que dire de la *perdriz estafada con ciruelas* (perdrix à l'étuvée aux prunes), du *cabrito guisado con piñones* (chevreau aux pignons), ou encore des *espinacas esparragadas a la moda de Jaén* (épinards à la façon de Jaén) ? Service stylé, cadre élégant bien qu'un tantinet vieillot et addition justifiée.

À voir

Cette liste n'est pas exhaustive, Ubeda compte de nombreux bâtiments intéressants. Votre flânerie vous conduira naturellement devant églises ou palais méritant une pause. Souvent, les édifices sont fermés, visibles uniquement de l'extérieur.

★ *La plaza Vásquez de Molina :* vaste place entourée des plus célèbres monuments de la ville, ensemble architectural imposant d'une étonnante homogénéité. C'est le cœur de la vieille ville, départ quasi obligé de la visite.

★ *La Sacra Capilla del Salvador :* sur la place. Ouvert de 10 h à 14 h et de 16 h 30 à 19 h. Entrée payante : environ 2 € (13 F) par adulte, moins de 1 € (7 F) par enfant, sauf entre 18 h 30 et 19 h 30. On doit ce chef-d'œuvre à Andrés de Vandelvira, célèbre et richissime architecte de la Renaissance. La façade et le porche, pourtant généreusement sculptés, paraissent presque sobres en comparaison avec le chœur et surtout le retable, délirant festival de dorures et de sculptures en pierre polychrome. On y voit les quatre Évangélistes dans des postures très théâtrales. Pour protéger cette profusion ornementale, une élégante grille plateresque du XVIᵉ siècle, œuvre de Bartolomé. Dans le même registre, ignorant toute sobriété, une sacristie bien gardée par une porte remarquable.

★ *L'église Santa Maria :* également sur la place, en face de la mairie. Belle église du XIIIᵉ siècle, construite sur les vestiges d'une ancienne mosquée. Chaque siècle participa à son aspect actuel : le cloître gothique fut bâti au XVᵉ, les grilles plateresques au XVIᵉ, au XVIIᵉ on refit la façade, au XVIIIᵉ les voûtes intérieures, au XIXᵉ le clocher et au XXᵉ on mit l'électricité !

★ *L'église San Pablo :* sur la plaza del 1° de Mayo. Très belle église qui marie allègrement les styles. Néanmoins, il s'en dégage une harmonie et un esthétisme surprenants, alliant sobriété et élégance. On ne peut y entrer que pendant les offices religieux. Visite de la chapelle des Archives uniquement de 18 h à 19 h du lundi au vendredi.

★ *Les remparts :* très agréable balade à faire dans un joli quartier aux rues pavées qui montent et descendent, bordées de maisons aux murs chaulés. Dans la calle Valencia, nombreux potiers.

LES SIERRAS DE CAZORLA ET SEGURA

Bien à l'est de Jaén s'élèvent la sierra de Cazorla, avec son superbe parc naturel, et celle de Segura. C'est le plus vaste des parcs naturels espagnols. C'est à deux pas de Cazorla que le Guadalquivir prend sa source et vient nourrir toute l'Andalousie. Au milieu de paysages bucoliques et rupestres, on parcourt de beaux villages d'où partent d'agréables balades peu connues. Au lieu-dit *Torre del Vinagre* (sierra de Cazorla), vous pouvez louer des chevaux, seul ou accompagné, sur les bords du Guadalquivir. Plusieurs *campings* dans le secteur.
Dans les sierras, vous dégusterez une cuisine à base de gibier (perdrix et lièvre) et des fruits savoureux.

🄸 *Centre d'informations :* à Torre del Vinagre.

★ *CAZORLA* (23470)

Planté au pied d'une montagne fière, Cazorla est un village typique. Ses vieilles ruelles serrées se perdant en labyrinthe ont un certain cachet, et c'est un bon point de départ pour la sierra. Tout en haut, du château de la *Yedra,* on surplombe les ruines plateresques de l'église *Santa Maria,* d'innombrables toits qui paraissent anarchiquement enchevêtrés, et un superbe paysage de montagnes et de plantations d'oliviers. Possibilité de se baigner dans le Pantano del Tranco de Reau et dans le Guadalquivir.

DE CORDOUE À GRENADE

Adresse utile

🚹 *Bureau du tourisme :* paseo de Santo Cristo, 17. ☎ 953-71-02-02.

Où dormir?

Camping

⚕ ***Camping-Cortijo San Isicio :*** camino San Isicio, s/n, Apartado 33. ☎ et fax : 953-72-12-80. Perché en terrasses, ce camping fait partie d'une ferme écologique tenue par un Hollandais fort sympathique qui a planté oliviers, figuiers, amandiers... Propose des randos pour découvrir la faune et la flore.

Chic ✳

🛏 ***Molina La Farraga :*** ☎ et fax : 953-72-12-49. Prendre la route qui monte de la plaza Santa Maria, entre les ruines et la *Cueva de Juan Pedro*; suivre ensuite les indications. À 5 mn à pied de la place. Chambres doubles à partir de 45 € (295 F). Dans une bien jolie maison restaurée et décorée avec goût, 8 chambres impeccables et personnalisées, superbes, en somme. Joli jardin en terrasses, petit ruisseau qui glouglloute, piscine, cadre magnifique et accueil toujours adorable. Bref, une adresse délicieuse comme tout, paisible, loin de toute agitation.

★ QUESADA

Un peu plus au sud, Quesada est un village qui ravira également les amateurs d'authenticité. Nombreux champs d'oliviers aux alentours. On ira visiter le *musée Zabaleta,* peintre originaire de Quesada.

★ SEGURA DE LA SIERRA

Tout au nord de la sierra, Segura de la Sierra est un autre point de chute bien agréable et très typique. Belles maisons seigneuriales dans le village et château maure bien restauré.

GRENADE (GRANADA) (18000)

« Un doigt de la treille, un rai de soleil désignent le lieu où est mon cœur », écrivait Federico García Lorca en évoquant Grenade. Il est vrai qu'en terre andalouse, peu de lieux vous bercent d'une pareille indolence. Brûlante, coquette dans son cannage de clairs-obscurs, Grenade reste l'une de nos villes préférées d'Andalousie. Un site grandiose : la ville est entourée par l'imposante barrière montagneuse de la sierra Nevada. Au premier plan se détache l'*Alhambra,* chef-d'œuvre de l'architecture arabe. C'est là que se réfugièrent les derniers musulmans, alors que les Rois Catholiques gagnaient sans cesse du terrain. Grenade n'a cependant pas le charme de Cordoue. Il faut aller chercher sa beauté sur la colline, là où se trouve l'Alhambra.

Grenade est avant tout une grande ville qui bouge, avec des avenues encombrées, des rues piétonnes étroites, des quartiers vivants, tel celui de

(GRENADE ET SES ENVIRONS)

l'*Albaicin,* avec ses vieilles maisons blanches et son lacis de ruelles tortueuses. Et puis, si vous avez le temps, allez passer la journée dans la *sierra Nevada,* dont les sommets enneigés donnent à l'Alhambra une magnifique toile de fond (« Les deux rivières de Grenade descendent de la neige au blé », disait le poète), ou encore mieux dans les Alpujarras. Enfin, sachez que Grenade (située à 680 m d'altitude) ne connaît pas la chaleur étouffante de Séville ou de Cordoue, et ce n'est pas le moindre de ses charmes.

UN PEU D'HISTOIRE

Le 2 janvier 1492, à 15 h, Muley Boabdil remet les clés de l'Alhambra aux Rois Catholiques, après 777 ans de domination musulmane. L'épopée arabe d'Al-Andalus s'achève. Voici comment on en est arrivé là.

Le véritable essor de la cité commence le jour où les musulmans se voient contraints de rallier Grenade, suite à la reconquête de Cordoue par les chrétiens, en 1236. Les Nasrides dominent alors l'émirat de Grenade qui restera sous leur contrôle de la moitié du XIIIe siècle à la fin du XVe siècle. Pendant près de 250 ans, cet émirat indépendant conserve son pouvoir, sa culture, sa force, alors que les Castillans et leurs armées sont à sa porte. En fait, Al-Ahmar et ses successeurs ont tous été des vassaux du roi de Castille, lui versant un tribut annuel. Ils devaient le défendre dans ses guerres contre leurs propres frères musulmans. Les guerriers nasrides ont participé au siège de Séville en 1248, luttant à côté des chrétiens. Si Grenade a résisté longtemps, c'est parce que les sultans ont satisfait les exigences des chrétiens... Et les richesses du sol, la production agricole et l'organisation exemplaire de la cité ont fait que celle-ci parvint à résister tant bien que mal. Mais les offensives catholiques se font de plus en plus dures, surtout à partir de 1482 : pillages, attaques soudaines, combats répétés, les assaillants sont décidés à s'emparer du royaume de Grenade. Des dissensions au sein des familles de l'émirat accélèrent le processus. Ronda puis Málaga tombent. Quelques années plus tard, coupée de toute ressource, Grenade cède à son tour.

Malgré la promesse d'Isabelle la Catholique de respecter la liberté de culte et de préserver les mosquées, peu à peu les musulmans sont victimes de persécutions et de violences. C'est maintenant aux musulmans de se convertir. Les mosquées sont saccagées, les palais *idem*, sauf l'Alhambra, dont la splendeur transcende les religions. De la tolérance promise, on passe à la vengeance sauvage. Le petit peuple arabe et juif se fait encore plus petit. Charles Quint décrète en 1526 que les moriscos (musulmans repentis) doivent adopter la langue, les coutumes et les vêtements des chrétiens. Il suspend cependant la mise en vigueur de cette loi en échange d'un tribut versé par la communauté maure pendant 40 ans. Tribut qui lui permettra de financer la construction de son palais à Grenade. En 1568, son fils Philippe II applique la loi sans ménagement et ajoute des mesures visant à priver la communauté de ses droits fonciers et commerciaux. Une révolte éclata à Grenade et dans les Alpujarras, donnant lieu à une véritable guerre civile et se terminant par l'expulsion du royaume de tous les moriscos qui y avaient participé.

FEDERICO GARCÍA LORCA (1898-1936)

Originaire de Fuentevaqueros, près de Grenade, le poète publie à 20 ans ses premiers poèmes. Très influencé par la vie à la campagne, il sut en exprimer de manière fine et précise toute la force et la noblesse. Il se sent proche de l'âme gitane, et la tauromachie l'inspire. C'est *Romancero gitano* qui le fera connaître en 1928. Puis il y aura *Poeta en Nueva York* qu'il publiera à l'issue d'un voyage aux États-Unis. Il revient à Grenade en 1936, en pleine terreur phalangiste. On l'arrête comme sympathisant républicain. Il est très rapidement et sommairement exécuté à Víznar la même année.

Topographie de la ville

Grenade est une ville étendue mais on s'y repère facilement. Cela dit, en voiture c'est assez infernal à cause des sens uniques et des plaques de rues souvent absentes... La *plaza Isabel la Católica* constitue le carrefour quasi obligé des automobilistes. La *Gran Vía de Colón* est également l'une des artères principales. Si vous êtes en voiture, garez-vous dans le secteur et faites le reste à pied.

– Tout le **quartier des rues piétonnes** autour de la cathédrale se trouve à 5 mn à pied. On trouve en son centre la *plaza Bibarrambla* et, à deux pas, la *plaza de la Trinidad*. Beaucoup d'hôtels dans cette zone. Pour aller de la gare au centre, remonter à pied la rue de la gare (avenida Andaluces, très courte) jusqu'à l'avenida de la Constitución. À l'angle, un arrêt de bus « Constitución 3 ». Plusieurs bus (n°s 11, 8, etc.) conduisent alors à la Gran Vía de Colón.

– **L'Alhambra** est situé sur une colline au nord du centre-ville. On y accède à pied en 25 mn environ, mais ça grimpe. Des petits bus relient le centre à l'Alhambra. Très pratique. On peut aussi acheter un ticket pour la journée.

– Le vieux quartier de l'**Albaicin** est situé également au nord du centre mais sur une colline à l'ouest de celle de l'Alhambra. De là, on a une vue superbe sur le palais et la ville à la fois. C'est dans ce quartier que se retrouve le charme du Grenade populaire, bien que les maisons soient aujourd'hui habitées par la bourgeoisie.

– Le dernier quartier, celui de **Sacromonte,** se trouve derrière l'Albaicin, sur la même colline.

Adresses utiles

Infos touristiques

🛈 **Office du tourisme** *(plan B3) :* à l'intérieur du corral del Carbón, calle Mariana Pineda. ☎ 958-22-59-90. Fax : 958-22-39-27. ● www.otgra nada@andalucia.org ● Dans l'un des plus anciens monuments arabes de la ville, proche de l'hôtel de ville. Inaccessible en voiture. Ouvert du lundi au samedi de 9 h à 19 h et le dimanche de 10 h à 14 h. On y parle le français. Documentation sur la ville et sur toute l'Andalousie. Carte gratuite. Excellent accueil.

🛈 **Office du tourisme** *(plan B3) :* plaza Mariana Pineda, 10. ☎ 958-22-66-88. Fax : 958-22-89-16. ● www.dipgra.es ● Dans le centre. Accessible en voiture. Ouvert du lundi au vendredi de 9 h 30 à 19 h et le samedi de 10 h à 14 h. Fermé le dimanche. Accueil très sympa. On y parle le français. Carte de la ville gratuite.

Représentations diplomatiques

■ **Consulat de Belgique** *(plan A3, 1) :* calle Neptuno, 6. ☎ 958-25-16-31.

■ **Consulat de France** et **Maison de France** *(plan A2, 2) :* calle Carlos Pareja, 5. ☎ 958-26-14-47.

Services

✉ **Poste** *(Correos ; plan B3) :* puerta Real. Ouvert du lundi au vendredi de 8 h 30 à 20 h 30 et le samedi de 9 h 30 à 14 h.

Argent

■ *Banques et change :* les grandes banques (*Banco Central, Banco Bilbao, Banco Santander,* etc.) sont autour de la plaza Isabel la Católica *(plan B3).* Sur Gran Vía de Colón *(plan B2)* se trouvent les banques françaises *(BNP, Crédit Lyonnais),* ainsi que la plupart des autres. Elles font toutes le change et possèdent un distributeur. Ouvertes du lundi au vendredi de 8 h 30 à 14 h, ainsi que le samedi matin sauf l'été.

Santé, urgences, police

■ *Croix-Rouge :* calle Escoriaza, 8. ☎ 958-22-22-22.
■ *Hospital Virgen de las Niebes :* avenida de la Constitución, 100. ☎ 958-24-11-66.

■ *Commissariat de police* (plan B3, 6) : plaza de los Campos. ☎ 958-27-83-00 ou 091. Ouvert 24 h/24. Pour tous les problèmes.

Garages et taxis

■ *Garage Renault :* autopista Badajoz, s/n. ☎ 958-27-28-50.

■ *Garage Peugeot :* carretera Jaén, 19. ☎ 689-66-68-13.
■ *Taxis :* ☎ 958-28-06-54.

GRENADE ET SES ENVIRONS

■ **Adresses utiles**

- 🛈 Offices du tourisme
- ✉ Poste
- 🚌 Gare routière
- 🚂 Gare ferroviaire
- 1 Consulat de Belgique
- 2 Consulat de France et Maison de France
- 6 Commissariat de police

🛏 **Où dormir ?**

- 10 Hospedaje Almohada
- 11 Pensión Romero
- 12 Huéspedes Muñoz
- 13 Pensión Los Montes
- 14 Hostal Zacatin
- 16 Hostal Arroyo
- 17 Hostal Sevilla
- 18 Hostal Lima
- 19 Hostal Los Jeronimos
- 20 Hostal-Residencia Atlántida
- 22 Hostal Zurita
- 23 Hotel R. Niza
- 24 Hotel R. Los Tilos
- 25 Navarro Ramos
- 26 Hostal Gomérez
- 27 Hostal Venecia
- 28 Hostal R. Britz
- 29 Hotel Macia
- 30 Parador Nacional San Francisco
- 32 Hotel Navas
- 33 Hotel Reina Cristina

- 34 Hostal America
- 36 Hostal Plaza Isabel
- 37 Cuevas El Abanico

🍽 **Où manger ?**

- 40 El Cepillo
- 43 León
- 45 Chikito
- 46 Jardines Zoraya
- 47 El Acebuche
- 48 Bar Aixa
- 50 La Higuera
- 51 López Mezquita Café Pastelería
- 53 Casa Juanillo
- 54 Dar Ziryab
- 55 La Veneziana, Los Italianos
- 56 Mirador de Morayma
- 57 El Boabdil

🍸 ♪ **Où boire un verre ? Où sortir ?**

- 45 Chikito
- 60 El Camborio
- 61 Casa Enrique
- 62 Casa de Vinos La Brujidera
- 63 La Mancha
- 64 Bodega Castaneda
- 65 Pilar del Toro
- 66 Granada 10
- 70 Mesón Las Murallas

♪ **Où écouter et voir du flamenco ?**

- 67 Reine Mora
- 68 La Rocío

158

GRENADE ET SES ENVIRONS

CÓRDOBA, MÁLAGA, MOTRIL   MÁLAGA   CÓRDOBA, MÁLAGA, MOTRIL

NORD

A   B

Estación

Jardines
del Triunfo

Hospital Real

Av. de la Constitución

Av. Hospicio

San Ildefonso

Dr.   Severo   Ochea

Santa   Barbara

A. San Juan
de Dios

La Vernamilla

PLAZA
DEL
TRIUNFO

PLAZA
MERCED

Puerta de Elvira

Avenida   Fuente   Nueva

Rector   López   Argüeta

20

Mano de Hierro

San Juan
de Dios   16

Prof. Motos Guirao

Monasterio
San Jerónimo

Capitán   19

PLAZA
BOQUERÓN

ARANDAS

Azacayas

13

Mirador
del Carril

Melchor   Almagro

Gran

Colegios

Cuenca

San Justo
y Pastor

Tendillas

PLAZA
GRAN CAPITAN

Horno de Haza

Universidad

PLAZA
UNIVERSIDAD

Sta. Paula Marqués

Emperatriz Eugenia

Carril del Picón

Horno de Abad

Málaga

10

54

de   Sócrates

PLAZA
LOBOS   17
18

33   22

Tablas

Teresa

Capuchinas

Cárcel Baja

Cárcel
Caldarería   66

63

64

Calle   Casillas

Obispo

Verónica   Santa

PLAZA
TRINIDAD

11
40   Catedral

Palacio
Arzobispal   55

Buenaseceso

M. de Gerona

Alcaicería   Zacatín

PLAZA
DE ISABEL
CATÓLICA   Pavaneo

2   de   La Paz

Almindiga   Los Mesones   Pescadería

12   24   14   PL. DE
BIBARRAMBLA   51   Reyes

Calle   del   Prats

Gracia   PLAZA
LINO

Corral
del Carbón

PLAZA
DE GRACIA

Moral de la Magdalena   Cruz

PUERTA
DEL CARMEN

Ayuntamiento

32

Martínez   S. de Gracia

1   Recogidas

PUERTA
REAL   61   Angel

23

San Matías

Antonio   Alarcón   Campos   M. de Falla   S. Vicente Ferrer   Tejeiro   Nueva   San   Antón

PLAZA
DEL CAMPILLO

PLAZA
MARIANA
PINEDA

45

San Jacinto

A   B

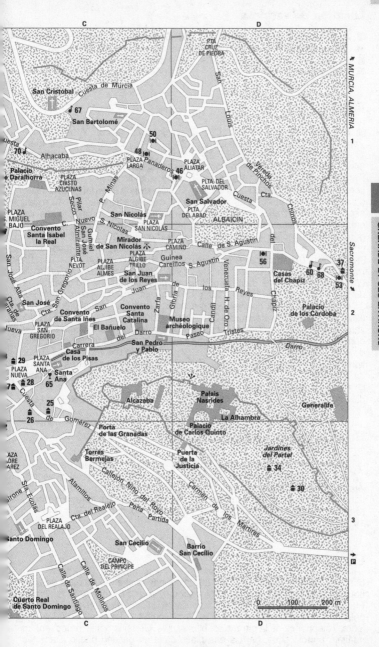

GRENADE

Location de voitures

■ *Avis :* calle Recogidas, 31. ☎ 958-25-23-58.
■ *Europcar :* avenida del Sur, 12. ☎ 958-29-50-65.

■ *Gudelva :* calle Pedro Antonio de Alarcón, 18. ☎ 958-25-14-35.
■ *Hertz :* calle Luis Braille, 7. ☎ 958-25-24-19.

Divers

■ *Escuela Carmen de las Cuevas :* cuesta de los Chinos, 15. ☎ 958-22-10-62. Fax : 958-22-04-76. • www.carmencuevas.com • Dans le quartier de Sacromonte. Un centre de cours de langues, d'art et d'histoire, de littérature et de culture espagnole en général, mais aussi une école de flamenco pour étrangers et Espagnols. À vos castagnettes !
■ *Librería Urbano La Principal* (plan A-B2) : calle Tablas, 6. ☎ 958-25-11-03. Ouvert du lundi au samedi de 9 h 30 à 14 h 30 et de 16 h 30 à 21 h 30. Grand choix de livres pour ceux qui brûlent de découvrir Cervantes, Machado ou García Lorca dans le texte... Également des plans de ville détaillés avec index (pratique !). Une annexe calle San Juan de Dios, 33.
■ *Cartes d'état-major* (pour les randonneurs) *:* Institut cartographique, avenida D. Pastora, 7. ☎ 958-29-04-11. Ces cartes sont également vendues à côté de l'office du tourisme du corral del Carbón et dans tous les kiosques et librairies.
@ *Connection Internet :* Madar Internet, caldereria Nueva, 12. Au milieu de la rue où se trouvent toutes les teterías (salons de thé orientaux). Ouvert du lundi au samedi de 10 h à minuit et les dimanche et jours fériés de 12 h à minuit. Ce n'est pas un cybercafé à proprement parler, mais une petite salle pleine d'ordinateurs et d'étudiants très occupés devant leur écran. Nombreuses autres possibilités de se connecter autour de la Plaza del Realejo, un des quartiers étudiants de la ville. De manière générale, compter 3 € (20 F) de l'heure.
■ *Tapichuela :* site très complet sur Grenade. • www.granadainfo. com •
■ *Objets perdus :* ☎ 958-24-81-03.

Bus de (et pour) l'aéroport

✈ *L'aéroport* est situé à environ 17 km de la ville. La compagnie *Autocares J. Gonzalez* assure 6 liaisons par jour dans les deux sens (3 seulement le dimanche). ☎ 958-13-13-09. Le bus longe toute la Gran Vía de Colón jusqu'au Palacio de congresos, avec un arrêt devant la porte principale de la cathédrale. Horaires précis par téléphone ou à l'office du tourisme.

Où dormir ?

Les *hostales* et pensions de Grenade n'ont pas le charme de ceux de Cordoue ou Séville. Plutôt un peu moins propres aussi, surtout dans le centre. Pas de pensions dans le vieux quartier de l'Albaicin. *Attention !* À la gare, on peut vous raconter que certains hôtels sont complets pour vous entraîner ailleurs. Téléphonez de la gare, c'est plus simple. Certains hôtels proposent un parking, parfois privé, parfois une place dans un parking public. Dans les deux cas, ce n'est jamais offert par la maison, toujours assez cher et quasiment indispensable.

🛏 *Albergue Juvenil (AJ) :* avenida Ramón y Cajal, 2, 18003 Granada. ☎ 958-00-29-00. Fax : 958-28-52-85. • www.inturjoven.com • En sortant de la gare, prendre à gauche et demander *el Estadio de la Juventud* (25 mn à pied). Ouvert toute l'année, 24 h/24. Comme dans les autres villes andalouses, les prix sont d'avril à octobre de 12,35 €

(81 F) pour les moins de 26 ans et de 16 € (105 F) pour les plus vieux (avec la carte des auberges de jeunesse). C'est 1,80 € (12 F) de moins le reste de l'année. Bon, aucun intérêt. C'est loin, pas pratique, sans charme et, à défaut, sensiblement au même prix qu'une petite pension du centre. À éviter donc.

Près de la cathédrale et du centre

Bon marché

Voici plusieurs adresses pas chères du tout. Vous pourrez en trouver d'autres Gran Vía de Colón, peut-être moins calmes.

🛏 *Huéspedes Muñoz (plan B2, 12) :* calle Mesones, 53, 18001 Granada. ☎ 958-26-38-19. Dans une ruelle piétonne. Osez pénétrer malgré l'entrée peu engageante et montez au 2e étage. Chambres doubles avec lavabo autour de 19 € (125 F). Chambres simples (voire monacales) mais agréables et calmes. Salle de bains impeccable à l'étage. Le patron est très gentil et son fils parle un peu l'anglais. Le prototype même de la pension à l'ancienne, un rien vieillotte et familiale.

🛏 *Hospedaje Almohada (plan B2, 10) :* calle Postigo de Zarate, 4, 18001 Granada. ☎ 958-20-74-46. Petite pension discrète, presque cachée au fond d'une impasse mais très proche de la Plaza Universidad, donc située dans un quartier central. Des chambres individuelles, doubles et triples de 12 à 30 € (79 à 197 F), dont certaines ont un sol de tommettes rouges. Trois salles de bains impeccables, une par étage. Mais le grand avantage de cet établissement, c'est sa cuisine commune, assez bien équipée, dans laquelle se retrouvent des routards du monde entier. Ambiance baba cool sympa et accueil attentionné. Une bonne adresse, donc, étant donné toutes ses qualités. Réservation conseillée.

🛏 *Hostal Plaza Isabel (plan B-C2, 36) :* calle Colcha, 13, 18009 Granada. ☎ 958-22-30-22. À deux pas de la place Isabel la Católica. Petites chambres avec lavabo autour de

19 € (125 F), aussi propres que simples. Pension tenue par une famille d'une grande gentillesse, aux petits soins pour ses hôtes.

🛏 *Pensión Romero (plan B2, 11) :* calle Sillaría, débouchant sur la plaza de la Trinidad, près de la cathédrale, 18001 Granada. ☎ 958-26-60-79. Au-dessus de la librairie *Flash*. Petites chambres claires et nettes à 19 € (125 F). Pension éminemment centrale, simple mais agréable. Salle de bains commune dont la propreté rassurera les plus maniaques. Préférer les chambres donnant sur la ruelle Sillera. Terrasse modeste mais bienvenue. Accueil un peu froid.

🛏 *Hostal Sevilla (plan A2, 17) :* Fabrica Vieja, 18, 18002 Granada. ☎ 958-27-85-13. À côté de la plaza de los Lobos. Chambres doubles agréables et impeccables de 20 € (131 F) sans salle de bains à 29 € (190 F) avec. À l'exception des 2 petites chambres donnant sur le patio, elles disposent toutes d'un petit balcon. Les proprios se débrouillent bien en français et sont généreux en conseils pour visiter la ville et les environs. Excellente adresse familiale.

🛏 *Hostal Arroyo (plan B1, 16) :* Mano de Hierro, 18, 18001 Granada. ☎ 958-20-38-28. Chambres de tous types de 12 à 36 € (79 à 236 F) : avec ou sans salle de bains, individuelles, doubles ou triples, toutes disposées autour d'une cour intérieure. Pension classique répondant bien à ce qu'on peut attendre d'un établissement bon marché. Confort simple, bon accueil et propre. Terrasse pour faire sécher le linge.

≜ Pensión Los Montes (plan B2, **13**) : calle Arteaga, 3, 18010 Granada. ☎ 958-27-79-30. Dans une ruelle donnant au milieu de Gran Vía. Au 1er étage. Chambres doubles de 24 € (157 F) avec lavabo à 30 € (197 F) avec salle de bains. Chambres simples, mais très propres. 2 salles de bains communes, impeccables. Ambiance tranquille, mais pas le grand *fun*.

Prix moyens

≜ Hostal Los Jeronimos (plan A2, **19**) : Gran Capitán, 1, 18002 Granada. ☎ et fax : 958-29-44-61. À côté de la cathédrale, pas loin des bars animés. Cet hôtel offre un agréable confort pour un excellent rapport qualité-prix avec la remise de 30 % que le patron et son équipe – qui parlent le français – accordent à nos lecteurs du lundi au jeudi, en dehors de la Semaine sainte et des jours fériés. Montrer le *GDR* de l'année dès l'arrivée à l'hôtel. Réduction faite donc, la chambre double vous coûtera près de 36 € (236 F), bonne affaire pour bénéficier d'une grande salle de bains et de tout le confort moderne. Demandez à voir plusieurs chambres avant de vous décider, certaines peuvent être bruyantes, notamment au premier étage. En revanche, les 501 et 502 ont été récemment rénovées et offrent une vue superbe depuis la terrasse. Toujours une bonne adresse.

≜ Hostal Lima (plan A2, **18**) : Laurel de las Tablas, 17, 18002 Granada. ☎ 958-29-50-29. Parking privé payant. Compter 33 € (216 F) la chambre double avec salle de bains impeccable, AC, TV et froufrou partout. La déco ne fera pas l'unanimité mais, au moins, elle vous laissera des souvenirs... kitsch à tous les étages ! Accueil gentil et ambiance familiale.

≜ Hostal Zurita (plan A2, **22**) : plaza de la Trinidad, 7, 18002 Granada. ☎ 958-27-50-20. Parking payant. Chambres coquettes, certaines

≜ Hostal Zacatin (plan B2, **14**) : calle Ermita, 11, 18001 Granada. ☎ 958-22-11-55. Entrez par l'Alcaicería, joli souk arabe aujourd'hui récupéré par les boutiques à touristes, ou directement par la plaza Bibarrambla. Différents types de chambres : de 20 à 28 € (131 à 184 F) selon le confort (lavabo, douche ou salle de bains). Les chambres donnant sur la rue piétonne sont un peu bruyantes dans la journée. Bon à savoir, la 18 a deux balcons donnant sur l'Alcaicería. Vieillot, confort minimum, mais patronne adorable.

avec balcon et salle de bains à 33 € (216 F), d'autres sans à 27 € (177 F). Timide patio fleuri mais couvert sur lequel donnent quelques chambres. Celles sur rue sont plus bruyantes mais plus grandes. Bon accueil.

≜ Hostal-Residencia Atlántida (plan B1, **20**) : Gran Vía de Colón, 57, 18001 Granada. ☎ 958-28-04-23. Fax : 958-20-07-52. Au 2e étage. Chambres à 36 et 42 € (236 et 276 F), agréables et propres. Quelques chambres à partir de 48 € (315 F) tout en haut, avec terrasse, vue et bruit, et refaites ! Bel immeuble avec un escalier en marbre. Évitez les chambres donnant sur l'avenue, très bruyante, même si la vue est belle.

≜ Hotel R. Los Tilos (plan B2, **24**) : plaza Bibarrambla, 4, 18001 Granada. ☎ 958-26-67-12 et 958-26-67-51. Fax : 958-26-68-01. Accès difficile en voiture. Réception au 1er étage. Compter 60 € (394 F), petit déjeuner inclus, pour des chambres doubles assez confortables. La situation de l'hôtel sur cette place animée est un plus et l'accueil est sympathique. Petit déjeuner offert pour les possesseurs du *Guide du routard*.

≜ Hotel R. Niza (plan B3, **23**) : calle Navas, 16, 18009 Granada. ☎ 958-22-54-30 et 26. Fax : 958-22-54-27. Parking privé gardé à 50 m. Chambres climatisées ou non à 39 € (256 F) avec douche ou salle de bains. En voir plusieurs car elles sont inégales et un peu chères pour les prestations. Un petit salon agréable vous accueille pour le petit déjeuner. Proprios sympas et qui parlent le français. Chambres sur rue bruyantes.

Plus chic

⚓ *Hotel Navas* (plan B3, *32*) : calle Navas, 22, 18009 Granada. ☎ 958-22-59-59. Fax : 958-22-75-23. Grandes chambres plaisantes et confortables à 84 € (551 F), sans le petit-déjeuner. Un établissement chic et cher donnant sur une rue piétonne, dans un quartier agréable. Du luxe en plein centre, au prix d'un 3 étoiles. Parking souterrain à proximité, un peu cher. Fait aussi resto, formule buffet autour de 9 € (59 F), moitié moins pour les enfants. Des problèmes de réservation nous avaientt été signalés par des lecteurs, mais cela semble réglé.

⚓ *Hotel Reina Cristina* (plan A2, *33*) : calle Tablas, 4, 18002 Granada. ☎ 958-25-32-11. Fax : 958-25-57-28. Parking privé. Chambres doubles à 96 € (630 F) dans un 3 étoiles central dont le hall est un patio joliment décoré d'une fontaine en marbre blanc et d'un salon de style mauresque. Les chambres donnant sur cour sont étriquées pour le prix, les autres sont plus grandes et lumineuses mais la calle Tablas n'est pas la plus tranquille de Grenade !

Près de l'Alhambra

Bizarrement, la calle Cuesta de Gomérez (*plan C2-3*) est bourrée de pensions bon marché. Très agréable pour se balader dans les jardins de l'Alhambra, un peu plus haut. Attention, l'accès de la rue est interdit aux véhicules privés. Malheureusement, ces hôtels sont vite complets, et la rue est un peu bruyante dans la journée. Par ailleurs il semble que les établissements de ce quartier, bénéficiant d'une rente de situation, ne fassent plus beaucoup d'effort dans l'accueil de la clientèle.

Assez bon marché

⚓ *Hostal Venecia* (plan C2, *27*) : calle Cuesta de Gomérez, 2, 18009 Granada. ☎ et fax : 958-22-39-87. Au 2ᵉ étage. Une dizaine de chambres très bien tenues de 24 à 36 € (157 à 236 F) en fonction de la taille et du confort, décorées avec goût par une délicieuse *señora*. Chouettes chambres pour 3 aussi. Vaste salle de bains commune. Accueil souriant et paisible. Une bien bonne adresse à prix doux. Bravo ! On peut également vous garder vos bagages gratuitement sur demande.

⚓ *Navarro Ramos* (plan C2, *25*) : calle Cuesta de Gomérez, 21, 18009 Granada. ☎ 958-25-05-55. Cham-

bres à 27 € (177 F) avec salle de bains ou à 16 € (105 F) sans. Rien ne laisse supposer qu'on va arriver à dormir dans une rue aussi bruyante, mais ici, la plupart des chambres donnent sur l'arrière et sont relativement calmes. Accueil aléatoire.

⚓ *Hostal Gomérez* (plan C2, *26*) : calle Cuesta de Gomérez, 10, 18009 Granada. ☎ 958-22-44-37. Au 2ᵉ étage. Pour 24 € (157 F), chambres avec lavabo uniquement, qui n'incitent pas aux grasses matinées câlines ! Moins bien que les précédents, mais dépannage acceptable si tout est complet ailleurs.

Prix moyens

⚓ *Hostal R. Britz* (plan C2, *28*) : calle Cuesta de Gomérez, 1, 18009 Granada. ☎ 958-22-36-52. Chambres doubles avec salle de bains au-

tour de 34 € (223 F), où les grands gabarits auront quelques difficultés à ne pas se retrouver les genoux dans l'armoire. Éviter les chambres sans salle de bains à 25 € (164 F), prix complètement farfelu pour le peu de confort proposé. Dans certaines chambres, petit balcon donnant sur la plaza Nueva... serait-ce lui le responsable des prix pratiqués ici ? À moins que ce ne soit l'ascenseur ? Accueil courtois.

Chic

🛏 *Hotel Macia (plan C2, 29) :* plaza Nueva, 4, 18010 Granada. ☎ 958-22-75-36. Fax : 958-22-75-33. Donne sur la plaza Nueva, point de départ de la montée vers l'Alhambra, et à 5 mn de la cathédrale. Parking public à 800 m, assez cher. Chambres doubles lumineuses et confortables à 64 € (420 F), sans le petit-déjeuner mais avec salle de bains, TV, téléphone, AC et double-vitrage. Demander absolument une chambre donnant sur la plaza Nueva, les autres offrant une vue plutôt décevante. Le patron parle le français. Accueil assez désagréable. Globalement, peut-être un peu cher pour sa catégorie.

Très chic, dans l'Alhambra même

🛏 *Hostal America (plan D3, 34) :* Real de la Alhambra, 53, 18009 Granada. ☎ 958-22-74-71. Fax : 958-22-74-70. Compter 102 € (670 F) la chambre double, petit déjeuner compris. Une situation exceptionnelle puisqu'il est installé à l'intérieur des remparts de l'Alhambra. Un hôtel de charme avec vieux tableaux et objets décoratifs à profusion. On regrette un peu que l'effort de déco s'arrête à la porte des chambres, qui s'avèrent assez banales au regard du charme global de l'hôtel. Tout confort évidemment. Réserver 1 à 2 mois à l'avance en été, car il n'y a que 13 chambres. À noter qu'on nous avait signalé quelques petits couacs au niveau des réservations et du paiement par Carte bleue ; cela semble être toujours d'actualité. Bon restaurant.

🛏 *Parador Nacional San Fran-cisco (plan D3, 30) :* Real de la Alhambra, 18009 Granada. ☎ 958-22-14-40. Fax : 958-22-22-64. • gra nada@parador.es • Pas de miracle : la chambre double vaut quand même près de 199 € (1 305 F) en haute saison et 178 € (1 168 F) en basse saison, avec une réduction de 20 % pour un séjour de deux nuits ou plus. Ce 4 étoiles de la célèbre chaîne est magnifiquement installé à l'intérieur de l'Alhambra, dans un ancien palais maure transformé en monastère franciscain au milieu de jardins somptueux. Une adresse de rêve, mais pas de piscine. Bon resto. Réserver 1 à 2 mois à l'avance car très couru et il n'y a que 35 chambres. Réservation à Paris : *Marsans*, 4, rue du Faubourg-Montmartre, 75009 Paris. ☎ 01-53-34-40-01. Fax : 01-53-34-40-10.

Dans le quartier de Sacromonte

🛏 *Cuevas El Abanico (plan D2, 37) :* verea de Enmedio, 89, 18010 Granada. ☎ et fax : 958-22-61-99. • www.el-abanico.com • Et pourquoi pas louer un petit appart' loin des touristes, dans une de ces grottes creusées dans le flanc rocailleux de Sacromonte ? Il faut compter 55 € (361 F) la nuit pour un appartement troglodytique pour deux personnes comprenant un petit séjour-cuisine, une chambre, une salle de bains et une terrasse ; 85 € (558 F) avec 2 chambres. Séjour minimum de 2 nuits. Murs chaulés, déco épurée, authenticité et confort moderne réunis. Pas donné mais vraiment inoubliable, dans un site pour le moins extraordinaire, loin de l'effervescence de la ville, en plein cœur du quartier gitan. Peu de places, il est préférable de réserver.

Où dormir dans les environs ?

Campings

⋏ **Reina Isabel :** à 4 km de Grenade, sur la carretera de Zubia, 18140 Granada. ☎ 958-59-00-41. Fax : 958-59-11-91. • www.campingreinaisabel.com • En voiture, prendre la Circumvalación, puis direction sierra Nevada ; sortie « Zubia » (n° 2) ; c'est 3 km plus loin. Bus toutes les 30 mn pour la ville jusqu'au paseo de Salón. Compter 3,35 € (22 F) par adulte, par tente et par voiture. Petit terrain bien tenu mais coincé entre des murs qui empêchent une bonne circulation de l'air. Emplacements petits. Sol poussiéreux et dur, comme souvent dans cette région, assez bruyant aussi, mais vue sur l'Alhambra et la sierra Nevada au loin. Piscine gratuite et hyper propre. Resto. Douches chaudes en supplément. On y parle le français. Possibilité également de louer des bungalows.

⋏ **Camping Granada :** 18210 Peligros. À 5 km du centre de Grenade. ☎ 958-34-05-48. En bus, de la plaza del Triunfo, dans le centre, liaison toutes les 30 mn, de 7 h à 22 h ; descendre au village de Peligros, puis 1 km à pied. En voiture, emprunter la carretera de Jaén y Madrid (ou *circumvalación*) ; sortie n° 123, le camping est indiqué au niveau du premier rond-point. 3,35 € (22 F) par adulte et 8,40 € (55 F) pour l'emplacement (tente et voiture). Un des mieux équipés. Situé en léger surplomb de la plaine, dans une oliveraie. Calme. Sanitaires rénovés, douches chaudes. Piscine (payante), tennis, épicerie, laverie automatique. Emplacements agréables mais pas très ombragés. Très bien et accueil souriant. Pratique, un minibus dessert la cathédrale de Grenade ; départ à 9 h et retour à 18 h.

⋏ **Sierra Nevada :** avenida Madrid, 107, 18014 Granada. ☎ 958-15-00-62. Fax : 958-15-09-54. Le plus proche du centre (à 3 km), juste à côté de la grande station de bus de la ville. Bus n° 3 sur l'avenue de la Constitución, en face de la gare, toutes les 15 mn. En voiture : à l'ouest de la ville, sur la carretera de Jaén y Madrid. Ouvert de mars à octobre. Autour du 4 € (26 F) par adulte et 10 € (65 F) pour l'emplacement. Grand camping un peu concentrationnaire, sans charme, entouré de murs. Un peu l'usine. Arriver tôt, car souvent complet en été, et prévoir une moustiquaire. Deux piscines payantes, dont une pour les enfants. Assez bien ombragé pour la partie ancienne. Sinon, les arbres sont trop jeunes. Cafétéria, restaurant (assez cher). Sanitaires refaits à neuf. Aire de jeux pour les bambins. Assez bruyant pour certains emplacements, à cause de la grande route devant. À proximité, un hypermarché.

⋏ **Los Alamos :** carretera de Málaga, 18015 Grenade. À 9 km de la ville. ☎ 958-20-84-79. Sur la route de Séville. Bus fréquents. Ouvert d'avril à octobre. Comptez 3 € (20 F) par adulte et 6 € (39 F) pour la tente et la voiture. Très ombragé mais près de l'autoroute, ce qui le rend bruyant. Belle forêt de peupliers, plantés serrés. 2 blocs de sanitaires pas vraiment impeccables et insuffisants pour le nombre de campeurs. Douches chaudes payantes. Grande piscine, petite épicerie, bar, ping-pong. On peut aller au village voisin pour s'approvisionner. La maison du patron (accueillant) est une vieille bâtisse traditionnelle.

⋏ **Las Lomas :** carretera Guejar-Sierra, km 6,5 ; en fait, à 18 km de Grenade, sur la route de la sierra Nevada, sortie « Guejar-Sierra » ; c'est encore à 10 km par une route de montagne qui grimpe sévèrement. ☎ 958-48-47-42. Liaison en bus avec *Empresa Lioran*, départ du paseo del Salón. Ouvert toute l'année. Arriver en été en tout début d'après-midi car vite complet. 8,40 € (55 F) l'emplacement pour une voiture et une tente, et 3,35 € (22 F) par adulte. Également quelques bungalows en location. En pleine nature, calme total. Pour les amoureux de la tranquillité. Très verdoyante vue sur la montagne. Spacieux. Piscine gratuite. Sanitaires bien entretenus. Eau chaude. Restaurant correct, bon menu *del día,* grillades le soir. Supermarché. A l'avantage d'être plus frais la nuit car situé à 1 000 m d'altitude. On y parle le français.

Où manger ?

Étonnante, cette cuisine de Grenade. Bonne, rustique et consistante à la fois. Certaines recettes mijotées trouvent leurs origines dans la cuisine arabe et juive. Avant tout, il faudra goûter les excellentes fèves au jambon, les *habas con jamón.* On y retrouve la force du jambon de Trevélez, préparé dans la sierra, et le fondant des fèves. Ce mets typique est servi dans la plupart des restaurants. Testez aussi l'*omelette Sacromonte,* avec des abats de mouton et de veau, et le *poulet à l'ajillo.* De succulents piments farcis sont également servis dans les bars à tapas, ainsi que le *hígado de ternera* (foie de veau). On pourra parfois trouver la *gallinata granadina,* une poule aux épinards, patates et bananes. Quelques plats à base de gibier également. On terminera par les exquis beignets de Grenade et les indescriptibles pâtisseries dégoulinantes de miel et d'amandes. Beaucoup de bonnes adresses populaires et pas chères. À vos babines !

Dans le centre

Pour les fauchés

|●| *El Cepillo (plan B2, 40) :* plaza de la Pescadería, 18. ☎ 958-26-70-23. Fermé le samedi et le dimanche. Un des restos les moins chers de la ville avec son menu autour de 5 € (33 F), sans boisson mais plus qu'honorable pour le prix. Donne sur une petite place charmante où se tient un petit marché le matin. Beaucoup de monde l'été, arriver tôt et armez-vous de patience.
– *Comestibles Cristóbal :* juste en face de *El Cepillo,* de l'autre côté de la place donc, une minuscule épicerie. On y trouve du bon jambon, d'excellentes tartes à la viande, du fromage de qualité et du pain frais. Idéal pour un casse-croûte à emporter avant de se balader dans le quartier. Juste à côté, une bonne *churrería,* churros servis tout frais, de 8 h à 12 h et de 16 h à 20 h. On peut les déguster avec du chocolat chaud dans le café en face, où l'on vous proposera même une assiette pour aller avec !
– Dans le coin du *marché,* calle San Augustin et calle Pescadería, légumes, fruits, charcuterie... Ambiance chaleureuse.

Bon marché

|●| *El Boabdil (plan B2, 57) :* Hospital de Peregrinos, 2. ☎ 958-22-81-36. De la plaza Nueva, prendre la calle Elvira ; c'est tout de suite après l'église. 1er menu qui dépasse à peine les 4 € (26 F). Au bar, vous verrez arriver avec votre verre de vin ou votre bière des tapas particulièrement généreuses, comme la *bomba* (patate farcie avec de la viande épicée) ou autres petites gourmandises salées bien sympathiques. Petite terrasse donnant sur la rue. S'il y a du monde, contentez-vous de plats rapidement préparés, ou faites les mêmes choix que les habitués. Sinon, prenez patience...

Prix moyens

|●| *León (plan C2, 43) :* calle Pan, 1. ☎ 958-22-51-43. À 3 mn de la cathédrale et à côté de la plaza Nueva. Ouvert midi et soir. Fermé le mardi soir et le mercredi, ainsi que la 1re quinzaine de juillet. 1er menu au-

tour de 6-7 € (39-46 F). Une adresse bien connue des employés du coin, qui choisissent souvent le premier menu. Les petits appétits se contenteront d'une *verdura* (assortiment de légumes) ou d'une friture de poissons variés. Mais si vous êtes friand de gibier, il faut goûter l'excellent cerf de chez *Léon*! On peut manger la même chose en face, au bistrot de tapas. Service plus rapide mais moins accueillant.

Plus chic

|●| *Chikito* (plan B3, 45) : plaza del Campillo, 9. ☎ 958-22-33-64. Près de l'office du tourisme de la plaza Mariana Pineda. Ouvert de 12 h à 16 h et de 19 h 30 à 23 h 30. Fermé le mercredi. En salle, on fait un bon repas pour 24 € (157 F) à la carte ou 18 € (118 F) avec le menu. Sinon, grand choix de tapas au bar. Un lieu agréable et chargé d'histoire puisque c'est l'ancien restaurant littéraire où se réunissait le groupe El Rinconcillo, dont faisait partie Federico García Lorca. Murs couverts de photos de célébrités qui fréquentent l'établissement, le patron en est très fier. Excellent vin maison. Seule ombre au tableau, le manque de conviction du service parfois lent.

Dans le quartier d'Albaicin

Prix modérés à prix moyens

|●| *La Higuera* (plan C1, 50) : calle Horno del Hoyo, 17. ☎ 958-27-51-56. Resto caché dans un angle au fond de la placeta de Fatima. Fermé le soir, le dimanche et en février. Menu à 5,40 € (35 F) parfait, mais la carte est bien séduisante. La salle du bar est construite sur un ancien *aljibe* (citerne) arabe, que le proprio a dû combler, mais cela n'empêche pas le sol de s'enfoncer lentement. Patio très agréable rafraîchi par une fontaine qui glouglloute et un coin barbecue en été... ça sent bon les vacances! Bonne cuisine traditionnelle et bon marché. De plus, accueil chaleureux et mélomane. Pas mal, non ?

|●| *Jardines Zoraya* (plan D1, 46) : calle Panaderos del Albaicin, 32. ☎ 958-29-35-03. Fermé le mercredi. Repas agréable autour de 15 € (98 F). En fonction des saisons, on choisit la salle (dont le plafond est traversé par un palmier) ou le grand jardin, ombragé et clos. Plats goûteux, réalisés avec soin, vin gouleyant, service attentionné, addition douce et sans surprise. Également un grand choix de pizzas.

|●| *Bar Aixa* (plan C1, 48) : plaza Larga. Entre l'église San Nicolás (le plus beau panorama sur l'Alhambra) et la placeta de Fatima. Ouvert tous les jours sauf le mardi, toute la journée. Des menus autour de 6 € (39 F), mais compter environ 12 € (79 F) à la carte. Animé et populaire, particulièrement folklo à l'heure du petit déjeuner. Très agréable aussi de dîner à l'extérieur, sur la petite place. Fritures de poisson, gambas, *migas con tropezones,* excellent gazpacho et très bonne paella. Accueil débonnaire.

|●| *El Acebuche* (plan C1-2, 47) : plaza San Miguel Bajo, 6. Différents menus, de 8 à 13 € (52 à 85 F). Maria est une pasionaria de l'olive qui drague la campagne andalouse pour dénicher les meilleures huiles et glane les recettes à base d'olives, dont certaines lui ont été confiées par les bonnes sœurs d'à côté. N'attendez pas une cuisine grasse, bien au contraire. Une huile adaptée au plat choisi est posée sur la table et s'ajoute subtilement par petits filets délicats. N'oubliez pas le dessert, un savoureux flan à la poire, par exemple. Bon, d'accord, Maria en fait peut-être des tonnes, on n'aime ou on n'aime pas. À moins que ce ne soit l'expansivité des Andalouses ? Parfois un peu d'attente.

Plus chic

|●| ***Mirador de Morayma*** *(plan D2, 56)* : calle Pianista García Carillo, 2. ☎ 958-22-82-90. Fermé le dimanche. Menu à 18 € (118 F). Compter environ 24 € (157 F) à la carte. L'une des adresses les mieux situées. Un *carmen* (demeure ancienne) d'autrefois accroché sur les hauteurs de l'Albaicin, avec une vue superbe de la terrasse sur l'Alhambra. Excellentes charcuteries locales et bons plats régionaux traditionnels. Les prix sont peut-être, cependant, un poil surestimés : ils doivent tenir compte du cadre...

Dans le quartier de Sacromonte

|●| ***Casa Juanillo*** *(plan D2, 53)* : camino del Monte, 83. ☎ 958-22-30-94. On y mange des petits plats simples et bons autour de 4 à 5 € (26 à 33 F), dans une salle largement vitrée pour profiter de la spectaculaire vue sur l'Alhambra. C'est le moment de faire l'expérience de la *tortilla de Sacromonte,* la fameuse omelette à la cervelle et aux... testicules de bélier. Parfois, le patron prend sa guitare, mais ça, c'est moins régulier que l'omelette ! Parmi nos adresses préférées, même si l'attente est parfois un peu longue.

– Ce serait dommage de quitter le coin sans avoir fait un tour au bar *Los Faroles,* un peu plus loin que *Juanillo.* Pénétrer dans la cave d'Antonio, c'est plonger dans l'âme gitane de Sacromonte. Entre midi et 13 h, il ouvre la porte de son petit museo del Prado de Sacromonte chargé de souvenirs touchants. Un verre de sangria à la rose à la main, de la musique flamenco dans les oreilles, on peut aussi s'installer sur la terrasse pour savourer ce moment rare. Une belle émotion qui risquerait bien de toucher les plus blasés.

Dans le quartier Campo del Principe (plan C3)

C'est le quartier où les Espagnols aiment sortir. Autour d'une immense place très agréable, des tas de restaurants et bars. Très sympa, surtout le soir en été.

Spécial gourmands

|●| ***López Mezquita Café Pastelería*** *(plan B2, 51)* : calle de los Reyes Católicos, 39-41. ☎ 958-22-12-05. Fermé le dimanche après-midi. Cette jolie pâtisserie propose un grand choix de feuilletés au saumon, au fromage, à la viande, au chorizo. Vraiment une bonne adresse.

– On ne vous apprendra rien si l'on vous dit qu'à Grenade, comme partout en Espagne, vers 18 h, tout le monde succombe au *chocolate con churros,* un peu comme nous et nos croissants. Dans le centre, autour de la cathédrale, plein de petits cafés en servent d'excellents.

– Dans la calderería Nueva, petite rue arabisante très animée, un chapelet de *teterías* (salons de thé orientaux) superbes proposent des pâtisseries raffinées et toutes sortes de thés. Nous les aimons toutes. Parmi elles, le ***Dar Ziryab*** *(plan B2, 54),* au n° 11 de la rue (☎ 948-22-94-29), présente des groupes de musique orientale les mardi et mercredi soir. Et si vous n'avez pas vu les palais Nasrides vous pourrez peut-être vous consoler avec sa décoration intérieure. Juste en face, le ***Madar Internet*** pour les surfeurs du genre (voir « Adresses utiles »). Pas très loin, la ***Tetería Nazarí*** (☎ 948-22-06-82) est aussi très sympa, et l'atmosphère feutrée est apaisante. Déco de bon goût, thés savoureux et serveurs parlant le français. Prix abordables.

|●| *La Veneziana, Los Italianos (plan B2, 55) :* Gran Vía de Colón, 4. Ouvert tous les jours de 8 h à minuit. Pour les gourmands, un choix de glaces plutôt complet (marron glacé, jerez, etc.) et des spécialités maison dont la *copa Venezia*. Qualité irréprochable mais souvent bondé (canicule andalouse oblige !).

Où boire un verre ? Où manger des tapas ?

Quasiment partout à Grenade, quelque chose à grignoter est systématiquement offert avec un verre de vin ou une bière. Ce peut être un bout de fromage, quelques escargots ou n'importe quoi d'autre. On appelle ça une *tapilla*. Maintenant, si vous souhaitez une tapa précise, il faut la commander et la payer, bien évidemment.

Ⴑ *Bodega Castaneda (plan B2, 64) :* Almireceros, 1/3. ☎ 958-22-32-22. Juste derrière la plaza Nueva, l'un des comptoirs les plus sympathiques et les plus savoureux du coin, avec ses saucissons, chorizos, jambons de Trevélez et de Bellota (cochons nourris aux glands), fromages *manchego* et solides *riojas*. Tout ce qu'il faut pour apaiser les faims les plus gaillardes dans une bonne ambiance. Serveurs très prévenants. Attention, peu de places assises.

Ⴑ Derrière la *Castaneda,* une petite rue piétonne sert de terrasse à quelques bars. Archi-bondé aux heures de pointe, très agréable, parfaitement espagnol.

Ⴑ *Casa Enrique (plan B3, 61) :* Acera del Darro, 8. Près de la puerta Real. ☎ 958-25-50-08. Entrée plus que discrète à côté de la banque *Solbank*, plus que visible. Fermé le dimanche. Vieux bar populaire, étriqué et superbe, connu pour son *vino costa*, petit vin doux qui passe fort bien avec les délicieuses tapas. L'endroit est charmant et chaleureux, avec sa guirlande de jambons et ses tonneaux. Essayez les petits fromages de chèvre accompagnés d'anchois (*queso de cabra con anchoas*) ! Un de nos bars préférés.

Ⴑ *La Mancha (plan B2, 63) :* calle Joaquin Costa, 10. ☎ 958-22-89-68. Entre la cathédrale et la plaza Nueva. Ouvert tous les jours de 8 h à 16 h et de 18 h à 1 h ou 3 h du matin, c'est selon. Jambons, tonneaux, et tapas particulièrement peu grasses. Excellent gazpacho. Authentique, simple et peu cher. Une sorte de café du Commerce, version andalouse. Clientèle d'habitués.

Ⴑ *Chikito (plan B3, 45) :* voir « Où manger ? Dans le centre. Plus chic ».

Ⴑ *Pilar del Toro (plan C2, 65) :* plaza Santa Ana, 12. ☎ 958-22-38-47. Près de la plaza Nueva. Ouvert de 9 h à 3 h, sans interruption. Franchissez une lourde porte et découvrez ce bar branché où se retrouvent les jeunes de Grenade. Splendide patio couvert, fontaine, canapés en rotin dans cet établissement fondé au XVIIe siècle. C'est bien simple, ce lieu de luxe et de raffinement fait aussi bien office de bar, de restaurant (à l'étage), que de salon de thé dans le patio l'après-midi.

Ⴑ Tout le quartier autour de la plaza Bibarrambla possède de chouettes **terrasses.**

Ⴑ *Casa de Vinos La Brujidera (plan C2-3, 62) :* Monjas del Carmen, 2. ☎ 958-22-25-95. Au bout de la calle Colcha, entre la plaza Nueva et la plaza Isabel la Católica. Petit bar tout en bois, connu pour son grand choix de bouteilles de toute la péninsule. Également une bonne charcuterie de montagne. Jolie terrasse à l'ombre de beaux parasols blancs pour les heures chaudes. Atmosphère sagement jazzy ou latino. Serveurs sympathiques et clientèle espagnole. Une bonne adresse, quoi !

Où sortir ?

– Zone animée le long du *Darro,* au pied de l'Alhambra. Les vieilles bâtisses de la *carrera del Darro (plan C2)* abritent une multitude de bars, pubs, très divers.

– *La calle Pedro Antonio de Alarcón* est le rendez-vous nocturne des jeunes de Grenade, surtout entre la plaza Albert Einstein et la calle Recogidas. Ils viennent danser dans les bars avant d'aller en boîte, vers 3 h. Il suffit de s'installer dans un bistrot et de regarder défiler les Andalouses envoûtantes dans leurs tenues légères pour perdre la raison. Agitation permanente mais rarement agressive. Le samedi soir, certains bars ouvrent leur salle au flamenco. Les adolescents viennent danser quelques instants avec une copine ou leur maman et puis s'en vont, laissant la place à d'autres. Si vous avez la chance d'arriver au bon moment, allez vous asseoir dans un coin sans faire de bruit, écoutez et observez ce spectacle gracieux, spontané, émouvant.

– *La plaza Nueva (plan C2)* et le début de la *calle Elvira* constituent un autre centre de l'animation nocturne, qui tend à détrôner le précédent.

♪ *Granada 10 (plan B2, 66) :* Carcel Bája, 10. ☎ 958-22-40-01. Ouvert de minuit à 6 h. Tout près de la Gran Vía de Colón. C'est le rendez-vous nocturne à la mode, un endroit assez incroyable puisqu'il s'agit d'un cinéma d'époque d'allure baroque (canapés et sièges dorés, tables basses...). Après les séances du soir, on retire les chaises et ça fait boîte ! Ouverture vers minuit, mais inutile d'y aller avant 3 h le week-end. À Grenade, on attend le cœur de la nuit pour faire la fête. La clientèle est triée sur le volet, donc gare aux physionomistes ! Public un peu chicos (mi-sport, mi-costume-cravate).

♪ *Mesón Las Murallas (plan C1, 70) :* Cuesta Alhacaba, 56. ☎ 958-29-13-06. Dans l'Albaicin. Ouvert seulement le soir, de 21 h à... très tard. Fermé le dimanche. Un bar moderne et chaleureux, à l'atmosphère tantôt jazzy, parfois bluesy. Normalement, les vendredi et samedi soir, vers 23 h 30, concert de musique andine. Conso un peu plus chère ce soir-là. Adresse hyper cool. Le patron, Manuel, adore faire la fête !

♪ *Palacio de la Música :* calle Arabial, presque à l'angle de Esculptor Antonio Martinez Olalla. Chaussez vos pantalons moulants à pattes d'éph' et vos semelles compensées ! Musique années 1960 et 1970, évidemment. Clientèle en conséquence : trentenaires et quadras.

♪ Les discothèques *Lla* (calle Santa Barbara ; *plan B1*) et *Perkusión* (plaza de Gracia ; *hors plan par A3*) drainent un public nettement plus jeune et branché.

♪ *El Camborio (plan D2, 60) :* camino del Sacromonte, dans le quartier de Sacromonte. ☎ 958-22-12-15. Ouvert tous les soirs sauf les dimanche et lundi. Ouvre vers 23 h, mais inutile d'espérer y voir la moindre animation avant 2 h ou 3 h du matin. Entrée avec conso : 3,6 € (24 F). Ici se jouent les fins de nuit, dans une immense grotte où tout se danse, de la *sevillana* à la salsa, en passant par la techno. En haut, terrasse superbe avec barbecue et une vue à tomber sur l'Alhambra. Inoubliable.

Où écouter et voir du flamenco ?

Comme les autres grandes cités andalouses, Grenade propose également ses spectacles de flamenco. Plus ou moins authentiques, cela dépend des groupes et des lieux. Ça reste tout de même une excellente expérience pour qui ne l'a pas vécue ailleurs. Les spectacles sont tous au même prix, soit 21 € (138 F), transport, petite visite guidée du quartier de l'Albaicin et consommation compris. Possibilité de s'y rendre seul et de négocier le prix d'entrée.

♪ **Reine Mora** (plan C1, 67) : en bordure du quartier de l'Albaicin. ☎ 958-40-12-65. Prendre la carretera de Murcia, c'est sur la petite place du mirador de San Cristóbal. Petite salle, ce qui est agréable pour bien voir les danseurs, mais beaucoup de groupes, ce qui refroidit un peu l'atmosphère. Artistes de bon niveau. Théoriquement, spectacles à 22 h et à 23 h 30 (ce dernier n'a pas toujours lieu, c'est selon l'affluence). Appeler pour infos et réservation.

♪ **La Rocío** (plan D2, 68) : camino del Sacromonte, 70. ☎ et fax : 958-22-71-29. Pour assister à une zambra familiale authentique dans une grotte de Sacromonte. La zambra n'est visible qu'à Grenade. Autrefois réservée aux festivités prénuptiales des gitans, elle fut même interdite par l'Inquisition. Même si l'endroit est aujourd'hui bien connu des touristes, l'ambiance reste assez fascinante et envoûtante. Ici, tout claque fort, les mains, les voix, les talons, les doigts sur les cordes des guitares. De la terrasse, magnifique vue sur l'Alhambra, ce qui ajoute encore à la magie de la soirée.

♪ **La Buleria** (plan D2) : Sacromonte, proche du précédent. On assiste là à une vraie démonstration de flamenco, tel que les gitans le pratique entre eux. Atmosphère chaleureuse et agréable.

À rapporter

✎ **Atelier A. Morales :** Cuesta de Gomérez, 9. ☎ 958-81-43-08. Dans la rue qui mène à l'Alhambra. Ouvert tous les jours sauf le dimanche, de 9 h à 14 h et de 17 h à 20 h 30. Un joli choix de guitares (flamenco, classique) et bandurias, la plupart de fabrication artisanale, mais également des pièces bas de gamme made in China !

✎ Toujours sur Cuesta de Gomérez, en remontant, d'autres ateliers : **Casa Ferrer, Antonio Duran...**

À voir

Un conseil avant de commencer la visite de la ville : pour éviter d'être harcelé par les gitanes qui veulent vous « offrir » un œillet « porte-bonheur » ou une branche de romarin... (contre 3 ou 6 €, soit 20 ou 39 F), achetez-en un(e) chez le fleuriste et portez-le (la) visiblement. Vous serez plus tranquille. Et comme toujours, ne prenez pas au pied de la lettre les horaires des musées ci-dessous. Ils risquent de changer.

Sachez par ailleurs qu'il est possible d'utiliser un « bono turístico » vous permettant pour 15 € (98 F) de visiter les principaux monuments et musées de la ville (dont l'Alhambra, la Cartuja, la Cathédrale, le monastère san Jerónimo, etc.) et de faire 10 voyages sur les lignes des bus urbains. Bon valable une semaine, en vente aux guichets de l'Alhambra et de la Capilla Real.

★ L'ALHAMBRA (PLAN C-D2-3 ET PLANS DE L'ALHAMBRA ET DES PALAIS NASRIDES)

D'avril à septembre, ouvert tous les jours de 8 h 30 à 20 h (location ouverte à partir de 8 h), nocturnes du mardi au samedi, de 22 h à minuit ; d'octobre à mars, ouvert de 9 h à 18 h, nocturne les vendredi et samedi uniquement, de 20 h à 22 h. Attention : afin d'éviter l'engorgement de touristes, les autorités limitent l'accès à 8 800 visiteurs par jour. Quand le quota est atteint, la vente de billets s'arrête, et ça peut être à n'importe quelle heure de la journée. Pour l'instant, et en attendant une solution idéale bien difficile à trouver, tout passe plus ou moins par la Banco Bilbao Vizcaya (la banque BBV) et c'est

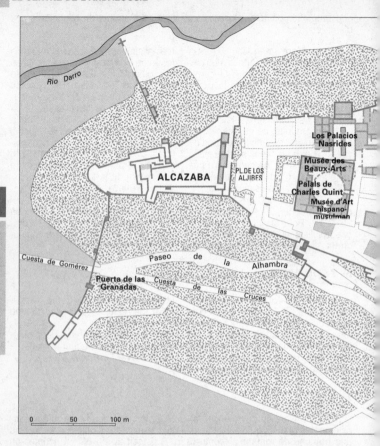

dans une de ses agences qu'il faut acheter son billet (6,70 €, soit 44 F), à Grenade bien sûr, ou dans n'importe quelle autre ville. En pleine saison, on vous conseille de l'acheter quelques jours à l'avance. Mais ATTENTION, le billet est daté et doit être utilisé le jour dit et à une heure précise, ce qui n'est pas toujours facile à prévoir. Il faut retirer les billets à l'entrée de l'Alhambra, 2 h avant l'heure de la visite. En attendant, on peut se promener dans les jardins du Generalife. Vous pouvez aussi essayer de réserver par téléphone (☎ 902-22-44-60 de l'Espagne, ☎ 00-34-91-346-59-36 de l'étranger). Si vous n'avez pas réservé, vous prenez le risque de poireauter pendant des heures devant le guichet (à l'entrée du Generalife ou à l'agence *BBV* de la plaza Isabel la Católica), sans aucune garantie. Enfin, sachez qu'il est impossible de réserver pour le lendemain sur place, ils ne vendent que des billets pour le jour même. D'où l'intérêt de passer par la *BBV*.

Les samedi, dimanche et fêtes, de manière générale, beaucoup, beaucoup de monde. Essayez de visiter l'Alhambra de jour. La visite nocturne ne peut être, à notre avis, qu'une façon supplémentaire et complémentaire de le voir, d'autant qu'on ne visite alors que les palais nasrides.

Les horaires varient parfois de 30 mn ou de 1 h en fonction des saisons et de l'âge du capitaine. Attention : lisez bien votre billet !

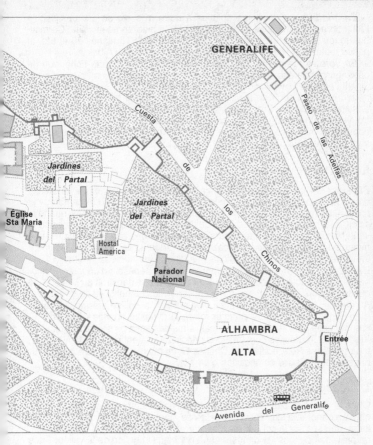

L'ALHAMBRA

Il indique à quelle heure vous pouvez entrer dans les palais Nasrides (généralement dans l'heure qui suit). Avant l'heure, c'est pas l'heure, après l'heure, c'est plus l'heure! Mais après la visite, vous pouvez rester le temps que vous voulez. Le billet d'entrée se compose de 3 coupons correspondant aux 3 parties de l'Alhambra : l'*Alcazaba,* les *palacios nasrides* et le *Generalife.* Attention : la billetterie peut fermer bien avant l'Alhambra si le nombre limite de visiteurs est atteint, on vous le rappelle une fois encore...

Vous l'aurez compris, l'Alhambra, c'est une véritable usine à gaz. Une usine tout court même, tant les masses de touristes qu'elle draine sont importantes. À tel point que sa visite en est parfois quelque peu gâchée. Rien de nouveau là-dedans, c'est le lot commun à tous les grands sites touristiques, mais c'est peut-être encore plus vrai ici.

Comment y aller?

– **À pied :** finalement pas si difficile. Environ 25 mn de bonne grimpette par la calle Cuesta de Gomérez. C'est toujours tout droit. Pour redescendre, on peut prendre à droite le large chemin (Cuesta de los Chinos) qui longe le bas des remparts, passe sous la passerelle d'entrée et plonge sur l'Albaicin.

– *En minibus :* la meilleure solution à notre avis est de grimper jusqu'à l'Alhambra par le minibus et de redescendre à pied après la visite. Ce minibus rouge se prend plaza Nueva, de 7 h 45 à 22 h 15 (lignes 30 et 32), et passe toutes les 10 mn. La ligne 32 relie l'Alhambra à l'Albaicin.

– *En voiture :* la galère, mes amis ! La municipalité a eu la riche idée de désengorger de ces satanées voitures la montée vers l'Alhambra, en interdisant l'accès aux véhicules privés à la calle Cuesta de Gomérez. Ainsi l'itinéraire oblige à sortir de la ville et à prendre la route de la sierra Nevada ; ensuite, c'est fléché. Bref, beaucoup de temps perdu pour finalement se retrouver sur un parking hors de prix et risquer de devoir redescendre s'il est complet, à moins de trouver une place près du cimetière, dont les abords sont pris d'assaut dès potron-minet.

La visite

Bâtie sur un promontoire surplombant Grenade, cette énorme forteresse draine chaque année des centaines de milliers de visiteurs. L'Alhambra, « la rouge » en arabe, doit son nom à la coloration que prend sa pierre quand le soleil la caresse doucement. Plus qu'un simple palais, l'Alhambra est une véritable cité, ceinte de hauts murs. On y trouve des palais, des bains, une mosquée, une forteresse (l'Alcazaba) et surtout, liant merveilleusement toutes les richesses de ce territoire magique, d'harmonieux jardins.

L'Alhambra est non seulement superbe, mais il bénéficie d'un intérêt historique considérable puisque c'est le seul palais arabe construit au Moyen Âge qui soit encore intact. Au lieu de le saccager, les catholiques l'ont restauré. À l'origine, les populations arabes vivaient sur la colline voisine, l'Albaicin (une sorte de médina). Le premier roi de la dynastie nasride décida d'émigrer sur celle-ci et fit construire un palais qui ne cessa de s'agrandir jusqu'au XIVe siècle. Toutes les constructions principales datent donc du Moyen Âge, à part la *Casa Real,* édifiée par Charles Quint qui n'avait pas son pareil pour briser l'harmonieuse composition d'un site.

L'Alcazaba

C'est la partie la plus ancienne, la moins intéressante aussi, bien qu'elle offre un panorama exceptionnel sur la ville, depuis la torre de la Vela. L'Alcazaba, dressée sur la colline, était la forteresse de la cité. De la tour de veille, on prévenait de tous les dangers et on rythmait l'irrigation de la vallée. Dans la partie centrale de l'Alcazaba, ruines des anciennes casernes.

Los palacios nasrides

À la fois forteresse et résidence des émirs. Le clou de la visite. Il faut savoir que le palais a été remanié plusieurs fois et entretenu par les générations successives, si bien qu'il est difficile de dater avec précision telle ou telle pièce, telle ou telle arabesque. Mais l'important est que l'unité architecturale ait été conservée. Il s'agit d'un ensemble de salles, patios, salons, corridors, alcôves... Toute une ambiance dont on s'imprègne au fil de la visite. On vous indique les pièces les plus notables.

– *El Mexuar (salle du Conseil)* : c'est dans cette salle, finalement assez petite mais d'une rare élégance, que les rois recevaient. Remarquables arabesques et superbes motifs d'azulejos en étoiles. Noter le sol usé par des millions de pas. La finesse des colonnes tranche avec la richesse des chapiteaux. Remarquer également ce qui devait être une mezzanine et dont il subsiste une balustrade. C'était le cœur d'une chapelle installée à l'occasion d'une visite du roi Philippe IV. Le plancher s'étant écroulé, il ne reste plus que la balustrade. On poursuit par l'élégant patio du Mexuar, aux murs foisonnant de motifs délicats.

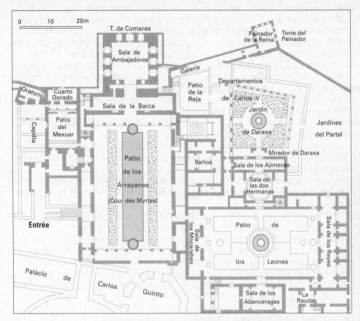

L'ALHAMBRA – LES PALAIS NASRIDES

– **El cuarto Dorado** *(chambre Dorée)* : superbe, avec ses murs couverts d'ornementations et d'inscriptions. Vue extra sur la ville depuis les hautes ouvertures. Plafond ouvragé et doré.

– **El patio de los Arrayanes** *(cour des Myrtes)* : une des réalisations les plus parfaites. L'harmonieux équilibre entre la lumière, l'eau et l'espace donne au visiteur une impression de pureté remarquable avec son vaste bassin rectangulaire, parfaitement calme. Le soleil réfléchi par l'eau du bassin ondoie en arabesques lumineuses sur les murs du patio, animant celles ciselées dans le plâtre. C'est dans ce genre de réalisation que l'on perçoit à quel point les Arabes maîtrisaient le jeu des volumes et de l'espace. Les larges arcades aérées confèrent à l'ensemble un aspect paisible et voluptueux.

– **La sala de la Barca** : tout en longueur, juste à côté. Plafond de cèdre finement travaillé, à la forme ovalisante qui rappelle un peu une barque retournée, d'où le nom.

– **La sala de Ambajadores** *(salon des Ambassadeurs)* : destinée aux réceptions des rois arabes et des émissaires étrangers. Là encore, on retrouve toutes les splendeurs de l'art nasride : arabesques, stalactites, balcons ajourés, azulejos fantastiques. Aux arabesques orientales se mêlent des versets du Coran. Équilibre parfait des formes et des proportions. On dit que le sultan Boabdil aurait remis ici, dans ce salon, les clés de la ville aux Rois Catholiques.

– **El patio de los Leones** *(cour des Lions)* : on y accède en repassant par le patio de los Arrayanes. L'un de nos préférés. Pour donner plus d'élégance à l'ensemble, les architectes ont doublé, voire triplé les colonnes, élançant ainsi au maximum les arcades dont on notera l'incroyable finesse. On se demande comment un tel luxe de détails et de fioritures parvient à ne jamais alourdir l'ensemble. Les arabesques, qui paraissent tout d'abord identiques, sont, à bien y regarder, toutes originales. À cette ornementation se mêlent quelques versets du Coran. D'étroits canaux alimentent en eau une belle vasque soutenue par 12 lions de facture naïve dont on ne connaît pas l'origine. Cette cour dut être un véritable havre de paix pour la promenade des émirs. Afin de donner du rythme, l'architecte a doté ce rectangle de deux avancées aux extrémités. Tout autour, plusieurs salles à visiter.

– **La sala de los Reyes** *(salle des Rois)* : à l'extrémité du bassin. Longue salle divisée en plusieurs parties, dont tous les plafonds sont couverts de stalactites. Voûtes à arches presque brisées, ce qui est assez rare. Noter aussi, dans toutes les niches du fond, les plafonds ornés et recouverts de cuir. Ils furent peints par des artistes errants, sans doute italiens, auxquels le sultan avait commandé des tableaux représentant les rois de la dynastie nasride et des scènes chevaleresques.

– **La sala de los Mocárabes** *(salle des Stalactites)* : c'est une ruine, détruite par une explosion au XVIe siècle ; les stalactites (mozarabes) furent remplacées par un plafond baroque.

Toujours autour de la cour des Lions, la **sala de las Dos Hermanas** (salle des Deux Sœurs), salle officielle des épouses du roi. Là encore, arabesques et azulejos.

On traverse d'autres salles, avant de se diriger vers les bains, en passant par un joli **patio** dont la galerie offre une vue extra sur l'Albaicin.

– **Los baños :** composés de trois salles ; une chambre chaude et une chambre froide, où l'on se lavait, et une salle de repos où l'on se parfumait en conversant avec les amis. Notez les ajourements dans la voûte.

On accède au grand patio-jardin de **Daraxa,** verdoyant et calme, avant de se diriger vers les **jardines del Portal,** élégamment organisés en allées. Cela conclut en douceur la visite des palais nasrides.

Le palais de Charles Quint

Construit au XVIe siècle, son architecture massive et austère surprend quelque peu. Les bâtiments carrés et brutaux d'aspect extérieur entourent une vaste cour circulaire pleine d'élégance, et comportant deux étages de galeries, la première dorique et la seconde ionique. De là, on peut accéder à la chapelle octogonale : à l'intérieur, deux caryatides avec, bizarrement, des satyres et des statues de nymphes. Même les rois ne respectent plus rien ! Expos régulières.

Ce palais abrite le musée des Beaux-Arts et le musée de l'Alhambra.

– **Le musée des Beaux-Arts :** à l'étage du palais. ☎ 958-24-48-43. Ouvert le mardi de 14 h 30 à 18 h (20 h en été), du mercredi au samedi de 9 h à 18 h (20 h en été) et le dimanche de 9 h à 14 h 30. Entrée gratuite pour les ressortissants de l'Union européenne. Il renferme une très belle collection de peintures et sculptures du XVIe siècle notamment, réalisées par des artistes grenadins. Dans la première salle, on notera un magnifique petit tryptique en émail aux couleurs chatoyantes et une belle descente de croix de Francisco Chacón du XVe siècle. Salle suivante, quelques toiles de Juan S. Cotan dont on dit qu'il a inspiré Zurbarán. Il se dégage de ces toiles une certaine naïveté, soutenue par une lumière douce et sereine, des couleurs bienveillantes. Continuez la visite et remarquez sur la gauche un tableau flamand du XVIIe siècle représentant la fuite en Égypte... située dans la Hollande du XVIIe. Deux salles plus loin, nombreuses sculptures d'Alonso Cano, peintre et sculpteur du XVIIe siècle. Œuvres empreintes de réalisme simple et expressif. De la salle 5, on retiendra un Christ pathétique de José de Mora. On verra encore des œuvres de Pedro A. Bocanegra, très touchantes, dans la lignée d'Alonso Cano. Scènes sculptées de Jésus portant la croix et de la Nativité. Les dernières salles présentent du mobilier ainsi que des tableaux du XIXe siècle. Voir notamment les œuvres de José Maria López Mezquita et celles de Gabriel Morcillo. Beau travail et excellent musée qui a choisi de montrer peu d'œuvres, mais d'une grande qualité.

– *Le musée de l'Alhambra :* au rez-de-chaussée du palais. Ouvert du mardi au samedi de 9 h à 14 h 30. Fermé les dimanche et jours fériés. Très beaux stucs, bois sculptés dont une monumentale porte marquetée, marbres polychromes et *azulejos* du IXe au XIVe siècle.

Le Generalife (plan D2-3)

Lieu de plaisance des émirs. Les bâtiments ont une architecture assez simple. En revanche, jardins magnifiques. Fidèles à leurs habitudes, les Arabes ont réuni dans la plus parfaite harmonie l'eau et les végétaux. Les pavillons sont disséminés au milieu des bassins et des jets d'eau. Tout au bout, un kiosque avec une vue admirable sur Grenade et l'Alhambra en contrebas. Plus haut, des jardins suspendus qui rappellent ceux qui ont fait la réputation de Babylone.

L'église Santa Maria de Alhambra

Derrière le palais de Charles Quint. Entrée payante (1,80 €, soit 12 F), sauf pendant les offices du dimanche matin mais le musée est alors fermé. Feuillet explicatif à l'entrée, en français. Édifiée au début du XVIIe siècle à l'emplacement de l'ancienne mosquée royale. À noter surtout le retable baroque et le beau Christ en croix dans la partie supérieure. Tout en haut, une Trinité en relief plutôt amusante. Petit musée d'Art religieux.

★ *L'Albaicin (plan D1-2) :* notre quartier préféré à Grenade. Pour y aller, minibus 31 et 32 à prendre plaza Nueva. Il y a encore quelques années, la réputation de l'Albaicin faisait froid dans le dos, et les agressions n'étaient pas rares. Depuis quelque temps, le quartier s'embourgeoise et devient très branché... même le maire y habite, c'est dire ! Il semble que les touristes rencontrent aujourd'hui plus de problèmes près de la cathédrale que dans le quartier de l'Albaicin ou de Sacromonte. Cela dit, le bon sens et une vigilance tranquille restent, comme partout, la formule la plus efficace. Un petit truc tout bête, porter son sac du côté du mur et non de la rue.

Quartier de style arabe, c'est l'endroit qui a sauvegardé son aspect de médina comme il y a encore plusieurs centaines d'années. En effet, au milieu du XIIIe siècle, le quartier se gonfla de l'exode des musulmans fuyant Cordoue reconquise par les Rois Catholiques. C'est également là qu'après la reconquête de Grenade, les Mauresques se réfugièrent. Ils furent en partie massacrés dans la nuit de Noël 1568, puis finalement chassés en 1609. Au hasard de ses ruelles étroites, de ses passages, de ses escaliers, de ses culs-de-sac, de ses placettes pavées, il a conservé le charme de ses patios fleuris et de ses demeures anciennes appelées *cármenes*.

L'Albaicin surplombe la ville à flanc de coteau. Des femmes luttent bec et ongles depuis des années pour sauvegarder ce quartier laissé longtemps à l'abandon. Avec succès, puisque l'Unesco a classé l'Albaicin patrimoine de l'Humanité en décembre 1994.

Vous indiquer un itinéraire ressemblerait à une mauvaise blague dans ce dédale de ruelles. On peut visiter l'Albaicin en 2 h ou y passer la journée. À notre avis, il faut choisir la deuxième solution !

On a plutôt envie de vous proposer de mettre votre guide préféré au fond de votre sac et de vous égarer joyeusement dans ce labyrinthe magnifique. Cela dit, le mieux est de commencer par la plaza Nueva et de longer la rivière. À la hauteur de la *calle Banuelo* (la 4e rue à gauche), les bains maures se visitent du mardi au samedi de 10 h à 14 h. Il subsiste encore deux ou trois belles salles voûtées. Puis continuer jusqu'au *paseo Tristes* et, au bout à gauche, commencer la grimpette par la *cuesta del Chapiz.* Une « certaine logique » devrait vous faire passer par la *plaza San Salvador.* Sur celle-ci, l'église du même nom fut construite sur une ancienne mosquée, comme c'est quasiment toujours le cas. Toute proche, la *plaza Alia-*

tar, puis la jolie et vivante *plaza Larga.* Un peu à l'écart, l'église *San Bartolomé* du XVIe siècle est une des seules à ne pas avoir été crépie et peinte en blanc, laissée dans sa version originale en brique ocre. Du mirador de la *plaza San Nicolás,* on a la vue la plus photographiée sur l'Alhambra, Grenade et la sierra Nevada... et non le coucher du soleil idéal qu'attendait Clinton lors de sa dernière visite à Grenade. Pour cette vision vraiment bouleversante et superbe du soleil couchant sur l'Alhambra, Bill aurait dû aller au mirador *San Cristóbal* ou à *San Miguel Alto...* mais il avait oublié son *GDR* à la maison ! Ensuite, de *San Miguel Bajo,* on peut descendre jusqu'à la *calderería Nueva* où se trouvent toutes les *teterías* (salon de thé arabes). Une promenade qui sera peut-être votre meilleur souvenir de Grenade. Un petit conseil : évitez les sandalettes à cause des ruelles pavées de galets pointus. Ça forme de jolis motifs mais, sans semelles dignes de ce nom, ça transforme vite la promenade en torture !

★ *Sacromonte (hors plan par D2) :* quartier des gitans, au-dessus de l'Albaicin. Pour s'y rendre, seulement 6 bus par jour relient directement la plaza Nueva à Sacromonte. On peut aussi y aller à pied (ou en bus) en empruntant le même itinéraire que pour l'Albaicin jusqu'à *Peso la Harina.* Au niveau de la statue, la route sur la droite mène à Sacromonte. Après 5 petites minutes de marche, on entre dans un univers complètement différent, plus aride, les cactus et les agaves percent la rocaille et les habitations sont creusées dans la colline crayeuse, maisons troglodytiques caractéristiques. C'est dans ces *cuevas* que se trouvent de nombreuses boîtes de flamenco où l'on peut assister aux spectacles de *zambra* (se reporter à la rubrique « Où écouter et voir du flamenco ? »). Les vues sur l'Alhambra sont presque aussi belles que depuis l'Albaicin mais là vous serez seuls (ou presque) à en profiter.

★ *La cathédrale (plan B2) :* dans le centre-ville. L'entrée se situe au début de la Gran Vía de Colón, à droite du n° 3, par une porte en fer forgé. ☎ 958-22-29-59. Visite de 10 h 30 à 13 h 30 et de 16 h à 19 h (de 15 h 30 à 18 h 30 en hiver) ; le dimanche, de 16 h à 19 h en été et de 15 h 30 à 18 h 30 en hiver. Entrée payante : moins de 3 € (20 F). Sur le côté gauche, entrée de la *capilla Real* (chapelle Royale). Mêmes horaires, mêmes prix. Depuis quelque temps, des vols sont signalés dans ce coin. Prudence, donc.

La cathédrale

Commencée au XVIe siècle en style gothique et achevée en style Renaissance très pompeux. Vaste ensemble à cinq nefs, froid. Jetez un coup d'œil à la Capilla Mayor (le chœur), haute de 45 m : statues d'apôtres sur les colonnes, peintures d'Alonso Cano dans les galeries. Magnifiques orgues du XVIIe siècle. Au bas du bras gauche de la nef, dans la salle capitulaire, collections d'orfèvrerie religieuse, quelques tapisseries flamandes et sculptures, le tout dans un meuble-vitrine impressionnant. Buste de San Pablo superbe, par Alonso Cano. Intéressera surtout les spécialistes. Si vous manquez de temps, visitez plutôt la capilla Real.

La capilla Real

On y accède par le côté gauche, à l'extérieur de la cathédrale (en venant de l'arrière). La chapelle royale, de style gothique, est protégée par une superbe grille en fer forgé de style isabellin. La chapelle fut édifiée pour recevoir les dépouilles des Rois Catholiques (Isabelle de Castille et Ferdinand d'Aragon). À côté de ces étonnants cénotaphes en marbre de Carrare ont été placées les dépouilles de Jeanne la Folle, fille d'Isabelle et de Ferdinand et mère de Charles Quint, et de Philippe le Beau, son époux. Votre œil observateur aura immédiatement noté que les cénotaphes de droite (Isabelle et Ferdinand) sont un peu plus bas que ceux de gauche, plus tardifs et de style purement maniériste. Dans la crypte, sous les cénotaphes, les sarcophages des rois. Il paraît que les troupes napoléoniennes auraient tout saccagé là-dedans, et qu'ils seraient vides.

Noter le beau retable du maître-autel, relatant la prise de Grenade et la conversion massive des Maures. Il a été composé comme une B.D., dans un style particulièrement réaliste. Dans le transept de gauche, triptyque de la Passion, superbe. Sur le côté droit, la sacristie et son petit musée. À ne pas manquer. On y trouve une collection d'œuvres flamandes, collection privée de la reine Isabelle. Tout d'abord, dans la vitrine centrale, l'épée de Ferdinand et le sceptre de la reine. Et puis sur les murs, de nombreux chefs-d'œuvre, de petits tableaux du XVe siècle, de véritables merveilles : triptyque de Bouts, admirable de finesse, aux couleurs chaudes. Que dire des tableaux de Hans Memling (série sur la *Descente de la croix*) et de celui de Rogier Van der Weyden, le grand maître flamand ? Vraiment étonnant de beauté et d'émotion. Il y a même un Botticelli ; à vous de le trouver.

★ En face de la capilla Real, belle entrée. C'est celle de la *medersa,* ancienne université arabe, édifiée sous Yuzuf Ier. Si c'est ouvert, voir la salle au fond d'un petit patio, de style mudéjar.

★ *La place Bibarrambla,* juste à côté, est très bien pour prendre un verre, surtout le matin assez tôt, pour voir l'animation monter en puissance. Plusieurs terrasses agréables.

★ Tout à côté de la cathédrale, allez jeter un coup d'œil à l'*Alcaicera (plan B3),* ancien souk arabe où l'on vendait, au Moyen Âge, les tissus de soie. Même si l'architecture est encore très belle, les boutiques de souvenirs ont totalement investi le quartier.

Traverser ensuite la calle de los Reyes Católicos, pour visiter le *corral del Carbón.* Ancien caravansérail construit au XIVe siècle, on y hébergeait les voyageurs. Architecture primitive, avec ses gros piliers de brique.

★ *El monasterio de San Jerónimo (plan A1-2) :* calle Rector López Argüeta, 9. ☎ 958-27-93-37. En été, ouvert tous les jours de 10 h à 13 h 30 et de 16 h à 19 h 30 ; en hiver, de 10 h à 13 h 30 et de 15 h à 18 h 30. Entrée : moins de 3 € (20 F). Brochure disponible en français, payante également.

Vous êtes dans le monastère des sœurs de Saint-Jérôme, qui, au nombre de seize, coulent ici une vie contemplative. Fondé à la fin du XVe siècle, abandonné au milieu du XIXe siècle, le monastère a repris sa vie religieuse depuis une vingtaine d'années. L'église, le réfectoire, les chapelles et toutes les autres pièces s'organisent autour d'une grande cour plantée d'orangers. On visite uniquement le rez-de-chaussée de ce superbe cloître composé de deux galeries à arcades.

À 18 h en hiver, et 19 h en été, on peut – silencieusement – assister aux vêpres chantées. Le pourtour du cloître est dallé de pierres simples et de pierres tombales où reposent les moines. En cheminant sous les arcades, on découvre plusieurs portails Renaissance ou plateresques. Mais le clou de la visite reste l'*église* (entrée par le cloître), qui mélange les styles gothique élisabéthain et Renaissance à partir du transept. Très chargé et léger à la fois. Pas un seul centimètre carré n'a échappé au coup de pinceau de l'artiste. Plafond à caissons où trônent moult bustes de personnages, angelots, chérubins, monstres. La merveille reste l'incroyable *retable.* Œuvre admirable de la fin du XVIe siècle, qu'on doit à un groupe d'artistes espagnols. Il s'agit d'une véritable B.D. qui nous raconte, en vrac, le saint sacrement, la naissance du Christ, l'Adoration... Noter comme les multiples niveaux, les différents étages sont soutenus par des colonnes doriques, puis ioniques et enfin corinthiennes. Tout en haut, au centre, Dieu le Père, et en dessous, son fils sur la croix.

★ Les amateurs d'églises iront encore faire un tour à l'*église San Juan de Dios (plan A-B1),* bel exemple de baroque grenadin (colonnes richement travaillées, chœur doré...). Il s'agit, en fait, de la chapelle de l'ancien *Hospital.* Jetez d'ailleurs un œil sur ses deux cours intérieures, ainsi que sur l'escalier qui les sépare et son beau plafond *artesonado.*

★ Sur la gauche du río Darro, au pied de l'Albaicin, s'étend un *vieux quartier* populaire, peut-être moins typique que les autres, mais les amateurs de vieilles rues et pierres sans âge apprécieront sûrement. Il suffit de longer la rivière et de prendre les ruelles perpendiculaires.

★ *Le Musée archéologique (Casa de Castril; plan C-D2) :* carrera del Darro, 43. ☎ 958-22-56-40. À l'angle de Zafra, le long du río Darro, au pied de l'Alhambra. Ouvert le mardi de 15 h à 20 h, du mercredi au samedi de 9 h à 20 h et le dimanche de 9 h à 14 h 30. Fermé le lundi. Gratuit pour les visiteurs de pays membres de l'Union européenne, sur présentation d'une pièce d'identité.
Autour d'un charmant patio, on passe en revue les différentes époques de la terre andalouse : néolithique, paléolithique, époque romaine, âge du bronze, etc. Quelques jolies urnes funéraires et statues romaines. Fouilles provenant de la nécropole d'Almuñecar.

★ *El Bañuelo (Bains arabes; plan C2) :* carrera del Darro. ☎ 958-22-23-39. Ouvert du mardi au samedi, de 10 h à 14 h. Entrée gratuite pour les membres de l'Union européenne, sur présentation d'une pièce d'identité.
Après avoir traversé la courette abondamment fleurie, on pénètre dans plusieurs salles voûtées qui s'enchaînent. La plus vaste possède de belles arcades et une voûte percée d'étoiles pour accueillir la lumière. Chaque petit chapiteau est sculpté différemment, car issu de différents monuments antérieurs. Il devait faire bon se baigner et prendre les eaux dans cet espace de paix et de sérénité. L'ensemble fut édifié au XIe siècle.

★ *La Cartuja (la chartreuse; hors plan par B1) :* real de la Cartuja. ☎ 958-16-19-32. Située sur une colline au nord-ouest du centre. Pour y aller, prendre le bus n° 8 dans le centre de Grenade. Ouvert de 10 h à 13 h et de 15 h 30 à 18 h (de 16 h à 20 h en été). Entrée payante : moins de 3 € (20 F). Les amateurs de baroque ne devront en aucun cas manquer cette visite. Après la paix et la sérénité qui se dégagent des édifices de l'Alhambra, on ne pourra que sourire devant « l'hyperbaroquisme » du presbytère, du *Sagrario* et de la sacristie.
Une fois franchie la sobre entrée de la chartreuse, on accède à un patio planté d'orangers, dont les salles qui l'encadrent renferment d'étonnantes œuvres de Sanchez Cotán. Ce moine peintre entra dans l'ordre des Chartreux et intégra la chartreuse de Grenade au début du XVIIe siècle. Les nombreuses toiles exposées ici ont été peintes pour la décoration de ces salles. On constate un ténébrisme exacerbé dans plusieurs de ces œuvres. Celle du réfectoire, sur la vie et le martyre de saint Bruno, est d'une dureté troublante. La simplicité apparente de ces œuvres les rend d'autant plus violentes. Les frères durent en avoir l'estomac tout retourné. Les salles suivantes présentent des toiles du même registre.
L'église dévoile déjà le délire baroque, avec ses angelots qui se multiplient et ses stucs tarabiscotés. Appréciez la belle porte incrustée de marbre, dorures, nacre et argent. Dans la nef, tableaux de Bocanegra et Sanchez Cotán. Sous un baldaquin du XVIIIe siècle trône une *Ascension.*
Derrière celle-ci, ne loupez pas le *Sagrario,* petite chapelle du Saint-Sacrement, du XVIIIe siècle, d'un style baroque exubérant (utilisation de plusieurs marbres colorés, surabondance de dorures, reliefs démentiels...), où le regard ne trouve aucun repos. Là, on atteint franchement le délire. Devant tant d'extravagance et d'agitation, les adjectifs nous manquent ! Essayez d'arrêter votre regard sur les statues des saints placées aux quatre coins. Les tissus qui les couvrent sont en bois sculpté et peint, y compris les

franges, ce qui paraît invraisemblable. Au centre de la chapelle, l'énorme tabernacle en marbre de différentes couleurs semble s'élever sans fin vers l'extravagante coupole en trompe l'œil. Dire que c'est chargé est un euphémisme.
À côté, sur la gauche, la sacristie, de style churrigueresque. Les murs sont littéralement recouverts de marbre et d'ornementations en stuc d'une complexité extrême. Remarquez les meubles disposés dans les embrasures : ils sont en ébène incrusté d'écailles de tortue et le moine qui les a réalisés a mis 34 ans pour achever son œuvre. C'est ce qu'on appelle un travail de bénédictin, non ?

➤ DANS LES ENVIRONS DE GRENADE

★ **Fuentevaqueros :** à une vingtaine de kilomètres à l'ouest de Grenade, dans la direction de Loja. En voiture, prendre l'autoroute en direction de Málaga et sortir tout de suite après l'aéroport. Également un bus de Grenade à prendre près de la gare ferroviaire, avenida Andaluces.
Dans ce village, on pourra voir la jolie maison natale du poète Federico García Lorca, transformée en *musée,* calle Poeta Federico García Lorca, 4. ☎ 958-51-64-53. Fax : 958-51-67-80. Officiellement ouvert de 10 h à 13 h et de 17 h à 19 h, mais mieux vaut appeler pour se faire préciser les horaires. Fermé le lundi. Entrée payante : un peu plus de 1 € (7 F). Vous y verrez photos, manuscrits divers, lettres, une vidéo avec quelques images rares de Lorca, etc. Assez touchant, une correspondance fournie avec Dalí et sa sœur, et l'écriture parfois extrêmement nerveuse de Lorca. Dans le patio, un géranium blanc amoureusement entretenu, en mémoire de l'artiste.

QUITTER GRENADE

En train

🚆 **Gare ferroviaire** *(plan A1) :* avenida Andaluces, à l'ouest de la ville. ☎ 958-27-12-72. Pour aller à la gare, bus n° 11 depuis la Gran Vía de Colón.

➤ Trains pour Séville, Madrid, Almería, Barcelone, Valence, Alicante. En général, c'est plus lent que le bus. Bien se renseigner.

En bus

🚌 **Estación de Autobuses de Granada** *(hors plan par A1) :* carretera de Jaén, à 2 km à l'ouest du centre. Pour s'y rendre, bus n° 3 ou en partant de la Gran Vía de Colón. Toutes les compagnies sont réunies dans cette station. Pratique. Voici quelques grandes compagnies :
■ **Alsina Graells :** ☎ 958-18-54-80. Nombreux départs quotidiens pour Málaga, Cordoue, Jaén, Séville, Almer], Cadix, Huelva, Ubeda, Murcia... Horaires précis sur place.
■ **Bacoma :** ☎ 958-15-75-57. Bus pour Alicante, Valencia, Tarragone, Barcelone, Madrid.
■ **Autocares Bonal :** ☎ 958-27-31-00. Bus pour la sierra Nevada. Départ de la Estación de Autobuses. Trois ou quatre départs par jour en haute saison.

LA SIERRA NEVADA
(18196)

La sierra Nevada est un grand parc national, se composant d'une large cordillère située au sud-ouest de Grenade, culminant à 3 481 m. Contrairement à ce que croient la plupart des touristes, il n'y a pratiquement pas de villages dans la sierra, mais uniquement une grosse et vilaine station de ski. Si vous avez du temps, vous pouvez parfaitement y passer une petite journée, mais, très franchement, il vaut mieux pousser jusqu'aux Alpujarras, pour ceux qui possèdent un véhicule, évidemment. Sinon, il s'agit d'une agréable balade dans les montagnes, mais on n'y séjourne pas vraiment.

Comment y aller?

En bus

La compagnie *Bonal* assure 2 fois par jour (3 fois le week-end) la liaison entre Grenade et la sierra Nevada. Départ devant le bar *El Ventorrillo*, sur le paseo del Violón (à côté du Palacio de congresos). ☎ 958-27-31-00. Départ en général à 9 h (à faire confirmer par téléphone). Durée du trajet : 1 h. Le bus s'arrête à la station de ski *Prado Llano*, sur le grand parking. Les retours ont lieu le matin (pour ceux qui ont passé la nuit sur place) et en fin d'après-midi. On peut donc parfaitement partir le matin et revenir en fin d'après-midi (retour aux alentours de 18 h de la place Solynieve). Se renseigner par téléphone car les horaires changent régulièrement. On achète son billet directement dans le bus.

En voiture

Une autoroute, un peu ravageuse pour le paysage, tracée pour les championnats du monde de ski de 1995, permet de rejoindre la sierra au départ de Grenade.

Où dormir? Où manger?

La station est vraiment abominable. N'importe quoi! Plusieurs dizaines d'hôtels sans intérêt. Plein de restos en tout genre. On vous laisse choisir. Prado Llano s'est en effet énormément développée à la suite des championnats du monde de 1995. Une partie de la station est fermée l'été, ce qui la rend encore plus triste.

🛏 ◖◗ *Albergue Juvenil Sierra Nevada :* à 1,5 km après la station de Prado Llano. ☎ 958-48-03-05. Fax : 958-48-13-77. ● www.inturjoven.com ● Ouvert toute l'année. Très moderne et hyper propre. En fait, un véritable hôtel pour les sports d'hiver. Chambres de 2 et 4 lits, avec sanitaires. Menu unique midi et soir.

À voir. À faire

★ Ceux qui sont en voiture pourront grimper au *pic de Velata.* C'est la route la plus haute d'Europe. Il faut grimper à pied à partir de l'*albergue universitario.* Tout là-haut, possibilité d'effectuer une randonnée tranquille qui vous mènera au *mont Mulhacén*, à 3 481 m d'altitude, point culminant de la péninsule Ibérique. Beaucoup de monde en été, et c'est un euphémisme. L'hiver, toute cette partie-là est complètement enneigée et la balade ne présente aucun intérêt (sauf si vous venez faire du ski).

DE GRENADE À GUADIX

Belle autoroute (A 92) assez montagneuse, qui traverse de beaux paysages très changeants.

PURULLENA (18519)

À 58 km à l'est de Grenade, en retrait de la route d'Almería. Petit village sans grand charme *a priori*. Son principal attrait réside dans ses surprenants monticules calcaires, criblés de cavernes creusées par l'homme. Pour bien voir les grottes, il faut quitter la route principale et emprunter les rues perpendiculaires sur la gauche, quand on vient de l'ouest. En se promenant dans ces ruelles, on découvre ce curieux habitat creusé dans la roche ocre. La partie habitée est souvent blanchie à la chaux. Au sommet de ces « maisons » se dressent de fières antennes de télévision qui semblent sortir de nulle part. Amusant. Tiens, il y a même une caverne qui fait *discoteca* !
La poterie est une des spécialités de Purullena. Tout au long de la rue principale, quelques boutiques. Pas forcément moins cher que dans les grandes villes.

Où dormir ? Où manger ?

On n'est pas vraiment certain que ce soit une bonne idée de dormir ici, le village ne présentant pas un intérêt débordant, les hôtels non plus.

De bon marché à prix moyens

🛏 |●| *Ruta del Sur :* avenida Andalucía, 51. ☎ 958-69-01-67. En entrant dans le village, à droite en venant de Grenade. Le mieux qu'on ait trouvé. Impeccable et froid comme un hôpital. Chambres avec sanitaires. Demander celles donnant sur l'arrière, avec vue sur la campagne. Bon resto-bar au rez-de-chaussée.

🛏 *Hostal El Caminero :* avenida Andalucía, au n° 30. ☎ 958-69-01-54. Compter entre 21 et 24 € (138 et 157 F) selon le confort (lavabo ou bains). Immeuble de deux étages, assez récent. Absolument dénué de charme. En fait, le même genre que *Ruta del Sur*.

GUADIX (18500)

À 6 km de Purullena, une ville plus importante et bien plus sympathique. Entouré, là encore, de pointes de calcaire, ce gros bourg possède un charme certain. On a pris plaisir à se balader dans les rues du centre où il règne une animation débonnaire, même si le cadre n'est pas d'un pittoresque exceptionnel. La cathédrale est le seul monument vraiment notable. Le quartier troglodytique (Las Cuevas) est assez intéressant et beaucoup moins touristique que celui de Purullena.
Spécialité culinaire de la région : la *cuña de San Antón,* plat roboratif et un peu lourd. Il s'agit de pied de porc en sauce (carottes, dattes, fruits secs et vin de la région).

Où dormir ? Où manger ?

Assez chic

🛏 |●| *Hotel-restaurante Comercio :* calle Mira de Amezcua, 3. ☎ 958-66-05-00. Fax : 958-66-50-72. Chambres avec bains à 57 € (374 F), 1er menu à 9 € (59 F). En plein centre-ville, à 5 mn de la cathédrale. Hôtel très bien tenu, sentant bon la province. Chambres avec salle de bains qui accusent un petit côté nouveau riche. Excellent accueil. On peut y prendre son repas pour un prix raisonnable. Réservation recommandée car beaucoup de groupes.

À voir

★ *Le quartier des grottes (Barriada de Cuevas) :* au-dessus du centre. Bien fléché. Elles sont généralement habitées par des gitans. Balades agréables dans ce coin calme et populaire. Sur la petite place du village ; allez voir le *Cueva Museo.* Ouvert de 10 h à 14 h (13 h les samedi et dimanche). Quelques objets usuels et un peu d'artisanat du début du siècle. Pas vraiment décoiffant. Assez étonnant, la température à l'intérieur des grottes est constamment de 20 °C, été comme hiver.

★ *L'Alcazaba :* ouvert en principe de 9 h à 14 h et de 16 h à 19 h, mais horaires fluctuants. On aime plutôt bien cette forteresse brute de décoffrage, avec ses créneaux, ses tours carrées, construites par les Arabes au IXe siècle sur une colline artificielle. Pour y accéder, il faut traverser un collège religieux. De la terrasse de l'Alcazaba, mangée par les herbes folles, on embrasse un superbe panorama sur la ville, la cathédrale, le quartier troglodytique... et le terrain de foot. Rien de particulier, mais bonne atmosphère.

★ Sur le côté gauche de l'Alcazaba, le *palacio de Peñaflor,* vieux palais de brique, massif, du XVIe siècle.

★ Au cours de votre petite balade, vous pourrez aller jeter un coup d'œil à la *cathédrale* où se côtoient styles gothique et Renaissance. Façade basse et très large, anguleuse, avec ses colonnes avancées. À l'intérieur, stalles copieusement travaillées. C'est d'ailleurs la chose la plus intéressante, avec les chaires de marbre. L'ensemble est globalement lourdingue. Face à la cathédrale, en passant sous un porche, on accède à la jolie place entourée d'arcades.

LA COSTA DE LA LUZ

La côte de la Lumière s'étend du golfe de Cadix au détroit de Gibraltar. La mer y est moins douce, le climat moins clément que du côté méditerranéen. Voici le sauvage littoral atlantique ! Tant mieux, il y a moins de touristes...

HUELVA
(21000)

Pas très excitante, cette grosse bourgade qui se cherche un peu entre passé industriel et ville moderne. Huelva n'a pas vraiment de centre historique qui serait à même de rivaliser avec Séville, Grenade ou même Cadix. La ville vit surtout sur son passé colombien qui, dans la terminologie des panneaux de l'Équipement, revient sous le terme de « Lugares Colombinos ». En effet, c'est du petit port de Palos de la Frontera que partit Christophe Colomb à la découverte de la Chine. On connaît la suite de l'histoire. De Cathay il ne trouva point, et posa le pied aux Caraïbes. En dehors de cet aspect historique, Huelva constitue une excellente échappatoire au cagnard sévillan. Non, il ne fait pas moins chaud sur les côtes de Huelva qu'à Séville. Mais il y a dans les environs immédiats de superbes plages qui, bien souvent, sont désertes. L'autre raison pour y faire une halte, c'est le parc naturel de Doñana, on vous en parle plus loin.
Et puis, le Portugal est tout proche. Pourquoi ne pas se laisser tenter par un peu de *vinho verde,* hein ?

Adresses utiles

Ⓘ *Office du tourisme (plan A2) :* avenida de Alemania, 12. ☎ 959-25-74-03. Ouvert du lundi au vendredi de 9 h à 19 h et le samedi de 10 h à 14 h. Accueil moyen, pas très vendeur, pas très convivial.
🚌 *Gare routière (plan A2) :* ave-

nida de Alemania ou avenida Doctor Rubio. Voir « Quitter Huelva ».
🚆 *Gare RENFE (plan B2) :* avenida de Italia, s/n. Voir « Quitter Huelva ».
✉ *Poste centrale (plan A2) :* avenida Tomás Domínguez, 1. ☎ 959-24-91-84.

Où dormir ?

Le moins que l'on puisse dire, c'est que le couchage en bas de gamme n'est pas folichon folichon.

Camping

⛺ *Camping Playa La Bota (hors plan par A1, 15) :* apartado 580, 21080 Huelva. ☎ 959-31-45-37. Fax : 959-31-45-46. Bien fléché avant d'arriver à Punta Umbría. Réception ouverte de 8 h à minuit.

Compter moins de 4 € (26 F) par personne et par tente, et environ 3 € (20 F) pour la voiture. Grand camping de mille et quelques places. Contrairement à ce que l'on pourrait redouter avec un tel chiffre, ça ne sent pas trop l'usine. Les emplacements sont harmonieusement insérés dans la verdure, les dunes et même une zone protégée. L'équipe, un brin écolo sur les bords (et on ne s'en plaindra pas), prend garde à l'eau qui s'écoule un peu trop. Ça tombe pile poil, c'est une denrée rare dans la région... Jetons pour la douche (payants mais raisonnable). 3 blocs sanitaires hyper propres aux couleurs qui ne défigurent pas le site (couleur sable ocre et vert pinède). Sûrement la meilleure adresse pour profiter des plages superbes de la région.

Bon marché

🛏 *Albergue Juvenil Huelva (plan B2, 10)* : avenida Marchena Colombo, 14, 21004 Huelva. ☎ 959-25-37-93. Fax : 959-25-34-99. ● www.inturjoven.com ● Côté prix, c'est un peu compliqué, mais quand on a pigé le truc, on peut s'en sortir au plus serré pour environ 6 € (39 F) ou pour la « totale » (couchage, pension, plus de 26 ans) à 20 € (131 F). AJ bien située, en plein centre de la ville. Joli patio rose saumon, malheureusement un peu défiguré par des armatures métalliques. C'est sûrement la meilleure solution et la moins crapouilleuse tout en étant économique. Chambres doubles ou quadruples avec bains (propres) à partager. Deux tarifs sont applicables selon son âge (plus ou moins de 26 ans). À ceux-ci, il faut ajouter la saison haute et la basse ; ici, les prix montent avec la température dès avril et décantent début octobre. Possibilité également de prendre une formule pension, demi-pension ou *solo dormir*.

🛏 *Pensión-Residencia Calvo (plan A2, 11)* : Rascón, 31, 21001 Huelva. ☎ 959-24-90-16. Au 2e étage d'un édifice un peu bringuebalant. Chambres pour un bon 13 € (85 F), manifestement décorées par un peintre dingue amoureux de la chlorophylle. Salle de bains à partager. Accueil fatigué d'une petite dame pourtant gentille.

Prix moyens

🛏 *Hotel Los Condes (plan B2, 12)* : avenida Alameda Sundheim, 14, 21003 Huelva. ☎ 959-28-24-00. Fax : 959-28-50-41. Compter 36 € (236 F). Hôtel correct, bien situé, tout confort qui rattrape un peu son côté vieillot par une touche de clinquant et surtout un très bon accueil. Demander une chambre au dernier étage, plus lumineuse, ou sur cour car juste en face se trouve une discothèque. Chambres spacieuses aux dessus-de-lit fleuris. Ascenseur.

🛏 *Hotel Costa de la Luz (plan A2, 13)* : José Maria Amo, 8, 21001 Huelva. ☎ 959-25-64-22 ou 25-32-14. Prix très élevés pour la qualité proposée : environ 45 € (295 F). Chambres gigantesques, mais c'est tout ce qu'on peut leur trouver d'intéressant. Accueil plutôt mollasson. En désespoir de cause, donc.

Plus chic

🛏 *Hotel Monteconquero (plan B1, 14)* : Pablo Rada, 10, 21003 Huelva. ☎ 959-28-55-00. Fax : 959-28-39-12. Chambres toutes standardisées pour environ 78 € (512 F) la double, 63 € (413 F) la simple. Bon à noter, il y a également un tarif week-end autour de 54 € (354 F). Fréquenté principalement par des businessmen, cet hôtel se distingue par son service irréprochable. Une réception des plus efficaces, un garage ouvert à n'importe quelle heure de la nuit, bref, une bonne adresse. On aime ou on n'aime pas la déco : lierre pleurant et débordant de rambardes aussi rouges que pas belles, ascenseur bulle de verre style Hilton. Un petit reproche pour ce genre d'établissement : ni Canal +, ni TV par câble. En plein cœur de la zone où les étudiants sortent.

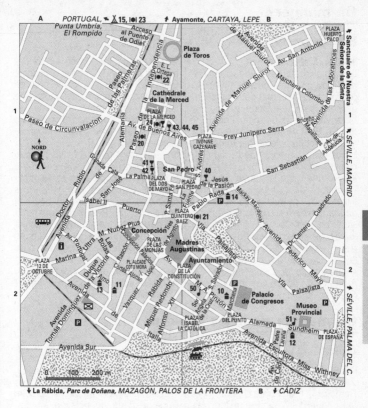

HUELVA

■ **Adresses utiles**

- 🛈 Office du tourisme
- 🚆 Gare RENFE
- 🚌 Gare routière
- ✉ Poste centrale
- ⛺ Camping

🏠 ⛺ **Où dormir ?**

- 10 Albergue Juvenil Huelva (AJ)
- 11 Pensión-Residencia Calvo
- 12 Hotel Los Condes
- 13 Hotel Costa de la Luz
- 14 Hotel Montec. onquero
- 15 Camping Playa La Bota

🍴 **Où manger ?**

- 20 Bar Lisboa
- 21 El Rincón de Pablo
- 22 Tendito 4
- 23 El Paraíso
- 24 El Burger de la Merced

🍸 **Où boire un verre ? Où sortir ?**

- 24 El Burger de la Merced
- 40 Confitería de Pasión
- 41 Moe's Bar
- 42 Docklands
- 43 Ocho
- 44 El Meridiano Cero
- 45 El Saxo

♪ **Où danser ?**

- 50 Cochabamba
- 51 Alameda G

Où manger?

Bon marché

I●I *Bar Lisboa* (plan A1, 20) : LE bar pour routards de la première heure ou pour les fauchés en fin de parcours. Entrée, plat de résistance, dessert, café, verre de vin ou de bière, le tout pour moins de 8 € (52 F). Rien de très excitant certes, la déco est complètement ringarde : belles toiles cirées un peu collantes, chaises dépareillées en Formica, frigo-vitrine qui a la goutte au nez... Le patron, lorsqu'il s'enquiquine, fait siffloter sa perruche qui aimerait pourtant avoir d'autres loisirs que de siffler les jupes courtes qui passent.

I●I *El Rincón de Pablo* (plan B2, 21) : Pablo Rada, 2. ☎ 959-26-20-02. On s'en tire en picorant, en « tapéant », pour 4 à 5 € (26 à 33 F). À première vue, ce petit bar n'a rien de très différent des autres. Seule sa

terrassette arborée, lovée en contre-bas d'une rue, peut inspirer confiance. Poussez un peu plus loin le bout de votre nez et vous y trouverez une sélection relativement originale de *montaditos*. Anchois au lait condensé, foie de morue fumé (hmm!), langoustines et aïoli...

I●I *Tendito 4* (plan A1, 22) : paseo Independencia, 50. ☎ 959-24-25-91. Portions très copieuses et reconstituantes. *Espinacas con garbanzos* (épinards et pois chiches) pour un bon 5 € (33 F). Petit restaurant familial décoré de nombreuses affiches des corridas qui se sont tenues dans les murs de la *plaza de toros* toute proche.

I●I *El Burger de la Merced* (plan A1, 24) : voir « Où boire un verre? Où sortir? ».

Où manger dans les environs?

Chic

I●I *El Paraíso* (hors plan par A1, 23) : route de Huelva à El Portil, El Rompido, 21100 Punta Umbría. ☎ et fax : 959-31-27-56. En restant raisonnable, on en sort rassasié pour 30 € (197 F). Pour s'y rendre, prendre direction Punta Umbría par un grand pont qui enjambe le río Odiel. Toujours suivre la direction Punta Umbría (ne pas prendre la direction du Portugal), passer sous deux ponts. Après le 2e, prendre sur la droite, continuer pendant 1 km. Le resto se trouve en face d'un gros transfo haute tension pas beau du tout. Ce petit restaurant est en fait une grande paillote donc l'extérieur

ne paie pas réellement de mine. Gros néon vert où se collent tous les « bzzzzz » et les « crcrcrcr » du coin. Superbe carte de poisson, notamment une *lubina al la sal* pour deux personnes, quelques poissons en sauce, ce qui change des éternels *a la braza* et *a l'ajillo*. Côté viande, belles entrecôtes bien servies. Pour ne rien gâcher, les desserts sont maison et on n'a fait qu'une bouchée d'un *cheese-cake* aux pignons de pin et au chocolat. Pour ne rien oublier, enfin, carte des vins plutôt bien faite avec même des demi-bouteilles de viña Aranza (environ 14 €, soit 92 F).

Où boire un verre? Où sortir?

Comme dans beaucoup de villes étudiantes, boire un pot dans la *marcha onubense* (c'est comme ça qu'on appelle les Huelviens), ce n'est pas forcément s'asseoir à une table ou dans un canapé moelleux. La plupart des jeunes (voire très jeunes) se donnent rendez-vous sur Pablo Rada. Ils achètent une bouteille de whisky ou autre alcool fort à la **Confitería de**

Pasión (calle Jesus de la Pasión, à côté de l'Ermite ; *plan B1, 40*) en promo, une bouteille de Coca ou de jus d'orange et de la glace qu'ils sirotent en se passant le breuvage. La maréchaussée surveille avec diligence du coin du cil sa jeunesse qui s'amuse, et ramasse même parfois les éclopés. Un bon conseil : évitez d'aller sur Pablo Rada et dans les petites rues vers la plaza de la Merced en voiture. D'une part, vous aurez du mal à vous garer, d'autre part vous passerez plus de temps dans l'habitacle de votre véhicule que sous les étoiles andalouses.

Moe's Bar (plan A1, 41) : Aragón, 17. Si vous ne comprenez pas la substantifique signification de « Dow ! », si vous ne savez pas qui joue du sax sur les hauteurs de Springfield, vous ne pourrez vous épanouir dans ce bar ambassade de la Simpson's Society. L'un de nos bars préférés car même aux États-Unis on ne l'a pas trouvé ! Qu'est-ce qu'ils peuvent crâner, au *Guide du routard*...

Docklands (plan A1, 42) : Aragón, 7. ☎ 959-25-82-70. Fermé le lundi et en août. Le café est à moins de 1 € (7 F), mais ce n'est pas la boisson la plus fréquemment commandée le samedi soir ! À côté du précédent. Un chouia irlandais, un peu plus sérieux sans pour autant être barbant. Ambiance verres fumés, vitrines porte-bouteilles, murs jaunes qui dans quelques années donneront un beau sépia « comme là-bas, dis ». Clientèle ni trop *pija* (chic puante), ni trop *cutre* (beauf).

Ocho (plan A1, 43) : plaza de la Merced, 7. Le proprio de ce sympathique bar un peu Christian Blachas sur les bords a fait une sélection de tout ce qui concernait Huelva et la publicité. Le tout donne donc un concentré assez éclectique. Tee-shirts sous verre, vieilles affiches pastel ou soixante-huitardes, maquettes d'hélico en exercice de rappel depuis le plafond. Très fréquenté par les étudiants et les jeunes professionnels de 25-30 ans. Un petit problème : il semblerait que plus les clients arrivent, plus la musique monte d'un ton. Vous avez vite résolu l'équation, le volume porte un peu sur le système. Ce n'est pas très grave, car ça vous permettra d'aller voir ce qui se passe aux...

El Meridiano Cero (plan A1, 44) et *El Saxo* (plan A1, 45) : également sur la place de la Merced.

La solution, vous l'avez compris, à moins de vouloir à tout prix faire connaissance avec ses voisins, est de prendre son verre et sa clope et d'aller poser son séant sur la place de la Merced. Si la faim vous tenaille, direction *El Burger de la Merced* (plan A1, 24), un *chiringuito* urbain pour les fringales nocturnes.

Où danser ?

♪ *Cochabamba* (plan B2, 50) : entre la plaza de la Constitución et la plaza del Punto, sur l'avenida Martín Alonso Pinzón. Ouvre à minuit mais éviter de s'y pointer avant 2 h - 2 h 30. Entrée : environ 6 € (40 F), conso comprise. Difficilement louable, avec sa « devanture » mauve et ce nom de cordillère inscrit parmi des motifs floraux un peu hawaïens. Deux salles, l'une au rez-de-chaussée, l'autre au sous-sol. La première avec deux bars fait se trémousser une clientèle plutôt 25-30 ans au son de la soul, funk, tendance remix euro-trash. La deuxième est plus agressive pour les tympans et les yeux. Le programme : techno à donf'. Service d'ordre musclé mais sympathique.

♪ *Alameda G* (plan B2, 51) : sur l'alameda Sundheim, en face de l'hôtel *Los Condes* et à côté du musée municipal. Dans un joli parc.

À voir

Pas grand-chose à se mettre sous la dent. À voir tout de même :

★ *L'église de la Merced* (plan A1) : sur la place du même nom.

★ *Le musée de Huelva* (Museo Provincial ; plan B2) : alameda Sundheim, 13. ☎ 959-25-93-00. Ouvert du mardi au samedi de 9 h à 20 h et le dimanche de 9 h à 15 h. Entrée gratuite. Composé d'une intéressante section archéologique sur le passé de la cité, malheureusement un peu poussiéreuse. On aurait aimé en savoir un peu plus sur l'ancienne cité de Tartessos, l'une des principales de l'Antiquité. Le musée devrait être bientôt rénové.

➤ DANS LES ENVIRONS DE HUELVA

★ *Le monastère Santa Maria de la Rábida* : ☎ 959-35-04-11. Ouvert du mardi au dimanche de 10 h à 13 h et de 16 h à 19 h (18 h 15 en hiver). Visite guidée toutes les 45 mn. C'est dans ce monastère que Christophe Colomb trouva son fidèle allié qui, jusque dans les pires moments de doute, lui servit de soutien indéfectible. Le père franciscain Diego de Marchena était plus qu'un religieux, il recueillit et éleva Fernando, le fils de Colomb, et présenta Colomb à Antonio Marchena, un autre franciscain lui aussi passionné de cosmographie. Une fois à Séville, Antonio Marchena fit intervenir son réseau de connaissances pour permettre à Colomb de monter son projet et l'introduisit dans les cercles du pouvoir.

Le monastère peut se résumer en un mot : simplicité. Campé sur une petite colline parmi les pins qui surplombent le río Tinto, ce monastère est ramassé sur lui-même et invite presque logiquement à la méditation. Il s'organise autour d'un joli patio mauresque en brique. À l'étage, une galerie avec toute l'iconographie colombine que l'on connaît. À voir les différents portraits de Colomb (coupe à la Chantal Goya et dais rouge d'« amiral de la mer océane »), on a peine à savoir à quoi il ressemblait vraiment ! Toujours à l'étage, faites un arrêt dans la salle capitulaire.

Au fil des salles, on découvre des fac-similés de différentes archives telles que les fameuses capitulations de Santa Fe. À cet acte juridique correspondent deux volets. D'une part, la reddition du royaume nasride de Grenade et d'autre part les modalités du contrat liant Fernando et Isabel au Génois. Les capitulations colombines furent le résultat d'âpres négociations car en demandant le titre d'« amiral de la mer océane », Colomb, un peu arriviste sur les bords, se plaçait au même rang que l'oncle du roi, à égalité avec l'amiral de Castille ! Culotté, Colomb demanda aussi le titre de vice-roi et gouverneur de toutes les terres découvertes (empiétement direct sur la souveraineté des Rois Catholiques), un dixième de l'or, des perles, des épices et toute autre denrée précieuse acquise pendant le voyage, et son intégration... On connaît la suite. Pour l'or, il attendra longtemps, mais en revanche il devint très vite un peu mégalo sur les bords. Au départ, les Rois Catholiques le congédièrent, pensant que Cristoforo Colombo ne s'était pas servi avec le dos de la cuillère. Puis, pour une raison difficilement explicable, ils se rétractèrent et concédèrent au découvreur, le 30 avril 1492, ce qu'il demandait.

À voir également, un peu de terre de tous les pays du continent sud-américain et une belle chapelle.

Si vous avez une petite connaissance de l'espagnol, on vous recommande de ne pas suivre la visite. Au cours de celle-ci, les 7 moines qui subsistent dans le monastère n'hésitent pas à lâcher des pincées de prosélytisme déplacé, surtout dans ce contexte où les chrétiens n'ont pas été des plus tendres.

★ *Les caravelles de Colomb* (el muelle de las carabelas) : ouvert du mardi au dimanche de 10 h à 14 h et de 17 h à 21 h (de 10 h à 19 h en hiver). ☎ 959-53-05-97. Entrée : moins de 3 € (20 F) ; réduction pour les moins de 18 ans et les plus de 65 ans. Ne mérite pas une visite, sauf pour les enfants qui peuvent déambuler dans les répliques des trois navires. Quand on dit « navires », ce sont plutôt des coques de noix... On a du mal à imaginer que les 90 hommes d'équipage et les 30 fonctionnaires ont vécu dans un espace aussi réduit pendant deux mois et dix jours. Également une petite exposition hagiographique sur Colomb et la découverte. Film de 20 mn qui peut constituer une bonne amorce pour les enfants pas forcément transis devant le charme franciscain du monastère. En face, le forum ibéro-américain propose parfois des concerts. Renseignements : ☎ 959-53-02-54.

★ **L'église de Palos de la Frontera :** ouverte de 10 h 30 à 13 h et de 19 h à 20 h. Consacrée à San Jorge Martir. Au soleil couchant, son style gothico-mudéjar ne laisse pas indifférent. C'est dans cette petite église que Colomb reçut la bénédiction pour son entreprise. Mais on vient surtout à Palos parce que c'est la patrie des frères Pinzón. Au passage, ça nous permet d'en remettre une louche sur l'histoire colombine. Pourquoi Colomb s'est-il lancé à la découverte de l'Amérique depuis le minuscule port de Palos ? En effet, partir de Cadix aurait été plus simple et aurait facilité l'avitaillement des caravelles. Sauf que Palos était l'un des seuls ports possédés par la Couronne. Par ailleurs, vu que Torquemada sévissait, de nombreux juifs se pressaient vers les autres ports pour fuir la péninsule. Mais la principale raison est que les frères Pinzón étaient *paleños*. En raison d'un acte de piraterie, Martín Alonso et Vicente Yáñez Pinzón étaient sous le coup d'une sanction royale. Ils écopèrent donc de la découverte de l'Amérique...

★ **Le parc national de Doñana :** à une cinquantaine de kilomètres de Huelva en allant vers Cadix. Déjà mentionnée par les Romains, la région de Doñana s'étendait il y a trois siècles sur *grosso modo* 300 000 ha. Situés à l'ouest de l'embouchure du Guadalquivir et au sud-ouest de Séville, plusieurs espaces naturels s'imbriquent les uns dans les autres, classés depuis 1969 par l'Unesco « réserve de la biosphère et patrimoine de l'humanité » pour leur richesse en bêtes à plumes, échassiers, longs becs, petits becs, cigognes, cols verts, cols de cygne... Le cœur du domaine protégé comprend une belle zone littorale où les dunes se déplacent au gré des humeurs du vent. C'est le parc national : pour y entrer, il faut obligatoirement être accompagné d'un guide. De part et d'autre de ce parc national, 54 250 ha de parc naturel et enfin, tout autour, une vaste zone qui constitue un grand anneau où tout le monde s'est plus ou moins mis d'accord pour conserver à l'état sauvage le paysage, c'est le « pré-parc ».

Pinèdes, salines, plaines marécageuses, dunes de sable blanc et fin, romarin, thym, chênes-lièges composent un lieu où le ronronnement de la pelleteuse et de la bétonnière n'est pas encore à l'ordre du jour. Bref, les quelques couples d'aigles impériaux et de lynx, symboles de Doñana, attendent de serres et de crocs fermes tous les pastoureaux et autres grandes zoreilles qui trouvent dans ce site presque construit pour une pub de lessive sans phosphates un « petit coin » de verdure *ad hoc* pour se reproduire sous les bons auspices de dame nature.

Le parc a malheureusement connu une terrible catastrophe écologique en avril 1998 suite à la rupture d'un bassin de décantation dans une extraction minière située à 28 km de Séville. 5 millions de mètres cubes d'un mélange pas très sympa de pyrite, d'arsenic, de cuivre, de plomb, de zinc, de cadmium, de mercure et surtout de thallium sont ainsi déferlé sur 10 000 ha de terre bordant les rives du Guadiamar, un affluent du Guadalquivir dont le cours flemmarde sur les bords du parc de Doñana. La pluie aidant, cette décoction s'est infiltrée dans le sol et une partie de la nappe phréatique a été contaminée. 37 tonnes de poissons ont péri dans les eaux du Guadiamar et au moins 30 000 oiseaux ont été contaminés par les métaux lourds.

➤ Possibilité de sillonner le parc en 4x4 et en bateau depuis Sanlúcar de Barrameda et Séville.

QUITTER HUELVA

En bus

🚌 *Gare routière* (plan A2) : avenida de Alemania ou avenida Doctor Rubio. ☎ 959-25-69-00 ou 959-25-62-24. Guichets de vente des billets ouverts de 9 h 15 à 13 h 30 et de 16 h 30 à 20 h 45. Consignes également dans la gare. Tarif : moins de 2 € (13 F) quelle que soit la taille du sac, jusqu'au lendemain matin 7 h.

➤ *Pour Punta Umbría :* nombreuses liaisons quotidiennes, avec la compagnie *Damas,* toutes les heures et quart. En direct ou *via* Aljarque.
➤ *Pour les plages del Rompido :* 5 départs toutes les 2 h *grosso modo.*
➤ *Pour Moguer :* 31 départs en semaine à partir de 7 h, 14 départs le week end à partir de 9 h 30.
➤ *Pour Madrid :* 3 départs (avant 10 h, avant 16 h et avant 23 h) avec la société *Socibus.* Le prix de l'autobus de nuit est identique à celui de jour.
➤ *Pour Málaga :* départ tous les jours à 8 h avec la compagnie *Damas.*
➤ *Pour Cadix :* départ tous les jours à 10 h avec la compagnie *Damas.*

En train

🚃 *Gare RENFE* (plan B2) : avenida de Italia, s/n. ☎ 959-24-66-66 ou 959-24-56-14. Guichets ouverts de 7 h 30 à 21 h 30. Consigne entre le bar et le kiosque à journaux. Compter un bon 2 € (13 F) pour 24 h. On peut y caser deux petits sacs ou un gros, pas plus.

Attention, aucune liaison en train avec le Portugal. Tous les départs depuis Huelva se font *via* Séville. C'est un moyen de transport valable pour les grandes villes uniquement.
➤ *Pour Cadix :* attention, une correspondance plus ou moins longue.
➤ *Pour Séville :* par l'*Andalucía Express.* 3 liaisons par jours (après 7 h, après 14 h et avant 20 h). Bon à savoir, la réservation de ce train est ouverte 15 jours à l'avance.
➤ *Pour Málaga :* changement à Séville.

PUNTA UMBRÍA
(21100)

Ce petit village est séparé du port et de la zone industrielle de Huelva par une longue pointe de terre gagnée sur les méandres du río Odiel et Tinto, c'est l'Espigon. Recroquevillée également sur une pointe (plus courte toutefois), la Punta Umbría faisait partie au Moyen Âge du système de défense du port. D'où les quelques tours qui subsistent ici et là parmi les constructions pré et postfranquistes. Au début du siècle, Punta Umbría était principalement habitée par des pêcheurs. On en voit encore de nombreux qui, le soir tombant, raccommodent leurs filets sur la grève. Au lointain, de vieilles carcasses de bateaux rouillées et mangées par le sel. Jusqu'ici, l'endroit n'a pas l'air sympathique : port industriel, carcasses, défense. Il suffit de se retourner pour voir que le village tourne un peu le dos à son océan pour se protéger de ses assauts. Et que découvre-t-on ? De superbes plages aussi longues que sableuses. Un endroit rêvé pour les campeurs pas forcément champions des rallyes culturello-historiques sévillans.

Adresses utiles

🛈 *Office du tourisme :* avenida Ciudad de Huelva, s/n. ☎ 959-31-46-19. Dans une grosse cabane de plage sur pilotis et sous les pins, en plein centre-ville.

🚌 *Gare routière :* derrière l'office du tourisme. Les billets s'achètent auprès du chauffeur.

Où dormir ?

🛏 *Albergue Juvenil Punta Umbría :* avenida Océano, 13. ☎ 959-31-16-50. Fax : 959-31-42-29. ● www.inturjoven.com ● En arrivant à Punta Umbría, prendre sur la gauche en direction des plages et non en direction du centre. Réception ouverte de 8 h 30 à 22 h. Plusieurs saisons et plusieurs prix. En novembre, décembre et janvier, tarifs promotionnels : de 5 à 16 € (33 à 105 F) ; de mi-juin à mi-septembre, plein pot (mais encore modique) : de 8 à 20 € (52 à 131 F) selon que l'on a plus ou moins de 26 ans ; enfin, entre les deux périodes, de 6 à 17 € (39 à 112 F) selon la formule choisie : hébergement, petit déj', demi-pension, pension complète. Cartes de paiement acceptées. Beaux bâtiments offrant en pleine face les flots atlantiques. Demander absolument les chambres à l'étage donnant sur une petite galerie avec ses arcades et balcons en bois vert. Chambres doubles ou quadruples avec bains à partager. Plusieurs activités possibles, grand terrain de basket notamment. Les plus feignants, eux, n'auront qu'à se laisser glisser de leur lit pour se retrouver quelques mètres plus bas sur la plage.

Où dormir dans les environs ?

⛺ *Camping Catapum :* ctra El Rompido-Punta Umbría, km 3. En direction de Cartaya. ☎ 959-39-91-65. Tarifs : 3 à 4 € (20 à 26 F) par personne et par tente. Drôle de nom pour ce camping qui est situé à 50 m d'une route très passante vers le Portugal. Peut-être vient-il du bruit que les enfants font en dévalant la pente qui conduit à la superbe plage San Miguel, elle-même protégée par un cordon dunaire des plus sauvages ? Mais revenons au camping. Bien ombragé, emplacements faisant la part belle aux caravanes, sanitaires potables, accueil correct, toutefois ne pas y chercher absolument la tranquillité.

Où manger ? Où boire un verre ?

Pléthore de bars où l'on peut manger quelques snacks et autres *pescaditos fritos*. Mais Punta Umbría est une petite ville, ne pas s'attendre donc à de la grande cuisine.

🍴 *Freiduría Los Manueles :* río Odiel, 3. Dans une rue perpendiculaire à la calle Ancha. Bar où l'on peut acheter sa *ración de langostinos* à moins de 3 € (20 F) le kg ou de grosses pinces de crabe autour de 9 € (59 F). Le tout est pêché dans la nuit, donc très frais et déjà cuit. On vous engage à faire un tour pour comparer les prix, qui dépendent de l'approvisionnement et du cours du marché.

🍸 *El Refugio :* plaza de los Marineros. Sympathique petite place où jouent les enfants des HLM alentour. *El Refugio* est tout aussi sympathique avec ses volets style guichet de guinguette, son toit en paille, son rock bien pêchu et sa table de billard. Fréquenté par quelques marins et les jeunes du coin. La *Mahou* y coule un peu plus cher qu'ailleurs.

🍸 *Bar La Pequeña Alhambra :* calle Ancha, 82 et plaza 26 de Abril 1963. Comme son nom l'indique, c'est une « petite Alhambra » (heureusement qu'on vous le précise, sinon vous ne vous en seriez pas douté, n'est-ce pas ?). Il faut toutefois pas mal d'imagination car même si la façade en faux stuc rappelle les motifs de Grenade, il semble que l'édifice se soit fait emboutir par un gros bloc de béton blanc et bleu. Chouettes *azulejos* à l'intérieur, tables plateaux, lumières tamisées et petites stalles intimes. Agréable pour un thé même s'il manque tout de même un p'tit quéqu'chose pour se croire au bled...

Où manger ?

🍴 *El Bosque :* ctra Punta Umbría-El Rompido. ☎ 959-50-40-99. Petit *chiringuito* campé sur la pointe de la Culata, sous les pins. Ouvert uniquement le week-end à midi. Compter moins de 6 € (39 F) pour le plat de coquillages ou pour la *ración de pescadito frito (chocos, pijotas* ou *acedias)*. Excellentes *coquinas* à la marinière. Les coques, les *almejas* sont tout aussi succulentes et, vu la fréquence d'ouverture de ce petit resto de fortune, on ne se trompera pas beaucoup en vous disant que c'est de la grande fraîcheur...

Les plages

⌇ *Playa de los Enebrales :* très belle plage séparée de la route par une chouette pinède où pullulent les lapins. Bien signalisée sur la gauche avant d'arriver à la station-service (sur la gauche) et à Punta Umbría. Il s'agit d'une zone protégée. Alors on se demande bien pourquoi une grande pancarte vante les mérites d'un projet de résidence de rêve... Un petit chemin qui borde la route permet de faire un jogging ou une belle virée à vélo. La plage en elle-même est un escalier. Le vent vient chatouiller les aiguilles de la pinède qui se termine par des touffes chevelues d'herbe. La rive même se trouve à 4 ou 5 m en contrebas, on n'entend que de très loin les rouleaux qui viennent y mourir. Une *zone naturiste* officieuse se trouve sur la gauche de la plage. Il n'y a pas de douches, mais sur une plage sauvage et aussi belle, faudrait tout de même pas trop en demander...

⌇ *Playa El Espigon :* il est nécessaire de bifurquer dès Corrales pour y accéder. Moins sympa que la précédente mais peut-être un peu plus tranquille.

JEREZ DE LA FRONTERA (11405)

Ville assez importante, ni belle ni laide. Célèbre avant tout pour son vignoble, cette cité moderne est plutôt mal conçue. On s'y perd facilement, surtout en voiture. Les quartiers ont poussé un peu de manière anarchique, et les sens interdits pullulent. Si vous devez y séjourner, munissez-vous d'un plan et marchez. On vient surtout à Jerez pour visiter les *bodegas* et goûter ses vins trop méconnus en France.

Mais Jerez est aussi célèbre pour ses chevaux et pour sa tradition très puriste du flamenco. Laissez lentement agir sur vous le charme subtil de la ville. Des odeurs de cave, de fourrage, de vieux bois vous conduiront alors vers de jolies alcôves pleines de secrets prisonniers.

Plusieurs villes de la région ont leur nom qui se termine par « la Frontera » car c'était effectivement la ligne de démarcation entre les territoires occupés par les Arabes et ceux contrôlés par les catholiques.

LE VIGNOBLE DE JEREZ

On dit que c'est le plus ancien du monde encore en exploitation. En effet, les premières vignes furent plantées par les Phéniciens, 1 000 ans av. J.-C. Ensuite les Romains intensifièrent cette culture et baptisèrent la ville Ceret. Les conditions climatiques sont, il est vrai, exceptionnelles : 295 jours de soleil par an et une production de plus de 1 million d'hectolitres. La terre, de marne crayeuse, émergée au tertiaire, boit la pluie d'hiver comme une éponge, mais l'été elle durcit en une croûte claire qui réverbère le soleil et conserve l'humidité.

Les grappes sont encore foulées par des hommes chaussés de bottes de cuir qui piétinent les montagnes de raisin. Ensuite, les vins fermentent en fûts de chêne américain pour atteindre de 11,5° à 13,5° d'alcool. Particularité étonnante : le vin est volontairement exposé à l'air après un an de fermentation. Les tonneaux, aux trois quarts pleins, sont débouchés dans les caves, contrairement à tous les principes de la vinification. En fait, la flore (levure) forme à la surface du vin une couche épaisse, protectrice. Le vin s'oxyde sans se piquer. En fonction de la qualité de cette flore, le vin sera *fino* (fin) ou *oloroso* (odoriférant).

Pour finir, une autre technique originale est employée : la *solera*. Ainsi est appelée la barrique la plus proche du sol (les fûts forment des pyramides). C'est de ce fût qu'on tire le jerez à mettre en bouteilles. Le vin du tonneau supérieur sera transvasé pour moitié dans celui du dessous, et ainsi de suite. La barrique du sommet restée vide sera remplie par du vin nouveau *(crianza)*. Ainsi le vin vieux « éduque » le vin jeune. Tout cela semble très moral. Par ce savant mélange de générations, le jerez n'a pas d'âge !

Ce sont bizarrement les Anglais qui ont fait le succès du jerez. Ils absorbent à eux seuls 43 % des exportations, celles-ci représentant 85 % de la production. D'ailleurs, ils n'ont jamais pu prononcer ce mot et l'ont déformé en *sherry*. Encore aujourd'hui, les plus grandes maisons de jerez s'appellent *Williams and Humbert, John Harvey and Sons, Osborne...* des familles d'origine britannique. Mais la plus célèbre des maisons reste encore *Domecq* (origine béarnaise !) qui possède 70 ha de caves. Certains fûts entreposés ont plus de 300 ans. Seize membres de la famille gèrent le vignoble Domecq. Sur 403 descendants, la sélection est sévère ! Mais le jerez fait vivre les trois quarts des habitants de Jerez. Une dernière chose : les Français ont toujours snobé le jerez... à tort.

Les différents vins

Les blancs secs sont la spécialité de la région.

– *L'amontillado :* titre entre 8 et 16°, et plus de 21° quand il vieillit. Très bien pour accompagner les fruits de mer et le jambon. Bel arôme.

– *Le manzanilla :* ambré, léger et fin, se déguste en apéritif. La couleur de sa robe varie entre le vert pâle et le doré. Dégage un parfum de pomme mûre, d'où son nom. Titre entre 18 et 20°.

– *Le fino :* très sec, parfumé, et fleuri. Moins alcoolisé que les précédents. Titre entre 15 et 17°. Se boit frais, en apéritif ou pour accompagner des fruits de mer. D'une robe très claire, presque transparente. Son côté très sec peut être gênant pour les non-initiés.

– *L'oloroso :* plus alcoolisé (titre entre 18 et 20°). Bien pour l'apéritif ou en fin de repas. Un peu moins sec. Couleur ambrée. Légèrement oxydé grâce à son contact avec l'air.

– *Cream* : mélange de *pedro jimenez* et d'*oloroso,* avant la mise en bouteilles. Jolie couleur tuilée et assez doux. Pas le grand raffinement, mais agréable.

– En rouge, le *moscatel,* bien sûr, obtenu avec du muscat, et le *pedro jimenez,* très sucré, quasiment couleur pruneau. Nous, on trouve que son côté trop sucré tue les arômes.

Adresses utiles

🚹 *Office du tourisme :* calle Larga, 39. ☎ 956-33-11-50. Ouvert du lundi au vendredi de 9 h à 15 h et de 17 h à 19 h, et le samedi de 10 h à 13 h 30. Fermé le dimanche. Les hôtesses sont charmantes et généreuses en documentation.

✉ *Poste centrale :* calle Cerrón, 1. ☎ 956-34-22-95.

■ *Banques :* elles sont nombreuses sur la calle Larga. La plupart possèdent un distributeur.

■ *Taxis :* ☎ 956-34-48-60.

Où dormir ?

Pas vraiment une ville dans laquelle on a envie de dormir. Bien plus intéressant de pousser jusqu'à Arcos de la Frontera.

Bon marché

🛏 *Albergue Juvenil (AJ) :* avenida Carrero Blanco, 30. ☎ 956-34-28-90. Fax : 956-14-32-63. ● www.inturjoven.com ● Grand bâtiment moderne trop loin du centre, malheureusement. Jolie piscine néanmoins. Chambres de 2 ou 4 lits, avec salle de bains commune.

🛏 *Hostal Las Palomas :* calle Higueras, 17 (donne sur la plaza de los Angustias). ☎ 956-34-37-73. Compter un bon 21 € (138 F) la chambre double avec lavabo. Douche dans le couloir. Calme, modeste et assez central. Patio agrémenté d'*azulejos* et de plantes vertes.

Prix moyens

🛏 *Hotel San Andres :* calle Morenos, 12 y 14. ☎ 956-34-09-83. Fax : 956-34-31-96. Compter 31 € (203 F) pour une chambre double avec bains, 22 € (144 F) avec lavabo (bains collectifs). Excellente petite pension au patio abondamment fleuri. Simple et charmant. Les chambres sont aussi bien entretenues que les plantes. Au n° 14, le même proprio, absolument adorable, tient une autre pension plus classique, un peu plus chère mais toutes les chambres disposent d'une salle de bains.

Plus chic

🛏 *Hotel El Coloso :* calle Pedro Alonso, 13. ☎ 956-34-90-08. Compter 45 € (295 F) la chambre double. Un hôtel classique et un peu triste. Chambres avec bains, w.-c. et TV. Prix d'un 2 étoiles. Longtemps irréprochable, l'ensemble commence à vieillir, alors que les prix sont à la hausse.

🛏 *Hostal Serit :* calle Higueras, 7. ☎ 956-34-07-00. Fax : 956-34-07-16. ● hotel-serit@redicom.es ● Compter autour de 55 € (361 F) la chambre double. Très beau hall. 30 chambres doubles et 8 simples, toutes avec salle de bains, téléphone et TV. 2 étoiles. Ici, l'AC n'est pas un luxe ! Très propre et service au top.

Où manger?

Les restos sont assez chers ici. On vous conseille de vous rabattre sur les bars à tapas.

Bon marché

|●| El Colmado : calle Arcos (calle Alvar Nuñez), 1. ☎ 956-33-76-74. Un resto au 1er étage d'un bar. Salle d'une tristesse infinie mais bonne cuisine. Menu bon marché et copieux, servi midi et soir tous les jours. Pour les petites faims, contentez-vous d'une soupe de pois chiches *(garbanzos)* ou d'une soupe à l'oignon *(sopa de cebollas)*. Bon *cordero* également.

Plus chic

|●| Restaurante Gaitan : Gaitan, 3. ☎ 956-34-58-59. Ouvert de 13 h à 16 h 30 et de 20 h 30 à 23 h 30. Fermé le mercredi soir. Sert des plats typiques. Un peu touristique (donc cher) mais excellente cuisine. Menu de bon niveau, assez cher. Salle décorée de tableaux divers et de photos de clients importants. Tiens, on n'y est pas!
– Le long de la calle Larga, nombreux **bars-cafés** avec terrasse sur la rue piétonne.

À voir

★ **Les bodegas :** le principal attrait de la ville. Plusieurs bodegas proposent des visites guidées payantes. Pas de visite le week-end. Certaines sont fermées en août. La meilleure période pour visiter les bodegas reste septembre, à l'époque des vendanges. Percez les secrets du sherry, cette « boisson civilisée », comme la définissait Somerset Maugham.
– *Bodega Domecq :* calle San Idefonso, 3. ☎ 956-15-15-00. On vous la déconseille, même s'il s'agit de la plus fameuse. L'accueil est assez exécrable.
– *Bodega Gonzalez Byass :* calle Manuel Ma. Gonzalez. ☎ 956-35-70-00. Visite du lundi au vendredi à 11 h, 12 h, 13 h, 17 h et 18 h, et le samedi à 10 h, 11 h et 12 h. Payant. Nécessité de réserver.
– *Bodega Williams Humbert :* calle Nuño de Cañas. ☎ 956-34-65-39. Visite à 13 h 30.
– *Bodega Maestro Sierra :* plaza de Silos, 5. ☎ 956-34-24-33. Deux visites par jour du lundi au vendredi, à 12 h et à 14 h. Payant.
– *Bodega Harvey's :* calle Arcos, 53. ☎ 956-15-10-02. Deux visites par jour, à 10 h et à 12 h. Pas besoin de réservation. Payant.
– *Bodega Wisdom :* calle Pizarro. ☎ 956-37-50-90. Visite guidée payante à 13 h 15 ; le jeudi, à 14 h. Réservation inutile.

★ **Real Escuela Andaluza del Arte Ecuestre** *(École royale andalouse d'art équestre) :* au nord de la ville, avenida Duque de Abrantes. ☎ 956-31-96-35. Une école d'équitation style Vienne ou Saumur. La classe ! Jerez est en effet le fief du cheval andalou. Chaque année, début mai, se tient la *Feria del Caballo,* une gigantesque manifestation avec attelages superbes, courses et défilés...
Pour ceux qui ne viendraient pas à cette période, on conseille tout de même d'aller assister aux entraînements ouverts au public. Les lundi, mercredi et vendredi de 11 h à 13 h. On vient quand on veut, vu que l'entraînement dure 2 h. Le jeudi, à 12 h, un véritable show : « Cómo bailan los caballos anda-

luces ». On vous conseille de réserver vos billets au moins 2 mois à l'avance ; sinon, vous risquez de faire la queue pour apprendre que c'est complet. Ce ballet équestre fut présenté la première fois en 1973. La bande sonore est réalisée par l'orchestre royal philharmonique de Londres. Très intéressant. Souvent bondé ! Le prix de l'entrée ce jour-là est trois fois plus élevé pour les meilleures places, mais il existe plusieurs tarifs. Prendre la « tribune générale », moins chère. Attention, photos et vidéo interdites.
Par ailleurs, on peut visiter les écuries, les selleries, ainsi que les jardins. Les chevaux sont de pure race « Cartujaño ». L'école compte 20 cavaliers et 3 amazones (c'est comme ça qu'on les appelle). Le palais dans les jardins fut édifié par Garnier, celui de notre Opéra.

★ *El museo de los Relojes* (musée des Horloges) : calle Cervantes, 3. ☎ 956-18-21-00. Ouvert du lundi au samedi de 10 h à 14 h. Payant. Au fond d'un beau jardin, dans un palais du XIXᵉ siècle. Un musée regroupant plus de 300 horloges européennes de très belle facture. Si vous y êtes à 10 h, 11 h, 12 h, 13 h ou 14 h, vous pourrez entendre sonner ces horloges en concert.

★ *L'église San Miguel :* calle San Miguel. Ouverte généralement le soir. Étonnante façade classique, très chargée, dans le style isabellin. On peut ne pas aimer cette construction très gothique sur les flancs, qui date du XVIᵉ siècle. La porte de gauche de l'église est joliment ouvragée dans le style baroque. À l'intérieur, lourdes colonnes et voûte gothique. Retable avec scènes sculptées de Martinez Montañéz et José de Arce. Chargé et élégant à la fois.

★ *La gare de chemin de fer (estación de ferrocarril) :* à notre avis, le plus beau bâtiment de la ville, et pourtant les guides n'en parlent jamais. Imaginez une superbe construction dans le style Belle Époque de l'expo de 1929 et décorée d'*azulejos.*

★ *Centro Andaluz de Flamenco :* palacio Pemartin, plaza de San Juan, 1. ☎ 956-34-92-65. Ouvert le lundi de 10 h à 14 h, le mardi de 10 h à 14 h et de 17 h à 19 h, et du mercredi au vendredi de 10 h à 14 h.
Intéressant déjà pour le bâtiment datant du XVIIIᵉ siècle. Le patio principal, avec ses voûtes sculptées et ses azulejos, est superbe. Vous trouverez ici tout ce qui concerne le flamenco : archives, livres, documents sonores, peintures... Une phono-vidéothèque permet de visionner cet art en mouvement.

★ *Le marché aux puces :* Alameda Vieja, contre l'Alcázar-mosquée. Tous les dimanches matin, sauf en été.

★ Le dimanche à 12 h, sur la plaza del Banco, dans le centre, à côté de l'office du tourisme, interprétations de paso doble, valses, marches... offertes gratuitement par la *Banda municipal de Jerez.* Bravo !

Où écouter et voir du flamenco ?

Les habitants de Jerez sont très attachés au flamenco, qui trouve ses racines au fin fond de l'Andalousie. Difficile d'éviter les endroits par trop touristiques.
Voici quelques adresses de qualité :

♪ *Ellaga :* plaza del Mercado. ☎ 956-33-83-34. Y aller en voiture ou en taxi car c'est dans un quartier gitan qu'on peut qualifier de « chaud ». Bar et resto. Spectacles gratuits à 22 h 30 et à minuit et demi. On paie juste sa boisson (un peu cher, c'est vrai) ou son repas.

♪ *El Rincón del Duende :* calle Velázquez, 20. Spectacle flamenco les vendredi et samedi soir. Ne pas arriver avant 22 h 30.

♪ *Camino del Rocío :* urbanización Divina Pastora. Pour voir danser, et danser vous-même la *sevillana*. Ne pas arriver avant 23 h. À minuit, on éteint tout, et le patron, accompagné des habitués, chante l'*Ave Maria Flamenca*. Impressionnant ! À ne pas manquer.

♪ *Viernes Flamencos (les vendredis du flamenco) :* en août. Festival authentique très suivi par les *aficionados*.

Fêtes

– *La Semaine sainte* de Jerez est assez peu connue, mais elle y gagne en authenticité.

– *La Feria del Caballo :* début mai. Vous y verrez parader les plus beaux spécimens de chevaux andalous. Concours d'attelage, les participants sont pour la plupart en costume traditionnel. On trouve assez facilement des places aux arènes.

– *Fêtes de San Antón :* le dernier dimanche de janvier. Bénédiction des chevaux.

– *Fiestas de Otoño :* fin septembre. Fête des vendanges. Très haute en couleur.

➤ *DANS LES ENVIRONS DE JEREZ*

★ *La Cartuja :* une belle chartreuse située à 7 km de Jerez, sur la route de Cadix, sur la droite. Ce monastère ne peut être visité que par les hommes ; les femmes se contenteront des jardins. Splendide exemple du gothique flamboyant du XVe siècle. Façade richement ornée. C'est ici que s'est fait le croisement des chevaux napolitains, andalous et allemands au XVIe siècle. Cette nouvelle race, toujours représentée, s'appelle « Cartujaño ».

QUITTER JEREZ DE LA FRONTERA

En train

🚄 *RENFE :* plaza Estación. ☎ 956-34-23-19. On peut aussi acheter ses billets dans le centre : calle Larga, 34. ☎ 956-33-48-13.

➤ Trains à destination de Séville, Cadix, Madrid, Barcelone...

En bus

🚌 *Gare routière :* calle Cartuja. Toutes les compagnies sont réunies au même endroit.

■ *Companía Comes :* ☎ 956-34-21-74. Pour Málaga et Ronda surtout, et toute la Costa del Sol.

■ *Sevibus :* ☎ 956-33-50-05. Pour Madrid.

■ *Linesur :* ☎ 956-34-10-63. Pour Sanlucar et Chipiona.

■ *Amarillos :* pour toute la province.

En avion

✈ *Aéroport :* situé à 7 km de la ville, sur la route nationale 4. ☎ 956-33-43-00 et 15-00-00. Pas de bus pour l'aéroport. Taxis uniquement.

➤ Deux compagnies assurent les liaisons avec Madrid, Barcelone et Valence.

ARCOS DE LA FRONTERA (11630)

À 33 km à l'est de Jerez de la Frontera. Superbe village andalou perché sur un promontoire rocheux, surplombant le río Guadalete. Une vraie halte plaisir.

Adresses utiles

🅸 *Office du tourisme :* plaza de Cabildo, en haut du village.
🚌 *Gare routière : Bus Comes.* ☎ 956-70-20-15.

Où dormir?

Éviter le camping, situé très loin du centre d'Arcos. Le centre du village n'est pas des plus abordables... On se consolera avec le cadre.

Prix modérés

🛏 *Hostal San Marcos :* calle Marqués de Torresoto, 6. ☎ 956-70-07-21. Pension dans une ruelle du vieux centre, à 2 mn de la plaza de Cabildo où d'ailleurs vous pourrez vous garer. Compter 33 € (216 F) la chambre double avec bains. 4 chambres seulement, hyper propres mais au charme limité. Évitez celle qui donne sur le couloir. Certaines pour 2 et pour 3. Impeccable. Bar-resto correct au rez-de-chaussée avec menus à partir d'un bon 5 € (33 F). Terrasse tout en haut. Accueil irrégulier.

🛏 *Pensión Callejón de Las Monjas :* callejon de las Monios, 6. ☎ 956-70-23-02. Dans une ruelle de la vieille ville qui longe l'église Santa María, juste sous l'arc-boutant qui enjambe la ruelle. Compter de 30 à 36 € (197 à 236 F) la chambre double et 15 € (98 F) par personne pour un appartement. Pension de 6 chambres petites, propres, avec ou sans sanitaires. La n° 4, très petite, possède une charmante terrasse donnant sur les toits moussus et la campagne. Des deux appartements, vue exceptionnelle également. Nickel. Le proprio, sympa, tient le salon de coiffure du rez-de-chaussée (à côté duquel il a aménagé un restaurant). Si c'est le moment de la tonte, pourquoi ne pas en profiter?

Un peu plus chic

🛏 *Hotel Marqués de Torresoto :* calle Marqués de Torresoto, 4. ☎ 956-70-07-17. Fax : 956-70-42-05. • www.tugasa.com/arcos.html • Du petit luxe encore abordable, autour de 60 € (394 F) la chambre double ; compter 15 % de plus lors de la Semaine sainte et à Noël. Dans l'ancienne demeure du XVIIᵉ siècle du marquis de Torresoto. Élégant patio à arcade et chambres très soignées, au confort et à la taille parfaits, donnant sur le patio justement, ou sur la rue. Éviter les chambres au rez-de-chaussée, pas des plus claires. Un charme simple, au cœur de la vieille ville. Fait également resto, mais cuisine particulièrement médiocre. Bon accueil.

🛏 *Hotel El Convento :* Maldonado, 2. ☎ 956-70-23-33. Fax : 956-70-41-28. • www.turismoalsur.com • À l'entrée de la ville, à côté de la poste. Chambres doubles de 42 à 54 € (275 à 354 F) en basse saison, compter 72 € (472 F) pour une chambre double avec bains en haute saison. Plus connu sous le nom de *Los Olivos.* Hôtel un peu classieux avec de belles chambres donnant sur la vallée. Petit patio avec meubles en rotin. Dommage que l'accueil ne soit pas à la hauteur.

Très chic

🛏 **Parador Casa del Corregidor :** plaza de Cabildo. ☎ 956-70-05-00. Fax : 956-70-11-16. ● www.para dor.es ● La chambre double avec salle de bains complète à 105 € (689 F), rajouter 6 € (39 F) pour la vue. Au resto, menu à partir de 22 € (144 F). Un 3 étoiles superbe qui en mérite bien 5 ! Certaines chambres ont un balcon surplombant la falaise, mais malheureusement on ne peut pas les réserver par téléphone. Premier arrivé, premier servi ! Les autres chambres donnent sur la place. Panorama imposant sur la vallée du río Guadalete. Entièrement rénové. Petit patio arabe agréable dans les tons rose saumon, portes en fer forgé, bar avec azulejos et coin lecture. Bref, pour les routards en fin de parcours, c'est la cerise sur le gâteau. En juillet et août, 20 % de réduction si vous passez plus de deux nuits en demi-pension. Et puis, histoire de vous faire profiter de votre retraite, les plus de 60 ans ont droit à 35 % de réduction. Malgré toutes ces ristournes, si vous ne pouvez pas vous y offrir une nuit, allez quand même y jeter un œil.

Où manger ?

|●| **Bar Típico Alcavarán :** calle Nueva, 1. ☎ 956-70-33-97. Fermé le lundi, ainsi que fin septembre. C'est la rue qui part de la plaza de Cabildo, sur la gauche de la place en regardant le clocher de l'église. Dans une cave voûtée en forme de T, sous l'ancien château. On s'en tire pour moins de 9 € (59 F). Quelques tables basses. Bonnes tapas chaudes, *salchichas piquente, riñones al Jerez, solomillo a la brasa, queso de cabra, estoffado de cordero, pimientos nellenos,* etc. Une bonne adresse.

|●| **Hostal San Marcos :** voir « Où dormir ? ». Menu à moins de 6 € (39 F). Grosse TV et éclairage au néon. Populaire.

|●| **Mesón Murales :** calle Boticas. Derrière l'église. Menu autour de 6 € (39 F), un peu trop touristique à notre goût, mais bon et reconstituant. Classique.

|●| **Resto du parador Casa del Corregidor :** voir « Où dormir ? Très chic ». Très bonne cuisine dans ce resto aussi classe que l'hôtel.

– Avis aux gourmands, on achète de bons gâteaux à la **Mercedarías Descalzas,** plazuela de Botica, 2. Pas mal de choix.

Où boire un verre ?

🍸 **Taberna de los Jovenes Flamencos :** calle Julio Mariscal. Bière à moins de 1 € (7 F). En face de la calle Boliche. Une *peña* traditionnelle avec son lot de photos de corridas aux murs. Populaire et à fréquenter le soir absolument.

À voir

★ **La plaza de Cabildo :** place tout en haut de la ville haute offrant une vue magnifique sur la plaine en contrebas. Sur la place, le parador, et l'*église Santa Maria de la Asunción,* de style plateresque. Clocher carré, agrémenté de balcons et d'éléments baroques. À l'intérieur, retable Renaissance, belles voûtes et lourdes colonnes affinées par des cannelages et nervures.

★ *La ciudad vieja :* promenez-vous à pied dans les petites ruelles autour de la plaza de España. Vous découvrirez des maisons médiévales avec des patios mystérieux, des arches superbes... et une vie douce et agréable. Un vrai bonheur.

CADIX (CÁDIZ) (11000)

Une ville très étendue et assez décevante au premier abord. Cadix est avant tout un grand port qui assure le commerce avec l'Afrique. Pour atteindre la partie ancienne de la ville, il vous faudra traverser les quartiers modernes. La vieille ville fut construite sur un gros rocher entouré par la mer, si bien qu'aujourd'hui encore on y a l'agréable impression d'être cerné par la grande bleue. Seule une voie rapide relie cette ancienne ville fortifiée au continent. C'est évidemment dans ce site chargé d'histoire que la vie est la plus animée et que les ruelles délivrent le plus de charme. Pas grand-chose à voir cependant mais on y trouve quelques belles plages, même si la côte est bétonnée. Toutefois, perdez-vous dans la ville. Il y règne une surprenante atmosphère de tranquillité et de douceur hospitalière. Cadix a une réputation de tolérance unique en Andalousie. Flânez-y en toute quiétude, et peut-être qu'au hasard de votre marche quelque belle...

UN PEU D'HISTOIRE

Au bord de l'Océan, la *tacita de plata* (« petite tasse d'argent », son surnom) est bien remplie de conflits, de mouvances et d'histoires.

La légende raconte que Cadix fut fondée par Hercule il y a près de 3 000 ans. À l'époque, la ville s'appelait Gadir.

Ce qui est plus certain, c'est que les Phéniciens fondèrent la ville (vers l'an 1100 av. J.-C.) dans ce lieu occupé primitivement par les Tartésiens. Cadix peut donc revendiquer son titre de plus ancienne ville d'Occident. Vers 501 avant notre ère débarquèrent les Carthaginois. Puis les Romains en 206 av. J.-C. Jules César y séjourna de 69 à 61 av. J.-C. Vinrent ensuite les Wisigoths et les musulmans. En 1262, Alphonse X reprit Cadix aux mains des envahisseurs.

La ville joua, deux siècles plus tard, un rôle important dans la conquête des Amériques. C'est d'ici que Colomb entreprit son second voyage pour le Nouveau Monde, en 1493. À la fin du XVIe siècle, les Anglais s'emparèrent de ce port qui ouvrirait les voies de l'Amérique. Ce n'est qu'au XVIIIe siècle que Cadix connut vraiment son apogée. Son commerce était florissant et sa réputation franchit bien des frontières. Napoléon décida de s'en emparer et l'occupa. Cadix devint alors la capitale de l'Espagne envahie.

Bien plus tard, durant la guerre civile, la ville résista vaillamment aux fascistes et consolida sa réputation libérale.

Adresses utiles

Infos touristiques

🛈 *Office du tourisme* (plan C2) : plaza San Juan de Dios, 11, DP 11005. ☎ 956-24-10-01. Fax : 956-24-10-05. • www.infocadiz.com • Ouvert du lundi au vendredi de 9 h à 14 h et de 17 h à 20 h, et le samedi de 10 h à 13 h.

🛈 *Office du tourisme* (plan C1) : calderón de la Barca. ☎ 956-21-13-13. Mêmes horaires.

Représentation diplomatique

■ **Consulat de France** : calle Antonio Lopez, 10. ☎ 956-22-32-84.

Services

✉ **Poste** *(plan C2)* : plaza de las Flores (de son vrai nom : plaza Topete). Ouvert du lundi au vendredi de 8 h 30 à 20 h 30, et le samedi de 9 h 30 à 14 h. Poste restante de 9 h à 15 h.

■ **Banques** : nombreuses sur la calle Nueva *(plan C2)* à partir de la plaza San Juan de Dios, ainsi que calle San Francisco *(plan C2)*.

Transports

🚂 **Gare RENFE** *(plan D3)* : voir « Quitter Cadix ». Consignes à bagages.

🚌 **Gares routières** *(plan D1 et C2)* : plusieurs compagnies à différents endroits. Voir « Quitter Cadix ».

⚓ **Gare maritime Trasmediterranea** *(plan D2, 1)* : ☎ 902-45-46-45 (appel gratuit). ● www.trasmediterranea.es ●

⚓ **Embarcadère du Vaporcito** *(plan D1-2, 3)* : ☎ 956-22-74-21 ou 22.

■ **Taxis** : ☎ 956-22-10-06, 956-22-15-03 et 956-28-69-69.

Santé, urgences

■ **Farmacía** *(plan C1, 2)* : sur la plaza de la Mina, à l'angle de San José et Enrique de Las Marinas.

■ **Croix-Rouge** : Santa Maria de la Soledad, 10. ☎ 956-25-42-70.

■ **Police nationale** : avenida Andalucía, 28. ☎ 956-28-61-11.

■ **Police locale** : campo del Sur. ☎ 092.

CADIX

■ **Adresses utiles**

🛈 Offices du tourisme
✉ Poste
🚂 Gare RENFE
🚌 Gares routières
  1 Gare maritime Trasmediterranea
  2 Farmacía
  3 Embarcadère du Vaporcito

⬆ **Où dormir ?**

10 Albergue Juvenil Quo Qádis
11 Pensión Fantoni
12 Pensión Las Cuatro Naciones
13 Hostal Colón
14 Pensión Marqués
15 Pensión Cádiz
16 Hostal San Francisco
17 Hotel Francia y Paris

🍴 **Où manger ?**

20 Taberna Casa Manteca
21 Mesón Ca' Felipe
22 Mesón La Palma
23 Freiduria Europa
24 El Faro de Cádiz
25 Restaurant de l'hôtel Altántico

26 Taberna La Manzanilla
27 El Fogón de Mariana
28 Bodegón de Paco
29 Mesón Miguel Angel
30 Cervezas La Cruz Blanca
31 Freiduria de las Flores
32 Bar Terraza
33 Joselito
34 Romerijo

🍽 **Spécial gourmands**

60 Pâtisserie del Populo

🍷 ♪ **Où boire un verre ? Où sortir ?**

30 Cervezas La Cruz Blanca
40 Disparate
41 Woodstock Bar
42 Bazar Inglès
43 Sala Central Lechera
44 Club Ajo
45 Tribal Club
46 Bar Taberna de los vinos finos de Chiclana
47 Zona 10
48 Blues
49 Kim

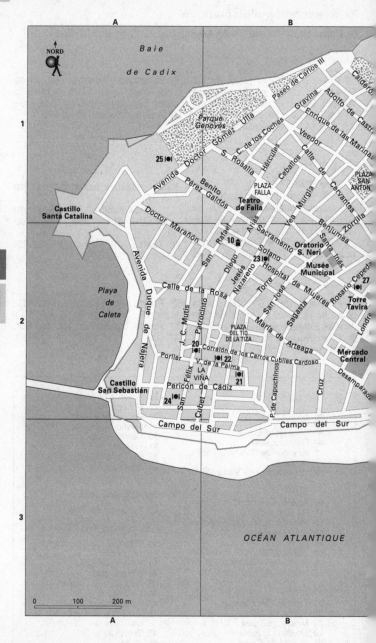

NORD

Baie de Cadix

Paseo de Carlos III

Parque Genovés

Castillo Santa Catalina

25 |●|

Doctor Gómez Ulla

Avenida Benito Pérez Galdós

Doctor Marañón

Playa de Caleta

Avenida Duque de Nájera

Calle de la Rosa

Castillo San Sebastián

Campo del Sur

Campo del Sur

C. de los Coches

S. Rosalía

Hércules

Ceballos

Calle de Cervantes

PLAZA SAN ANTON

Veedor

Enrique de las Marinas

Adolfo de Castr

Gravina

Caldero

PLAZA FALLA

Teatro de Falla

San Rafael

Arias

Sacramento

Solano

Vea Murgia

Santa Inés

Benjumea

Zorrilla

Oratorio S. Neri

10 ●

23 |●|

Diego

Jesús

Nazareno

Hospital de Mujeres

Torre

Rosario

Cepeda

27 |●|

Musée Municipal

Torre Tavira

San José

Sagasta

María de Arteaga

Cubiles

Cardoso

Cruz

Mercado Central

Desamparado

Londres

J. C. Mutis

Patrocinio

PLAZA DEL TIO DE LA TIZA

20 |●|

Corralón de los Carros

22 ●|

V. de la Palma

LA VIÑA

21 |●|

Pericón de Cádiz

Porlier

San Félix

Cubet

24 |●|

P. de Capuchinos

OCÉAN ATLANTIQUE

CADIX

0   100   200 m

SAN FERNANDO, JEREZ, SÉVILLE

CADIX

Où dormir ?

Attention, les pensions qui suivent ne prennent **aucune réservation** par téléphone et encore moins par courrier. Il faut passer avec son sac ou sa valoche et y aller au petit bonheur la chance. Toutes les adresses sont situées dans la vieille ville, autour de la plaza San Juan de Dios *(plan C 2-3)*.

Bon marché

📍 **Albergue Juvenil Quo Qádis** *(plan B2, 10)* **:** calle Diego Arias, 1, 11002 Cádiz ; à l'angle de Solano. ☎ et fax : 956-22-19-39. ● quoqadis @infocadiz.com ● Pour les fauchés, dortoirs de 8 ou 10 lits, à 6 € (39 F) la place. Pour les autres, chambres de 2 ou 3 lits à 24 € (157 F), agréables et même coquettes pour certaines, avec lavabo. Celles donnant sur la calle Diego Arias sont toutefois assez bruyantes. Ouvert toute l'année, accueil fermé de 11 h à 17 h. Une charmante adresse, dans un édifice ancien retapé, à cheval entre l'auberge de jeunesse et la pension. En tout cas, notre meilleur rapport qualité-prix de la ville. Un vrai effort de déco. Petit déjeuner compris, ce qui n'est pas négligeable, servi au bar en bas, décoré d'azulejos. Tiens, curieusement, c'est là que se déroulait au début du siège le tirage au sort de *La Once* (association pour les aveugles). Atmosphère familiale, mais le patron se laisse un peu aller côté accueil ; le succès, peut-être... Et puis, il y a la terrasse où l'on peut se faire bronzer l'été. Propose également des excursions dans les environs et des cours de *sevillana*. Vraiment un chouette endroit. 5 % de réduction pour nos lecteurs sur présentation du *Guide du routard* de l'année.

Prix modérés

📍 **Pensión Fantoni** *(plan C2, 11)* **:** calle Flamenco, 5, 11005 Cádiz. ☎ 956-28-27-04. À 100 m du port. En saison, chambres avec lavabo à partir de 24 € (157 F), et à partir de 36 € (236 F) avec bains. Chambres hyper bien tenues. Dirigée par une famille sympathique. De loin la meilleure adresse mais très rapidement complète. Beaucoup de fleurs et de plantes.

📍 **Pensión Las Cuatro Naciones** *(plan C2, 12)* **:** Plocia, 3, 11005 Cádiz. ☎ 956-25-55-39. Au 1er étage. Chambres simples autour de 18 € (118 F) hors saison, pas des plus spacieuses mais correctes. Bonne adresse et accueil sympa, directement en plein centre de la ville. Passer le matin pour réserver une chambre. Pour quelques jours, pas plus.

📍 **Hostal Colón** *(plan C2, 13)* **:** calle Marqués de Cádiz, 6, 11005 Cádiz. ☎ 956-28-53-51. Dans un dédale de petites rues derrière l'Archivo Municipal. Chambres pour 2 ou 3 personnes avec lavabo (bains à l'extérieur), propres et spacieuses, pour environ 24 € (157 F). Petite pension très propre. Accueil un peu sec mais franc.

📍 **Pensión Marqués** *(plan C2, 14)* **:** calle Marqués de Cádiz, 1, 11005 Cádiz. ☎ 956-28-58-54. Chambres avec lavabo autour de 21 € (138 F), un peu chères mais correctes. Également des chambres avec bains mais à éviter car la différence de prix ne vaut vraiment pas la peine. Propre. En somme, on arrive, on dort, on s'lave, et on s'en va. Voilà, c'est tout.

📍 **Pensión Cádiz** *(plan C2, 15)* **:** calle Feduchy, 20 bis, 11005 Cádiz. ☎ 956-28-58-01. Réception au 1er étage. Compter de 26 à 32 € (170 à 210 F) la chambre double (n'accepte pas les cartes de paiement). Attention, l'hôtel est fermé en juillet, août et septembre. Le hall d'entrée vaut le déplacement : patio intérieur ancien avec verrière, élevé sur trois étages. Il paraît que certains architectes viennent y tirer leurs plans. En revanche, chambres banales et sombres, certaines avec fenêtre donnant sur... le couloir. Demander de préférence celles avec fenêtre et petite douche. Globalement un peu bruyant et assez mal entretenu. Accueil pas formidable.

🛏 *Hostal San Francisco (plan C2, 16)* : calle San Francisco, 12, 11005 Cádiz. ☎ 956-22-18-42. Nettement plus cher que le précédent et presque disproportionné (29 €, soit 190 F, hors saison). Propre, avec son hall carrelé. Mieux vaut choisir des chambres aux étages, moins bruyantes, car l'hôtel est situé dans une rue très commerçante.

Plus cher mais pas forcément plus chic

🛏 *Hotel Francia y Paris (plan C1, 17)* : plaza San Francisco, 2, 11005 Cádiz. ☎ 956-21-23-19. Fax : 956-22-24-31. ● www.hotelfrancia.com ● Chambres un peu chères, à partir de 60 € (394 F), avec salle de bains et w.-c. Très classique. Au cœur du vieux quartier. Certaines chambres donnent sur une mignonne place entourée d'orangers. On peut presque cueillir les fruits de la fenêtre. Attention à la hausse des prix, régulière. Accueil un peu sec.

Où manger ?

Dans le quartier de Viña

Notre quartier coup de cœur. C'est celui où se concentrent toutes les *peñas* (*flamencas* ou non), tous les cercles où se réunissent les *aficionados* d'une passion commune. Les enfants chahutent le soir sur la rue Virgen de la Palma et les plus grands dragouillent, la fesse calée sur le scooter, sous le regard bienveillant d'une pâle vierge décorée comme un arbre de Noël. Les « anciens » sirotent leur énième *fino* et il n'est pas rare d'entendre quelqu'un pousser une complainte qui sera reprise en *siguirya* ou en *bolero*. C'est un quartier parfois un peu crapouilleux, certes, mais où peu de touristes pointent le bout de leurs tongs. Petite précaution d'utilisation : en Andalousie, on dit souvent qu'il n'y a que les Anglais et les chiens pour traverser la place du village à 2 h de l'après-midi. Ce n'est pas loin d'être vrai à la Viña. Un quartier à fréquenter le soir, sans modération.

Bon marché

🍴 *Taberna Casa Manteca (plan A2, 20)* : corralón de los Carros, 66. ☎ 956-21-36-03. Ouvert de 12 h 30 à 16 h 30 et de 21 h à 1 h 30. Fermé les dimanche soir et lundi toute la journée. José Ruiz Manteca était l'un de ces toreros qui, un jour, croisant la corne d'un taureau de trop près, a décidé de raccrocher pour toujours la muleta. À présent, il cultive ses souvenirs dans cette *taberna* traditionnelle. Et elle ne manque pas de chien, la bougresse ! Avec ses azulejos, ses photos de célébrités, sa TV qui aboie, ses papiers gras au pied du bar, ses gros tonneaux poussiéreux... on tombe rapidement sous le charme. Si José Ruiz n'est pas là, ce sera peut-être l'un de ses fils, Tomás, qui vous servira une manzanilla ou un *fino Pavon* (moins de 1 €, soit 7 F) accompagné d'une *tapita* sur un bout de papier sulfurisé. Si vous n'y voyez ni l'un ni l'autre, alors peut-être tomberez-vous sur l'une des figures du coin, second couteau du chant flamenco, Piti de Cádiz. De nombreuses figures gaditanas, avocats, médecins, juristes viennent également dans ce repaire d'amphitryons. Attention toutefois, n'arrivez pas en terrain conquis. Il faut savoir gagner la confiance des hôtes.

|●| *Mesón Ca' Felipe* (plan B2, *21*) : Virgen de la Palma, 2. Même topo que le précédent mais en moins incontournable. Le midi, sous les arcades et les briques, un *comedor* propose un menu économique. Sinon, on peut se contenter au bar d'une *tortilla de camarones* et d'une *caña* (bière) pour moins de 4 € (26 F). Ah ! on allait oublier : olives extra-savoureuses !

|●| *Mesón La Palma* (plan B2, *22*) : Virgen de la Palma. Là encore, une autre adresse bien sympathique où l'on pose le coude sur le bar, puis on commence à discutailler avec ses voisins sur les grands cadres remplis de photos souvenirs de corridas. *Grosso modo*, les mêmes prix que précédemment.

|●| *Freiduria Europa* (plan B2, *23*) : Hospital de Mujeres, 51. Menus allant de 7 à 15 € (46 à 98 F). L'endroit pour les grosses faims. C'est le fast-food rôtisserie, avec toujours un demi-poulet rôti que l'on agrémente d'un *surtido* de *pescadito frito* en entrée ou d'*empanadas* (chaussons fourrés à la viande). Un peu « grassouille » sur les bords (et également au milieu !) mais très reconstituant.

Chic

|●| *Restaurant de l'hôtel Atlántico* (plan A1, *25*) : avenida Duque de Nájera, 9. ☎ 956-22-69-05. Fax : 956-21-45-82. L'hôtel en tant que tel est certes classique mais il est loin d'être le fleuron de cette belle chaîne des paradores nationaux. En fait, pour tout vous dire, il s'agit d'un gros bloc de béton jaune et blanc en face d'une caserne. Certes, il donne sur la mer, et cette magnifique vue, la trompette du matin, ainsi que la modicité du prix du menu dégustation (21 € ou 138 F) en font une bonne étape. Notre appétit s'est porté (et s'en souvient encore) sur un duo de soupes froides (*gazpacho* et *sopa de ajo blanco*), une *cazuela de mariscos* (un court-bouillon de fruits de mer, mais, alors, vraiment court le bouillon !). Restait juste la place pour une tarte maison. Excellent service comme il se doit.

|●| *El Faro de Cádiz* (plan A2, *24*) : San Félix, 15. ☎ 956-21-10-68. Fax : 956-21-21-88. Attention, il y a un menu, servi même le soir, à 18 € (118 F) environ, qui n'est presque jamais présenté. N'hésitez pas à le demander, car il comporte une salade ou une soupe, un plat et un dessert, ce qui, tout compte fait, n'est pas si cher. Ce resto constitue une référence sur la place gaditana. Il est donc plus sûr de réserver avant le rush des Américains. L'intérieur ressemble fortement à un club anglais avec sa vaisselle vieillotte, ses verres fumés et ses serveuses habillées en garçon, la serviette calée au millimètre près sur l'avant-bras. Bon poisson en sauce et copieuse paella. Un bon point à noter, on ne pousse pas à la conso puisque l'on sert des vins au verre.

Autour de la place San Francisco

|●| *Taberna La Manzanilla* (plan C2, *26*) : Feduchy, 19. ☎ 956-28-54-01. ● www.infocadiz.com/lamanzanilla ● Difficile de trouver plus local et plus authentique. On y sert (évidemment) toutes sortes de jerez, à partir de 1 € (7 F) le verre. Nombreux *olorosos*, *amontadillades*, *finas* et *viejas*. On peut même y acheter du vinaigre de Sanlúcar de Barrameda ou faire réparer son tonneau. À bon entendeur...

|●| *El Fogón de Mariana* (plan B2, *27*) : Sacramento, 39 ; à l'angle de Rosario Cepeda. ☎ 956-22-06-00. Ouvert de 12 h à 17 h et de 20 h à minuit. Petits prix à la pièce, et assortiment (*asado especial*) à partir de 11 € (72 F). Un petit bar comme on les aime, ceux qui font que l'Es-

pagne sera toujours l'Espagne et jamais l'Amérique (c'était notre quart d'heure d'anti-américanisme primaire !). Foultitude de jambons accrochés au plafond, *embutidos* à volonté, bref c'est le royaume de la barbaque et l'on ne s'en plaindra pas, car le régime *pecadito frito*, à force, ça porte un peu sur le système. *Solomillo de ternera, asado especial* (un échantillon de *chuleta de buey*, de *solomillo,* de chorizo, de *chuleta de cordero*) avec une jarre de vin. Pour ceux qui seraient effrayés par un tel programme, il y a aussi de petits *montaditos* plus raisonnables.

l●l *Bodegón de Paco (plan C2, 28) :* Beato Diego de Cádiz. Ouvert de 12 h à 16 h et de 20 h à minuit. Grand bar avec ses traditionnelles guirlandes d'ail, ses barriques décapitées qui servent de tables. On y va pour s'y enfiler le petit blanc syndical du matin qui, ici, est du *tierra blanca*. Non remboursé par la Sécurité sociale mais à moins de 2 € (13 F).

l●l *Mesón Miguel Angel (plan C1, 29) :* plaza de Mina, 1. ☎ 956-21-35-00. Ouvert tous les jours. Moins de 6 € (39 F). Bar en longueur, avec dans le fond une salle garnie de tables en bois. Possibilité de manger en terrasse des tapas variées. Bien pour les fringales nocturnes mais sans plus.

l●l *Cervezas La Cruz Blanca (plan C1, 30) :* calle Zorilla, 4. ☎ 956-22-71-10. Ouvert tous les jours, midi et soir. Vin et tapas dans ce bar typique et animé, vieux de près d'un siècle et demi. Un classique.

Autour de la plaza de las Flores

l●l *Freiduria de las Flores (plan C2, 31) :* plaza de las Flores. Ouvert tous les jours jusqu'à 15 h 30. Compter 12 à 18 € (79 à 118 F) le kilo de poisson, entre 2 et 3 € (13 et 20 F) la portion. On ne se plaindra pas que la déco (très semblable à celle des vestiaires de l'AJ Auxerre section benjamins) soit carrelée du sol au plafond. Une *freiduria,* ça doit être vite nettoyé, là est le propos. Poissons et mollusques frits et frais, emballés dans de grandes feuilles de papier recyclé, à manger dehors. On s'en met plein les doigts, les fesses posées sur l'un des bancs de la magnifique « place des Fleurs ». Une fois l'exercice terminé, passons au nettoyage. La version gentleman consiste à dégraisser ses doigts sur le papier recyclé, la version rock' n'roll à se faufiler entre les passants sur lesquels on s'essuie les menottes au passage en glissant un : « Oh, pardon, excusez-moi ! ».

l●l *Bar Terraza (plan C2, 32) :* plaza de la Catedral. Ouvert midi et soir. Fermé le dimanche. Tapas vraiment excellentes, qu'on déguste en terrasse, sur la grande place de la cathédrale où les mômes jouent au foot le soir. Atmosphère très espagnole.

Sur le port

l●l *Joselito (plan C2, 33) :* calle San Francisco, 38 *bis.* ☎ 956-25-45-57. Fermé le dimanche en été. À partir de 5 € (33 F) la portion. Menu à 11 € (72 F). Spécialités de fruits de mer et poisson. L'endroit ne paie pas de mine (il peut être assez bruyant), mais les *calamares* et les *boquerones* sont excellents.

Aux alentours

l●l *Romerijo (hors plan par D3, 34) :* Ribera del Marisco, s/n, 11500 El Puerto Santa Maria. ☎ 956-54-16-62 ou 956-54-22-90. ● www.romerijo. com ● Ouvert de 10 h à 1 h 30. Compter 15 € (98 F) la *parillada* pour deux. Aller chez *Romerijo* seul, c'est comme aller au claque en famille. Ça ne se fait pas... *Romerijo*, c'est LA promenade dominicale par excellence. On sort le grand-père qu'on soutient par le bras et on surveille le petit dernier dont les joues sont aussi roses que les crevettes de *Romerijo*. Cette vénérable maison (une institution incontournable sur le Puerto Santa Maria) emploie quelque 125 personnes, depuis le pêcheur jusqu'au chef de pub, et affiche allègrement ses 40 ans d'existence. On y achète au poids ses fruits de mer selon le cours du marché à d'affables serveuses habillées comme des nurses, qui ébouillantent les crustacés devant vous et les emballent dans du papier sulfurisé estampillé *Romerijo*. À déguster sous les grandes bâches de la terrasse. Le cadre n'a strictement aucun intérêt, les pétrolettes et les voitures sont même excédantes... mais vous ne pourrez prétendre connaître Cadix sans aller manger du *pescadito frito* au Puerto. La totale consiste à prendre le matin le *vaporcito* depuis le port de Cadix pour revenir dans l'après-midi (voir « Quitter Cadix »).

Spécial gourmands

⚜ *Pâtisserie del Populo (plan C2, 60)* : à l'angle des rues Pelota et Marqués de Cádiz, vous trouverez un petit bazar hétéroclite garni de bouteilles, sucreries et souvenirs. On y vend des *turrones de Cádiz*, la spécialité de la ville, composée de pâte d'amandes, fruits et jaune d'œuf. Délicieux et beaucoup moins sucré qu'on ne le croit. Rapportez-en aux copains. Ce n'est pas cher et ça fait plaisir.

Où boire un verre ? Où sortir ?

Autour de la plaza de San Francisco

Comme un peu partout en Espagne, les jeunes s'achètent des boutanches dans les débits de boissons et vont siroter le tout avec quelques copains sur la place San Francisco. Les étudiants plus en fonds, eux, se replient sur les nombreux bars *de copas* qui pullulent dans le centre historique.

🍸 *Cervezas La Cruz Blanca (plan C1, 30)* : voir « Où manger ? ». Certainement le bar le plus sympa de la ville, le plus authentique.

🍸 *Disparate (plan C2, 40)* : Beato Diego de Cádiz, 11. Bière à moins de 2 € (13 F) qui a meilleur goût à partir de 1 h du mat'. On a plusieurs théories. Soit le patron est tombé amoureux de Courrèges, soit il est maniaco-dépressif tendance « plus c'est clair plus c'est propre », soit il est papophile (ce qui *grosso modo* revient au même). Ce qui est clair (facile), c'est que ce petit bar est entièrement, curieusement et follement blanc. Ça tombe bien, ne comptiez-vous pas faire une nuit... ?

🍸 *Woodstock Bar (plan C1, 41)* : à l'angle de San Antonio López et de Manuel Rancés. Compter un gros 2 € (13 F) pour une pinte. Chouette bar irlandais où quelques groupes viennent parfois faire pleurer leur biniou. Clientèle étudiante et atmosphère chaleureuse et festive.

🍸 *Bazar Inglès (plan C1, 42)* : Sagasta, 18. Devanture noire et bordeaux, style pharmacie des familles. Mais à la place des pots de poudre de corne de zébu, on a aligné de sympathiques décoctions de 12 ans d'âge dans une belle vitrine faite de cagettes en bois naturel.

🍸 *Sala Central Lechera (plan C1, 43)* : plaza de Argüelles. ☎ 956-22-06-28. Nombreux concerts pour une entrée dépassant rarement les 6 € (39 F). C'est la salle alternative du quartier. Bon, quand on dit « alternative », faut pas non plus trop s'exciter. Berlin et Cadix, c'est deux poids, deux mesures...

🍸 *Club Ajo (plan C1, 44)* : plaza de

España. Difficile à trouver, car l'entrée n'est pas indiquée. Repérez donc le *Centro Medical de la Bahia de Cádiz*. De part et d'autre de l'enseigne, deux grilles en fer forgé blanc. Visez celle de droite, descendez quelques marches et vous serez dans le *Club Ajo,* sorte de MJC où de jeunes artistes locaux viennent gratouiller une guitare sèche, acoustique ou électronique.

⚑ *Tribal Club (plan C2, 45)* : Canova del Castillo, 29. L'un de nos bars préférés, avec une chouette tapisserie en cuir simili poil de vache. À propos, saviez-vous que la prime holstein c'est la Rolls du lait ? À part ça, beaux logos en acier dépoli, quelques hologrammes laser donnent la tonalité du lieu : drum'n' bass, hip hop et quelques mix. À éviter avant 1 h 30 - 2 h du mat'.

Autour de la plaza de las Flores

⚑ *Bar Taberna de los vinos finos de Chiclana (plan C2, 46)* : plaza de la Catedral. Bar traditionnel. Parfait pour un p'tit coup derrière les oreilles après la visite de la cathédrale. Nombreux habitués qui viennent s'enfiler le muscat du dimanche ou le *fino* qui va bien à moins de 1 € (7 F).

Vers la Punta San Felipe

Plusieurs boîtes se serrent les coudes dans un complexe assez chic. Parmi d'autres, *Zona 10 (plan D1, 47)*, *Blues (plan D1, 48)*, *Kim (plan D1, 49)*.

À voir

Si vous n'avez pas beaucoup de temps, vous vous contenterez d'une balade dans les vieux quartiers de la ville, partie la plus intéressante de Cadix. Quelques immeubles anciens qui ont pas mal de cachet.

★ *La torre Tavira (cámara oscura ; plan B2)* : Sacramento, angle de Marqués del Real Tesoro. ☎ 956-21-29-10. Ouvert tous les jours (sauf les 25 décembre et 1er janvier) de 10 h à 18 h (20 h de juin à fin août). Entrée : environ 3 € (20 F) ; réductions étudiants. Cette vieille et haute tour baroque (l'une des plus vieilles de Cadix) abrite une ingénieuse chambre noire, au dernier étage. Un effet d'optique permet une vue complète et panoramique de la ville, projetée sur un écran parabolique blanc. Un guide commente l'histoire de Cadix à travers ses monuments (parfois en français). Accès limité à 20 personnes et visite toutes les 30 mn. S'il y a trop de monde, rabattez-vous sur la terrasse tout en haut, d'où la vue est absolument superbe. Également des expos artistiques dans d'autres salles, ainsi que des projections vidéo (reportages sur la région) et un ordinateur interactif donnant des infos sur la province et ses villages blancs... Une belle initiative culturelle, entre patrimoine et modernité. Certainement la visite la plus intéressante de la ville.

★ *La cathédrale ou église de San Salvador (plan C2-3)* : plaza de la Catedral. ☎ 956-28-61-54. Toujours plus ou moins en restauration et chaque jour bouffée un peu plus par le sel, l'humidité et le temps. Commencée en 1720, elle fut achevée en 1853. Surmonté par un immense dôme doré, l'édifice mélange sans grand bonheur des éléments Renaissance, baroques et néoclassiques. Large façade pompeuse, imposante. À l'intérieur, on notera un *Christ* de Juan de Arce et une *Vierge endormie* de Zurbarán. Dans la crypte reposent les restes du célèbre compositeur Manuel de

Falla. Sur le flanc droit de l'édifice, petit *museo* ouvert du mardi au samedi de 10 h à 12 h. Entrée payante. Derrière la cathédrale, en bord de mer, les ruines d'un grand *théâtre* romain récemment mises au jour.

★ Entre la cathédrale et la plaza San Juan de Dios s'étend un **vieux quartier** sympathique et populaire aux maisons fleuries, aux patios décorés... En empruntant la calle San Martín, on note une belle façade baroque avec balcon.

★ **El Oratorio de la Santa Cueva** *(plan C2)* : calle Rosario, juste à gauche du n° 10 D. ☎ 956-28-76-76. Ouvert du lundi au vendredi de 10 h à 13 h. C'est au sous-sol qu'on trouve cette chapelle du XVIIIe siècle. On y découvre notamment des œuvres de Goya et Cavallini réalisées sous le dôme de la coupole. Entre autres, une *Cène* et la *Multiplication des pains*.

★ **El Oratorio de San Felipe Neri** *(plan B2)* : calle Santa Inès, 9. ☎ 956-21-16-12. Ouvert tous les jours de 8 h 30 à 10 h et de 19 h 30 à 22 h. Ce monument national et historique (inauguré en 1719) renferme une *Immaculée Conception* de Murillo. Pour les amateurs de grand art. C'est là que la Constitution du pays fut signée.

★ **El museo historico municipal** *(plan B2)* : calle Santa Inès, 9. ☎ 956-22-17-88. Ouvert du mardi au vendredi de 9 h à 13 h et de 17 h à 20 h (19 h en hiver) et les samedi et dimanche matin. Fermé le lundi. Maquette superbe de la ville, réalisée au XVIIIe siècle. Tableaux et documents divers concernant la cité. Surtout pour les spécialistes d'histoire espagnole.

★ **El museo de Bellas Artes** *(plan C1)* : plaza de la Mina. ☎ 956-21-22-81. Ouvert de 10 h à 14 h. Fermé le lundi. Ce petit musée très moderne, et bien éclairé, présente au rez-de-chaussée des pièces d'archéologie et des statues issues des époques phénicienne et carthaginoise. Cadix s'appelait alors Gadir. À l'étage, salles consacrées à la peinture espagnole contemporaine (quelques toiles du paysagiste Carlos de Haes). On y voit également des œuvres de Murillo, Zurbarán et Rubens. Une dernière salle expose des scènes de marionnettes.

Les plages

⌐ L'unique plage de la vieille ville se situe à l'extrémité sud-ouest de la cité, longeant l'avenue Duque de Nájera.

⌐ L'autre plage fréquentable se trouve dans la ville moderne, bordée d'immeubles immondes. C'est la **playa de la Victoria,** à laquelle on accède par l'avenue de Andalucía ou par le bus n° 1.

Fêtes

– **Le carnaval** de Cadix est célèbre dans toute l'Espagne. Il se déroule généralement la 2e semaine de février, à peu près 40 jours avant la Semaine sainte. Des « joutes » musicales animent la grisaille de l'hiver : guitares, mandolines, tambours, sifflets... Toute la population se costume et défile dans les rues. Les déguisements sont parfois somptueux. On danse, on chante, on rit tout au long de la nuit. Cela se termine souvent devant un lever de soleil en dégustant des *churros. Un momento inolvidable !*
– Début juillet et durant 3 jours, superbe **fête internationale de danse folklorique.**

QUITTER CADIX

En train

▣ *Gare RENFE (plan D3) :* plaza de Sevilla et avenida del Puerto. ☎ 956-25-43-01. Consigne.

➤ Trains à destination de *Jerez de la Frontera, Séville, Madrid, Barcelone.*

➤ *Pour Málaga* et *Grenade*, changement à Bodadilla.

En bus

▭ *Compañía Comes (plan D1) :* plaza de la Hispanidad, 1. ☎ 956-21-17-63.

➤ Bus pour *Tarifa* et *Algésiras* (10 départs par jour, de 7 h à 20 h), *Jerez* (15 départs, de 7 h à 21 h), *Murcia* (1), Almería (2 départs, le matin uniquement), *Cordoue* (1), *Séville* (1 départ toutes les heures), *Málaga* (3), Arcos (6), *Grenade* (2, un l'après-midi et un autre dans la soirée), *Ronda* (3), *Tarifa* (7).

▭ *Los Amarillos (plan C2) :* avenida Ramón de Carranza, 31. ☎ 956-28-58-52. Ouvert de 10 h à 14 h et de 17 h à 20 h 30.

➤ Cette compagnie va surtout dans la *province de Cadix* : Puerto Santa Maria, Sanlucar, Chipiona (10 liaisons), Arcos (3 liaisons) et les différents villages de la province. Si les guichets sont fermés, achetez vos tickets auprès du chauffeur.

En bateau

➤ *Pour El Puerto Santa Maria :* chouette balade dans le golfe de Cadix, toujours plus intéressante que la 4-voies. Départs du port de Cadix à 10 h, 12 h, 14 h et 18 h 30 (20 h 30 en été). Retours d'El Puerto Santa Maria à 9 h, 11 h, 13 h et 15 h 30 (19 h 30 en été). Pas de trajet le lundi en hiver. Le ticket s'achète directement à l'embarquement auprès de l'équipage.

➤ *Pour les Canaries :* départ tous les mardis à 19 h, arrivée à *Santa Cruz de Tenerife, Las Palmas* le jeudi et à *Santa Cruz de la Palma* le vendredi. On peut se procurer les tickets aux guichets de *Trasmediterranea* (ouverts de 9 h à 14 h et de 17 h à 19 h) et dans les agences de voyages traditionnelles. Évidemment, les prix sont plus abordables lorsqu'on occupe une cabine quadruple.

LA SIERRA GADITANA

La province de Cadix arbore de beaux visages comme de beaux paysages. Il faut savoir musarder parmi les élevages de *toros* et les grands *cortijos* qui se protègent du regard du visiteur. Ces vastes domaines sont souvent exploités par les grandes familles espagnoles. Une fois l'œil exercé, vous pourrez reconnaître la marque des *toros* sur les portails des *ganaderias*.

★ *GRAZALEMA* (11610)

À 33 km à l'ouest de Ronda et à 900 m d'altitude. Voici l'étape parfaite pour une journée cool. On y accède par de belles routes serpentant à travers les chênes-lièges où les vaches paissent tranquillement sur les bas-côtés. Puis, tout à coup, on tombe dans une vaste prairie verte qui ressemble très nettement à un cirque glaciaire. Il reste à Grazalema une espèce unique de pin. C'est le *pinsapo* qui, contrairement à son nom, n'est pas un croassement entre un crapaud et un arbre, mais un fossile vivant unique en Europe. L'*Abies Pinsapo Boiss* (son vrai nom au registre d'état civil des botanistes) se développe à plus de 1 000 m d'altitude et descend tout droit de la cuisse de l'ère tertiaire. Le petit village et sa marée de tuiles latines se lovent dans le fond du cirque.

Pour les non-hispanophones, le village tire son appellation d'une origine berbère. La tribu des Saddina s'est installée à Grazalema pendant quelque huit siècles et un jour, un proche du calife (de Cordoue, évidemment) en a fait don à sa fille Zulema sous le nom Villa Ben Zalema. De Ben Zalema à Çagrazalema il n'y a qu'un pas, que les catholiques franchissent sur leurs chartes.

Le petit village ne paraît pas avoir beaucoup changé depuis l'âge médiéval. Les petites rues sont mignonnes et pavées, les façades des maisons on ne peut plus blanches et les fenêtres protégées par de grosses grilles en fer forgé. Aux dernières nouvelles, le parc naturel de la sierra de Grazalema aurait indirectement favorisé le repeuplement du village, chose surprenante puisque tout le monde va chercher du travail dans les grandes villes ou sur la côte.

Adresses utiles

冒 *Office du tourisme :* plaza de España, 11 (place centrale). ☎ 956-13-22-25. Accueil moyen. Pour les randonnées, on préfère nettement l'adresse suivante.

■ ***Pinzapo :*** Las Piedras, 11. ☎ et fax : 956-13-21-66. Ouvert de 10 h à 14 h et de 17 h à 19 h. Demandez Antonio, un jeune et sympathique guide. Plusieurs chemins de randonnée vous permettront de découvrir le parc naturel de la sierra de Grazalema. Il y a 4 chemins que l'on peut parcourir uniquement accompagné par un guide. Ils sont classés selon la difficulté et la durée du parcours (de 3 à 5 h). Compter de 7 à 9 € (46 à 59 F).

Où dormir? Où manger?

Prix moyens

≜ ｜●｜ *Hostal-restaurante Casa de Las Piedras :* calle Las Piedras, 32. ☎ et fax : 956-13-20-14. Dans une ruelle qui part de la plaza de España, à gauche de la « Unicaja ». Compter 39 € (256 F) la chambre double avec bains. Menu à partir de 8 € (52 F) ; à la carte, compter 21 € (138 F). Seul hôtel-pension du centre. Quelques dizaines de chambres impeccables, bien que dépour-

vues de caractère particulier. Avec ou sans sanitaires. Chouette resto avec nappes à carreaux sur lesquelles on vous sert de bonnes spécialités locales. Bon accueil du jeune patron.

｜●｜ ***El Torreón :*** Agua, 4. ☎ 956-13-23-13. Menu à 9 € (59 F) environ, comprenant entrée, plat, dessert, vin et café. Réputé parmi les habitants, correct mais sans plus.

Plus chic

≜ *Villa Turística de Grazalema :* en arrivant dans le village, prendre à droite juste avant la station-service. Fléché. ☎ 956-13-21-36. Fax : 956-13-22-13. ● www.tugasa.com/grazalema.html ● Compter 45 € (295 F) pour une chambre double en basse saison et 51 € (335 F) lors de la Semaine sainte et à Noël. Également des appartements, jusqu'à 102 € (669 F) pour 4 personnes. Une *villa turística* des plus traditionnelles, organisée comme un petit village. Établissement moderne, assez luxueux, respectant l'architecture locale. Chambres avec TV, téléphone, salle de bains donnant sur une chouette piscine, le tout avec un panorama admirable sur le village et la vallée. Pas si cher que ça pour un confort qui, malheureusement, pèche un peu dans la finition des chambres. Accueil inégal, dommage.

À faire

➤ Très nombreuses balades à réaliser dans le *parc naturel.* On peut y admirer par exemple une des plus grosses colonies de vautours d'Europe et quelques remarquables aigles royaux.
– L'été, *piscine* municipale.

DE RONDA VERS ALGÉSIRAS, PAR CASTELLAR DE LA FRONTERA

Ce petit circuit emprunte au départ de Ronda la C341 jusqu'à Jimena de la Frontera, puis la C3331 qui poursuit vers Castellar de la Frontera. Pour les amoureux de villages où l'on flâne au gré de son humeur. Ceux-là ne sont quasiment pas fréquentés. Impossible de vous dire lequel on préfère. Ils sont tous beaux et méritent le coup d'œil.

★ BENADALID

Petit village de montagne à quelque 25 km de Ronda. Ses rues blanches et son cimetière planté d'imposantes tours amputées lui confèrent un charme singulier.

★ JIMENA DE LA FRONTERA (11330)

Encore un petit village authentique à quelques kilomètres seulement de l'étagement concentrationnaire des villes du littoral. Ah, qu'il fait bon respirer le calme de la nature !

Où dormir ?

Camping

⚕ *Camping Los Alcornocales :* ☎ 956-64-00-60. Fax : 956-64-12-90. Tarifs : moins de 3 € (20 F) par emplacement, personne et véhicule. Beau camping qui fait le pari de rester ouvert (dur, dur à côté du littoral surpeuplé) sur l'un des contreforts du village. Bon accueil de l'avenant Juan. Grand restaurant rustique, genre clubhouse de centre équestre.

Prix moyens

🛏 *Posada La Casa Grande :* Fuentenueva, 42. ☎ 956-64-05-78. Fax : 956-64-04-91. Compter 30 € (197 F) la chambre double. Tom, un Norvégien, a quitté ses fjords pour les *cortijos,* les élevages de *toros* et cette petite maison patiemment restaurée dans le cœur du village. Le résultat est saisissant. Les chambres sont *cosy.* Faut dire que les tommettes cirées à l'huile de coude et à l'huile de lin dégagent une chouette odeur d'antan. La cerise sur le gâteau, ce sont la bibliothèque, le petit salon et un bar marin dont les hôtes peuvent disposer. Accueil sympa, bref une bonne adresse qui sent le vécu.

★ *CASTELLAR DE LA FRONTERA* (11350)

Castellar de la Fronteraaaaah ! Une destination lourdement chargée d'émotion où l'on ne va pas sans précautions d'usage. Vous connaissez la chanson. Il y a vingt ans Castellar « n'était rien mais voilà qu'aujourd'hui... chababadabada ». En 1971, ce petit joyau andalou tombait en ruine et tous les habitants s'en furent à 9 km en aval dans le nouveau Castellar. Une poignée d'hurluberlus avec (comme disait Brel) des « carottes dans les ch'veux » est venue coloniser ce village perché. Ils ont bouché les trous dans les toits, repavé les ruelles et chaulé les bâtisses. Bon, on ne va tout de même pas vous faire croire que c'était une armée de terrassiers sponsorisés par Leroy Merlin. Quelques *full moon parties* ont bien eu lieu à Castellar et les hippies ont pris le temps de se relaxer. Qui leur jettera la pierre ?

Mais ce petit village qui se pelotonne dans les murs de son château médiéval, sur un éperon dominant le lac de retenue du río Guadarranque, est en train de changer. Il y a quelques années, de polissonnes roses trémières faisaient l'école buissonnière sur les façades blanches des maisons. On dérangeait la sieste des chats au milieu des ruelles et le chèvrefeuille venait, au passage, nous parfumer la chevelure. Aujourd'hui, el señor Macadam est venu déposer entre les genêts un gros manteau noir bien damé, et trois hôtels ont ouvert dans le cœur de cette petite perle. Alors, pour que rien ne change et pour que nos copains andalous ne nous rayent pas de leur carnet d'adresses, soyez sympa : préservez ce site fabuleux ! De toute façon, il reste les crottes de chien et les gros pavés casse-talons qui constituent une bonne garantie contre le débarquement des groupes nikonisés de la tête aux pieds. Un bon conseil, allez-y à la fraîche, quand le soleil dépose une dernière caresse sur le gris moutonneux des oliviers, quand les rainettes entament leurs palabres. Là, les fesses bien calées sur un muret d'enceinte et le regard posé sur la ligne bleue du rif marocain, il ne manque plus qu'une pommette de dulcinée pour que le bonheur soit complet.

Où dormir ? Où manger ?

Prix moyens

▪ *Antigua Posada-Castillo de Castellar :* sur la place principale, après avoir passé les portes du château. ☎ 956-23-60-87. Compter 36 € (236 F) la chambre double, petit déj' inclus. Manuel et Javier tiennent 2 chambres plutôt *cosy* et chicos. L'une à l'étage, l'autre au rez-de-chaussée. Beaux meubles.

▪ *Casas rurales Castillo de Castellar :* ☎ 956-23-66-20. Fax : 956-23-66-24. • www.tugasa.com/castel lar.html • Après avoir passé les portes du château, prendre sur la gauche, continuer tout droit, et, arrivé à une patte-d'oie, prendre sur la droite ; remonter la ruelle, les *Casas rurales* se trouvent quelque part sur la droite. Chambres doubles à partir de 53 € (348 F). Tarifs très alléchants pour les familles puisque les appartements se louent à partir de 53 € (348 F) pour 2 personnes jusqu'à 87 € (571 F) ; compter 15 % de plus les nuits de Semaine sainte et de Noël. Il s'agit de petites maisons dotées de tout le confort du monde moderne et avec beaucoup de charme et de rusticité en prime. Un des derniers établissements ouverts par la chaîne *Tugasa*. Accueil des plus professionnels.

Chic

🛏 |●| *Couvent La Almoraima :* ☎ 956-69-30-02. Fax : 956-69-32-14. Chambres doubles autour de 87 € (571 F), petit déjeuner à 6 € (39 F). Menu à 18 € (118 F). Situé au pied de Castellar, ce couvent s'étend au beau milieu du parc des Alcornocales. Après avoir abrité des sœurs de la Merced (voir d'ailleurs la superbe chapelle au retable doré), cette halte « chic » est désormais l'un des domaines de chasse les plus étendus de la région. Le patio – avec sa petite fontaine qui glouglloute – est un lieu tout trouvé pour les photographes de mode. Les chambres sont disposées autour de ce patio, à l'étage, sur une galerie. Même si le luxe est au rendez-vous, elles manquent un peu de ce confort moelleux que l'on trouve dans les *Paradores*. Piscine et tennis gratuits, promenades à cheval ou en 4x4 avec supplément. Bon restaurant.

VEJER DE LA FRONTERA (11150)

À 50 km au nord-ouest de Tarifa. Un village andalou superbe, perché sur une colline, à une dizaine de kilomètres de la mer. Avec ses maisons blanches, ses ruelles tortueuses, son labyrinthe de marches escarpées et son atmosphère chaleureuse, Vejer est le parfait exemple du village andalou tel qu'on se l'imagine. Amoureux d'images d'Épinal, étape obligatoire. Retiré dans les terres, Vejer ne connaît heureusement pas les hordes de touristes. Les Romains avaient su tirer parti de la position stratégique du site et y fondèrent la ville. Par la suite, les Arabes lui donnèrent une configuration qui n'a guère changé depuis.

Adresses et info utiles

🛈 *Office du tourisme :* Marqués de Tamarón, 10. ☎ 956-45-01-91. Sur la place du marché, derrière la plazuela, en plein centre. Ouvert de 10 h 30 à 14 h et de 18 h à 21 h. Bien documenté et relativement sympa.

✉ *Poste :* calle Juan Bueno, 10.
🚌 *Gare routière :* plazuela, s/n. *Bus Comes*, ☎ 956-45-00-30.
■ *Mercado :* tous les jours sauf le dimanche, dans le centre, derrière la plazuela.

Où dormir ?

Prix moyens

🛏 *Hotel La Posada :* calle Los Remedios, 21. ☎ 956-45-01-11. Bonnes chambres récentes à 24 € (157 F). Vue agréable. Pas un charme fou, mais rien à redire.

Plus chic

🛏 *Hotel Convento de San Francisco :* sur la plazuela, dans le centre. ☎ 956-45-10-01. Fax : 956-45-10-04. ● www.tugasa.com/vejer.html ● Compter pour une chambre double 55 € (361 F) hors saison, et 15 % de plus lors de la Semaine sainte et à Noël. L'un des fleurons de la chaîne *Tugasa*. Au cœur du vieux village, un ancien couvent franciscain restructuré en hôtel mais ayant conservé un certain dépouillement, une atmosphère un rien ascétique ou dépouillée. Demandez les chambres n°s 24, 25 ou 26, celles qui ont le plus de cachet car dans les volumes de maçonnerie apparaissent encore d'antiques voûtes. Lits en bois brut, armoires massives. Avec tout ça, confort moderne (douche, w.-c., téléphone, TV...). Pour ce « petit » nid, il est plus sûr de réserver. Bon accueil et situé à côté de notre bar préféré. Pour rentrer, ça ne sera pas long !

Où manger ? Où boire un verre ?

|●| *Cafeteria-restaurante La Posada :* calle Los Remedios, 19. ☎ 956-45-01-11. Cadre moyennement agréable, mais menu avec poisson ou plat en sauce à moins de 8 € (52 F).

Y *Bar Chirino :* sur la plazuela. La bière coule pour moins de 1 € (7 F), le prix normal, quoi ! Bar populaire où se retrouvent les vieux du village. Tables en Formica où l'on vous sert quelques vins, chambre froide des années 1940 faisant un raffut du tonnerre. Photos de corridas sur les murs. Remarquez celle où un type se fait encorner par un taureau sauvage égaré dans les rues du village. Les habitants ont dû se payer une bonne tranche de rigolade ce jour-là.

Y *Bars* avec musique le soir, près de l'église et des remparts.

À voir

★ Tout d'abord, perdez-vous au gré de votre intuition dans le labyrinthe des ruelles escarpées, suivez la lumière et les odeurs, poussez les portes pour découvrir les patios, et montez doucement vers l'*église Divino Salvador,* mariage des styles mudéjar et gothique. De belles arches subsistent. Autour, on note les vestiges d'une forteresse mauresque.

★ Puis redescendez vers la *plaza España,* lieu de repos et de rencontre pour les vieux du village. Belle fontaine et bancs avec carreaux de faïence. Sur la place, petits cafés sympas, notamment au n° 27, à côté d'une tour et des remparts. Les vieux y jouent aux dominos le dimanche.

★ Un peu partout, *vestiges* de créneaux et de morceaux de muraille.

★ Après avoir vidé un verre, on peut aller se promener sous les palmiers de la *corredera* qui borde le village et offre un panorama sur les collines environnantes.

➤ *DANS LES ENVIRONS DE VEJER*

À faire

△ *Playa de la Palmera :* à 10 km de Vejer, grande plage sauvage bordée de petits restos de poisson tout à fait abordables.

CAÑOS DE LA MECA   (11150)

Beaucoup moins de charme que sa voisine Tarifa, mais sûrement plus brute, plus libertaire voire plus authentique. En fait, pour tout vous dire, on y va pour sa superbe pinède protégée, ses spots de planche et pas pour grand-chose de plus.

Adresse utile

■ *Croix-Rouge :* ☎ 956-43-04-25.

Où dormir ?

Camping

⚏ *Camping Caños de la Meca :* ctra de Vejer a los Caños, km 10, Barbate. ☎ 956-43-71-20. Fax : 956-43-71-37. Hors saison, moins de 3 € (20 F) par personne et par canadienne ; en saison, 3 à 4 € (20 à 26 F). Pas mal équipé avec, chose appréciable, beaucoup d'ombre. Bon accueil, notamment des moustiques. Emplacements délimités par des petites bordures de pierre. Calme. Piscine. Deux saisons mènent la valse des prix.

Prix moyens

▲ *Hostal Miramar :* Trafalgar, 112. ☎ 956-43-70-24. En haute saison, compter pour une chambre double 42 € (276 F) avec balcon, 36 € (236 F) sans balcon (la différence ne vaut pas le coup, vous l'aurez compris) ; hors saison, un bon 25 € (164 F) et un bon 22 € (144 F) pour les mêmes prestations. Bon, dire que l'on voit la mer *(Miramar),* c'est un peu mentir. Un gros bâtiment bouche complètement la vue. Malgré tout, ce petit hôtel est idéal (très propre, chambres très simples auxquelles on ne demande pas plus) pour les séjours d'une ou deux nuits et conviendra à ceux qui ne sont pas forcément adeptes des matelas pneumatiques et autres lits de camp. Bon accueil.

Où manger ?

Bon marché

|●| *Venta Curo :* Zahora, Barbate. ☎ 956-43-70-64. Bons poissons *a la plancha* ou frits à moins de 8 € (52 F). Pour s'y rendre, suivre les indications pour accéder au camping *Caños de la Meca.* Contourner le camping par la gauche, puis par la droite comme si vous vous rendiez vers la mer. Une *venta* traditionnelle sous un toit de paille et aux murs de pisé. Son intérêt ? Elle est *bien de precio,* ouverte tous les jours et est devenue le rendez-vous des familles sévillanes en week-end à la mer. Service rapide.

Plus chic

|●| *El Rezón de la Fontanilla :* Hijuela de Lojo, 27, à Conil de la Frontera. ☎ 956-44-27-55. Compter 24 à 30 € (157 à 197 F). Ça fait plaisir de voir un restaurant de poisson un minimum créatif. Belle carte de poissons caressés dans le sens des écailles, parfois travaillés au safran, bon *revuelto de setas con bacalao,* paella savoureuse et bien garnie. Service sympathique sans pour autant être « vieux potes ». Bref, une valeur sûre où il ne faut pas hésiter à réserver.

Plages libres

⚏ En descendant de la pinède et en venant de Barbate, prendre sur la gauche en arrivant face au rivage. Continuer jusqu'au bout de la route et se garer. À ce stade, contourner sur la droite le petit mur d'une propriété qui descend vers la mer, la *plage nudiste* de Caños est là. Si la marée rend impossible la descente, contourner la propriété en remontant la rue vers la pinède. Lorsqu'il n'y a plus de bitume, ôter les tongs et suivre le littoral qui tombe en à-pic sur le rivage. Des petits sentiers descendent entre les criques et les promontoires que dessine la falaise. Sans mauvais jeu de mots, n'allez pas poser vos fesses n'importe où. Plus vous quittez la zone sableuse, moins tranquille est la sieste à ouâlpé. Quelques mâles esseulés viennent y draguer avec insistance.

Quoi qu'il en soit, cette plage peut faire l'objet d'une visite à part entière. De nombreux hippies ont planté leur tente entre deux promontoires. Poussez votre curiosité plus loin et vous verrez qu'ici et là de petites rigoles *(caños)* débouchent de la falaise. Les Arabes, remarquant cette eau douce qui arrivait d'une nappe phréatique située quelque part sous la pinède, y ont vu un signe de Dieu. Bah oui, comme dit la chanson, « ils avaient le ciel, le soleil et la mer » mais en plus de l'eau douce. Du coup, pour remercier Allah, ils ont appelé l'endroit *Caños de la Meca.*

Un peu plus loin, noter les gros blocs de roche qui jonchent dans un joli chaos le rivage. Ils se sont tous détachés par le biais de l'action conjuguée de l'eau, du sel et du vent. Pour les curieux, il s'agit de dunes fossiles quaternaires. Le sable s'est à la fois lentement tassé et plus ou moins compacté (ce qui explique d'ailleurs pourquoi des morceaux se détachent de la falaise). Pour s'en convaincre, on peut encore voir sur la partie inférieure de la falaise des incrustations de coquillages, lesquels batifolaient dans le cloaque sableux puis se sont fait piéger et n'ont jamais pu remonter. Autres témoins, les pins « doncel » de la pinède de Barbate qui s'épanouissent audessus. Ce sont des pins pionniers qui ne se développent que sur des terrains très sableux. Sans eux, il y a fort à parier que le paysage serait long et rectiligne.

TARIFA (11380)

À la pointe extrême sud de l'Espagne et à 22 km d'Algésiras. Beaux panoramas depuis la route qui sinue à travers les collines plantées d'éoliennes. Tarifa est une petite ville entourée de murailles, dont l'atmosphère rappelle nettement l'Afrique du Nord. Les maisons sont blanches comme celles d'une casbah et le *mercado central* est lui aussi fortement inspiré du style mauresque.

De fait, Tarifa est la première bourgade véritablement sympathique de toute cette côte. La partie moderne qui encercle la vieille ville a su ne pas l'écraser. On a respecté une hauteur raisonnable pour les immeubles et la même tonalité de couleur. On le signale, c'est tellement rare. Alors bien sûr, il y a du monde, mais pourtant rien à voir avec Marbella ou Torremolinos. Tarifa, un vrai coup de cœur ! La petite ville a su se mettre au rythme du tourisme sans jamais perdre son âme. La vieille ville, adorable et piétonne, est un lacis sans fin de ruelles, passages, placettes... On s'y perd avec un délectable plaisir.

Mais il n'y a pas que Tarifa intra-muros. La commune s'étend des confins d'Algésiras à Zahara de los Atunes. Cette dernière (littéralement « le Sahara des Thons », sic !) est appelée ainsi parce qu'elle se situe sur un courant emprunté par les thons. Il y a donc autant de thons que de grains de sable dans le Sud algérien.

Mais revenons à LA raison pour laquelle on vient tous à Tarifa. C'est la ville la plus venteuse d'Europe. Un zef régulier (orienté sud-ouest et nord-est) qui n'a pas peur de décoiffer la ville lors de pointes de vitesse pouvant atteindre jusqu'à 120 km/h. Tarifa est donc la Mecque des véliplanchistes. On comprend le pourquoi du comment car à Tarifa, les plages sont longues, superbes et désertiques. Un vent fort et régulier y souffle et, malgré tout, le clapot est relativement faible. Ce savoureux cocktail permet aux pros de « jiber » à donf! Plusieurs centres de planche ont élu domicile le long de la côte. On peut louer du matériel, prendre des cours, se perfectionner... ou simplement regarder.

UN PEU D'HISTOIRE

D'abord occupée par les Romains, Tarifa fut un port de pêche fort actif. En 711, les troupes musulmanes de Tarik l'assiègent et s'emparent du lieu. La ville est alors rebaptisée Yebel Tarik.

En 1292, les chrétiens (menés par Sancho IV) reprennent la ville, mais les musulmans reviennent rapidement à l'assaut. À cette époque, un événement dramatique va marquer à tout jamais l'histoire de Tarifa. Le chrétien Guzmán el Bueno va offrir la vie de son fils âgé de 9 ans pour repousser les Maures. En effet, son fils est prisonnier des musulmans et un odieux chantage s'est établi entre les deux camps adverses. Les musulmans ont menacé d'exécuter l'enfant si les chrétiens ne quittaient pas les lieux. La réponse de Guzmán ne se fait pas attendre. Il lance lui-même sa dague du haut du château et son fils est égorgé sous ses yeux. Cet acte de foi (fort discutable) a fait de Guzmán el Bueno la figure emblématique de Tarifa.

Adresses utiles

🔲 *Office du tourisme (plan A-B2) :* paseo de la Alameda, dans le petit parc tout en longueur qui borde la vieille ville. ☎ 956-68-09-93. • www. tarifa.net • Ouvert quand il peut et quand il veut (en théorie de 11 h à 14 h et de 17 h à 19 h). Ne pas en attendre beaucoup d'aide. Essayez toutefois de vous procurer le petit dépliant *Tarifa Alternativa,* qui détaille les différents sentiers de randonnées parcourables à vélo, à cheval ou tout simplement à pied. Bien fait, il détaille les temps moyens de parcours ainsi que les difficultés.

✉ *Poste (plan B2) :* calle Coronel Moscardó, à l'angle de la calle Melo, dans la vieille ville.

■ *Taxis :* avenida de Andalucía. ☎ 956-68-42-41.

■ *Police municipale :* plaza de Santa Maria, 3. ☎ 956-68-41-86. Hyper sympa (on a testé!).

■ *Croix-Rouge (plan A2, 1) :* calle Juan Nuñez. ☎ 956-68-48-96.

■ *Windsurf Emergency :* ☎ 900-20-22-02 (appel gratuit), en cas de pépin.

■ *Supermarché Syp (plan A1, 2) :* à l'angle de Callao et San José.

■ *Location de vélos (plan A1, 3) :* agencia de ocio Aky Oaky Tarifa, Batalla del Salado, 37. ☎ 956-68-53-56. Fax : 959-68-41-85. • www. akyoaky.com • Agence sympathique proposant un forfait location pour 18 € (118 F) environ la journée, et 12 € (79 F) la demi-journée.

Où dormir?

Pas vraiment d'hôtels bon marché à Tarifa en saison. D'ailleurs, les tarifs varient considérablement selon la période de l'année.

Très bon marché

🛏 *Casa de Huéspedes Eusebio (plan B1, 10) :* Amador de los Ríos.

En face de la puerta Jerez, dans une petite maison en face des feux rouges. Compter 15 € (98 F) la chambre double. Ni téléphone, ni réservations. 100 % routard ayant déjà fait l'Inde, le Yémen et la Bolivie. Le moins qu'on puisse dire, c'est que ce n'est pas le grand luxe, mais vu le prix, il fallait s'en douter. Chambres un peu cra-cra, avec bains communs. Le prix est susceptible d'augmenter pendant la haute saison mais de toute façon, il se fait à la tête du client. N'hésitez donc pas à négocier.

Prix moyens

🛏 *Hotel Avenida (plan B1, 12)* : au croisement de Pio XII et de Batalla del Salado. ☎ 956-68-48-18. Compter 24 € (157 F) pour une chambre double. Tarifs alignés sur l'ensemble de l'offre de cette catégorie. Chambres propres, carrelées de la tête aux pieds. Demandez celles de la *planta baja* (du rez-de-chaussée), plus spacieuses que celles de l'étage et donnant sur un petit patio.

🛏 *Facundo Camas (plan A1, 13)* : calle Batalla del Salado, 47. ☎ 956-68-42-98 ou 956-68-45-36. À 100 m de l'arrêt de bus dans la direction de Cadix, et à 5 mn à pied de la vieille ville. De 18 € (118 F), la chambre double sans salle de bains, à 24 € (157 F) avec. Grande enseigne lumineuse. Pension bien tenue, mais chambres un peu décevantes dans un grand bâtiment possédant son entrée autonome. Pas de charme particulier, mais ambiance plutôt familiale. Accueil sympathique et possibilité d'entreposer sa(es) planche(s).

🛏 *Pensión Correos (plan B2, 14)* : calle Coronel Moscardó, 8. ☎ 956-68-02-06. Face à la poste, ça coule de source. Chambres doubles à 24 € (157 F) avec douche ou à 21 € (138 F) sans douche. Chambres pour 3 ou 5 à partir de 40 € (262 F). Petite pension charmante où l'on note enfin un véritable effort de décoration. Murs ocre-jaune avec de petites coquetteries rappelant le Mexique. Chambres sobres et agréables. Celles du rez-de-chaussée sont malgré tout un peu sombres. Les chambres pour 3 ou 5 sont au dernier étage, donnant sur les toits, avec terrasse ceinturée par des petits murets blancs.

🛏 *Hostal Alameda (plan B2, 15)* : paseo Alameda, 4. ☎ 956-68-02-64 ou 956-68-11-81. Compter de 30 à 42 € (197 à 276 F) pour une chambre double selon la période. En lisière de la vieille ville, situation très agréable au bout de la promenade principale. Dans un édifice ayant pas mal de caractère, une dizaine de chambres tout confort, impeccables, en bois blanc, avec comme disait feu Georges Marchais la « tévévision ». On peut y prendre le petit déjeuner.

🛏 *Hostal Alborada (plan A1, 16)* : calle San José, 52. ☎ 956-68-11-40. Fax : 959-68-19-35. À portée de mollets du centre et derrière la rue principale où se succèdent toutes les *surf-shops*. Dans un grand édifice blanc, cet hôtel offre de belles chambres à 24 € (157 F) hors saison et 45 € (295 F) en saison. Salle de bains bien équipée dans chaque chambre. Grand patio avec galerie sur plusieurs étages, murs en azulejos, chambre avec TV par câble et, pour couronner le tout, bon accueil de Rafael.

🛏 *Hostal El Asturiano (plan B1, 17)* : Amador de los Ríos, 8. ☎ 956-68-06-19. Tarifs conformes au marché : hors saison, compter 24 € (157 F) pour une chambre double ; en saison, 42 à 45 € (276 à 295 F). Les chambres du 2e étage offrent un superbe panorama sur le Maroc et les toits de la ville, ce sont donc celles-ci qu'il faut choisir. Un petit point négatif : l'accueil est particulièrement désagréable. Ne pas trop insister pour obtenir une facture car vous vous en tirerez à meilleur compte sans.

🛏 *Hostal Villanueva (plan B2, 11)* : avenida de Andalucía, 11. ☎ 956-68-41-49. À l'entrée de la vieille ville, à côté de l'arrêt des taxis. Fermé de début janvier à mi-février. Assez cher en été : compter 60 € (394 F) pour une chambre double. Moitié prix hors saison. 5 % de réduction pour nos lecteurs sur présentation

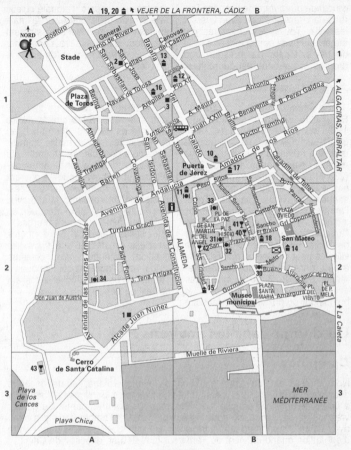

TARIFA

- 🛈 Office du tourisme
- 🚌 Gare routière
- ✉ Poste
- 1 Croix-Rouge
- 2 Supermarché Syp
- 3 Location de vélos Aky Oaky

🏠 **Où dormir?**

- 10 Casa de Huéspedes Eusebio
- 11 Hostal Villanueva
- 12 Hotel Avenida
- 13 Facundo Camas
- 14 Pensión Correos
- 15 Hostal Alameda
- 16 Hostal Alborada
- 17 Hostal El Asturiano
- 18 La Casa Amarilla
- 19 Hurricane Hotel
- 20 Hotel 100 % Fun

|●| **Où manger?**

- 11 Restaurante Villanueva
- 30 El Pasillo
- 31 La Cabaña de Ana
- 32 Casa Juan Luis
- 33 Cervecería J.J. Lopez
- 34 Pizzeria La Tabla

🍸 **Où boire un verre?**

- 40 Mobby Dick
- 41 O-Baïano
- 42 Bistrot Point
- 43 El Balneario

TARIFA

223

du *Guide du routard* de l'année. Terrasse au dernier étage avec vue sur les toits. Toutes les chambres ont été rénovées et possèdent une salle de bains. L'hôtel est presque trop propre. La patronne est adorable et

des lecteurs nous ont signalé qu'elle avait vraiment le cœur sur la main en cas de pépin. C'est suffisamment rare pour qu'on lui tire notre chapeau. Bon resto familial (on en parle plus loin).

Appartements

⬧ *La Casa Amarilla* (plan B2, 18) : Sancho IV El Bravo, 9. ☎ 956-68-19-93 ou 929-97-50-88. Fax : 956-62-71-30. • www.tarifa.net/lacasaamarilla • Prix selon les saisons et le nombre de personnes, allant de 36 € (236 F) en basse saison pour 2 personnes à 90 € (590 F) pour 4 personnes en haute saison. Toute l'année, 5 % de réduction pour nos lecteurs sur présentation du *GDR* de l'année. Notre coup de cœur charme de Tarifa. En plein cœur de la vieille ville, ce petit « palais », réhabilité il y a peu, offre de très beaux appartements pour 2, 3 ou 4 personnes avec cuisine, salon, chambres et bains pour un prix vraiment dérisoire

par rapport aux hôtels de luxe qui sont ses concurrents directs. Notre préférée est la n° 1 avec un beau carrelage marron à motifs floraux, une voûte centrale, sa chambre qui se cache derrière une rambarde-jalousie et sa bow-window s'ouvrant sur l'une des rues les plus animées. Également intéressante, la n° 6 avec une double arche, style mosquée en plâtre (on aime ou on n'aime pas !). Très belles salles de bains, toutes équipées de mitigeurs à thermorégulation, faïences aux couleurs fortes. Bref, l'adresse qui manquait à Tarifa. Ah ! on allait oublier, excellent accueil de Loli.

Où dormir dans les environs ?

Campings

Nombreux terrains de camping au bord de la longue plage, lieu de rencontre des véliplanchistes. Les prix sont tous plus ou moins identiques et lorsqu'il y a une différence, ça se joue à 25 Ptas par-ci, 25 autres par-là. Ce qui fait vraiment la différence, ce sont les équipements et l'ombre car il y a beau avoir du zef', le cagnard tape parfois dur. En voici quelques-uns dans l'ordre d'apparition quand on vient de Tarifa sur la N 340 en direction de Cadix.

⬧ *Tarifa :* à 5 km au nord-ouest de la ville. ☎ et fax : 956-68-47-78. • camping.tarifa@globalmail.net • Compter environ 16 € (105 F) pour 2 personnes avec une tente et une voiture ; réductions concédées pour les paiements cash et les séjours de plus de 10 jours en moyenne et basse saisons. Bien ombragé dans 3 ha de beaux pins. Récent et calme. Sûrement le meilleur de tous. Sanitaires propres mais un peu loin pour certains emplacements. Douche chaude gratuite. Accès direct à la plage. Accueil très pro, piscine, bar et resto. Un bon point pour l'environnement : le camping possède sa propre station d'épuration, ce qui

lui évite de rejeter toutes ses eaux usées dans la grande bleue.
⬧ *Torre de la Peña I :* à 6 km de la ville. ☎ 956-68-49-03. Fax : 956-68-14-73. Prix identiques au suivant, puisqu'il s'agit du même propriétaire. Le camping est en deux parties, l'une côté plage et l'autre côté colline, au pied de la vieille tour. Côté plage, on est à côté... de la plage, ce qui est plus sympathique, bien qu'on soit un peu entassés. Côté colline, on est plus proche de la route (plus bruyant) et l'eau chaude est capricieuse, mais on est plus à son aise.
⬧ *Torre de la Peña II :* à 8 km de la ville, côté opposé à la plage et même assez loin de celle-ci. ☎ 956-

68-41-74. Fax : 956-68-18-98. Compter autour de 3 € (20 F) pour l'emplacement et environ 4 € (26 F) par personne. Attention, le prix de séjour des camping-cars (5 € environ, soit 33 F) est plus élevé qu'ailleurs. 3 saisons, différents rabais sur les séjours de 3 à 7 jours jusqu'à plus d'un mois. Accueil sympathique, mais terrain un peu à l'abandon et malheureusement pas très ombragé. Tennis et piscine.

⚓ *Paloma :* CN 340 km. 74, 11380 Tarifa. À environ 10 km au nord-ouest de Tarifa sur la route de Vejer de la Frontera, côté gauche. ☎ 956-68-42-03. Fax : 956-68-18-80 • www.tarifa.net/paloma • À 1 km de la plage, située dans une magnifique baie et haut lieu des véliplanchistes. Réception ouverte de 9 h à 22 h. Compter 4 € (26 F) par personne et 3 € (20 F) par canadienne et par voiture. Bien ombragé par des pins et des palmiers, pelouse verdoyante. Spacieux, calme et propre. Emplacements bien séparés par des haies de sapins taillées au cordeau et protégés des regards extérieurs par des canisses. Un bon point : le tintement des cloches des vaches vient vous titiller les oreilles ; un mauvais : une petite rigole attire pas mal de moustiques. Supérette, resto, piscine.

⚓ *Camping El Jardín de las Dunas :* juste en face de la *playa de Valdevaqueros.* ☎ 956-23-64-36. Compter moins de 4 € (26 F) par personne, moins de 3 € (20 F) pour une tente et presque 5 € (33 F) pour un camping-car ; hors saison, prix défiant toute concurrence puisqu'on vous demandera un gros 2 € (13 F) par personne et par tente, et un bon 3 € (20 F) par camping-car. Mieux équipé que le précédent (bar, réception, bains), mais moins ombragé et moins intime.

Chic

🛏 *Hurricane Hotel (hors plan par A1, 19) :* sur la plage, à 5,5 km de la ville. ☎ 956-68-49-19. Fax : 956-68-45-08. • www.andalucia.com/hurricane • Compter de 72 à 90 € (472 à 590 F) pour une chambre double hors saison selon la vue (sur la mer ou sur la route) et de 102 à 108 € (669 à 708 F) en saison. Belle architecture avec un luxe d'arcades blanches, végétation luxuriante, jardin, piscine. Escalier qui mène à la plage. Service et accueil moyens, dommage ! Chambres claires, dotées d'un équipement colonial (meubles en rotin, draps couleur grège...). Éviter celles donnant sur le devant car la route est proche. Choisir celles côté piscine. Petit déjeuner-buffet un peu chiche. Alors pourquoi l'indiquer, nous direz-vous ? Parce que c'est l'adresse VIP par excellence. Réservez à l'avance, car l'endroit est non seulement couru mais également réservé d'une année sur l'autre pour la haute saison. Possibilité de louer de mignons petits chevaux aussi espiègles que fougueux. Pour cavaliers confirmés, donc.

🛏 *Hotel 100 % Fun (hors plan par A1, 20) :* carretera Cádiz-Tarifa. ☎ 956-68-03-30. Fax : 956-68-00-13. Sur la route, à la hauteur de la plage de Valdevaqueros et à côté de l'UCPA. Fermé de début janvier à début mars. Chambres doubles de 54 à 66 € (354 à 433 F) selon la saison, petit déjeuner compris. Chambres un peu chiches et un peu chères, mais de toute façon les proprios remplissent sans avoir à se poser de questions. Ils n'hésitent d'ailleurs pas à augmenter leurs prix régulièrement ! Petit *resort* à l'américaine situé dans un havre de verdure tenu par un Anglo-Saxon. Bâtiments de taille basse aux murs délavés couleur rouge brique. Grande hutte (avec masques de dieux du vent hawaïens aux yeux exorbités) dans laquelle un petit déjeuner-buffet est servi. Chambres donnant sur une belle piscine haricot, petits pavés qui cheminent dans le gazon fraîchement tondu, fontaine, nénuphars et grenouilles grenouillantes. Bref, du charme, un peu de fun et encore du charme (surtout dans l'accueil). *Surf-shop* dans l'hôtel et « shapers » pour ceux dans l'besoin.

Où manger?

Bon marché

|●| *Restaurante Villanueva (plan B2, 11)* : avenida de Andalucía, 11. ☎ 956-68-41-49. Voir « Où dormir ? ». Fermé le lundi et de début janvier à mi-février. Compter un bon 7 € (46 F) pour le menu. Bonne cuisine servie dans une ambiance familiale. Si le décor fait un peu cantine, quelques fleurs fraîches viennent prouver que la bonne volonté est au rendez-vous. Nombreux poissons achetés au marché et cuisinés selon votre humeur (*a la plancha*, *al ajillo*, ou en sauce). Également bon thon de Tarifa à la carte. Pour finir, *tocino del cielo, arroz con leche, natilla*, certes sans génie créatif mais qui ont le mérite d'être *caseros* (de la maison). Bref, comme l'hôtel du même nom, c'est une bonne adresse non seulement fréquentée à midi par des touristes mais également par des Tariféens.

|●| *El Pasillo (plan B2, 30)* : Guzmán el Bueno, 14. Fermé le lundi. *Montaditos* (foie, brochettes, escargots, coquillages) et autres *bocadillos* de moins de 1 € à 2 € environ (7 à 13 F). Comme son nom l'indique, c'est tellement petit qu'il faudrait presque un chausse-pied pour pouvoir y entrer. Jetez un œil dans la drôle de cuisine aussi enfumée que vert crise de foie sont les murs. On dirait vraiment le garage du voisin éclairé au néon ! Les tapas sont bonnes (en dehors des spécialités déjà citées, couteaux quand la météo le permet). Chaque verre de bière est accompagné de sa *tapita* d'olives. Accueil courtois. On se serre rapidement les coudes : idéal pour socialiser.

|●| *La Cabaña de Ana (plan B2, 31)* : calle Lorito, 3. Dans la vieille ville. Ouvert uniquement le soir, mais tous les soirs. On s'en sort facilement à moins de 4 € (26 F). Authentique et chaleureux. Tout petit : un bar, le patron, sa femme, sa fille, cinq clients et c'est complet. Délicieuses tapas sous forme de petits sandwichs pas chers et copieux. Bonnes *tortillas* et rations de cochonnaille.

|●| *Casa Juan Luis (plan B2, 32)* : San Francisco, 15. ☎ 956-68-12-65 ou 956-68-48-03. Même topo que la précédente adresse. Spécialités de *jamón jabugo*, *bellota*, bons fromages également arrosés par un petit *vino local* bien buvable.

|●| *Cervecería J.J. Lopez (plan B2, 33)* : Maria Antonia Toledo, 5. Ouvert le soir uniquement. *Montaditos* à moins de 1 € (7 F) et rations de 5 à 9 € (33 à 59 F). Un peu plus chic mais tout aussi sympa.

|●| *Pizzeria La Tabla (plan A2, 34)* : sur une Alameda entre quelques HLM, très proche de la vieille ville. ☎ 956-68-04-42. Pizzas traditionnelles à partir de 9 € (59 F). Très fréquentée par les jeunes du coin qui s'y pointent rarement avant 22 h. On peut également y commander et emporter ses pizzas.

Où manger dans les environs?

|●| *Restaurant Las Rejas* : à Bolonia. ☎ 956-68-85-46. Pour un repas complet, compter moins de 12 € (79 F) par personne. En arrivant à Bolonia, prendre tout de suite sur la gauche et laisser le site archéologique sur la droite. Suivre le front de mer sur lequel se trouve le restaurant. Les produits de la pêche arrivent directement dans votre assiette sans passer par un quelconque intermédiaire. Le patron, jeune, sympa et hippie, négocie directement avec les pêcheurs quand il ne pêche pas lui-même. Bonne soupe de poisson.

Où boire un verre?

Les bars les plus sympas se situent dans la vieille ville. Difficile de dire que l'un est meilleur que l'autre, vu que les clients tournent de bar en bar toutes les demi-heures. Traînez vos tongs calle Coronel Moscardó, calle Melo, calle Bravo, calle de La Luz...

☙ *Mobby Dick (plan B2, 40)* et surtout *O-Baïano (plan B2, 41)* : calle de la Luz.

☙ *Bistrot Point (plan B2, 42)* : calle San Francisco, 18. Plus mode, plus âgé.

☙ *El Balneario (plan A3, 43)* : une boîte gérée par la municipalité. Pour ceux qui souhaitent soigner leurs courbatures en musique, en été, sur la playa Chica (passer la Croix-Rouge vers le *puerto pesquero*).

À voir

★ *Le vieux Tarifa :* déambuler dans ses ruelles blanches constitue un plaisir en soi et une occupation en tant que telle. À chaque heure du jour ou de la nuit, la lumière est différente et l'intérêt toujours renouvelé.

★ *El castillo de Guzmán el Bueno :* en bord de mer, longeant la vieille ville. Ouvert du mardi au vendredi de 10 h à 13 h 30 et les samedi et dimanche de 10 h à 13 h 30 et de 18 h à 19 h. Il faut acheter son billet (environ 1 €, soit 7 F) à la librairie *Europa,* située juste en face. Balade sympa sur les ruines de cet ancien château bien restauré où se déroula la tragédie décrite dans notre rubrique « Un peu d'histoire ». Remparts et chemin de ronde mènent à la tour de Guzmán. De là-haut, on peut voir distinctement les côtes africaines, le port et la casbah.

★ *La porte de la ville :* avenida de Andalucía.

Pour les véliplanchistes

Tarifa et ses belles plages attirent tout le gotha de la planche à voile car le vent y est plus fort que partout ailleurs. Mieux, les vagues de l'Atlantique se brisant sur la côte sud, c'est idéal pour pratiquer la planche de vitesse et de saut. Entre Tarifa et Conil de la Frontera, plusieurs baies se succèdent. Le spot principal se situe à 7 km à l'ouest de la ville, vers la *playa de Valdevaqueros.* Il y a d'ailleurs un petit parking pour les camping-cars, ce qui permet de faire la sieste en attendant que le vent se lève.

Et pour trouver les meilleurs tubes, allez dans le creux ouest au pied du phare de Trafalgar (prenez la route de Caños vers Conil, tournez à gauche au panneau « faro de Trafalgar »). Et même si vous n'êtes pas sportif, la vue à partir de cette pointe est magnifique.

De manière générale, quand le vent souffle « ponente » (de l'ouest), allez plutôt sur la playa de Valdevaqueros ; il y a toujours un beaufort de plus là-bas. À l'inverse, quand le vent souffle « levante » (de l'est ; là où le soleil se lève), il y a toujours plus de vent au stade de Tarifa. À bon entendeur...

– Nombreux clubs, boutiques et ateliers de réparation en ville. Difficile d'indiquer les meilleurs, vu que ça change tout le temps. Le mieux est sans doute d'aller à la rencontre des véliplanchistes, soit directement sur la plage, soit dans les campings où ils résident généralement. Et puis le soir, ils traînent souvent dans les bars du centre.

TARIFA

Les plages

Toutes sortes de plages à Tarifa, de la plage urbaine à celle complètement sauvage. Notre cœur (évidemment) penche pour les plages désertiques. Un bel anneau dunaire ferme la baie de *Valdevaqueros* d'où partent de nombreux véliplanchistes. Pour les amateurs de naturisme, prendre à droite de laplage et la parcourir jusqu'au bout de la baie. Passer entre deux rochers (facilement repérables) par un petit chemin qui débouche sur la baie de *Punta Paloma*. Bien compter 15 mn de marche depuis le petit parking en face du *camping de las Dunas*. Attention, on vous recommande un peu de prudence. Certains lecteurs, alors qu'ils prenaient le soleil, ont vu leur voiture « dépouillée ». Ne laissez rien en évidence, sans toutefois sombrer dans la paranoïa.

➤ *DANS LES ENVIRONS DE TARIFA*

★ **Les ruines de Baelo Claudia :** à 14 km de Tarifa vers Vejer, prendre à gauche vers El Chaparol. C'est 7 km plus loin. Les ruines bordent la plage. Fermé le lundi. En été, ouvert de 10 h à 13 h 30 et de 17 h à 18 h 30 ; le reste de l'année, de 10 h à 14 h 30 et de 16 h à 18 h 30.

Site relativement modeste. Forum, marché, thermes, temples et usines de salaison installés par les Romains. Quelques colonnes se dressent encore ici et là. Si l'archéologie vous laisse de marbre, la plage, immense et superbe, vous déridera certainement.

QUITTER TARIFA

En bus

🚌 **Transportes General Comes** *(plan B1) :* Batalla del Salado, 13. ☎ 956-68-40-38. Départs pour Algésiras (10 par jour), Cadix (9), Málaga (3), Séville (3), Jerez (1) et Almería (1). Un peu moins de liaisons le dimanche.

LA COSTA DEL SOL ET L'ARRIÈRE-PAYS

La côte du Soleil... un nom qui en a fait rêver plus d'un(e), et qui n'est pas usurpé : ce n'est pas le soleil qui manque... On compte à peine 40 jours de mauvais temps par an, et beaucoup d'assoiffés en été ! Ajoutez environ 600 km de côtes (d'Algésiras à Almería), une toile de fond montagneuse, des villages de pêcheurs, des allées de palmiers, des fruits de mer à gogo... et vous comprendrez comment la Costa del Sol est devenue dans les années 1960-70 le lieu de villégiature favori des congés payés français et allemands, avant d'attirer Anglais, Néerlandais et autres Nordiques. C'est qu'on résiste difficilement à la tentation de venir faire trempette dans ce paradis perdu après avoir visité Cordoue et Grenade. Un jour ou l'autre on finit par échouer sur la Costa del Sol. Seulement voilà, cette manne touristique a inévitablement incité les Bouygues espagnols à y chercher fortune et les autorités locales à encourager la construction pour résorber le chômage. Les petits ports de pêche sont devenus marinas, les patios parkings et les plages de rêve des alignements d'immeubles aux allures de HLM. Et ça continue ! Le littoral au sud-est de Málaga, déjà pas mal bétonné et pas mal pollué, s'il ne voit plus aujourd'hui pousser de tours champignonesques comme dans les années 1980, se couvre de résidences tentaculaires. Mais si l'on est allergique à l'urbanisation à outrance et à la promiscuité, il est toujours possible de se retirer dans un de ces petits villages de l'arrière-pays tout proche, où s'écoule une vie toute andalouse, tranquille, traditionnelle et qui respire le bien-vivre. Si vous le pouvez, tâchez donc d'éviter les grands rushs d'été. Si toutefois, pour vous, c'est juillet-août et rien d'autre, pensez donc à réserver le plus tôt possible. En fait, même effréné, le rythme de construction n'arrive pas à suivre l'accroissement du nombre de visiteurs, et tout est très vite complet !

ALGÉSIRAS (ALGECIRAS) (11200)

Anciennement romaine, puis musulmane durant six siècles (son nom est dérivé de l'arabe *Al-Yazirat-al-Jadra* qui signifie « l'île verte »), Algésiras connut bien des déboires. Au XIVe siècle, le sultan de Grenade Mohamed V tenta de la reconquérir en l'incendiant et en la réduisant à néant.

Aujourd'hui, Algésiras frappe par son manque d'attrait – certaines de ses bâtisses sont en ruine –, par son ambiance portuaire et sa pollution. Le quartier du port (et les ruelles avoisinantes) offre une vision assez désolante (certains y trouveront un romantisme glauque à la Genet) d'une humanité en transit.

Algésiras est donc une ville absolument sans intérêt mais pourtant très fréquentée à cause des nombreuses liaisons maritimes assurées vers le Maroc. En face, l'imposant Rocher de Gibraltar. Un conseil : si votre bateau embarque le soir, arrivez le jour du départ pour éviter de dormir là. À toutes fins utiles, on précise que le H proposé par les petits dealers (appelé ici « chocolate ») n'est généralement que du henné... d'ailleurs d'assez bonne qualité.

Liaisons avec le Maroc

Nombreuses traversées tous les jours en été. N'oubliez pas votre passeport. Deux destinations : Ceuta et Tanger. Deux compagnies assurent l'ensemble des liaisons : *Trasmediterranea (plan B2, 1),* ☎ 956-66-52-00 et *Buquebus,* ☎ 934-43-98-20 (à Barcelone).
De nombreuses agences de voyages ou des revendeurs vous proposent les mêmes billets aux mêmes prix. Toutefois, histoire d'avoir un ordre d'idée, voici des tarifs.

Par hydroglisseur

Ne prend pas les voitures. Plus rapide que le bateau mais plus cher, moins sympa et plus bruyant.
➤ *Pour Tanger :* 2 liaisons par jour en été, une seule le reste de l'année (1 h de traversée). Compter environ 20 € (131 F) par personne.
➤ *Pour Ceuta :* entre 12 et 18 liaisons par jour selon la saison (environ 30 mn de trajet).

Par ferry

➤ *Pour Tanger :* en 2 h 30 de traversée, une douzaine de liaisons par jour.
➤ *Pour Ceuta :* en 1 h 30 de traversée, 6 liaisons par jour, 2 en moyenne le week-end.

Réservations

Si vous êtes à pied, aucun problème pour embarquer sans réservation en été. En revanche, en voiture, l'attente est généralement de 24 h. Dans ce cas, le mieux est de réserver en France : auprès d'*Ibérail France,* 57, rue de la Chaussée-d'Antin, 75009 Paris. ☎ 01-40-82-63-63. M. : Trinité. Ouvert du lundi au jeudi de 9 h à 17 h et le vendredi de 9 h 30 à 18 h 30. Cette formule concerne les billets de *Trasmediterranea* et est (évidemment) un peu plus chère, mais au moins vous êtes sûr de partir avec votre billet open en poche (pas de résa de date précise, ni d'heure). Pour les billets de *Buquebus,* vous pouvez les réserver auprès de *Interface International,* 11 *bis,* rue Blanche, 75009 Paris. N° gratuit : ☎ 0-800-555-955, du lundi au vendredi de 9 h à 18 h. Fax : 01-44-63-18-31. M. : Blanche ou Trinité. (Gratuit pour les animaux et les vélos, forfait personne + véhicule.)

Adresses utiles

🅸 *Office du tourisme (plan A2) :* tout près du port, dans la calle Juan de la Cierva. ☎ 956-57-26-36. Un office rose et rouge. Ouvert du lundi au vendredi de 9 h à 14 h et le samedi de 10 h à 13 h. Fermé le dimanche. Accueil très irrégulier.
🅸 En été un petit *kiosque (plan A2)* est également ouvert sur l'avenida de la Marina.
✉ *Poste :* calle Ruiz Zorrilla *(plan A1).* Un autre bureau se situe calle José Antonio.
■ *Change :* plusieurs banques sur le port. Évitez absolument de changer dans les agences de voyages, sauf en dépannage.
■ *Banque : BBV,* Virgen del Carmen, 17.
■ *Consulat de France :* calle Nicaragua. ☎ 956-60-36-77.
■ *Consulat de Suisse :* calle Coronel Ceballos, 20. ☎ 956-66-40-77.
■ *Police municipale :* ☎ 092.
■ *Consignes :* dans la gare maritime *(plan B1)* et dans la gare RENFE *(plan A2).*

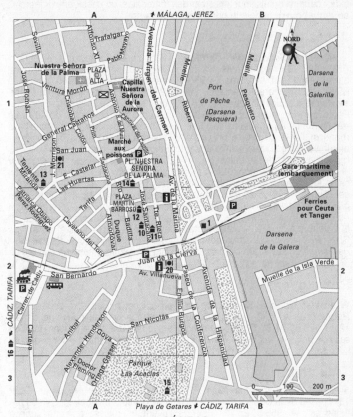

ALGÉSIRAS

■ **Adresses utiles**

- 🛈 Offices du tourisme
- ✉ Poste
- 1 Trasmediterranea
- 🚂 Gare RENFE
- 🚌 Station de bus

🏠 **Où dormir?**

10 Nuestra Señora del Carmen

11 Hostal Gonzalez
12 Hostal España
13 Hostal-Residencia Carymar
14 Hostal Nuestra Señora de la Palma
15 Hotel Reina Cristina
16 Albergue Juvenil Algeciras

🍽 **Où manger?**

20 Casa Blanca Restaurante
21 Restaurante Montes

Où dormir?

Les hôtels sélectionnés se trouvent tous dans le même quartier, en face du port. Le niveau de l'hôtellerie est ici assez bas, voire parfois complètement crapouilleux. N'hésitez pas à demander à voir plusieurs chambres avant d'en prendre une.

N.B. : certains hôtels sont tenus par des Marocains, un *choukrane* (« merci », en arabe) ouvre parfois la porte vers un bon prix.

Assez bon marché

▲ *Nuestra Señora del Carmen* (plan A2, *10*) *:* calle José Santacana, 14a, 11201 Algeciras. ☎ 956-65-63-01. Chambres avec ou sans sanitaires à moins de 24 € (157 F). Petite pension aux balcons fleuris, très bien tenue. Impeccable. Patronne méfiante qui hésite un peu à ouvrir sa grille. De loin le meilleur rapport qualité-prix-centralité.

▲ *Hostal Gonzalez* (plan A2, *11*) : calle José Santacana, 7, 11201 Algeciras. ☎ 956-65-28-43. Mêmes prix que le *Nuestra Señora del Carmen*. Construction récente, propre, et patronne plutôt accueillante. Chambres avec ou sans douche. Pas grand-chose à dire de plus.

▲ *Hostal España* (plan A2, *12*) : calle José Santacana, 4, 11201 Algeciras. ☎ 956-66-82-62. Chambres plutôt petites, avec lavabo, à 12 € (79 F) la double. Propre et correct, sans plus. Les chambres sur rue sont très bruyantes dès 6 h. Le moins cher de tous, mais accueil à la limite de la correction. Pas de réservation par téléphone.

▲ *Hostal-Residencia Carymar* (plan A1, *13*) *:* calle Emilio Castelar, 46, 11201 Algeciras. ☎ 956-65-65-06. Compter environ 18 € (118 F). Bien tenu mais un peu en décrépitude et excentré. Moins impersonnel qu'ailleurs, un peu plus familial mais sans pour autant avoir un intérêt transcendant. Évitez les chambres du bas, un peu bruyantes.

Prix moyens

▲ *Hostal Nuestra Señora de la Palma* (plan A1, *14*) *:* plaza Palma, 12. ☎ 956-63-24-81. Chambres avec salle de bains autour de 23 € (151 F) hors saison, moins de 30 € (197 F) en saison, ni gaies, ni claires, donnant sur le sympathique marché mais bruyantes dès tôt le matin. Hôtel un peu plus fréquentable que les pensions des rues alentour.

Très chic

▲ *Hotel Reina Cristina* (plan A3, *15*) *:* paseo de la Conferencia, 11207 Algeciras. ☎ 956-60-26-22. Fax : 956-60-33-23. Compter un bon 132 € (867 F) pour la chambre double, petit déjeuner inclus (ouf !). De style mauresque et au milieu d'un parc somptueux, il a su conserver tout son charme rétro malgré une rénovation récente. Très belle piscine entourée de palmiers. Chambres avec salle de bains et AC. Charmant patio intérieur rappelant les maisons d'Afrique du Nord. Malheureusement, le service est déplorable et l'hôtel reçoit essentiellement des groupes de touristes anglais. Bien pour y prendre un verre, mais pas pour y séjourner. Pour ceux qui seraient toutefois tentés par l'aventure, passez par une agence plutôt qu'en direct ; vous en tirerez de meilleurs prix (jusqu'à 30 % de réduction en basse saison). C'est malgré tout un lieu important pour l'histoire du pays. En 1906, Clemenceau et les signataires de la conférence d'Algésiras y logèrent. Par cet acte, douze puissances européennes et les États-Unis se partagèrent le gâteau constitué par le Maroc. Mais les jeux étaient déjà faits, et le Maroc sur le point d'être entièrement occupé par l'Espagne et la France.

Où dormir dans les environs ?

Auberge de jeunesse

▲ *Albergue Juvenil Algeciras* (hors plan par A2, *16*) *:* dans le village de Pelayo (code postal : 11390), juste à la sortie d'Algésiras. ☎ 956-67-

90-60. Fax : 956-67-90-17. ● www. inturjoven.com ● À 8 km de la ville et à 12 km de Tarifa. Bus d'Algésiras ou de Tarifa, qui peut vous arrêter sur la N340, au pied de l'AJ ; dernier bus vers 21 h. Ouvert toute l'année sauf à Noël, 24 h/24. Pour les moins de 26 ans, compter 8 € (52 F) en basse saison et 12 € (79 F) en haute saison ; pour les plus de 26 ans, respectivement 11 € et

16 € (72 et 104 F). Une centaine de lits en tout. Chambres de 2 à 4 personnes, avec de grandes fenêtres ou une petite terrasse. Chaque chambre partage une salle de bains sur le palier avec une autre. Bel édifice moderne perdu dans les collines, à l'architecture rappelant le style local. Très bien équipé. Belle piscine ouverte de juin à septembre. Vue extra sur la mer.

Où manger ?

Le plus économique est d'aller faire son marché dans le centre. Les restaurants sont tous plus ou moins des cantines sans vraiment beaucoup de relief.

Bon marché

|●| *Casa Blanca Restaurante* (plan A2, 20) : Juan de la Cierva. ☎ 956-60-31-21. Ouvert tous les jours. Menu à moins de 6 € (39 F). Édifice vert à côté de l'office du tourisme, près du port. C'est la cantine des employés du port, dans une grande véranda. Efficace, copieux et pas cher. Mal venu pour un petit dîner en tête-à-tête mais parfait pour les fringales de fauchés.

Prix moyens

|●| *Restaurante Montes* (plan A1, 21) : Morrison, 27 ; rue perpendiculaire à la calle Castelar. ☎ 956-65-42-07. Ouvert tous les jours de 12 h 30 à 17 h et de 19 h à 1 h. Menu le midi autour de 7 € (46 F). Même patron que le bar du même nom mais, ici, c'est un vrai resto, un peu chic même, bien que les prix se tiennent. On y vient surtout pour le poisson, très frais et bien préparé. Excellente soupe de *pescados*.

À voir. À faire

★ Tous les restos (sauf le premier que nous indiquons) sont dans le ***vieux quartier*** d'Algésiras, qui possède, non pas du charme, mais une atmosphère populaire. On peut s'y promener une heure sans déplaisir, histoire de garder un meilleur souvenir que celui, navrant, du port.

★ ***La plaza Alta*** *(plan A1),* avec ses palmiers et sa fontaine centrale, fut construite en 1807. À cet endroit s'élèvent deux églises : la *capilla de Nuestra Señora de Europa* (XVIIIe siècle) et la *iglesia de Nuestra Señora de La Palma* (construite en 1723).

⌂ Pour profiter de la plage, allez donc vous prélasser au soleil de la ***playa de Getares***, à 4 ou 5 km au sud d'Algésiras. 3 km de sable blond et fin. Cet endroit, bien que subissant une sérieuse urbanisation, n'est pas encore dénaturé. Beaucoup de petits pavillons mais heureusement pas de buildings.

QUITTER ALGÉSIRAS

En train

🚂 ***Gare RENFE*** *(plan A2) :* carretera de Cádiz. ☎ 956-63-02-02. À 5 mn du port.

➤ Départs tous les jours pour Ronda, Granada (trains directs). Pour Córdoba, Sevilla, Málaga et encore plein de villes en « a », changement à Bobadilla.

En bus

🚌 *Station de bus (plan A2) :* calle Juan de la Cierva, en face de la gare et au pied de l'hôtel *Octavio*.
■ *Compañia Comes :* ☎ 956-65-34-56.

➤ Départs pour Huelva tous les jours à 7 h 30, pour Séville (4 départs par jour), Jerez (2 le matin), Cadix (10), Madrid (2 départs, l'un avant 11 h et l'autre de nuit peu avant 23 h), pour les différentes villes du Pays basque (tous les soirs après 20 h), Tarifa (11 départs, toutes les 30 mn aux heures de pointe).

GIBRALTAR (73220)

Pour Colette, c'est « une horreur sans nom ». Néanmoins, Duras y ancra son célèbre marin. Il faut dire qu'il y a, à Gibraltar, une curieuse atmosphère qui ne laisse pas indifférent. Enclave anglaise en terre andalouse, ici tout rappelle le Royaume-Uni : quelques *bobbies,* l'alignement des *pubs,* les portraits d'Elizabeth II dans leurs cadres officiels. Mais l'âme espagnole résiste à *Marks & Spencer* et au *tea-time*. Elle affleure sans cesse, au détour d'un accent, d'un mot, d'une tournure de phrase. La population de Gibraltar (30 000 habitants), issue d'un vaste métissage espagnol, portugais, maltais, anglais, juif et génois, pratique un dialecte baptisé *llanito,* un cocktail britannico-ibérique qui leur permet de passer d'une langue à l'autre quand un mot leur fait défaut.

La ville, étirée en longueur, n'est ni belle ni typique. Allons, soyons francs, elle est plutôt moche. Et pourtant, il y a toujours cet étrange charme qui opère. Un mélange de curiosité malsaine et de légitime attirance nous pousse à aller voir sur ce bout de rocher comment résiste cet anachronisme historique.

Physiquement, la vie à Gibraltar n'est pas facile. Seule la base du rocher est habitable et c'est là que se concentrent les quelques rues qui composent la ville. Malmenée par les vents et la brume, car l'humidité lorsqu'elle se fixe sur le rocher tombe de plein fouet sur les habitations. Le reste, c'est le Rocher justement. Il faut s'y perdre (réserve naturelle où croissent des végétaux rares, où volent bien des oiseaux et où survit une colonie de singes sauvages) pour percevoir l'essence profondément bicéphale de ce lieu. Gibraltar suscite un bon nombre d'émotions contradictoires. Considérons donc simplement qu'une visite à Gibraltar reste une expérience unique et bizarre à la fois.

Il n'y a de fait pas grand-chose à voir. Alors pourquoi y aller ? Sûrement pour vérifier que, justement, il n'y a rien à voir. Les mythes sont ainsi faits. Ils ont la vie dure si l'on ne les fait pas tomber soi-même.

UN PEU D'HISTOIRE

Dès l'Antiquité, Gibraltar est connue des Phéniciens, des Carthaginois et des Romains. Et pour cause ! C'est dans cette région à la confluence de deux mondes (l'africain et l'européen), à la rencontre de deux mers et au croisement de plusieurs vents que Jupiter et Alcmène avaient placé leur fiston comme gardien des colonnes qui portent son nom. Mais les premières traces sont laissées par les Maures qui s'y installent en 711 sous le commandement de Tarik ibn Zyad (d'où le nom de Gibraltar qui dérive de l'arabe *Djebel Tarik* : « la montagne de Tarik »). Jusqu'en 1309, le « Rocher » vit son petit bonhomme de chemin sous ce régime arabo-berbère. Mais, à cette date, les Espagnols chrétiens tombent à bras raccourcis sur les musulmans au cours d'une attaque surprise. Évincés, les musulmans ne s'avouent pas vaincus pour autant. En 1333, le sultan de Fez réinvestit la ville après un siège de quatre mois et demi. C'est à lui que l'on doit la plupart des monuments musulmans existants : le château, les bains, la mosquée... En 1462, San Bernardo de Claraval (à présent, le saint patron de Gibraltar) libère la presqu'île et la transforme en une base navale stratégique.

Et puis, il fallait bien que ça arrive... Deux siècles et demi plus tard, Carlos II meurt sans laisser d'héritier. L'Espagne se déchire alors en une guerre de succession. La Fontaine part en vacances à Gibraltar et s'inspire de la situation pour composer la fable du corbeau et du renard. Le fromage tombe du bec de l'Espagne, donc Louis XIV souhaite placer son « cocorico » sur le Rocher. On n'est pas très sûrs des détails mais toujours est-il que ce sont les Anglais qui, en 1704, emportent l'affaire grâce à l'amiral Rooke. Le traité d'Utrecht est signé en 1713 et l'Espagne fait don « absolument et pour toujours » du Rocher à Sa Gracieuse Majesté. Durant la Seconde Guerre mondiale, Gibraltar est l'une des bases anglaises les plus actives. Les Alliés y concentrent leur flotte pour débarquer en Afrique du Nord.

En 1969, John Lennon et Yoko Ono s'y marient. La même année, Franco ferme la frontière sans qu'il y ait pour autant un rapport de cause à effet. Il interdit tout contact entre l'Espagne et Gibraltar, dans l'espoir de contraindre les « maudits Anglois » à déguerpir. Mais c'était mal les connaître ! Contre vents et marées, les Gibraltariens s'accrochent pour de bon à leur bout de caillou. En fin de compte, après seize ans de négociations, de résistance et d'isolation, le 4 février 1985, la frontière est rouverte à minuit.

Mais la trêve aura été courte et les Espagnols ont le sentiment d'avoir lâché du lest sans en obtenir les contreparties. En effet, en 1973, lors de l'adhésion du Royaume-Uni à la CEE, le traité devait s'appliquer *de facto* au Rocher... sauf en ce qui concerne la législation fiscale totalement autonome. Pas d'impôt sur les bénéfices des sociétés, ni droits de mutation, ni d'impôt sur la fortune... Ce qui, aujourd'hui, énerve considérablement les autorités espagnoles qui prétendent que beaucoup de narco-trafiquants viennent y laver leur argent sale en toute impunité. Le ministère des Finances espagnol fait même monter la pression en estimant que 2 % du PNB s'évade à Gibraltar.

Comme les icebergs, le *Peñón* (le « Rocher » en espagnol) a sa face cachée et les abcès de fixation sont nombreux. N'oublions pas d'abord que malgré son soleil et ses berges ourlées de bleu, Gibraltar demeure une base stratégique militaire et navale. Des sous-marins nucléaires seraient dissimulés quelque part dans les profondeurs et on prétend même qu'un stock d'armes biologiques et chimiques dormirait dans le Rocher. On n'aura peut-être jamais le fin mot dans ce domaine. Revenons donc à la surface. Car la pêche met son nez dans la discorde et c'est rarement un sujet qui se termine par de chaudes embrassades... En 1999, la hache de guerre est déterrée par les Gibraltariens qui arraisonnent une quinzaine de navires ibères. Madrid répond au berger et les insultes fusent tandis que l'un comme l'autre reste sur sa position. Dans « cette guerre picrocholine » (selon l'expression de la correspondante du *Monde* à Madrid), Madrid cherche à récupérer, il faut bien le reconnaître, cette pointe rocheuse. Le Palais de la Moncloa envisageait même, il fut un temps, de fermer son espace aérien aux avions anglais. Mais tout n'est pas soldé.

D'autres griefs portent également sur l'application de la convention de Schengen et sur diverses directives européennes. Alors, lorsqu'ils n'obtiennent pas gain de cause, les Espagnols vont frapper à la porte de la Commission européenne qui (évidemment) leur donne raison. Les Gibraltariens rétorquent par un moyen bien malin. Pour que la planète soit au courant du blocus imposé par les Espagnols, ils placent des caméras qui filment en direct les automobiles coincées à la frontière! Le tout est retransmis sur le réseau Internet (• www.frontier.gibnet.gi/livecams.html •). Un sacré fiasco qui a de quoi renforcer les sentiments d'appartenance sur ce mouchoir de poche de 6 km²! Les sirènes d'un groupe d'autodétermination remportent de plus en plus de suffrages chez les 30 000 Gibraltariens bien attachés à leur particularisme. Prendre le large et se séparer de la Couronne, ils sont fous ces Gibraltariens!

Comment y aller?

Avant toute chose

Vous l'avez compris, la vie de la presqu'île dépend du *modus vivendi* que Londres et Madrid voudront bien fixer. Sauf si vous y séjournez, ne passez pas la frontière en voiture. Il n'y a pas de problème pour entrer, mais c'est plutôt pour sortir que ça coince. Les raisons sont complexes (voir ci-dessus). **DONC SI VOUS NE SOUHAITEZ PAS PERDRE UN APRÈS-MIDI, PROSCRIVEZ LA VOITURE.** Il est possible de se garer en Espagne et de passer la frontière à pied.
La discorde n'affecte pas pour le moment les touristes. Il n'y a donc aucun problème pour se rendre à Gibraltar en venant d'Espagne. Présentation du passeport ou de la carte d'identité nécessaire. Frontière ouverte jour et nuit.

En bus

D'Algésiras, des bus de la *Compañía Comes,* devant l'hôtel *Octavio,* effectuent des liaisons permanentes avec La Línea, la ville frontière côté espagnol. Ensuite, on marche jusqu'à la frontière.

En voiture

Pour les coriaces, le mieux est de vous présenter le plus tôt possible à la douane le matin et de repartir de la ville le plus tôt possible dans l'après-midi. En une demi-journée, on a largement fait le tour de la question. Si vous venez d'Algésiras ou de Marbella, suivez les indications pour La Línea. L'Équipement espagnol n'a pas forcé sur la signalisation « Gibraltar » qui est indiquée au minimum. Après tout, c'est de bonne guerre... (ooops! on a dit quelque chose qu'il ne fallait pas?). L'avantage de venir en voiture est que l'on pourra grimper sur le rocher de manière autonome (mais l'entrée du parc est chère). En revanche, dans Gibraltar-City même, il est difficile de se garer et on se promène à pied (nombreuses rues piétonnes).

Attention

Aux dernières nouvelles, d'après plusieurs lecteurs, il n'est pas rare qu'avant d'arriver à la douane l'on vous demande 2 000 Ptas (12 €) en échange d'un ticket, qui serait une sorte de vignette. Arnaque pure et dure. ¡ *Ojo!*

À pied

Gibraltar n'est pas si grand. Vous explorerez le Rocher grâce au funiculaire plutôt qu'en voiture. Après la douane, des bus rouges à 2 étages passent régulièrement et conduisent les touristes en ville (pas cher). C'est une bonne solution. On vous laisse près du centre.

Topographie de la ville

Gibraltar s'étale au pied d'une paroi rocheuse doucement pentue. La rue principale s'appelle, bien sûr, *Main Street ;* longue de 2 ou 3 km, elle traverse toute la ville. C'est le long de Main Street qu'on trouve la plupart des boutiques. De minuscules ruelles existent, perpendiculaires à Main Street qui est la ligne de référence pour s'y retrouver. Une route grimpe sur le Rocher, qui permet de saisir de superbes vues de la côte. Sur l'autre versant, le Rocher tombe à pic dans l'eau. Pas d'accès possible.

Téléphone

– *Gibraltar → Espagne :* procéder comme pour un appel international. Composer donc le 00 + 34 puis le numéro de l'abonné. De l'Espagne vers Gibraltar : composer le 00 puis le 350 (code de Gibraltar).

Adresses utiles

Infos touristiques

🛈 *Office du tourisme (Gibraltar Information Centre; plan A3) :* dans l'édifice Piazza, sur Main Street (juste avant d'arriver à la cathédrale). ☎ 749-82. Ouvert du lundi au vendredi de 10 h à 18 h et le samedi de 10 h à 14 h. Fermé le dimanche. Bon accueil et bien documenté.

🛈 *Office du tourisme (plan A3) :* Bomb House Lane, 18/28 ; dans le local du musée de Gibraltar. ☎ 748-05. Ouvert du lundi au vendredi de 10 h à 18 h et le samedi de 10 h à 14 h. Fermé le dimanche. Accueil très sympa.

🛈 Autre *office du tourisme (plan A3)* sur la petite place de la cathédrale. ☎ 749-50. Ouvert du lundi au vendredi de 9 h 30 à 17 h 30.

Services

✉ *Post Office (plan A-B2) :* 102 Main Street. Ouvert du lundi au vendredi de 8 h 45 à 17 h et le samedi de 10 h à 13 h.

Argent

■ *Change :* pas mal de bureaux sur Main Street. Les banques sont ouvertes du lundi au vendredi, jusqu'à 13 h 30 seulement.

Attention

La monnaie locale n'est pas valable en Espagne. En revanche, les pesetas sont acceptées sur place.

Santé, urgences

■ *Hôpital :* Saint Bernard's Hospital. ☎ 797-00.
■ *Police :* 120 Irish Town Street. ☎ 725-00.

Transports

✈ *Aéroport (hors plan par B1) :* Winston Churchill Avenue. ☎ 450-00 ou 730-26. Quelques vols pour Tanger et Tetouan, et pour les îles Britanniques. Tous les autres vols directs sur la péninsule Ibérique sont suspendus jusqu'à détente des relations diplomatiques (obligation de passer par Londres).

■ *Ferry (plan B1, 2) :* pour une destination Gibraltar-Tanger, *Tour Africa International,* ICC Casemates, 2a Main Street, PO Box 355, Gibraltar. ☎ 776-66. Organise plusieurs fois par semaine un « promène toutous », avec trajet aller-retour en ferry, déjeuner dans un restaurant *tipico* (!). C'est cher (35 £, soit 56 € ou 367 F) et il peut être utile d'aller à Algésiras pour choper le ferry espagnol.

■ *Taxis :* ☎ 700-27 et 700-52. On en trouve sur le Waterport Wharf.
■ *Location de vélos (plan A1, 1) :* 36 B Waterport Circle. ☎ 704-20. Derrière la concession Ford sur les quais de la marina. Téléphonez-leur avant de vous déplacer car ils sont souvent absents.

Où dormir ?

La plupart des hôtels sont indiqués sur les documentations de l'office du tourisme. Ici, les hôtels sont chers, rares et généralement affreux. Un conseil : dès votre arrivée, téléphonez pour réserver. Beaucoup mieux, n'y dormez pas !

Auberge de jeunesse

â *Emile Youth Hostel (plan A1, 12) :* Montagu Bastion, Line Wall Road. ☎ 511-06 ou 750-20 ou 576-86-000 (portable). Fax : 785-81. En face de la station-service *Shell.* Compter 12 £ (19 € ou 125 F) par nuit, petit déjeuner compris. Accueil très froid, à la limite de la paire de baffes (remarquez, ça réchauffe !). Couchage en dortoirs et pas grand-chose à dire de plus.

Bon marché

Voici deux adresses nullissimes, à éviter, mais qui appartiennent à Gibraltar depuis des décennies. Évidemment, on ne les conseille pas, mais elles font tellement partie des meubles et d'un autre âge qu'on les conserve dans le guide. Allez savoir pourquoi !

â *Toc H Hostel (plan B4, 10) :* Line Wall Road. ☎ 734-31. Au bout de Main Street, juste avant d'arriver à l'arche de pierre (Southport Gate), prendre à droite ; au bout de la rue, la *Hambros Bank* ; l'entrée de l'hôtel, à peine visible, est juste en face de la banque, dans le cœur même de la muraille. Compter 5 £ la nuit (environ 8 € ou 52 F) et 20 £ la semaine

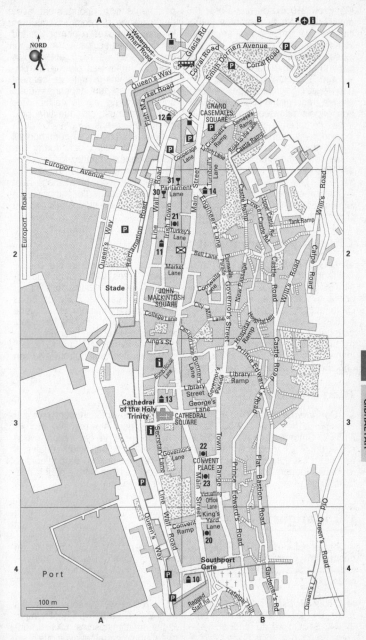

ALGÉSIRAS ET GIBRALTAR

GIBRALTAR

(32 € ou 210 F). Un bric-à-brac indescriptible fait de chambres genre cabanes de jardin, sur différents niveaux. Pas très ragoûtant. Les toilettes ! Quelles toilettes ? Ah, oui ! la cabane au fond du jardin, vous voulez dire ! L'ensemble est envahi par une végétation anarchique. Le balai n'y est pas encore connu, on avait bon espoir qu'il débarque avant le troisième millénaire, mais c'est raté ! Insolite, folklorique (euphémisme) et farfelu mais très basique. Curieusement, souvent complet.

🛏 *Miss Serruya* (plan A2, 11) : 92/1 A Irish Town. ☎ 732-20. « Chambres » de 8 à 16 £ le lit (13 à 26 € ou 85 à 170 F). Un autre endroit plutôt étrange : la propriétaire a compartimenté son appartement avec des cloisons de contre-plaqué, en minuscules boxes à dormir. Quand on dit « minuscules », le mot est pesé. Certes la n° 5 est la plus grande... mais pas plus qu'un placard. Totalement limite et vraiment sordide, mais peut dépanner quand on se retrouve sur le caillou. Pas trop longtemps, car question prix, on ne se sert pas avec le dos de la cuillère. Parfois, on se demande s'il ne vaudrait mieux pas dormir dehors ! Sonnez, et parlez fort, avec un peu de chance on vous ouvrira. La miss en question, personnage haut en couleur, parle le français. On vous aura prévenu, plus crado, tu meurs !

Cher et pas forcément chic

🛏 *Bristol Hotel* (plan A3, 13) : 10 Cathedral Square, PO Box 56. ☎ 768-00. Fax : 776-13. ● www.gibraltar.gi/bristolhotel ● www.brishtl@gibnet.gi ● Compter 61 £ (100 € ou 656 F) pour une chambre double, petit déjeuner inclus. Le hall d'entrée est prometteur avec son salon à colonnes, très *British colony*. Hélas, les chambres ont perdu de leur classe, même si elles sont encore confortables. Petites fenêtres à lamelles typiquement britanniques donnant sur la baie d'Algésiras. Salle de bains dans chaque chambre et moquette plutôt moelleuse. Un peu *has been*, toutefois. Minuscule piscine-pataugeoire dans un petit jardin. Accueil sympa en *llanito* du patron et de son épouse.

Bien plus chic

🛏 *Continental Hotel* (plan B2, 14) : Engineer Lane 1. ☎ 769-00. Fax : 417-02. Chambres doubles à 55 £ (89 € ou 584 F). Hôtel entièrement rénové. C'est donc sans conteste le meilleur rapport confort-prix-centralité-tranquillité. Chambres spacieuses (fait suffisamment rare sur Gibraltar pour être précisé), aux lits en bois et à la décoration fleurie (couvre-lit en patchwork épais). Il s'en dégage un peu de chaleur, ce qui n'est pas très difficile pour le lieu. Bon service.

Où manger ?

« Cher et nul » (on est en Angleterre !). Ainsi se résume le commentaire du gastronome égaré pour son malheur sur le « famous Caillou of Gibraltar ». Plusieurs petits snacks et fast-foods qui servent tous le même genre de... nourriture.

🍴 *Truly British Fish and Chips* (plan B4, 20) : 295 Main Street. ☎ 742-54. Ouvert du lundi au vendredi de 11 h à 16 h et de 18 h à 21 h, et le samedi de 12 h à 15 h. Pas cher, on est rassasié à partir de 3,5 £ (6 € ou 39 F), repu pour moins de 5 £ (8 € ou 52 F). Plutôt sympa. Petite salle minuscule, tout en longueur, toute carrelée, avec quelques tables en bois. On s'y arrête quelques minutes pour manger la spécialité anglaise, le *fish and chips* (*cod* et *chips*, haddock, *plaice*...) que préparent l'avenant patron et sa partenaire portugaise. Phil, ledit patron, a la parlote facile. Alors, demandez-lui comment il est venu sur le caillou et vous comprendrez pourquoi il figure dans le guide.

I●I *The House of Sacarello (plan A2, 21) :* 57 Irish Town ; à l'angle de Irish Town et Turkey's Lane. ☎ 706-25. Ouvert du lundi au vendredi de 9 h à 19 h 30 et le samedi de 9 h à 15 h. Pour un *tea-time* avec des *scones* faits maison. Excellents thé et café, mais plats assez médiocres.

I●I *Kesyton's Café (plan B3, 22) :* 1 Convent Place. ☎ 756-54. On peut manger à l'extérieur sous son auvent de toile fleuri. Il est comique de voir les gardes faire leur manège juste en face, devant la résidence du gouverneur (claquements de talons, port de baïonnette...). On y mange des salades honnêtes et quelques plats d'ascendance espagnole. Correct, sans plus.

I●I *The Angry Friar (plan B3, 23) :* en face. ☎ 715-70. Avec ses parasols pour les jours de grand soleil.

Où boire une pinte ?

Eh oui, on est en Angleterre ! Les pubs se ramassent donc à la pelle.

Y *Bull and Bush Bar (plan A2, 30) :* Parliament Lane. ☎ 729-51. Très *British*, rétro avec son ventilateur, vieillot, puant... et pourtant notre pub préféré. Portraits de la reine, TV sur le bar... La tête de taureau empaillée sur le mur, avec sa paire de cornes phénoménale, vaut le déplacement !

Y *The Star Bar (plan A2, 31) :* 10 Parliament Lane. ☎ 759-24. Au niveau du 50 Main Street. Ils prétendent être le bar le plus ancien de Gibraltar. Atmosphère chaleureuse, mais n'a pas le caractère du précédent.

Y Plusieurs autres *pubs* un peu partout.

À voir. À faire

À vrai dire, pas grand-chose...

★ *La cathédrale :* près du *Bristol Hotel.* Construite dans le style mauresque.

★ *Le Rocher :* vous êtes venu pour ça ! On y grimpe soit par un téléphérique (moins de 5 £, soit 8 € ou 52 F), le « Top of the Rock », qu'on prend à l'extrémité de Main Street, soit en voiture. Heures d'ouverture du téléphérique : de 9 h 30 à 18 h. Ne fonctionne pas le dimanche. Le prix du billet inclut l'entrée aux différents sites du Rocher. Deux arrêts : le premier à mi-chemin à Apes Den (où l'on descend plutôt au retour). C'est là que se trouve une colonie de *singes* de Barbarie. Amenés par les Arabes au IXe siècle, ce sont les seuls singes vivant à l'état sauvage en Europe. La légende dit : « Quand les singes partiront, les Anglais s'en iront aussi. » Voilà pourquoi Churchill ordonna que leur nombre soit toujours supérieur à 35. Aujourd'hui, on en compte 190. Ils étaient autrefois nourris par l'armée. Ce sont actuellement les gardes de la « réserve naturelle » qui s'en chargent. Bizarrement, on ne sait pas ce qui arrive quand ils meurent. On n'a jamais retrouvé de cadavres de singes. En tout cas, attention : ces singes sont assez voleurs et n'hésitent pas à chiper quelque objet dans les sacs entrouverts ou dans les voitures par les fenêtres ouvertes.

Une série de chemins permettent d'accéder à quelques sites à pied, notamment à un ancien *château* mauresque du XIVe siècle. Sans intérêt. On peut aussi visiter les *Michael's Caves,* grottes aujourd'hui transformées en auditorium. Là encore, peu d'intérêt sauf lors des concerts.

Le deuxième arrêt du téléphérique mène à la partie supérieure du rocher. Vue superbe. De là, on se rend compte de l'importance stratégique du site. – Si vous grimpez sur le rocher en voiture, entrée payante quand on pénètre dans le parc et sachez qu'il est interdit d'utiliser son véhicule avant 15 h. Prendre la route « Nature Reserve » qui monte au sommet du rocher. L'entrée inclut également les sites du rocher.

★ *Gibraltar Museum* : 18/20 Bomb House Lane. ☎ 424-00. Ouvert du lundi au vendredi de 10 h à 18 h et le samedi de 10 h à 14 h. Fermé le dimanche. Entrée : 2 £ (plus de 3 € ou 20 F).
Film de 15 mn (en anglais) sur l'histoire du Rocher. Doc, gravures, photos en noir et blanc du début du siècle, armes, costumes, fouilles préhistoriques... On trouve de tout dans ce musée dont l'objet principal est de présenter Gibraltar sous toutes ses coutures. On y voit même une momie égyptienne provenant d'un bateau ayant fait naufrage et venant de Thèbes. Dans la cour, petite cafétéria.

★ Voir également le *phare (Lighthouse),* le plus méridional du Royaume-Uni et l'église *The Shrine of Our Lady of Europa.* Ouvert du lundi au vendredi de 10 h à 19 h et le week-end de 11 h à 19 h. Il s'agit en fait de l'ancienne mosquée reconvertie par les chrétiens en 1462.
△ *Les plages :* il y en a trois, situées derrière le Rocher, proches les unes des autres. Bondées et pas très propres. Pour ceux qui insistent, prendre le bus n° 4 qui part de Line Wall Road.

QUITTER GIBRALTAR

En bus

🚌 *Gare routière (plan A-B1) :* les bus se prennent de l'autre côté de la frontière (côté espagnol), dans la gare routière de La Línea de la Concepción. ☎ 956-17-00-93.

➢ *Pour Málaga :* 2 départs le matin, 2 le soir.
➢ *Pour Marbella :* 8 départs quotidiens.
➢ *Pour Cadix :* 5 départs quotidiens.
➢ *Pour Séville :* 3 départs quotidiens.

CASARES (29690)

Gros village de montagne, accroché à son piton rocheux et dominé par les ruines d'un château arabe. Panorama impressionnant sur la mer avec, au loin, le Rocher de Gibraltar. Par beau temps, on aperçoit même les côtes africaines. Un des villages blancs les plus authentiques. Toute l'animation se concentre autour de la plaza de España.

Adresses utiles

🛈 *Office du tourisme :* calle Fuente, dans le centre du village en descendant sur la droite de l'Ayuntamiento. Ouverture aléatoire.

■ *Change :* Caja rural de Málaga, juste à côté de la plaza de España.

Où dormir ?

🛏 *Hostal Plaza :* sur la plaza de España, en face de la fontaine. ☎ 952-89-50-60. Un peu bruyant le soir. Chambres avec balcon d'où l'on domine l'animation. Le seul hôtel du village.

Où manger?

|●| Casa Benilda : Juan Cerón, 9.
☎ 952-89-40-69. Tout petit resto
près de la plaza de España, face à
la poste. Menu autour de 6 € (39 F).
On déguste la cuisine de la famille
dans de petites salles à manger sur
des tables nappées de toile cirée.
Une bonne adresse pour laquelle il
est préférable de téléphoner hors
week-end.

RONDA (29400)

Située à 740 m au-dessus du niveau de la mer, Ronda reste l'une de nos
villes coup de cœur. On n'arrive pas bien à dire pourquoi mais c'est comme
ça. Il y a ici un ensemble d'éléments qui font de cette cité une ville andalouse
comme aux premiers jours. Dressée sur un promontoire rocheux, face à une
chaîne de montagnes, Ronda mérite absolument le détour. C'est l'une des
plus anciennes villes d'Espagne. Et même si, de ses heures de gloire, il ne
reste que quelques demeures, on ressent ici plus qu'ailleurs la marque de
l'histoire. Ce nid d'aigle, fièrement élevé sur une falaise tombant en à-pic
dans le Guadalevin, est coupé en deux par un impressionnant ravin que l'on
traverse par un pont à trois arches, *el puente Nuevo,* datant du XVIIIe siècle.
C'est à cette époque également que l'on édifia les arènes, en 1785, qui sont
donc les plus anciennes du pays.
Si vous voulez vraiment « sentir » la ville, restez-y au moins une nuit. En
effet, généralement les touristes, de plus en plus nombreux, passent à
Ronda mais n'y dorment pas. La calle Espinel, l'une des rues les plus animées, se trouve dans le quartier récent. De l'autre côté du pont subsistent
les vieilles demeures. Curieusement, l'ancien quartier n'est pas animé le
soir. On le visite dans la journée mais on y trouve très peu de restos. Du
charme tranquille donc, et on ne s'en plaint pas. La période idéale pour visiter Ronda est mai-juin, éventuellement septembre, mois de la grande feria
avec notamment les corridas goyesques célèbres dans toute l'Espagne.
Pour avoir une place, s'y prendre au moins 3 mois à l'avance.

UN PEU D'HISTOIRE

Le perchoir qu'est Ronda fut convoité et conquis par de nombreuses
armées. Tout d'abord les Romains, qui en firent un centre commercial important ; puis les Arabes, qui lui donnèrent le statut d'émirat, jusqu'en 1485 ; survint Ferdinand le Catholique, qui les en délogea après vingt jours de
combats épiques et chevaleresques ; enfin les troupes napoléoniennes passèrent aussi par Ronda, c'était en 1808. La cathédrale témoigne encore de
cette succession d'occupants de cultures diverses. C'est à Ronda également
que Pedro Romero fixa les règles de la corrida. Plus de 5 000 bêtes à cornes
sont tombées sous sa furie tauromachique, et cet art lui doit beaucoup. La
corrida est si présente à Ronda que les soubassements de la jolie plaza de
toros ont été transformés en musée.
Autre célébrité de la cité : Carmen ! C'est ici que se joua sa très réelle tragédie, bien avant que Bizet ne composât son opéra qui se déroule... à Séville ;
Francesco Rosi, fidèle aux faits, vint à Ronda pour le tournage des extérieurs de « sa » *Carmen.* Hemingway y séjourna en 1925, l'année où il publia
In Our Time. Il s'inspira même d'un incident qui survint ici même, à Ronda,
pour écrire son roman *Pour qui sonne le glas.* Enfin, vous apprendrez
qu'Orson Welles vint dans la région car il avait été très impressionné par le
torero Antonio Ordóñez. Il avait même demandé à ce que ses cendres soient

dispersées dans le sable de l'arène, pour se mêler au sang des taureaux et des toreros ! Beau symbole mais cette faveur lui fut refusée. Elles furent donc répandues dans le domaine privé d'Antonio Ordóñez.

Comment y aller ?

En voiture

➤ **De San Pedro de Alcántara,** situé à une dizaine de kilomètres à l'ouest de Marbella, on emprunte la A 376, une route large, sinueuse et bien entretenue qui s'élève au travers de superbes paysages où une végétation largement composée de pins s'accroche à la roche rouge de la Serranía de Ronda. Puis on découvre une zone de plateaux désertiques et rocailleux où subsistent d'anciennes bergeries.

Bon à savoir

Garer sa voiture n'est pas chose facile à Ronda. Un bon plan consiste à se garer dans la cour du monastère des Frères Salésiens. C'est autorisé jusqu'à 20 h et gratuit. L'entrée donne sur la plaza Duquesa de Parcent *(plan B3)*, face à l'*Ayuntamiento*.

En train

➤ **Depuis Seville :** en moyenne 6 trains par jour ; compter 2 h 30 de trajet.
➤ **Depuis Algésiras :** en moyenne 7 trains pas jours ; compter 1 h 30 de trajet.

En bus

➤ Liaisons avec **Marveilla** (1 h 30 de trajet) et **Xéres** (3 h de route), en moyenne 4 fois par jour.

Adresses utiles

Infos touristiques

🛈 **Office du tourisme** *(plan A2)* : plaza de España. ☎ et fax : 952-87-12-72. Petit local ouvert du lundi au vendredi de 10 h à 14 h et de 16 h à 19 h, et le samedi de 10 h à 15 h. Fermé le dimanche. Accueil plutôt irrégulier. Allez plutôt au suivant.

🛈 **Oficina municipal de turismo** *(plan A2)* : paseo Blas Infante (en face des arènes). ☎ 952-18-71-19. Ouvert du lundi au vendredi de 9 h 30 à 19 h 30, les samedi, dimanche et jours fériés de 10 h à 18 h 30. Accueil très sympathique.

■ **Adresses utiles**

🛈 Offices du tourisme
✉ Poste
🚌 Gare routière
🚂 Gare RENFE
1 Farmacía Gimena
2 Librería Hispania

🏠 ⚿ **Où dormir ?**

10 Hostal Ronda Sol
11 Pensión Biarritz
12 Pensión La Purísima
13 Hostal Virgen del Rocio

14 Hotel El Tajo
15 Hotel Polo
16 Camping El Sur
17 Hotel Maestranza

🍴 **Où manger ?**

20 Alimentación Francisco Beccera
24 Cafetería Cervecería Doña Pepa
25 Doña Pepa
26 Restaurante Macias
27 Pedro Romero
28 Confitería Harillo
29 Heladería Rico

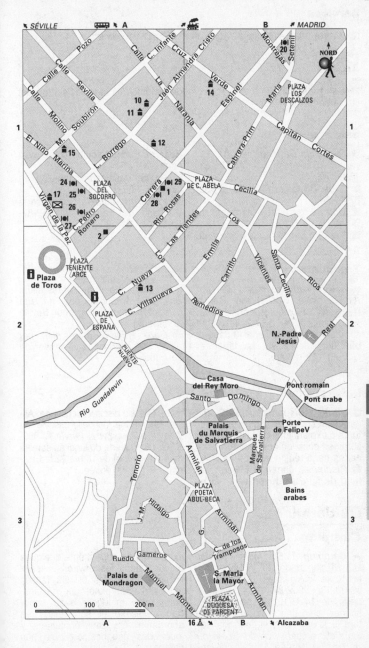

CASARES ET RONDA

RONDA

Services

✉ **Poste** *(plan A1) :* calle Virgen de la Paz. Ouvert de 9 h à 14 h 30.

Argent

■ **Banques** *(plan A1-2 et B1) :* la grande majorité des banques se trouvent sur la carrera Espinel.

Santé, urgences

■ **Farmacía Gimena** *(plan A1, 1) :* carrera Espinel, 38. ☎ 952-87-13-98.

■ **Croix-Rouge :** calle Jerez. ☎ 952-87-14-64.

■ **Hôpital général :** carretera El Burgo, 1. ☎ 952-87-15-40.

■ **Parking gardé :** sous la plaza de Socorro. Parking souterrain en plein centre.

■ **Police nationale :** avenida de Jaén. ☎ 952-87-10-01.

■ **Police municipale :** plaza de la Duquesa de Parcent. ☎ 952-87-13-69 ou 092.

Transports

🚌 **Gare routière** *(hors plan par A1) :* plaza Concepción García Redondo. Plusieurs compagnies. *Bus Comes :* ☎ 952-87-22-60. Cette compagnie dessert Cadix (3 départs par jour), Jerez (4), La Línea et Gibraltar (2 départs, un très tôt le matin, un autre dans l'après-midi). *Bus Los Amarillos,* pour Málaga (3 départs quotidiens), pour Séville (5 départs).

🚆 **Gare RENFE** *(hors plan par A-B1) :* au nord de la ville, avenida de Andalucía.

Loisirs

■ **Librería Hispania** *(plan A2, 2) :* carrera Espinel, 9. Pour les amateurs d'explorations pédestres, cette librairie possède de nombreuses cartes de la région au 1/50 000.

■ **Piscines :** carretera Málaga, au nord de la ville. Ouvert l'été seulement. Grande piscine découverte. Assez cher. Une nouvelle piscine au *Complejo Deportivo El Fuerte.* ☎ 952-87-05-06. Ouverte du lundi au samedi de 8 h à 14 h et de 16 h à 22 h. Environ 3 € (20 F) l'entrée.

Où dormir ?

Camping

⚑ **Camping El Sur** *(hors plan par B3, 16) :* apartado 127. À 1,5 km sur la route d'Algésiras. ☎ 952-87-59-39. Fax : 952-87-70-54. Tarifs : à partir de 14 € (92 F) pour 2 personnes avec une tente et une voiture. 5 % de réduction pour nos lecteurs sur présentation du *Guide du routard* de l'année. Une excellente adresse avec un patron vraiment sympa qui propose même quelques balades dans les environs. Assez récent et sous les oliviers (assez jeunes...). Sol plutôt dur. Piscine, bungalows, mini-golf, beau panorama, épicerie et bon resto très abordable. On peut également y louer des cabanes en bois pas chères.

Bon marché

🛏 *Hostal Ronda Sol (plan A1, 10) :* Almendra, 11. ☎ 952-87-44-97. Moins de 17 € (112 F) la chambre double. Une petite pension tenue par une patronne charmante (qui parle le français). Chambres confortables et propres, sans salle de bains, certaines un peu petites. Évitez les deux donnant sur le patio. Prix très avantageux pour trois.

🛏 *Pensión Biarritz (plan A1, 11) :* Almendra, 7. ☎ 952-87-29-10. Moins de 21 € (138 F) la chambre double, entre 24 et 30 € (157 et 197 F) la triple. Possède des chambres un peu tristes, avec ou sans sanitaires. Pas cher, là encore. Même proprio que l'*hostal Ronda Sol.*

🛏 *Pensión La Purísima (plan A1, 12) :* Sevilla, 10. ☎ 952-87-10-50. Compter 27 € (177 F) la chambre double. Les chambres donnent sur un couloir. Plantes vertes dans les couloirs et petite terrasse. Les proprios ont habité 30 ans à Lourdes, ce qui explique sûrement les images pieuses dans le salon. Gentiment ringard et plutôt modeste. Un poil cher, toutefois.

Prix moyens

🛏 *Hotel El Tajo (plan B1, 14) :* Cruz Verde, 7. ☎ 952-87-62-36. Fax : 952-87-24-49. Assez cher (environ 48 €, soit 315 F) quand même pour les prestations proposées, mais possède un parking fermé. En plein centre. Hall néo-arabo-médiévalo-kitsch. Plus de 100 chambres en tout, sans charme particulier. Fonctionnel, sans plus.

🛏 *Hostal Virgen del Rocío (plan A2, 13) :* Nueva, 18. ☎ 952-87-74-25. Compter 39 € (256 F) la chambre double. Toutes les chambres sont équipées de sanitaires. Impeccable mais froid. Question déco, c'est vraiment pas folichon. Accueil moyen.

Un peu plus chic

🛏 *Hotel Polo (plan A1, 15) :* Mariano Soubirón, 8. ☎ 952-87-24-47 et 48. Fax : 95-287-24-49. En plein centre. Compter 63 € (413 F) la chambre double avec bains. Excellent hôtel au gentil petit luxe. Tout confort et très propre. Chambres blanc et bleu, avec salle de bains (très belle dans les chambres rénovées), TV et téléphone... Accueil charmant mais clientèle de groupes. Possibilité d'y prendre le petit déjeuner. Au fait, on y parle le français.

Plus chic

🛏 *Hotel Maestranza (plan A1, 17) :* Virgen de la Paz, 24. ☎ 952-18-70-72. Fax : 952-19-01-70 ● reservas@hotelmaestranza.com ● Chambres doubles de 93 à 114 € (610 à 748 F) selon la saison, sans le petit déjeuner. Pour ceux qui ont les moyens, bel hôtel en plein centre de la ville moderne, face à la Plaza de Toros. Chambres spacieuses, insonorisées, tout confort. Grand salon moelleux, accueil charmant, porteurs : la classe, quoi.

Où manger?

Bon marché

|●| *Alimentación Francisco Beccera (plan B1, 20) :* Espinel, 90. Épicerie populaire dans une rue qui ne l'est pas moins. Fromages, saucissons et jambons à la coupe. Parfait pour un copieux casse-croûte pas cher.

|●| Le centre de Ronda étant devenu très (voire trop) touristique, c'est sur l'avenue de la gare que les fauchés se replieront pour obtenir un menu à moins de 6 € (39 F) comme à la *Cafeteria Andalucía.*

Prix moyens

|●| *Doña Pepa* (plan A1, *25*) : plaza del Socorro, 10. ☎ 952-87-47-77. Ouvert tous les jours, midi et soir. Menus abordables autour de 12 € (79 F), pain et boisson non compris. À la carte, compter 24 € (160 F). Beau restaurant avec plusieurs salles et une terrasse sur la place. Ambiance feutrée et service très soigné. Très bon gazpacho, le reste est correct, sans plus. De plus en plus touristique. À côté, *Cafétéria Cervecería*

|●| *Cafetería Cervecería Doña Pepa* (plan A1, *24*) : Marina, 1. ☎ 952-87-26-83. Menu autour de 8 € (52 F). Cafétéria populaire, proposant des plats typiques plutôt bien cuisinés. Accueil sympa.

Doña Pepa à prix modique (voir la catégorie « Bon marché » ci-dessus). |●| *Restaurante Macias* (plan A1, *26*) : Pedro Romero, 3. ☎ 952-87-42-38. Dans une ruelle donnant sur la plaza del Socorro. On peut très bien s'en sortir pour moins de 12 € (79 F). Bar typique et agréable où se pressent touristes et habitués et où vous pourrez déguster de petites tapas et du vin au tonneau. Petits déj' intéressants.

Chic

|●| *Pedro Romero* (plan A1, *27*) : Virgen de la Paz, 18. ☎ 952-87-11-10 ou 952-87-47-31. Ouvert tous les jours, midi et soir. Difficile de descendre au-dessous de 24 à 30 € (157 à 197 F) à la carte. Juste en face de la plaza de Toros. Véritable musée photographique de la tauro-

machie. Ils ont obtenu le Coq d'or de Washington en 1987... C'est vrai que c'est excellent avec, compris dans le prix un peu élevé certes, un service grande classe. Essentiellement de la viande et le célèbre *rabo de toro.* Un classique.

Spécial gourmands

|●| *Confitería Harillo* (plan A1, *28*) : carrera Espinel, 36. ☎ 952-87-13-60. Plein de bons gâteaux, mais surtout connu pour ses fruits confits : fraises, citrons, oranges... Absolument délicieux, quoique un peu onéreux. Un mélange de pâte d'amandes et

de fruits. Chouette cadeau à rapporter. |●| *Heladería Rico* (plan A1, *29*) : un peu plus haut que la pâtisserie *Harillo,* au niveau du n° 40. Bonnes glaces à déguster en prenant le soleil sur la terrasse.

Où boire un verre ?

🍸 *En Frente Arte* (hors plan par B3) : calle Espíritu Santo, 9. Près de l'Alcazaba. Dans cette ville traditionaliste, il fallait un endroit branché. Entrez, vous y êtes. Mobilier design des années 1950-1960 (les tabourets de bar montés sur des jambes de pin-up en celluloïd, fallait oser), vente de CD rock et folk d'oc-

casion, de vêtements, tout y est, même la superbe vue sur la Serranía de Ronda. Bien sûr, il y a un point d'accès Internet (3 €, soit 20 F, l'heure), une galerie d'art contemporain et même un studio pour graver des CD ou réaliser des vidéo-clips, le patron, Belge, étant le manager d'un groupe de pop. Plus de 40 ans

CASARES ET RONDA

s'abstenir, sauf si vous vous sentez vraiment très jeune. Le patron a aussi ouvert un hôtel, calle Real, 40 *(hors plan par B2),* à ranger plutôt dans la catégorie chic.

À voir

Engagez-vous dans le vieux quartier à partir du puente Nuevo. Un circuit à travers les rues aux pavés mal ajustés permet de découvrir de belles vues sur la vallée ainsi que des maisons pleines de charme.

★ *El Puente Nuevo (plan A2) :* pont qui enjambe, à 100 m de hauteur, une gorge très impressionnante, coupant la ville en deux. De la terrasse du *Campillo,* au bout de la calle Tenorio, un chemin descend en lacet jusqu'au fond de la faille. On aperçoit même quelques habitations troglodytiques abandonnées dans la paroi. Une promenade, sur la droite avant de traverser le pont, permet d'en admirer l'architecture, et la faille. Le puente Nuevo, symbole de la ville, fut construit dans la deuxième partie du XVIIIe siècle. L'architecte qui le conçut y périt de mort violente. Il descendit dans une nacelle pour inspecter son œuvre et, voulant rattraper son chapeau qui s'envolait, bascula et s'écrasa dans le ravin ! Lieu tragique, la partie centrale du pont fut aussi utilisée comme prison. Durant la guerre civile, on précipitait les prisonniers vivants dans la gorge. Ce fait impressionna Hemingway, qui l'utilisa dans *Pour qui sonne le glas.*
On peut visiter, pour moins de 2 € (13 F), la partie inférieure du pont où est installé un historique de sa construction. Si vous n'avez rien d'autre à faire.

★ *La casa del Rey Moro (plan B2) :* après le pont, prendre immédiatement à gauche la rue pavée ; en descendant sur la gauche apparaît cette grosse bâtisse. Ouvert tous les jours de 10 h à 20 h. Entrée : moins de 4 € (26 F). Malgré son nom (« la maison du Roi maure »), cet édifice est tout à fait occidental et date du XVIIIe siècle. Élégants balcons en bois et jolies frises d'*azulejos* autour des fenêtres. La maison ne se visite pas mais on peut voir les petits jardins andalous qui furent dessinés par le Français Forestier et descendre un curieux escalier fortifié de près de 200 marches jusqu'à la rivière, au bon milieu de la gorge qui sépare la ville en deux. Autrefois, près de 400 esclaves l'empruntaient pour ravitailler la ville en eau.

★ En descendant la rue qui longe la casa del Rey Moro, on aperçoit en contrebas un vieux *pont romain (plan B2),* mais ce n'est pas l'original, et les anciens *bains arabes (Baños arabes, plan B3).* Ouvert du mercredi au samedi de 10 h à 14 h et de 15 h à 17 h 30 et le dimanche matin. En empruntant cette rue antique, on passe sous la *puerta de Felipe V,* édifiée au XVIIIe siècle. On aperçoit au loin l'*Alcazaba (hors plan par B3).* Tout ce quartier est à explorer de préférence le matin, aux premières lueurs dorées.

★ *El museo Lara (plan B3) :* Arminan, 29. ☎ 952-87-12-63. ● www.museo lara.org ● Ouvert tous les jours de 10 h 30 à 20 h. Entrée : un bon 2 € (13 F). Installé dans le superbe palais des comtes de Vascos y Vargas, ce musée tout récent encore est assez marrant. Bien qu'on ait essayé de lui donner une homogénéité avec des salles spécialisées, il s'agit en fait d'un immense cabinet de curiosités d'une famille d'amateurs éclairés et fortunés. On passe d'un très beau portrait de la reine Isabelle à des pipes érotiques, de montres émaillées du XVIIIe siècle à des guitares classiques et des pistolets de Napoléon aux costumes des toreros de Ronda. Très belle collection d'objets scientifiques du XIXe siècle et de matériel photographique et cinématographique. Le propriétaire, un entrepreneur de Ronda, est en fait un passionné d'objets anciens qui depuis plusieurs décennies court les ventes aux enchères de Londres, Paris et Madrid pour enrichir ses collections. Plusieurs pièces du palais, qu'il a rénové, lui servent d'entrepôt en attendant l'agrandissement du musée. Il a également le projet de créer un restaurant et un *tablao.*

★ *La plaza de la Duquesa de Parcent (plan B3) :* notre place préférée dans le vieux quartier, ombragée et aérée à la fois. C'est là que se dresse l'*église Santa María la Mayor* (XIIIᵉ siècle), généralement ouverte de 10 h à 20 h. Entrée à moins de 2 € (13 F). Surtout intéressante pour son clocher, qui fut autrefois un minaret. À l'entrée, dans la pièce où l'on achète les billets, noter les restes du mihrâb de l'ancienne mosquée. En effet, le minaret et le mihrâb n'ont pas été détruits par les catholiques après la Reconquête. Globalement, l'édifice est une savante juxtaposition de styles. En vrac, on y trouve du baroque et du gothique.

★ Adossée à la cathédrale, une jolie *maison à galerie.* Construite au XVIIIᵉ siècle pour que les autorités locales puissent assister aux corridas qui se tenaient sur la place.

★ Dans les rues voisines, quelques beaux *patios* à découvrir.

★ *Le palais de Mondragon (Museo municipal ; plan A3) :* Montero. ☎ 952-87-84-50. Ouvert du lundi au vendredi de 10 h à 18 h et les samedi et dimanche de 10 h à 15 h. Entrée entre 1 et 2 € (7 et 13 F).
Une remarquable demeure, à l'origine arabe, où résida d'ailleurs le dernier gouverneur musulman avant que Ferdinand *himself* y séjourne quelques jours après la Reconquête. Remarquez le beau portail Renaissance encadré de deux tours de style mudéjar. À l'intérieur, le petit musée qui occupe les différentes pièces se révèle moins passionnant que l'édifice lui-même. Plusieurs patios de styles différents, un adorable jardin aménagé, une terrasse dominant la vallée. Le patio mudéjar, avec ses arches de brique et ses portes marquetées, possède un charme certain, tout comme celui aux accents gothiques (colonnes octogonales et chapiteaux variés). À l'étage, modestes expositions thématiques sur la région (fouilles, nature...).

★ *L'Alcazaba (hors plan par B3) :* forteresse arabe détruite par les Français en 1809, à la sortie ouest de la ville. Il ne reste plus que quelques pans de murailles. Mérite toutefois une petite visite car la forteresse renferme quelques rues parmi les plus anciennes de la ville. Derrière l'Alcazaba, sur la gauche, l'église gothique *Espíritu Santo,* construite en 1505 sous le règne de Ferdinand le Catholique.

★ À proximité, les deux portes de la ville : la *porte de Almocabar* (XIIIᵉ siècle) et la *porte de Carlos V* (style Renaissance du XVIᵉ siècle).

★ Redescendez ensuite vers le cœur de la ville pour visiter la *plaza de Toros (plan A2),* les plus anciennes arènes d'Espagne (elles furent inaugurées en 1785).

★ *El museo taurino (plan A2) :* Virgen de la Paz, 15. ☎ 952-87-41-32. Dans l'enceinte des arènes de Ronda. Ouvert de 10 h à 19 h. Les billets s'achètent dans la librairie sur le côté droit des arènes. Entrée autour de 4 € (26 F).
Remarquez, avant d'entrer, le portail encadré de pilastres et le balcon de fer forgé évoquant la corrida. Sur les murs, 300 ans d'histoire de la corrida, et notamment des photos d'Hemingway en visite à Ronda, et d'Orson Welles, qui est enterré dans un village voisin. Voir aussi les photos du dernier combat de Manolete. Faites un tour dans les arènes elles-mêmes, couvertes d'une double volée d'arcades élégantes. On rappelle que c'est ici que Francisco Romero renouvela l'art de la tauromachie. Il inventa la muleta et donna naissance ainsi à une lignée de matadors célèbres.

★ *Le palais du marquis de Salvatierra (plan B3) :* joli portail baroque du XVIIIᵉ siècle agrémenté d'éléments coloniaux, comme ces quatre personnages d'inspiration inca au-dessus de la porte. On y voit un homme et une femme de chaque côté, symbolisant la pudeur.

➤ *DANS LES ENVIRONS DE RONDA*

Plusieurs petits villages de montagne peuvent être rejoints à partir de Ronda.

★ *CARTAJIMA*

Descendre vers San Pedro de Alcántara sur 11 km environ et prendre à droite la petite route qui s'enfonce à travers les collines rocailleuses. Pour les amoureux de la tranquillité, voici un endroit où presque personne ne va. Possibilité de boucler la boucle par une charmante route bucolique, *via* Júzcar, Faraján et la route A 369.

★ *SETENIL*

À une vingtaine de kilomètres au nord de Ronda. Village blanc blotti sous un rocher immense, au point que certaines maisons se sont économisé la construction d'un toit. Vraiment curieux.

★ *BENAOJÁN* (29370)

À seulement 10 km de Ronda et tellement moins grouillant. Le village qui s'abrite sous le promontoire rocheux de la sierra de Juan Diego ne présente pas d'intérêt particulier mais peut constituer une bonne retraite pour rayonner dans la région. En particulier, ne manquez pas d'aller musarder vers le nord, jusqu'à *Montejaque* et le *défilé de Mures* (870 m d'altitude). On dirait qu'un géant s'est amusé à découper la roche à coups de burin et de marteau et a quitté précipitamment son chantier. Des blocs gigantesques gisent au pied d'un piton rocheux. Question conduite, c'est un peu olé olé car deux voitures ne passent pas de front. Sur la route de Ronda à Benaoján ne ratez pas la *cueva de El Gato*, trou béant dans la montagne d'où surgit une rivière souterraine qui rejoint peu après le cours paisible du río Guadiaro.

Où dormir ?

Chic

🏠 *El Molino del Santo :* bajada de la Estación, s/n. ☎ 952-16-71-51. Fax : 952-16-73-27. ● molino@logic control.es ● Fermé de mi-novembre à mi-février. Compter 90 € (590 F) la chambre double en moyenne saison (l'été par exemple), et jusqu'à 120 € (787 F) en haute saison. Demi-pension obligatoire d'avril à septembre. Non loin du lit du río Guadiaro, ce moulin est en fait un genre de *resort* de plusieurs bungalows offrant une quinzaine de chambres bien équipées, avec bains et meublées à la campagnarde. Très bien situé et un peu reculé, donc au calme. Ce qui n'est pas plus mal car ainsi les bus de touristes n'y débarquent pas... comme ils le font à Ronda. Piscine haricot sous les saules pleureurs. En somme, du charme, du charme et encore du charme.

Où manger ?

Bon marché

|●| *Bar-Restaurante Acuario :* avenida Constitución, s/n. ☎ 952-16-74-19. Compter moins de 11 € (72 F) pour un repas complet, pain, vin, et dessert compris. C'est juste un bar-restaurant comme il y en a tant dans

les villages espagnols : un comptoir où se pressent les habitués, une salle où s'installent les gens de passage, une télé allumée en permanence. Mais il faut préciser qu'on y sert de la bonne cuisine familiale, des plats copieux et bon marché. C'est une de ces adresses où on ne prend pas le client pour un cochon de payant, où on est servi sans chichis par le patron *él mismo*, et d'où on part repu et heureux.

★ GAUCÍN (29480)

Encore un charmant village qui s'accroche sur une ligne de crêtes à seulement 30 mn de la côte. Sa blancheur immaculée en fait tout simplement un petit joyau. Belles rues escarpées aux façades de maisons portant encore çà et là quelques blasons. En grimpant en haut du village, on découvre les ruines d'un château romano-musulman, *el castillo de Aguila*. C'est dans ce dernier que se réfugièrent bon nombre de guérilleros aux temps des guerres carlistes et contre les... Français. Belles balades à pied le long de la rivière jusqu'à *El Colmenar*, à 13 km. Quelques concerts lyriques, en été, dans la chapelle baroque du village. Possibilité également de descendre le cours du Guadiaro.

Où dormir ? Où manger ?

🛏 |●| *Hotel Casablanca :* Teodoro de Molina, 12. ☎ et fax : 952-15-10-19. Fermé de mi-novembre à mars ; restaurant fermé le lundi. Compter 60 à 84 € (394 à 551 F) la chambre, petit déjeuner compris ; au resto, tabler sur 18 € (118 F). Superbe petit hôtel de charme dans lequel il fait bon se faire chouchouter. Dès l'entrée, remarquez les lourdes portes cloutées au jambage en métal. Saisissant. Les chambres décorées avec soin par Sue, la tenancière britannique, ont en commun d'être tarabiscotées. Parmi les 5 chambres, deux nous ont particulièrement enchantés. La première, au style furieusement marocain, perchée sur une terrasse avec, comme vis-à-vis, le ciel, le soleil, les terrasses du village, les montagnes du rif marocain. La déco mêle petits poufs, miroirs à émaux et murs peints à l'éponge. L'autre chambre est en fait un petit cottage dont les pièces (salon, kitchenette, chambre en mezzanine) se recroquevillent sous la charpente. Un mignon petit escalier tournicote dans les murs chaulés et monte à la chambre. Douche à même le sol en mosaïque. Bon restaurant dans la même lignée que le couchage. Végétation « palmesque » ondulant au-dessus de la piscine.

LE PARC NATUREL DE LA SIERRA DE LAS NIEVES

Ce vaste espace assez peu aménagé, qui s'étend entre Ronda, Coín et Marbella, englobe toute la sierra du même nom. Culminant au pic de *Torrecilla* (1 918 m), celle-ci tire son nom de l'époque maure, où les neiges étaient ramassées dans des tonneaux et expédiées dans toute l'Andalousie à des fins de réfrigération. Aujourd'hui, c'est une des zones sauvages les plus intéressantes d'Espagne, sélectionnée par l'Unesco comme « réserve de la biosphère ». On peut l'aborder de différentes manières, mais il faudra bien sûr quitter la voiture et mettre sac au dos pour en apprécier tous les charmes et aller à la rencontre de sa faune (sanglier, renard, chèvre de montagne, loutre, très nombreux rapaces dont l'aigle royal et le vautour fauve, sans parler d'une foule de petits passereaux qui peuplent les différents biotopes) et de sa flore, caractérisée notamment par l'omniprésence du sapin d'Andalousie (*Abies pinsapo* pour les connaisseurs).

Adresse utile

De manière générale, il n'est pas toujours évident de se renseigner sur le parc, ses accès et ses sites. Les velléités de développement touristique sont encore embryonnaires et parfois chaotiques. Plusieurs villages commencent à découvrir qu'il disposent d'un énorme potentiel, mais ils n'ont ni les moyens financiers des régions côtières, ni le professionnalisme nécessaire. Il nous est arrivé de pointer notre nez en juin à un kiosque d'information désert aux vitres poussiéreuses, qui affichait les horaires de fermeture de la période de Noël de l'année précédente ! C'est Ojén au sud (voir plus loin, « La sierra Blanca ») et El Burgo au nord qui sont sur la meilleure voie pour vous offrir un accueil de qualité. Pour en savoir plus avant le départ :
● www.costadelsol.net/web/sierranieves ● en castillan.

■ *Monte aventura :* Oficina de Turismo Rural, Plaza de Andalucía 1, 29610 Ojén. ☎ 95-288-15-19. ● monteaventura@jet.es ● Propose de découvrir la sierra au cours de balades accompagnées en VTT, à pied ou en 4x4. Ses guides ont fait profession de foi dans la protection de l'environnement.

Où dormir ?

⌂ *Hostal La Torrecilla :* C. Polito 23, 29109 Tolox. ☎ 95-248-72-15. Une auberge flambant neuve dont on ne veux dira pas grand-chose, car elle n'était pas encore ouverte lors de notre passage. Mais connaissant la patronne, son dynamisme et son dévouement, on ne doute pas un instant que c'est déjà une réussite. Voilà, c'était notre rubrique « Spécial copinage »...

⌂ *Posada del Canónigo :* Mesones, 24, 29420 El Burgo. ☎ 952-16-01-85. Compter 48 € (315 F), petit déjeuner compris. Une belle et vieille maison aux couleurs traditionnelles (jaune et blanc) abrite cette auberge de charme. Elle se situe dans le haut du village au bout d'une petite rue étroite comme le chas d'une aiguille, à la hauteur du marché municipal. Les 12 chambres sont décorées avec beaucoup de caractère. Difficile de les décrire toutes, tant elles sont différentes. Un point commun cependant semble être les poutres et les pierres à la fois rustiques et apparentes, les souches d'arbres débarrassées de leur écorce qui servent de tablettes. Bains récents. Les nos 12 et 14 sont les plus courtisées, car ce sont en fait d'anciens greniers réhabilités, avec de vieilles tommettes, des couvre-lits faits au crochet, des contre-volets en bois... Petit salon avec cheminée en bois richement travaillée dans un syle « naïvo-pastoral ». Bref, vous avez bien de la chance de pouvoir y séjourner et, contrairement à ce que l'on aurait pu croire, le prix demandé pour le séjour n'est pas si onéreux. Possibilité de restauration (menus à partir de 9 €, soit 59 F) et... de monter à cheval aux alentours.

À voir. À faire

★ *La route du puerto del Viento :* cette belle route est un moyen confortable de découvrir les paysages du parc, même si elle n'y pénètre pas. Serpentant sur un vaste plateau apparu pendant le dernier plissement alpin, elle conduit de Ronda à El Burgo en contournant le parc. Les 27 km de l'A 366 fendent de part en part une végétation pelée et rase-mottes où affleure, ici et là, une terre rouge sang descendant des contreforts des sierras Blanquilla et Merinos (oui, comme les matelas ou les moutons !). On le crie haut et fort, c'est une route époustouflante, qui nous a parfois fait penser aux Highlands écossais. Pas pour les distraits, ni pour ceux qui ont le poignet qui grince, car ça tournicote dur par moments...

★ *La piste du puerto de la Mujer :* cette route en boucle d'une trentaine de kilomètres s'amorce un peu au sud d'El Burgo, sur la route de Coín. Un panneau donne quelques indications, en castillan uniquement, sur le profil de la route. Après, on se débrouille, et il y a plein de bifurcations... Mieux vaut donc d'une part une carte détaillée de la zone, d'autre part l'habitude des chemins très rocailleux (et une voiture pas trop fragile !). Cela dit, c'est un sacré plaisir d'aborder des étendues aussi sauvages sur des routes aussi désertes, à 30 km à vol d'oiseau de la trépidante Marbella...

★ *La piste du mont Aranda :* cette piste relie Tolox, au nord du parc, à Istán au sud (voir ci-après) et à Monda à l'est. Longue d'une vingtaine de kilomètres, d'une viabilité plutôt bonne pour son espèce, elle traverse des étendues sauvages où l'on ne verra pas la moindre habitation. Bien sûr, gare à la poussière !

★ *Le sentier du Peñón de Ronda :* au départ d'El Burgo, après une longue marche d'approche le long de la rivière Turón, ce sentier traverse une belle pinède avant de culminer à 1 297 m.

★ *L'ascension du pic de la Torrecilla :* accéder au parc à partir de la route A 376 de Ronda à San Pedro de Alcántara. À 15 km environ de Ronda, une mauvaise piste permet d'accéder au refuge Felix Rodriguez de la Fuente, situé au lieu-dit Cortijo de los Quejigales. Inutile de songer à passer une nuitée ici si vous n'avez pas réservé deux mois à l'avance et si vous n'êtes pas membre d'une association espagnole de randonneurs ou de spéléo. En effet, le plus profond gouffre d'Espagne (plus de 1 000 m !) se trouve tout près. Cependant, vous y trouverez une aire de camping sommairement aménagée, utile si vous voulez faire l'ascension du pic. Les « petits » marcheurs se contenteront de monter jusqu'au puerto de los Pilones par le sentier de la Cañada del Cuerno (la gorge de la Corne), à travers une forêt de sapins d'Andalousie centenaires. Compter trois heures pour l'aller et retour. Au col, paysage de haute montagne dominé par les 1 918 m du pic de la Torrecilla, au pied duquel s'étend la Quejigal de Tolox, une forêt clairsemée de chênes rouvres. Compter au minimum huit heures pour la balade complète. La fin du sentier est en pente raide, mais ne présente pas de difficulté. Attention toutefois en été, grâce à la déshydration, ça cogne très dur !

ISTÁN
(29611)

À 15 km au nord de Marbella, à l'entrée du parc naturel de la Sierra de las Nieves, un village placé sous le signe de l'eau. Ses nombreuses sources étaient captées et alimentaient les villages de la côte, notamment Marbella. Aujourd'hui, les villes balnéaires se contentent d'eau de mer dessalée (beurk !) et les pures eaux d'Istán n'alimentent plus que ses fontaines, bien agréables en plein été, ainsi que quelques canaux d'irrigation dont le seul bruissement vous apporte une délicieuse sensation de fraîcheur. À la sortie côté parc naturel de las Nieves, une fontaine moderne marque la source du rio Verde, que l'on atteint en 3 mn en remontant le ruisseau. Un peu plus haut, à l'orée du village, une aire de pique-nique rudimentaire vous abritera des ardeurs du soleil et vous permettra de vous remettre de votre folle équipée dans le parc. Jolie petite église avec un clocher-pilier et une porte de style mudéjar. À ne pas manquer, les derniers jours de septembre, la fête de l'Archange saint Michel, avec ses processions et ses festivités hautes en couleur.

Comment y aller?

Par une route locale que l'on trouve entre la sortie Est de Marbella et la rocade de contournement de la ville. Le village est fléché depuis l'autoroute. De Marbella, trois bus par jour en semaine à 8 h, 12 h 30 et 19 h, et deux le dimanche à 14 h et 19 h.

Où manger?

l●l *El Varón* : ☎ 952-86-98-66. Compter 15 € (98 F) avec un vin de Rioja. Vrai petit bistrot andalou, avec jambons pendus, cordes d'ail et azulejos. Passer derrière, dans la salle à manger qui donne sur la vallée (vue extra sur les cultures en terrasse et les montagnes à l'arrière-plan). La salle est mezzo-mezzo pour ce qui est de la décoration mais l'accueil de Dionisio est vraiment sympa et la nourriture superbe et totalement locale. On vous recommande l'extraordinaire soupe à l'ail et les côtelettes d'agneau de lait. Si vous baragouinez l'espagnol, n'hésitez pas à demander au cuisinier ce qu'il peut vous proposer hors menu, comme son remarquable lapin à l'ail qu'il prépare quand la chasse est bonne. Bref, pour un prix très raisonnable, on fait bombance. Le patron parle le français. Pas de carte de crédit.

l●l *El Rincón de Curro :* ☎ 952-53-23-35. Compter 12 € (79 F) par personne pour un assortiment de *raciones*. On descend trois marches pour découvrir une salle minuscule où officie derrière ses fourneaux une dame dont l'accent laisse supposer une origine nordique. Allemande, elle a épousé voici 30 ans Curro, natif d'Istán. Parfaitement intégrée, c'est elle qui conduit la procession des pénitentes pour la Semaine sainte. Elle offre une cuisine andalouse légèrement européanisée, tout en blaguant avec tout le monde dans un surprenant mélange de langues. C'est toujours plein de compatriotes en vadrouille et villageois en goguette, avec une bonne ambiance et un accueil jovial.

LA SIERRA BLANCA

Même si cette chaîne côtière porte le nom de « montagne blanche », ne comptez pas y trouver un seul flocon de neige! La seule tache blanche est celle du gros bourg d'Ojén.

Comment y aller?

Par la route A 355 qui relie Coín à Marbella.

Où manger? Où dormir?

⌂ *Hostal El Solar :* Córdoba 2, 29610 Ojén. ☎ 952-88-11-49. Tout à l'extrémité de la ville. Compter de 21 à 27 € (138 à 177 F) la chambre double avec salle de bains collective, et 6 à 10 € (39 à 66 F) de plus pour une salle de bains privée. La patronne est une maniaque de la propreté, en plus d'être fort aimable. Calme parfait, attention cependant aux chambres mitoyennes de la salle de bains qui sont un peu bruyantes. 11 chambres avec ou sans sanitaires. Prenez-en une en hauteur : certaines donnent sur la vallée, superbe. Si vous ne tenez pas spécialement à dormir en bord de mer, c'est une adresse délicieuse et bon marché.

🛏 **Refugio de Juanar :** Sierra Blanca, 29610 Ojén. ☎ 952-88-10-00. Fax : 952-88-10-01. • juanar@sopde.es • De la route A 355 de Marbella à Coín, prendre à gauche au fléchage. Compter, selon la saison, de 81 à 96 € (531 à 630 F) pour une chambre double, petit déjeuner inclus. Sur l'ancien domaine de chasse du Marquisat de arios, le grand confort d'un refuge qui a en fait tout du parador ! Site oblige, bonnes spécialités de gibier. Le refuge s'enorgueillit du souvenir d'un hôte de marque : un certain Charles de Gaulle qui y termina la rédaction de ses mémoires.

À voir. À faire

★ **Ojén :** à 9 km de Marbella, sur la route de Coín. Bus de Marbella, départs de la gare routière à 9 h, 11 h 45 (sauf le dimanche), 13 h 30, 16 h 30 et 19 h 30. Évitez de pénétrer en voiture dans les ruelles de cet adorable village de montagne : elles sont si étroites que vous risqueriez d'être bloqué. Et puis c'est une balade à faire à pied, au hasard de votre humeur. Vous passerez peut-être devant l'*église de la Encarnación*, du XVIIe siècle, avec sa toiture mudéjare, devant la petite place. Autrefois prospère grâce aux mines de fer alentour, Ojén vit du tourisme et sait y faire pour attirer le chaland. Le festival de flamenco (deux semaines fin juillet et début août) vous laissera un souvenir inoubliable, de même que les fêtes de la Saint-Denis (du 9 au 12 octobre), au cours desquelles vous passerez de la ferveur religieuse de la procession de la Virgen del Pilar à la folle nuit où les enivrantes *sevillanas* succéderont aux *malagueñas* endiablées.

★ **Le mirador de Puerto-Rico :** du refugio de Juanar (voir ci-dessus, « Où manger ? Où dormir ? »), suivre le fléchage. Une barrière vous fera continuer à pied 2 km, au milieu des oliviers, sur un terrain sans grand charme. La récompense est au bout : dans un relief rocheux chaotique, une vue superbe sur les croupes de la sierra qui s'étagent jusqu'à Marbella. Quelques sentiers s'échappent vers différentes directions : suivez-les selon votre bon plaisir, si vous avez une réserve d'eau suffisante !

★ Au départ du refuge, nombreux **sentiers balisés**. La balade jusqu'à Istán est particulièrement agréable, dans une alternance de landes couvertes de fougères et de forêts aux essences méditerranéennes. Guettez le sanglier, l'aigle doré, le grand-duc et la chèvre sauvage (*capra hispanica*).

LA SIERRA BERMEJA

C'est notre série thématique : cette sierra porte le nom de « montagne rouge ». Mais, contrairement à la précédente, celle-ci porte parfaitement son nom. L'ocre rouge de sa terre lui donne un aspect particulier, qui la rend reconnaissable à des kilomètres à la ronde.

Comment y aller ?

Du centre d'Estepona, suivre le fléchage Genalguacil par la MA 557. Attention, pas d'accès à partir de la N 340. Une excellente route conduit, à travers les terres rouges de la sierra parsemée de pins, jusqu'au puerto de Peñas blancas (col des Plumes blanches).

À voir. À faire

★ *Las Reales :* au col, prendre la route fléchée à gauche. On roule doucement, pour pouvoir zyeuter les chèvres sauvages sur le bas-côté sans risquer d'emboutir un chevreau. Au bout de quatre bons kilomètres, dépasser
le refuge et l'aire de pique-nique et laisser la voiture sur la placette terminale.
Le chemin de terre rouge qui s'amorce est facile mais caillouteux. Espa-
drilles déconseillées. 500 m plus loin, du belvédère, vue grandiose sur toute
la côte, de la Punta Ladrones au rocher de Gibraltar. Dans le lointain, les
monts de Málaga à l'est et le Rif au sud-ouest : c'est bien l'Afrique, presque
à portée de la main. On reste d'autant plus volontiers qu'un petit vent frais
nous fait oublier la fournaise de la plaine. Il fait bien 10 °C de moins qu'en
bas ! Retour possible *via* Ronda par Jubrique et Algatocín, deux villages tout
blancs dans leur écrin de chênes-lièges. Route étroite et sinueuse, et attention aux caprins, domestiques cette fois-ci !

MARBELLA (29600)

Enfin, nous y voici ! Marbella est à la jet-set l'été ce que Séville est à la foi
durant la Semaine sainte. Que dire de ce que fut avant-guerre cet adorable
petit port andalou endormi dans le creux d'une vague de la côte, et qui s'est
réveillé dans les années 1980 cerné de centaines de blocs de béton hauts et
moches, carcan hideux pour le vieux Marbella qui reste pour sa part un vrai
petit bijou. Les plages ont été redessinées pour les besoins de la baignade
aseptisée, et la promenade sur le front de mer n'a pas grand-chose de
romantique. Ou alors, c'est bien caché. Heureusement, au cœur de ce
Béton-sur-mer, il reste une perle : le vieux Marbella ! Un beau quartier aux
maisons blanches et aux balcons fleuris se trouve au milieu du Marbella
nouveau. L'épicentre en est la plaza de los Naranjos, une oasis de fraîcheur
avec des orangers bien sûr, une claire fontaine, des terrasses de café où l'on
prend le soleil et où l'on se fait voir.

UN PEU D'HISTOIRE

Tiens au fait, pourquoi Marbella est-elle devenue une destination chic ? Le
village doit sa prestigieuse renommée au marquis don Ricardo Soriano et à
son neveu, le prince Alfonso Hohenlohe, qui, dès 1953, entraînèrent parents
et amis fortunés, convertissant ainsi ce relais côtier en un rendez-vous mon-
dain international.
C'est vrai qu'aujourd'hui on y croise plus un Rothschild ou un émir saoudien
que sa gardienne d'immeuble. Mais la propreté et la sécurité (on a parfois
l'impression d'être en Suisse...) sont le fait d'un personnage singulier : Jesús
Gil. Fondateur éponyme du GIL (Groupe Indépendant Libéral), ce personnage bonhomme est aussi le président chancelant de l'Atlético de Madrid et
un des bétonneurs de la côte. Symbole de la réussite rapide, il s'entoure
d'une fratrie d'hommes d'affaires pour suivre sa politique d'assainissement
de la région. À son tableau de chasse, il vient récemment d'accrocher les
villes de Ceuta et de Melilla et projette d'en faire deux paradis fiscaux (ce
qui, soit dit en passant, arrangerait bien ses affaires). Mais voilà. Qui veut
trop bien faire se brûle parfois les mains. Gil aurait confondu sa caisse et
celles de l'Atlético... Les chiffres annoncés par la presse sont faramineux,
près de 20 millions de pesetas ! Plusieurs juges sont aux trousses de Gil,
menacé de prison et de privation de droits civiques pour avoir également
vendu à des sociétés immobilières qu'il contrôle le patrimoine foncier de la
ville. Là, on ne parle même plus de chiffres... Le feuilleton politico-financier
passionne l'Espagne comme l'affaire Tapie avait passionné la France.

On le rappelle, Marbella est un petit bijou, mais trop serti pour être honnête. C'est aussi un mythe et quand on y séjourne, le mythe tombe vite.

Adresses et infos utiles

Infos touristiques

Office du tourisme (hors plan par A3) : Glorieta de la Fontanilla. ☎ 952-77-14-42. Ouvert du lundi au vendredi de 9 h 30 à 20 h (21 h en été) et le samedi de 10 h à 14 h. Fermé le dimanche. Efficace, bon accueil. Plan succinct de la ville gratuit. Autre plan plus élaboré mais payant.

Office du tourisme (plan A1) : plaza de los Naranjos. ☎ 952-82-35-50. Ouvert du lundi au vendredi de 9 h à 20 h (21 h en été) et le samedi matin. Fermé le dimanche.

Il existe un troisième office du tourisme à l'entrée de la ville, dans un arc de béton qui surplombe la route en venant de Málaga.

Services

Poste (hors plan par A1-2) : calle Alonso de Bazán, 1. Ouvert en général de 8 h 30 à 14 h 30 (13 h le samedi).

Argent

Banques : toutes les banques se trouvent sur l'avenue Ricardo Soriano. Heures d'ouverture : de 9 h à 14 h. Fermé le samedi matin en été.

American Express (hors plan par A3, 1) : sur le paseo Marítimo. ☎ 952-82-14-94. Ouvert de 9 h 30 à 13 h 30 et de 16 h 30 à 19 h 30.

Santé, urgences

Hôpital public Costa del Sol : sur la CN 340. ☎ 952-86-27-48. À environ 4 km à l'est de Marbella.

Police nationale : calle Arias de Velasco. ☎ 952-82-23-53 et 952-77-11-93 (urgences).

Police locale : sur la CN 340. ☎ 952-82-74-79.

Parkings

Difficile de se garer ici. Si vous ne faites qu'une halte à Marbella et que vos bagages sont dans la voiture, mettez celle-ci dans un parking privé.

Le plus pratique et le moins cher est celui de Huerta Chica (plan A1, 2), sous le supermarché.

Autres parkings gardés : au début de l'avenue de la Puerta del Mar (plan A2, 2), sur Carlos Mackintosh (plan A2, 2) et sur Duque de Ahumada (plan B3, 2).

Si vous séjournez assez longtemps, évitez les parkings (chers) mais garez-vous légalement. Les enlèvements rapides sont ici très au point.
– N.B. : au début de la calle Chorrón, et sur l'avenida Ramón y Cajal (au niveau du n° 7), on trouve deux petits **plans de la vieille ville** en carreaux de céramique. Très utile pour retrouver son chemin !

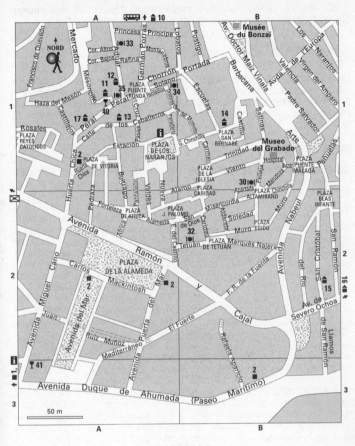

MARBELLA

■ **Adresses utiles**

🛈 Offices du tourisme
✉ Poste
🚌 Gare routière
1 American Express
2 Parkings gardés

🏠 **Où dormir?**

10 Albergue Juvenil Marbella
11 Hostal de Pilar
12 Hostal Aduar
13 Hostal Enriqueta
14 Hostal El Castillo
15 Hostal La Pilarica
16 Hostal La Luna
17 Hostal Paco

🍽 **Où manger?**

30 Bar Altamirano
32 Sol y Sombra
33 La Casa Vieja
34 El Balcón de la Virgen
35 Picaros Restaurant

🍷 **Où boire un verre?**

40 English Pub
41 Bodega La Venencia

– N.B. *bis* : pour se rendre dans le centre depuis la gare routière, prendre le bus n° 1. Moins de 1 € (7 F) le trajet.

Où dormir ?

On renouvelle notre conseil : laissez votre véhicule en lisière de la vieille ville, qui se parcourt à pied. En dehors du centre, pas de problème, à part les bouchons à certaines heures. Vous avez de la chance, c'est dans le centre-ville que se trouvent les hôtels bon marché. Il n'y a aucun intérêt à dormir ailleurs.

Bon marché

🛏 *Albergue Juvenil Marbella (hors plan par A1, 10)* : Trapiche, 2. ☎ 952-77-14-91. Fax : 952-86-32-27. • www.inturjoven.com • En haut de la ville, légèrement au-dessus du mercado, un peu à l'extérieur du vieux centre et à 10 mn à pied de la station de bus en descendant la calle Trapiche. Ouvert toute l'année ; réception 24 h/24. Plusieurs saisons et tarifs, comme dans tout le réseau des auberges de jeunesse d'Andalousie. Compter 6 € (39 F) par personne en basse saison (de mars à mi-juin et de mi-septembre à fin novembre) et 11 € (72 F) en haute saison. Grande AJ située dans un ancien monastère dédié à san Francisco. Une haute tour ressemblant à un minaret surplombe le monastère. Large vestibule rappelant celui d'un hôtel. Chambres avec ou sans sanitaires, de 2 à 6 lits. Auberge très bien tenue. Conviendra aux groupes et aux personnes seules. Des chambres, belle vue sur le parc qui jouxte l'AJ. Piscine. On est à 2 km de la plage la plus proche.

🛏 *Hostal de Pilar (plan A1, 11)* : Mesoncillo, 4. ☎ 952-82-99-36. • hos

tal@marbella-scene.com • À partir de 9 € (59 F) par personne, mais la chambre double avec lavabo est communément facturée 30 € (197 F). Demandez à voir plusieurs chambres, certaines étant plus lumineuses que d'autres. Quelques chambres pour 3, toutes sans sanitaires. Dans une jolie ruelle du vieux Marbella, un repaire de routards. Tenu par deux cousins charmants. Terrasse ensoleillée avec discothèque. Bar au rez-de-chaussée, avec cheminée pour les soirées d'hiver.

🛏 *Hostal Aduar (plan A1, 12)* : Aduar, 7. ☎ 952-77-35-78. Compter entre 22 € (144 F) la chambre double avec lavabo et 27 € (177 F) avec salle de bains. Petit hôtel très fleuri. 4 étages : une salle de bains à chaque étage. Choisissez une chambre en hauteur. Petit patio au fond du couloir. Il semble que l'on porte plus d'attention aux géraniums qu'à la propreté des chambres, quel dommage !

🛏 Calle Aduar, quelques autres petites *pensions* pas chères mais à la tenue limite.

Prix moyens

🛏 *Hostal El Castillo (plan B1, 14)* : plaza San Bernabé, 2. ☎ 952-77-17-39. En saison, 35 € (230 F) la chambre double avec bains privatifs, moins cher hors saison. Situé dans une vieille bâtisse superbe. Très confortable et calme. Large patio. Les chambres donnant sur la petite place sont mieux que les autres, évidemment, à cause de la vue déga-

gée. Toutes avec sanitaires. L'ensemble a beaucoup d'allure.

🛏 *Hostal Enriqueta (plan A1, 13)* : Los Caballeros, 18. ☎ 952-82-75-52. Dans une ruelle piétonne, en plein centre. Compter 34 € (223 F) la chambre double. Établissement de qualité, impeccable, avec sanitaires. Chambres sur 2 étages pour 2, 3 ou 4 personnes, donnant sur un petit patio tranquille ou sur la petite ruelle de Los Caballeros. Le bon accueil et le rapport prix-situation-centralité en font une bonne adresse.

▲ **Hostal La Pilarica** (plan B2, **15**) : San Cristóbal, 31. ☎ 952-77-42-52. Un poil à l'écart du centre. Compter 27 € (177 F) la chambre double avec sanitaires. Une chouette pension située dans une ruelle piétonne extrêmement verdoyante (à croire que chaque habitant participe à un concours de plantes vertes !). Calme et d'une remarquable propreté. Certaines chambres disposent d'une terrasse. Déco inexistante et blancheur monacale. Bon rapport qualité-prix, mais accueil un peu décevant.

▲ **Hostal La Luna** (hors plan par B2, **16**) : La Luna, 7. ☎ 952-82-57-78. Bonne adresse à 5 mn du vieux centre, qui permettra aux mo-

torisés de se garer dans une ruelle sans encombres. À partir de 42 € (276 F) la chambre double en moyenne saison. Encore dans une rue piétonne tranquille, où les touristes viennent rarement. Chambres spacieuses, claires et bien équipées (douche ou petite baignoire, réfrigérateur...) pour 2, 3 ou 4. Très calme et tenu par un gentil monsieur.

▲ **Hostal Paco** (plan A1, **17**) : Peral, 16. ☎ 952-77-12-00. Fax : 952-82-22-65. Ouvert de début avril à mi-octobre. Ici, la chambre double est à environ 30 € (197 F). Chambres aérées, claires et spacieuses, toutes avec sanitaires. Fonctionnel et propre. Peu de charme mais spacieux. Pour avoir plus de calme, demander une chambre ne donnant pas sur la rue. Aurait toutefois tendance à s'embourgeoiser.

Où dormir dans les environs ?

Campings

Ils sont tous situés à l'est de la ville, sur la route de Málaga.

⚊ **Camping Marbella Playa** : à 11 km, sur la route de Torremolinos, côté droit quand on vient de Marbella, donc du côté de la plage, au pied de la résidence Coronado, bien visible depuis la route. ☎ 952-83-39-98. Fax : 952-83-39-99. En été, bus pour le centre toutes les 30 mn. Ouvert toute l'année. En basse saison, environ 2 € (13 F) par personne et moins de 4 € (26 F) par tente ; en haute saison, un petit 4 € (26 F) par personne et un bon 6 € (40 F) par tente. Réduction pour les longs séjours (plus de 15 jours). Plutôt bien aménagé et entretenu. L'ensemble est assez agréable et calme. Surtout, s'installer le plus loin possible de la route. Le meilleur des campings, bien que le plus éloigné. Supermarché, resto, piscine. Sanitaires très propres. En revanche, piscine et plage pas toujours très clean.

⚊ **La Buganvilla** : à 7 km à l'est de Marbella, sur la route côtière bien bruyante ; côté gauche quand on vient de Marbella. ☎ 952-83-19-73. Fax : 952-83-19-74. ● buganvilla@ spa.es ● De Marbella, prendre le bus pour Fuengirola. Ouvert toute l'année ; réception de 9 h à 22 h (une personne parle le français). En haute saison, compter un bon 3 € (20 F) par personne, moins de 5 € (33 F) pour la tente et environ 3 € (20 F) par voiture. Bien équipé et ombragé par des pins, mais la route (en fait, l'autoroute qui longe la Costa del Sol) le sépare de la plage. Choisir de planter sa tente au fond du camping, c'est moins ombragé mais bien plus calmé. La traversée de cette route se fait par une passerelle. Tout confort : piscine, resto pas cher, épicerie. Petit supermarché à 100 m sur le même côté.

Très chic

▲ **Hôtel-club Santa Marta** : carretera de Cádiz, km 167, 29680 Este-

pona (Málaga). ☎ 952-88-81-77. À 10 km d'Estepona et à 8 km de

Puerto Banús. Ouvert d'avril à octobre. De juillet à septembre, compter environ 67 € (439 F) la chambre double ; le reste de l'année, 64 € (420 F). Hôtel 3 étoiles, entouré de magnifiques jardins fleuris et ombragés qui s'étendent sur 2 ha et conduisent directement à la plage de sable. La situation de cet hôtel et l'amabilité de son personnel en font un endroit idéal pour les vacances en famille et entre amis. Dispose de 25 bungalows et 12 chambres réparties dans le « patio andalou ». Toutes les chambres et tous les bungalows sont équipés de salle de bains complète, téléphone, ventilateur, terrasse pour les bungalows et balcon pour les chambres. Superbe piscine avec des cascades pour le plaisir des grands et des petits ; des transats sont à disposition gratuitement. Club d'enfants (4 à 12 ans) pendant les périodes de vacances scolaires.

Où manger ?

De bon marché à prix moyens

|●| *El Pescador :* acera de la Marina, 42. Non loin de la plage. Fermé le mardi et de Noël à début janvier. Compter 6 à 9 € (39 à 59 F) pour une portion de poisson. C'est le grand-père de Juan qui, au début du siècle, a construit la maison, le bar et le restaurant. La plage était à 50 m, les pêcheurs débarquaient le poisson, et le vieux leur servait des coups à boire tandis que sa femme préparait les daurades grillées. Et puis Marbella est devenue à la mode, les promoteurs ont envahi le front de mer et fait des offres mirifiques à Juan, qui les a foutus dehors. On lui a collé une HLM améliorée devant chez lui, entre la mer et son bistrot. Puis une autre à côté et une autre derrière. Mais Juan a continué, avec sa femme dans la cuisine et ses deux fils en terrasse pour servir des poissons incroyables de fraîcheur, des petites seiches grillées et des salades andalouses comme on n'en fait plus. Bien sûr, il a sacrifié à la modernité avec des tables en Formica et des chaises en fer à faire fuir. Mais tant qu'il y aura des Juan pour faire des repas traditionnels à moins de 12 € (79 F) vin compris et pour vous prendre dans ses bras dès la seconde visite comme si vous étiez un ami de 20 ans, tout espoir ne sera pas perdu. Naturellement, on ne réserve pas (d'abord, il n'y a pas de téléphone) et on pousse gentiment les clients pour installer les nouveaux arrivants : si tout est plein, vous pouvez attendre mais il n'y a aucun délai car ceux qui sont installés peuvent y passer la soirée si ça leur chante. Naturellement, on ne parle pas le français ni l'anglais puisque pratiquement toute la clientèle est locale. Faut savoir ce qu'on veut !

|●| *Bar Altamirano* (plan B1, 30) : au n° 3 de la plaza du même nom, absolument charmante. ☎ 952-82-49-32. Dans la vieille ville, derrière l'église. Ouvert de 13 h à 16 h et de 20 h à 23 h. Fermé le mercredi et de début janvier à mi-février. On en sort pour environ 12 € (79 F). C'est, de loin, notre resto préféré. Amusant : le menu est en carreaux d'*azulejos* à l'extérieur. Tout y est délicieux : ce que l'on mange, boit, voit et entend. Grand spécialiste de poisson, et quel poisson ! Seiches, calmars, rougets, espadons, raies, daurades, etc. Si vous ne voulez pas regretter votre déplacement, allez-y assez tôt car c'est évidemment très vite bondé. Il faut parfois faire jusqu'à une heure de queue.

|●| *Sol y Sombra* (plan B2, 32) : Tetuán, 5-7. ☎ 952-77-00-50. À l'entrée de la vieille ville. Ouvert tous les jours. Déco gentiment ringarde, contrairement à la cuisine. Les proprios sont des fans de foot, on ne se refait pas ! On conseille aux affamés de commencer par la *sopa de mariscos,* soupe reconstituante qui les cale déjà pas mal. Les viandes sont généreusement servies. Beau choix de fruits de mer. Bon service. Climatisé.

Un peu plus chic

I●I *La Casa Vieja* (plan A1, *33*) : Aduar, 18. ☎ 952-82-13-12. Fermé le dimanche. Menu le midi autour de 10 € (66 F). Quel plaisir de manger dans le petit patio ceint d'*azulejos* une bonne cuisine d'amphitryon ! Le patron, sympa, bedonnant et barbu, vient s'inquiéter de la bonne santé de vos papilles. Service discret, diligent et polyglotte. Excellent vin de la maison. Bref, une bonne adresse qui confirme sa tenue. Devant cette avalanche d'éloges, un petit reproche : les desserts sont assez insipides car industriels. « Ventrebleu, un peu d'audace ! », comme dirait Depardiou.

I●I *El Balcón de la Virgen* (plan A-B1, *34*) : Remedios, 2. ☎ 952-77-60-92. Dans la ville ancienne, très touristique. Ouvert de 19 h à minuit. Fermé le mardi. Compter moins de 18 € (118 F) par personne. C'est vrai que le décor est superbe (façade et balcons fleuris de bougainvillées). La salle semble construite dans un vieux rempart médiéval tout en longueur et, dehors, une Vierge éclairée veille sur la façade du resto. Les plats ne sont pas si chers que ça.

I●I *Picaros Restaurant* (plan A1, *35*) : Aduar, 1 ; presque à l'angle de Peral. ☎ 952-82-86-50. ● picaros @activanet.es ● Ouvert tous les jours en été, fermé le lundi le reste de l'année. Menu le midi. À la carte le soir, compter un bon 24 € (157 F). Du chic, du branché, du bon ! Plusieurs salles dans des tons chauds et agréables, avec quelques accents baroques, et puis ce superbe patio, couvert de végétation, agrémenté de vieilles pierres. C'est un couple d'Américains très pro qui tient de main de maître cet établissement raffiné. Lors de notre dernier passage, il semble que la sieste était plus importante que les clients... Alors, en baisse de forme ?

Où boire un verre ?

🍸 *English Pub* (plan A1, *40*) : Peral, 6. Un vrai pub, tenu par un vrai Anglais, avec de vraies bonnes bières pression et de vraies fléchettes ! Éviter de s'y pointer avant 23 h. D'ailleurs, les vendredi et samedi, ça n'ouvre en général pas avant minuit.

🍸 *Bodega La Venencia* (plan A3, *41*) : avenida Miguel Cano, 15. ☎ 952-82-15-57. À l'extérieur du vieux centre. Ouvert tous les jours, toute la journée. Des tabourets hauts qui débordent sur le trottoir, une pyramide de tonneaux (vermouth, *torito, moscatel,* etc.), un bar en brique qui ondule et des clients qui vacillent en buvant un vin doux et en dégustant d'excellentes tapas (poivrons marinés, sardines, anchois...) pour moins de 1 € (7 F) en *montaditos* et pour environ 9 € (59 F) en *raciones*. Bons produits et vins de qualité.

🍸 *Churrería Ramon* (plan A1) : plaza de los Naranjos. Vieille adresse de Marbella et grand classique pour les jus de fruits frais et les *churros con chocolate*. En fin d'après-midi, pas une table libre, mais la qualité du jus d'orange est telle que ça vaut le coup d'attendre 10 mn.

À voir. À faire

★ Pour ceux qui n'auraient pas vu la *plaza de los Naranjos* (place des Orangers ; plan A1), il faut à tout prix s'y arrêter pour prendre un verre. Ça tombe bien, on vous donne justement une adresse ci-dessus. Bel exemple d'architecture andalouse : le *vieil ermitage* (XVe siècle), *el Ayuntamiento*

(XVIᵉ siècle) et *la casa del Corregidor* (XVIIᵉ siècle). Au printemps, les parfums entêtants des orangers en fleur et des *damas de noche* vous accompagneront jusqu'à la nuit. Beaucoup de touristes l'été, bien sûr. Au cours de votre balade dans la vieille ville, vous passerez par de jolies placettes où les enfants jouent, où les fontaines coulent timidement, où les pots de fleurs colorés accrochés aux murs se dorent au soleil, où, derrière des balcons fleuris, de vieilles Andalouses veillent et surveillent. Ici, on est étonné par la propreté des ruelles ; c'est que la municipalité est riche, elle a pu les restaurer sans lésiner sur les factures, et avec goût. Charmant, même s'il y a un peu trop de touristes en saison.

★ *La iglesia de Nuestra Señora de la Encarnación (plan B1) :* plaza de la Iglesia. Cet édifice, qui date du XVIIᵉ siècle, rappelle la splendeur religieuse passée... Beau contraste entre ses murs blancs et son portail ocre. Bel orgue à l'intérieur, pas sur le plan esthétique mais acoustique.
Sur la même place, vous pourrez également découvrir les vestiges d'une *tour* ayant appartenu jadis à un château musulman du IXᵉ siècle.

★ Tout près de la place des Orangers, la *capilla de San Juan de Dios.* Dans cette minuscule chapelle datant du XVIᵉ siècle, repérez le petit autel joliment décoré. Une Vierge blanche à l'auréole d'or déployée veille pieusement sur les lieux. Voir aussi l'élégant portail de bois où sont inscrites les armes de León et Castille.

★ *El museo del Grabado Español Contemporáneo (plan B1) :* calle Hospital Brazán, 5. ☎ 952-82-50-35. Ouvert de 10 h à 14 h et de 17 h 30 à 20 h 30 ; les dimanche et lundi, ouvert seulement le matin. Fermé le samedi. Entrée : environ 2 € (13 F). Dans l'ancien hôpital Brazán du XVIᵉ siècle, on a aménagé un très beau musée de la gravure espagnole contemporaine. Les amateurs d'art moderne et de techniques séculaires seront aux anges : lithographie, sérigraphie, pointe sèche, eau-forte... Tout y est. On pourra, entre autres, voir des œuvres de Picasso, Miró, Dalí, Tàpies...

★ *Le musée du Bonzaï (plan B1) :* dans le petit parc bordant la vieille ville, hors des murailles. ☎ 952-86-29-26. Ouvert tous les jours de 10 h à 13 h 30 et de 16 h à 19 h. Entrée : moins de 3 € (20 F). Petit musée présentant les fameux petits arbres. Pour les fans uniquement.

△ *Les plages :* il y en a plusieurs dans le centre même. Souvent artificielles, elles n'ont rien de transcendant, franchement. En s'éloignant de Marbella vers l'ouest, on en trouve de plus belles, de plus tranquilles, mais bon, ce n'est pas Tahiti. La plus belle et la plus sympa est la plage du Trocadero. Pour y accéder, prendre la route vers Estepona. En face de la grande station *BP,* prendre (à pied) la petite rue en impasse qui va vers la mer. Grande plage de sable fin calme et familiale (on n'est pas obligé de louer les chaises longues à 6 €, soit 39 F, par jour). Au *Chiringuito La Pesquera,* on peut déjeuner de poissons grillés par le vieux cuisinier sur un foyer aménagé dans une coque de canot (il a même bricolé un petit jardin de plantes aromatiques directement sur la plage, pour accommoder ses grillades). L'ensemble est bon enfant semi-chicos et c'est le meilleur bistrot de plage de Marbella. Compter quand même 15 € (98 F) par personne avec un bon vin blanc frais. ☎ 952-77-03-38.

➤ *DANS LES ENVIRONS DE MARBELLA*

★ *La mosquée de Marbella :* à 2 km au sud de Marbella. Ouvert en théorie tous les jours sauf le vendredi, de 17 h à 19 h. Certains Espagnols considèrent que, cinq siècles après la victoire des Rois Catholiques sur les Maures, l'Andalousie est en train de subir « la reconquête arabe ». Tout particulièrement à Marbella, où les capitaux du Golfe arrivent en masse. C'est ici qu'ils viennent s'éclater. La ligne de conduite fixée par le Coran semble incompatible avec une certaine opulence. Là, les émirs goûtent la liberté, avec démesure parfois. Cette charmante mosquée a été financée par le roi Abdulaziz al-Saud, dont elle porte le nom. Derrière cette mosquée toute neuve, vous devinerez la résidence du roi Fahd, construite sur une colline artificielle et protégée derrière des remparts surmontés de miradors (pour ne pas se retrouver de plain-pied avec ses voisins !). C'est en fait une copie de la Maison-Blanche... en plus grand. En juillet 1999, le roi Fahd est venu, après 12 années d'absence, se reposer dans son palais. En toute simplicité, c'est-à-dire de nombreuses limousines, 200 tonnes de bagages environ, 400 serviteurs. Une aubaine pour le coin. 250 suites et chambres ont été louées dans les hôtels de luxe de la région. Et l'intendance royale aurait dépensé chaque jour dans les 100 000 F au grand magasin local... Des centaines de chauffeurs, cuisiniers, jardiniers ont été recrutés à cette occasion...

★ **Puerto Bañús :** port de plaisance à 7 km au sud de Marbella. Pour moins de 7 € (46 F) aller-retour, on peut prendre le bateau-navette qui effectue la liaison en 30 mn. C'est plus agréable que le bus mais quand même plus cher. Fonctionne de 10 h à 18 h. Départ du port de Marbella sur le paseo Marítimo. L'endroit le plus rupin d'Espagne. La Rolls est la voiture la plus utilisée. Les yachts, éclatants de blancheur comme la tenue des matelots, sont garés dans la rade. Les bateaux sortent assez peu (en pleine mer, personne n'est là pour admirer les luxueux joujoux !). Pour vous dire la vérité, nous, on a trouvé l'endroit assez laid, et surtout sans âme. Tout au plus est-il divertissant de voir les riches s'ennuyer... ou faire semblant de s'amuser (ça revient au même). Certains ensembles architecturaux sont franchement arabisants : dômes, marbres, notamment à l'entrée du port, sur la droite. Le soir, vie trépidante de la jet-set qui sort en boîte, joue au casino et boit des drinks. Il faut bien s'occuper...

QUITTER MARBELLA

En bus

🚌 **Estación de Autobuses** (hors plan par A1) : avenida Trapiche. ☎ 952-76-44-00. Non loin de l'auberge de jeunesse et dans un centre commercial.

➤ La compagnie *Automoviles Portillo* dessert **Puerto Bañús, Fuengirola** et **Málaga** (toutes les 30 mn, seulement 6 départs le dimanche), **Ronda** (4 fois par jour), **Grenade, Cordoue** et **Séville** (2 fois par jour), **Cadix** (3), **Almería** (1).
➤ Également 4 départs pour **Madrid** avec la compagnie *Daibus*. Comptoirs ouverts de 9 h 30 à 13 h 30 et de 17 h 30 à 21 h 30.

En train

➤ Pas de ligne de train à Marbella. La plus proche est à **Fuengirola**.

MIJAS
(29649)

La route la plus agréable pour monter à ce village consiste à prendre la direction de « Tívoli World » (parc d'attractions) à la sortie sud de Torremolinos. En effet, cette petite route de montagne vous éloignera du bord de mer. Elle traverse des paysages agréables et secs avec, en contrebas, la mer. Mijas est un petit village, tout blanc, perché dans la montagne. Ruelles étroites, ferronneries ouvragées, balcons fleuris, bref, tous les ingrédients pour attirer les cars de touristes. Plus les années passent et plus on a l'impression qu'il devient surfait et surexploité. Ânes et calèches promènent toutous, en veux-tu en voilà.

Joli panorama sur la mer, à quelques kilomètres. Dans le village, une adorable petite chapelle *(Virgen de la Peña)* et une église de style mudéjar qui reflètent bien l'Andalousie rurale. Également une arène carrée assez singulière.

Beaucoup de monde certes dans la journée, mais bien peu de touristes le soir puisque tout le monde retourne en bord de mer et que les boutiques de souvenirs ferment. Parfait, c'est l'occasion d'y séjourner.

Comment y aller ?

En bus

➢ *De Fuengirola :* départs très réguliers toute la journée.

En voiture

C'est à 15 mn de la côte. Se garer dès l'entrée du village. Il y a des parkings. La balade se fait à pied.

Où dormir ? Où manger ?

Bon marché

🏠 *Pensión Josefa Rueda :* Coín, 47. ☎ 952-48-53-10. Compter environ 20 € (131 F) pour une chambre double avec bains communs. La seule pension de Mijas ! Pour s'y rendre, aller jusqu'à la plaza de la Constitución, c'est à 3 mn à pied, sur la route de Coín. Pas de pancarte. La véritable pension familiale, tenue par de sympathiques vieilles dames. La plupart des chambres donnent sur la vallée, parfaitement au calme. Prix bas vu le confort (sanitaires et plaque chauffante). L'adresse qui donne envie de passer quelques jours dans le village. Les propriétaires proposent également des appartements équipés, très bon marché.

🍽 *Café-bar Porras :* plaza Libertad, 5. Petit bar tranquille. « Rien de spécial ! », nous direz-vous. Eh bien non ! rien de spécial. Des tapas pas chères et bien faites, quelques tables en terrasse et un brin d'authenticité. Pas si mal, finalement. Sans compter l'accueil qui est irréprochable.

Plus chic

🍽 *Restaurante El Mirlo Blanco :* plaza de la Constitución. ☎ 952-48-57-00. Près des arènes. La superbe terrasse dominant la plaza est certainement le point stratégique du village. La qualité de la cuisine, malgré les prix, en fait une étape incontournable. Les moins fortunés prendront un gazpacho (superbe) ou une bonne soupe de poisson. Le soir, c'est l'occasion de se laisser un peu plus aller. Dommage que l'accueil soit inégal. Réservation impérative.

Où dormir dans les environs ?

⛺ *Camping La Rosaleda :* à 2 km de Fuengirola, à Los Boliches, localité où la route de Mijas rejoint la N 340 pour Fuengirola. ☎ 952-46-

01-91. Fax : 952-58-19-66. Ouvert toute l'année. Environ 4 € (26 F) par tente et par personne ; douche gratuite. Camping en retrait de la côte. Mais on y est un peu parqué comme des sardines. Petite épicerie.

À voir

★ La balade dans le *village* est un plaisir en soi. À faire plutôt le matin, avant que les cars de tourisme n'occupent le terrain.

★ *La chapelle de la Virgen de la Peña :* au bas du village, sur un petit promontoire. Une petite grotte-chapelle très fleurie où la population locale vient déposer des ex-voto dans une petite niche. Il faut dire que la Virgen de la Peña est la patronne du village. Les habitants lui dédient des petits mots enroulés et placés dans des trous, des cartes de visite, de touchantes photos mais aussi de superbes tresses de cheveux sacrifiées par de jeunes femmes à la Vierge pour attirer ses faveurs ou la remercier. Impression forte. De la terrasse devant, belle vue sur la côte et « Fuengirola-la-moche ».

TORREMOLINOS (29620)

La ville doit son nom aux tours *(torres)* et aux moulins *(molinos)* qui la fleurissaient jadis. Hélas, ce petit port de pêche est devenu une vraie catastrophe. Le symbole de la promotion immobilière sauvage, dans la lignée de Benidorm. Les plages sont belles, mais difficile de voir le sable : des dizaines de cars y déversent tout l'été des Mimiles venus de tous les pays, coiffés de bobs, chaussés de tongs et vêtus de polos à trous. Routard, passe ton chemin ! Sinon, voici trois bonnes raisons pour séjourner ici : la panne de voiture, l'autopunition, le pari stupide un soir entre copains.

Adresse inutile

🖹 *Office du tourisme :* plaza Pablo Ruiz Picasso. Dans le centre (mais y a-t-il vraiment un centre ?). Ouvert en théorie de 9 h à 14 h.

Où dormir ? Où manger ?

Ailleurs ! Allez, voici quand même un camping.

⚕ I●I *Camping Torremolinos :* au nord de la ville, sur la route de Málaga, à environ 2 km de Torremolinos. ☎ 952-38-26-02. Ouvert toute l'année. Sortir après la station *Repsol* après l'aéroport militaire. À 3 mn à pied de la plage (environ 500 m). Compter plus ou moins 4 € (26 F) par personne, par tente et par voiture. À côté de l'autoroute, ce qui est bien pratique, convenez-en, mais également bien bruyant ! Entièrement clos de murs. Assez concentrationnaire, ce qui permet les rencontres, après tout. Parmi les eucalyptus et les cailloux. Prévoyez des sardines solides ou un marteau-piqueur pour les planter. Sanitaires en été un peu limite. Épicerie et cafétéria. Pas de piscine. Douche froide l'été. Le pied, non ?

À voir

À vrai dire, pas grand-chose.

★ *La Carihuela :* au nord de la ville, au bord de la mer. C'est l'ancien village avec quelques vieilles maisons, assez rares faut-il encore préciser. Visite sans intérêt.

ANTEQUERA (29200)

À une cinquantaine de kilomètres de Málaga, cette petite ville très coquette recèle un centre dont la richesse remonte à la Renaissance et à sa fameuse période baroque. En fait, les sierras de las Cabras à l'est et de Chimenea à l'ouest, fermées par le Torcal et le Camorro Alto (1 379 m), ont fait d'Antequera une base de repli dans la Reconquête de l'Al-Andalus. Il semble que tout le clergé séculier se soit donné le mot pour venir y construire une « chapelle ». Entre les carmélites chaussées et déchaussées, les minimes, les dominicaines, les augustines, on ne compte plus les monastères et les édifices religieux. Ça tombe plutôt bien pour les fanas car l'architecture ne laisse pas indifférent.

Adresses utiles

🛈 **Office du tourisme :** plaza San Sebastián, 7. ☎ et fax : 952-70-25-05. Ouvert de 9 h 30 à 13 h 30 et de 16 h à 19 h.
✉ **Poste :** Najera. Derrière le couvent Sainte-Catherine-de-Sienne. ☎ 952-84-20-83.
🚌 **Gare routière :** ☎ 952-84-35-73. 11 départs quotidiens pour Málaga depuis le paseo Real à côté de la plaza de Toros.
🚂 **Gare RENFE :** assez loin du centre-ville, au nord, au bout de la calle Lucena et à côté du convento de la Trinidad. ☎ 952-84-32-26.

Où dormir ?

Bon marché

🛏 **Pensión Camas Gallo :** Nueva, 2. ☎ 952-84-21-04. Maison sur la gauche lorsque l'on est en face de l'office du tourisme. Difficile de trouver moins cher : 16 € (105 F) la chambre double. On a rarement vu autant de parlotte concentrée dans un petit bout de femme comme Isabel, la patronne. Chambres pas des plus claires mais nickel. Bains à l'extérieur. Très bon rapport qualité-prix.

🛏 **Residencia Colón :** Infante Don Fernando, 29. ☎ et fax : 952-84-00-10. ● hcolon@teleline.es ● Ouvert toute l'année. Compter 30 € (197 F). Chambres un peu vieillottes, disposées sur deux étages parmi les plantes grasses. La plupart doivent partager la salle de bains, mais toutes disposent d'une TV. Ne pas hésiter à en voir plusieurs avant de réserver. Entretien correct mais sans plus. Accueil un brin arthritique.

Prix moyens

🛏 **Hostal El Numero Uno :** Lucena, 40. ☎ et fax : 952-84-31-34. Accueil au bar du rez-de-chaussée. Ouvert toute l'année. Environ 27 € (177 F) la double. Entièrement rénové avec de grands carreaux de faïence jusqu'à mi-hauteur. Toutes les chambres ont leur salle de bains particulière. Demander la n° 8, un peu plus grande que les autres, ou la n° 3, avec sa superbe vue. Pas

énormément de charme, mais très propre et bon accueil.
🛏 **Hotel Nuevo Infante :** Infante D. Fernando, 5. ☎ et fax : 952-70-00-86. Au 2ᵉ étage. Compter 30 € (197 F) la chambre double. Là encore, un bon rapport qualité-prix pour cet hôtel tenu par la charmante Mariluz (malheureusement pas toujours présente). Les chambres, qui sont en fait plus des petits apparte-

ments avec frigo et salon, sont disposées autour d'une galerie dans le patio de l'hôtel. Heureusement, elles ne donnent pas sur la rue Infante D. Fernando (c'est l'une des plus passantes et des plus bruyantes de la ville).

Où manger?

Goûter à la spécialité locale, la *porra*, sorte de gazpacho épais, un délice.

Bon marché

|●| *Bar Pañero :* cuesta Zapateros, 7. Bar totalement dépourvu d'intérêt si ce n'est son menu à moins de 6 € (39 F), idéal pour les fauchés. Accueil un peu sec.

|●| *Bar Chicón :* Infante Don Fernando, 1. ☎ 952-70-05-65. Lieu parfait pour prendre un petit déjeuner, à partir de 2 € (13 F). Menu du jour à partir de moins de 5 € (33 F). Le bar de la place San Sebastián où tous les petits pépères viennent commenter l'actualité locale devant leur petit noir matinal. Plus le temps passe et plus la pompe à bière se met à transpirer. Les tapas dignes de confiance s'amoncellent dans le garde-manger réfrigéré. Bon accueil.

Chic

|●| *El Angelote :* Encarnación, sur la place del Coso Viejo. ☎ 952-70-34-65. Fermé le lundi. Menu à partir de 8 € (52 F) au moins ; à la carte, compter 21 à 24 € (138 à 157 F). Copieuses spécialités locales comme l'*asadura de chanfaina* (végétarienne). Resto de bonne facture qui fait office de rendez-vous du dimanche des notables d'Antequera.

À voir

Prêts pour la tournée des églises? « Attention à la fermeture automatique des portières, attention au départ! »

★ *La collégiale de San Sebastián :* sur la place du même nom, à côté de l'office du tourisme. L'angelot qui se campe sur sa pointe en est le symbole. Malgré les grandes envolées de ses colonnes au joli fût en pierre rose ocre, la lourdeur de sa tour trahit son style baroque mudéjar. L'angelot possède dans sa poitrine les reliques de santa Eufemia, la patronne d'Antequera. La place San Sebastián, dont les plans ont été dressés à la Renaissance, s'articule autour d'une belle fontaine datant de 1545.

★ *La iglesia del Carmen :* descendre la rue Encarnación jusqu'à la place des Descalzas, prendre sur la droite la cuesta de los Rojas ; c'est au bout de la rue. Ouvert le lundi de 11 h 30 à 14 h et de 16 h à 19 h, du mardi au samedi de 10 h à 14 h et de 16 h à 19 h, et le dimanche de 10 h à 14 h. Entrée : moins de 2 € (13 F).
Son retable (*Altar Mayor*) passe pour être le plus beau retable baroque de toute l'Andalousie. Luxe d'angelots et de chérubins blancs qui contrastent sur les alcôves, chapiteaux, et volutes florales d'un beau rouge brique. Belle vierge *del Socorro* (« du Secours ») consacrée au XVIe siècle et offerte par les Rois Catholiques.

★ *La iglesia de San Augustín :* à proximité de la place San Sebastián, sur la rue Infante Don Fernando. Ouvert du mardi au dimanche de 11 h à 13 h. Fermé le lundi. Édifice du XVIe siècle dont la construction a été coordonnée par le même architecte que celui de la cathédrale de Málaga, Diego de Vergara. Retable composé de cadres retraçant la vie de san Augustín (logique !).

★ *La iglesia San Juan de Dios :* à la fin de la rue Infante Don Fernando, avant l'alameda de Andalucía. Belle coupole en plâtre travaillé. Élevée au XVIIᵉ siècle, elle est le pendant religieux de l'hôpital qui ne se visite plus mais se situe à côté. Pas de gaspillage à l'époque, la cure des âmes et celle des corps avaient lieu dans le même quartier !

★ *La place Santiago, l'église de Santiago et celle de Santa Eufemia :* belles façades avec tribune et petite chambre baroque renfermant la *Virgen de la Salud.* Appareillage en plâtre récemment restauré.

★ *El convento de los Remedios :* calle Infante Don Remedios. Ferme à 20 h 30. Le retable croule sous les dorures, superbe !

★ *El convento de Santa Catalina :* sur la place Coso Viejo. Ouvert tous les matins à partir de 7 h 30 ; le week-end, c'est grasse mat' : à partir de 8 h 30. Là encore, un beau retable du XVIIIᵉ siècle, richement travaillé. La chapelle elle-même est assez surprenante car elle ne comporte ni nef, ni transept. On a l'impression de débouler tout droit dans son chœur. Retournez-vous et peut-être verrez-vous « en chair et en os » une des dernières sœurs se recueillir.

★ Au fil du parcours, on ne peut s'empêcher de jeter un œil aux nombreux *palacios* et *casas solariegas.* Ces palais et riches maisons sont quasi systématiquement organisés autour d'un patio avec une fontaine en son centre. Selon la richesse du propriétaire, les arches et le marbre du Torcal viennent ajouter un peu de faste aux édifices. Entre autres, le *palacio Marqués de Villadarías* (calle Lucena), le *palacio de las Escalonias* (calle Pasillas), ou la *casa de Seraller* (calle Laguna) derrière la *casa del Conde de Colchado* (calle Cantareros), néo-baroque.

★ S'il vous reste un peu de temps, faites une visite au *Musée municipal.* Il est également dans les murs d'un ancien palais bien conservé *(palacio de Nájera).* Ouvert du mardi au vendredi de 10 h à 13 h et de 16 h à 19 h. Entrée : moins de 2 € (13 F). Nombreuses pièces archéologiques de la région, depuis les premiers établissements humains aux confins du Torcal jusqu'aux reliques de la Semaine sainte. Pièce maîtresse : l'éphèbe d'Antequera, une statue romaine en bronze qui passe pour être l'un des plus beaux bronzes du Iᵉʳ siècle.

➤ *DANS LES ENVIRONS D'ANTEQUERA*

★ *El Torcal de Antequera :* à 13 km d'Antequera. Un haut plateau karstique où l'action de l'eau et du vent a lentement élimé et émoussé les pointes saillantes calcaires, sculptant des formes étonnantes qui raviront tant les amateurs de varappe que les photographes émérites. Du parking, accès facile au *Centre d'interprétation du Torcal* (ouvert tous les jours de 10 h à 14 h et de 15 h à 17 h) et au belvédère qui offre une vue grandiose (n'ayons pas peur des mots) portant jusqu'à Málaga et à sa baie, à 30 km à vol d'oiseau.
L'alternance d'oliveraies et de croupes calcaires parsemées de bosquets et de villages blancs est un concentré de l'Andalousie que l'on aime. Un chemin en boucle, plutôt facile, parcourt le labyrinthe de roches. On vous conseille de le suivre en partant du fond du parking à droite. Chaque détour de rocher est une surprise pour les yeux. Ces formes surréalistes inspireront sûrement quelques interprétations à votre fantaisie débridée ! Vos yeux peuvent aussi s'attarder au ras du sol ou s'élever dans les airs : ce biotope singulier abrite une flore et une faune originales. *Attention,* restez près du chemin : le reste du plateau est un parc naturel interdit d'accès. Laissez les bestioles se reproduire en paix !

★ *La garganta del Chorro :* à une cinquantaine de km d'Antequera. Prendre en direction d'Álora la route C 337 qui offre des tableaux bucoliques au possible. À l'entrée de Valle de Abdalajís, un panneau indique à droite El Chorro. La route se faufile tant bien que mal entre les grands-mères assises au seuil de leur porte et les gamins qui jouent au ballon. On traverse le village en se demandant sans cesse si l'on ne dérange pas un peu. Mais pas du tout : quand on ne sait vraiment plus s'il faut monter à droite ou descendre à gauche, il y a toujours quelqu'un pour vous renseigner avec la plus grande gentillesse du monde. Après une dizaine de km, lorsque l'horizon s'élargit, El Chorro est tout en bas, dans la vallée. On se perd encore une fois ou deux pour trouver la route qui emprunte le barrage *Tajo de la Encantada* et, sur l'autre rive, on tourne à droite. Au panneau indiquant le *desfiladero de los Gaitanes*, connu aussi sous le nom de *Garganta* (gorge) *del Chorro*, on peste contre le manque de parking et on retourne se garer près de l'auberge. Le *desfiladero* est une faille impressionnante fendant le rocher sur l'autre rive de l'étroit lac artificiel. Elle est garnie d'un réseau de passerelles, le *camino del Rey*, aménagé en 1920 sur l'ordre d'Alphonse XIII... et nullement entretenu depuis ! Soyons clairs : *on vous déconseille fermement de vous y aventurer.* Il vous faudrait parcourir plusieurs centaines de mètres sur la voie ferrée Málaga-Séville (en activité !) en empruntant plusieurs tunnels, puis progresser le long de la paroi, à plus de 60 m au-dessus du fleuve, sur une passerelle de béton de 80 cm de large suspendue au-dessus d'un éboulis puis du lac... et presque totalement dépourvue de rambarde ! Pour vous consoler, continuez votre route et, après la chapelle sur la droite, tournez à gauche vers les *ruines de Bobastro*. La route monte sur un plateau où se trouvent des lacs artificiels appartenant au système hydraulique du barrage. Tout en haut, tout au bout, petit parking offrant une vue superbe sur la vallée et les collines environnantes, mais hélas pas sur la *garganta*. À gauche, chemin descendant vers un bar. Son tôlier, super-sympa, adore les enfants et les animaux. En redescendant, on vous conseille de continuer jusqu'à l'*Embalse* (barrage) *del Conde del Guadalhorce*. En fin d'après-midi surtout, avec la lumière déclinante, paysage très doux aux couleurs merveilleusement apaisantes. En suivant le lac vers la gauche, on rejoint Ardales puis *Álora*, dominé par sa citadelle (la visite n'est pas indispensable, sauf pour les amateurs de... cimetières !).

Où dormir ? Où manger ?

À Álora, un hôtel-restaurant, très bien :

🛏 |●| *Durán :* La Parra, 9, 29500 Alora. ☎ et fax : 95-249-66-42. Chambres doubles avec bains au- tour de 36 € (236 F). Menu pour environ 12 € (79 F). Accueil sympa.

MÁLAGA (29000)

Fondée par les Phéniciens, occupée ensuite par les Romains, Málaga n'a cessé de subir les assauts répétés d'envahisseurs venus des quatre coins d'Europe, jusqu'aux troupes françaises qui l'investissent en 1810 ! Traversée par le fleuve Guadalmedina, la ville jouit d'un climat exceptionnel (320 jours de soleil par an... contre 45 jours de pluie !).
Célèbre surtout pour ses vins, Málaga n'offre que peu d'attrait, bien qu'elle possède quelques beaux monuments à visiter : la cathédrale, l'Alcazaba, le théâtre romain... Mais Málaga ne possède pas les charmes de Séville ou

Cordoue, loin s'en faut. On y fait halte uniquement si l'on passe dans les environs. N'y allez pas exprès ! La ville pleure aujourd'hui ses fastes d'antan. Un taux grandissant de chômage et l'aspect souvent négligé de ses rues lui portent préjudice. L'arrivée en ville est particulièrement déprimante : de longues et interminables barres d'immeubles lépreux et laids. Il faut vraiment pousser jusqu'au centre-ville pour enfin découvrir une atmosphère plus souriante. On pénètre alors dans un réseau de rues et de ruelles piétonnes auxquelles on parvient à trouver un certain charme.

Comme il n'y a pas grand-chose à voir à Málaga, on prend le temps de s'asseoir aux terrasses des cafés et de regarder vivre les Andalous, en sirotant l'un des vins doux de l'arrière-pays, de ceux qui font gentiment tourner la tête.

Et puis Málaga reste avant tout, dans l'aigu de sa lumière, la ville natale de Picasso, même si celui-ci la quitta dès l'âge de 10 ans. On dit qu'il resta imprégné toute sa vie par ses premières années. Ce qui est certain, c'est qu'il n'y remit jamais les pieds. En 2001 devrait être inauguré un nouveau musée consacré au créateur des *Demoiselles d'Avignon,* présentant plus de 100 œuvres (peintures, céramiques et sculptures) offertes à la ville par Christine Picasso, la belle-fille du peintre.

Si vous passez en août, ne ratez pas la Feria, gigantesque et complètement folle, qui dure une semaine et envahit toute la ville.

UN PEU D'HISTOIRE

Phéniciens, Carthaginois et Romains se sont succédé à la tête de la cité avant que les Maures ne s'y installent au début du VIIIᵉ siècle. Avec eux, le quartier de l'Alcazaba se développe. Puis les Rois Catholiques s'emparent de la ville et expulsent *manu militari* les musulmans qui y séjournaient. Le commerce avec les Amériques permet alors à Málaga de devenir une importante plaque tournante et de prospérer. Cet essor n'est jamais retombé depuis, le port étant idéalement situé aux portes de la Méditerranée et de l'Atlantique. Le développement économique de la ville s'est accru avec le trafic maritime international. Les vingt-cinq dernières années ont dynamisé particulièrement l'activité portuaire de Málaga, pétroliers et cargos en témoignent.

VINO DIVINO

Le málaga est presque plus connu en France et en Angleterre qu'en Espagne même. Et pourtant, ce vin que les Arabes de l'époque andalouse connaissaient sous le nom de *sharab al malaqui* a donné aujourd'hui le *jarabe malagueño* (le sirop de Málaga). Il avait d'ailleurs acquis une telle notoriété qu'il réussit même à détrôner le jerez. En fait, sous l'appellation « vin de Málaga » on trouve aussi bien des blancs secs et *olorosos* que des rouges. Un point commun chez ces derniers, leurs arômes denses avec quelques notes facilement repérables (même pour le néophyte) de bois, de caramel et de miel. La zone de production se trouve à une vingtaine de kilomètres à vol d'oiseau de la ville de Picasso, dans la région de la Axarquía, au sud de la petite ville de Riogordo. Si vous n'avez pas le temps de vous y déplacer, le plus simple est de faire un stop à l'*Antigua Casa de Guardia* (voir la rubrique « La tournée des bodegas ») et de se laisser guider par son goût. En général, les produits de la maison López Hermanos y Gomara sont de bonne qualité.

Arrivée à l'aéroport

✈ *L'aéroport (hors plan I par A3)* est à 9 km du centre. Informations : ☎ 952-04-88-04.

➤ *Vers le centre-ville :* bus n° 19 toutes les 20 mn, de 7 h à 23 h, vers le centre. Moins de 1 € (7 F) le trajet. Pour le retour, le prendre sur Paseo del Parque, au niveau de l'hôtel *Marbella Palace (plan II, C2).* Passe également par la gare routière *(plan II, C2)*. Toutes les 20 mn également. Vivement conseillé de faire de la monnaie au guichet de change avant. Il y a aussi un train, type RER.

➤ Pour aller à **Torremolinos,** il est préférable de prendre le train qui s'arrête près de l'aéroport. Départ toutes les 30 mn à partir de 7 h. Sinon, il y a un bus depuis la station Portillo *(plan II, C2)*.

🅸 Petit *kiosque d'information.* Ouvert normalement du lundi au vendredi de 9 h à 21 h et le samedi matin. Infos générales sur la province.

Topographie de la ville

On se repère aisément dans Málaga. Le centre se situe derrière le paseo del Parque, longue promenade bordée d'arbres, où l'on peut prendre un verre en terrasse. Une belle colline domine la ville, sur laquelle trône l'Alcazaba, forteresse construite par les Arabes au IXe siècle.

Adresses utiles

Infos touristiques

🅸 *Office du tourisme (plan II, C2, 1) :* av. de Cervantes, 1, paseo del Parque. ☎ 952-60-44-10. Ouvert de 9 h 30 à 14 h et de 16 h 30 à 19 h. Très bon accueil, infos précises et claires. On y parle le français.

🅸 *Office du tourisme (plan II, C2, 2) :* pasaje Chinitas, 4. ☎ 952-21-34-45. Près de la cathédrale. Ouvert théoriquement du lundi au vendredi de 9 h à 19 h et les samedi et dimanche de 9 h à 13 h. Les rois du prospectus! Très généreux en doc et très aimables.

🅸 Un autre *bureau (plan II, A3, 3)* est également ouvert à la gare routière. ☎ 952-35-00-61.

🅸 Il existe enfin un petit office du tourisme à l'aéroport. ☎ 952-04-84-84.

Services

✉ *Poste principale (plan II, B2) :* avenida de Andalucía. Ouvert de 9 h à 14 h et de 16 h à 19 h.

Argent

■ *Banques (plan II, C2, 4) :* très nombreuses dans la calle Marqués de Larios. Elles font toutes le change et disposent d'un distributeur.

Représentations diplomatiques

■ *Consulat de France (plan II, B3) :* calle Duquesa de Parcent, 8. ☎ 952-22-65-90. Fax : 952-25-72-65.

■ *Consulat de Suisse :* San Lorenzo, 4. ☎ 952-21-72-66.

■ *Consulat de Belgique :* Compositor Lhemberg Ruiz, 5. Edificio Caja de Ahorros de Antequera. ☎ 952-39-99-07.

Santé, urgences

■ *Pharmacie (plan II, C1, 5) :* plaza de la Constitución, 8. Une des plus centrales. Une autre calle de Larios *(plan II, C2, 5)*.

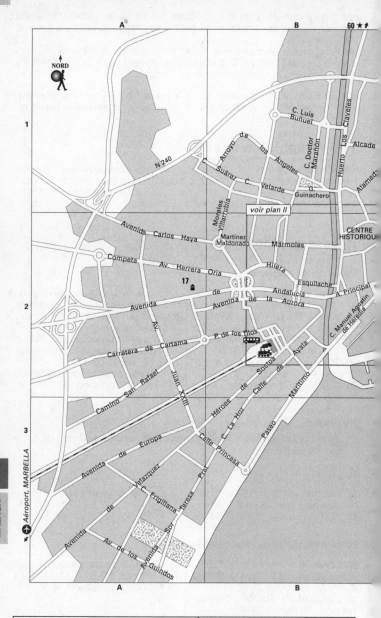

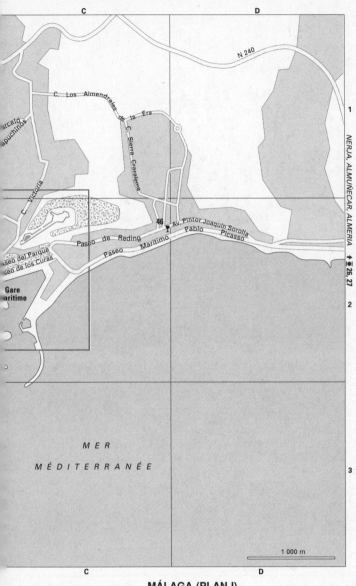

MÁLAGA (PLAN I)

27 Marisquería Naypa	★ **À voir**
▼ **Où boire un verre ?**	
46 El Colonial	**60** Jardín botánico histórico « La Concepción »

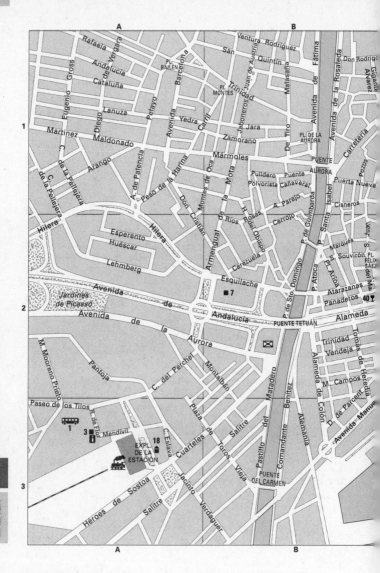

Adresses utiles

- **1** et **2** Offices du tourisme
- Poste principale
- Gare RENFE
- **1** et **2** Gares routières
- Trasmediterranea

1. Agence de la RENFE
2. Iberia
3. Location de vélos et office du tourisme
4. Banques
5. Pharmacies
7. El Corte Inglès

Où dormir ?

10. Pensión Juanita
11. Hospedaje Córdoba
12. Pensión Rosa
13. Hostal Buenos Aires
14. Hostal El Ruedo
15. Hostal Castilla y Guerrero

MÁLAGA (PLAN II)

MÁLAGA

■ *Croix-Rouge :* avenida José Silvela, 64. ☎ 952-25-04-50.
■ *Guardia civil :* ☎ 091.

■ *Police municipale :* avenida Salvador, en direction de l'aéroport. ☎ 092.

Transports

🚆 *Gare RENFE (plan II, A3) :* voir « Quitter Málaga ». Consigne dans la gare. On peut aussi acheter des billets dans le centre-ville, calle Strachan, 2 *(plan II, C2, 1)*. ☎ 952-21-41-27.

🚌 *Gares routières (plan II, C2, 2 et plan II, A3, 1) :* voir « Quitter Málaga ».

■ *Bus urbains :* pas moins de 37 lignes de bus sillonnent Málaga. La plupart ont un arrêt sur le paseo del Parque *(plan II, C-D2)*. Renseignements sur les parcours : ☎ 952-35-72-12 ou 952-21-22-38.

■ *Taxis :* ☎ 952-33-33-33 et 952-32-30-00.

■ *Iberia (plan II, C2, 2) :* Molina Larios, 3. ☎ 952-21-37-31 ou 952-13-61-26. Ouvert de 9 h à 13 h 30 et de 16 h à 19 h 15.

■ *Location de vélos Turache (plan II, A3, 3) :* Roger de Flor, Local n° 1, estación de autobuses. ☎ 952-31-80-69. Fax : 952-24-42-72. Ouvert du lundi au samedi de 9 h à 21 h et le dimanche de 10 h à 15 h. Compter un bon 9 € (59 F) par jour et environ 42 € (276 F) pour une semaine. Possibilité de louer également des scooters.

Divers

■ *El Corte Inglès (plan II, B2, 7) :* avenida de Andalucía, 4 et 6. ☎ 952-30-00-00. Comment ferait-on sans la « Samaritaine » espagnole ?
■ *Atlantes Mapas :* calle Etchega-

ray, 7. ☎ et fax : 952-60-27-65. Librairie de voyages bien fournie en cartes et guides. Si vous perdez le vôtre, il y a même le *Routard* !

Où dormir ?

À Málaga, le logement est plutôt bon marché mais souvent dénué de charme. Ceci est surtout vrai dans le centre même. Les pensions y sentent toutes plus ou moins la ville de garnison, avec tout ce que cela entraîne de peu sympathique ! N'oubliez pas que vous êtes dans l'un des plus grands ports d'Espagne.

Camping

⚠ Le camping le plus proche est celui de Torremolinos (voir plus haut).

Dans le centre

De bon marché à prix modérés

🛏 *Pensión Juanita (plan II, C2, 10) :* calle Alarcón Luján, 8, 29005 Málaga. ☎ 952-21-35-86. Dans une rue parallèle à la calle Martinez et perpendiculaire à Marqués de La-

rios. Au 4ᵉ étage (avec ascenseur) d'un immeuble de bureaux. Compter 24 € (158 F) la chambre double avec lavabo et 30 € (197 F) avec salle de bains. La meilleure adresse quand on est un peu à cheval sur le confort. L'hôtel a été entièrement rénové il y a peu, il en reste encore quelque chose. Chambres très propres donc, pas des plus lumineuses, bains nickel et carrelés. Les propriétaires possèdent également au-dessus une autre *planta* de chambres. Le meilleur rapport qualité-prix-confort-situation.

🛏 *Hospedaje Córdoba (plan II, C2, 11)* : calle Bolsa, 11 29015 Málaga. ☎ 952-21-44-69. Au 2ᵉ étage. Compter 18 € (118 F) la chambre double. Chambres pas terribles avec lavabo et petit balcon. Celles donnant sur la rue sont un peu bruyantes. Pas de réservation par téléphone.

🛏 *Pensión Rosa (plan II, C2, 12)* : calle Martinez, 10, 29005 Málaga. ☎ 952-21-27-16. Chambres doubles autour de 27 € (177 F), qui ne sont vraiment pas des plus ragoûtantes. Grosse bâtisse vieillotte mais empreinte d'un charme désuet. Patio in-térieur où sèchent les lessives des hôtes, vitres de couleur recouvertes de buée, plancher qui craque, abondance de fleurs en plastique... un peu le folklore, quoi ! Un chouia plus propre que les autres de la même catégorie. Ne pas hésiter à négocier le prix en prenant soin de ne pas demander une facture. Accueil bon enfant mais vieillot. Porte ouverte jusqu'à 2 h-2 h 30 du matin ; après, il y aura toujours quelqu'un pour répondre présent lors de vos retours d'escapades nocturnes.

🛏 *Hostal Buenos Aires (plan II, C2, 13)* : calle Bolsa, 14, 29001 Málaga. ☎ 952-21-89-35. Prix annoncé : environ 25 € (164 F), mais si vous avez une bonne bouille, le tarif peut diminuer. Donc, tout faire pour que le prix baisse. Quelques chambres agréables et d'autres carrément nulles car donnant sur un couloir avec revêtement mural en plastique marron. En dépannage seulement.

Dans le quartier de la plaza Marina

Ce quartier paraît un peu excentré mais ne se trouve, en fait, qu'à 5 mn à pied au sud-ouest de la cathédrale, entre l'alameda Principal et le port. Si vous ne tenez pas spécialement à être en plein cœur de la ville, nous vous conseillons vivement ce coin-là, surtout si vous avez une voiture (possibilité de parking, ce qui n'est pas évident du tout dans le centre). De plus, pour un prix très légèrement supérieur aux adresses du centre, les hôtels sont plus agréables, plus calmes et plus propres.

Prix modérés

🛏 *Hostal El Ruedo (plan II, C2, 14)* : Trinidad Grund, 3, 29001 Málaga. ☎ 952-21-58-20. C'est la maison avec les hautes fenêtres protégées par des fers forgés. Compter 27 € (177 F) la chambre double. Uniquement des chambres avec lavabo, simples, un peu bruyantes. Celles donnant sur le couloir sont bien sûr plus calmes et moins attrayantes. Deux chambres seulement avec fenêtre. Salle de bains dans le couloir. On y parle le français. Après minuit, le proprio affiche « complet » pour que ses clients dorment tranquillement. Très important à Málaga parce que, comme on l'a dit plus haut, c'est aussi une ville de marins... et dans la plupart des petits hôtels, ça défile toute la nuit ! Ici, c'est plutôt le contraire, le silence est imposé à partir de 21 h, et gare à ceux qui le trouble.

Prix moyens

🛏 *Hostal Castilla y Guerrero (plan II, C2, 15)* : Córdoba, 7, 29001 Málaga. ☎ 952-21-86-35. À 5 mn du centre. Parking à proximité. Autour de 40 € (262 F) la chambre double avec salle de bains privée. Bien que donnant sur une artère plutôt bruyante, voici une adresse de qualité à prix vraiment compétitifs. Chambres toutes rénovées avec lavabo ou salle de bains, meubles en pin, dessus-de-lit en velours bordeaux pétard et TV. Ça sent le propre dans tous les recoins. Bon accueil.

▄ *Hostal Alameda* (plan II, C2, **16**) : Córdoba, 9, 29001 Málaga. ☎ 952-22-20-99. Autour de 40 € (262 F) la chambre double avec salle de bains. Même propriétaire que le précédent, mêmes prix et exactement la même décoration ! Quant au rapport qualité-prix, vous avez compris le message, non ?

Dans les autres quartiers

Bon marché

▄ *Albergue Juvenil Málaga* (AJ; plan I, A2, **17**) : plaza Pio XII, 6, 29007 Málaga. ☎ 952-30-85-00. Fax : 952-30-85-04. • www.inturjoven.com • Ouvert toute l'année. Compter environ 8 € (52 F) pour les moins de 26 ans et 11 € (72 F) pour les plus de 26 ans pour l'hébergement uniquement. Au terminus du bus n° 18 qui dessert les gares routière et ferroviaire. Sur une jolie placette, grande AJ au style furieusement vieille caserne désaffectée.

Chambres à 2, 3 ou 4 lits, propres et pas chères avec la carte des AJ. Attention, pas de réservation de chambres doubles par téléphone, il faut passer pour en obtenir une. Par ailleurs, comme l'auberge est assez excentrée, elle ne présente un intérêt que pour les gens seuls. À deux, une pension dans le centre revient moins cher. Mais l'accueil est sympa, et une cantine est à votre disposition.

Prix moyens

▄ *Hostal La Hispanidad* (plan II, A3, **18**) : esplanada de la Estación, 29002 Málaga. ☎ 952-31-11-35. Compter 27 € (177 F) la chambre double. Petit hôtel coquet situé en face de la gare. Coquet un tantinet ridicule toutefois, avec un luxe de petits cadres et de fanfreluches. Bref, on aime ou on n'aime pas. Toutes les chambres portent le nom d'un pays d'Amérique du Sud. De-

mander la « Colombia », une triple facturée au prix de la double. Petits reproches : la déco n'est pas de toute première fraîcheur et la clarté n'est pas une valeur quotidienne. Son seul intérêt réside dans sa situation juste en face de la gare. Bien utile en cas d'arrivée tardive. Ne pas prévoir d'y passer plus de 2 jours toutefois.

Très chic

▄ *Parador Málaga-Gibralfaro* (plan II, D1, **19**) : à 3 km au nord de la ville, perché sur une colline. ☎ 952-22-19-02. Fax : 952-22-19-04. • www.parador.es • Suivre la calle Victoria ; ensuite, c'est fléché. De 105 € (689 F) hors saison à 114 € (748 F) en saison. Entouré de pins et d'eucalyptus. De la terrasse, en surplombe l'Alcazaba en contrebas ainsi que toute la ville. Vue plon-

geante sur la plaza de Toros et le port commercial. Entièrement rénové et décoré avec beaucoup de goût. Belles chambres sous toit dans les tons rose saumon-ocre, avec petite terrasse intime. Petit déjeuner-buffet EXCELLENT ! Avec tous les produits régionaux style *manteca colora*, super *polvorones*, jus de fruits naturels... Belle terrasse pour prendre le soleil. Piscine. Le grand luxe, quoi ! Un petit bémol, même si on ne s'attend pas à ce que le personnel nous cire les pompes, on pourrait espérer un accueil un peu plus dynamique dans un établisse-ment d'aussi haute volée. Si vous n'avez pas de quoi y séjourner, la balade à pied en redescendant la colline par la puerta Oscara, au milieu des oliviers vaut le détour.

Où manger ?

Dans le centre historique

De bon marché à prix moyens

l●l *Café Central* (plan II, C1, **20**) : plaza de la Constitución. Ouvre très tôt, ferme très tard, bref, un endroit immuable. Un vieux troquet populaire, à l'ancienne, avec ses quelques chaises en alu en terrasse. Fait également épicerie, dépôt de journaux, sécurité sociale, centre de psychothérapie de groupe derrière un verre. Les gens du coin viennent, le matin, prendre un café avec des *churros* qui, avec les années, ont tendance à rapetisser. Assez crapouilleux, mais plongée sociologique intéressante.

l●l *La Cancela* (plan II, C1, **21**) : Denis Belgrano, 5. ☎ 952-22-31-25. Ouvert midi et soir, jusqu'à 23 h. Fermé le lundi soir et le mercredi toute la journée. Menu bon marché et complet, servi midi et soir, à un peu moins de 7 € (46 F). Donne sur une placette entourée de balcons fleuris. Un chouette petit resto familial avec nappes en tissu rouge, ta-bleaux ringards aux murs et salles voûtées. C'est la cantine des employés du quartier le midi. Plats simples et reconstituants. Bonnes soupes de poisson. Accueil sympa. Activité débordante et service parfois un peu dépassé.

l●l *Lo Güeno* (plan II, C2, **22**) : Marin Garcia, 9. ☎ 952-22-30-48. Ouvert tous les jours. Typique et tranquille.... L'endroit n'est pas grand mais joli et accueillant avec ses bidons et tonneaux de vin, ses vieux fromages qui sèchent. Les tapas sortent un peu de l'ordinaire et s'avèrent excellentes. La bière y est un peu plus chère qu'ailleurs et l'endroit le soir se « touristise » un peu.

l●l *Restaurante Tormes* (plan II, C1, **23**) : San Agustín, 13. ☎ 952-22-20-63. Presque en face du musée de Bellas Artes. Menu pas cher le midi : moins de 9 € (59 F). Salle un peu froide certes, mais la terrasse est bien agréable.

Plus chic

l●l *Yovi Restaurant* (plan II, C2, **24**) : Strachan, 12. ☎ 952-22-00-91. Tapas à partir d'un bon euro (7 F). Moderne, chaleureux, une sorte de bar à vin-resto assez classe, avec ses murs de bouteilles coûteuses, ses délicieuses tapas raffinées, ses bons fromages et ses pâtés. Service parfait et plats bien préparés. Les moins fortunés se concentreront sur les tapas toujours dignes de confiance. Le demi y est un peu plus cher qu'ailleurs.

Dans le quartier de la Malagueta

l●l *Cervantes* (plan II, D2, **25**) : Cervantes, 10. ☎ 952-13-39-96. Fermé le lundi. Compter 12 € (79 F) environ pour un repas complet, moins de 2 € (13 F) pour les tapas. Une bonne petite taverne comme on les aime dans le quartier de la plaza de Toros. Y venir un jour de corrida, ambiance assurée. Carmen est en cuisine et l'on peut se contenter de

MÁLAGA

grignoter au bar ou bien s'asseoir en salle pour déguster de bonnes spécialités régionales telles que des *almejas a lo natural, lomo* de la maison, *queso con aceite*...

Sur la plage, dans un quartier de HLM

Plusieurs restaurants de plage constituent le rendez-vous préféré des familles le dimanche. Ne pas y chercher un charme transcendant. Tout le monde y va, on ne se l'explique pas, c'est comme ça.

Parmi la foultitude de *marisquerías*, deux valeurs sûres :

|●| **El Tintero** *(hors plan I par D2, 26)* : playa del Dedo. ☎ 952-20-44-64. *Grosso modo,* on peut s'en tirer pour moins de 9 € (59 F), vin compris. À l'extrémité de la plage del Dedo, quasiment au pied du club nautique de Málaga. Possible de s'y rendre en bus (les n°s 11 et 29). Grand restaurant de poisson et de fruits de mer, où l'on pratique les enchères. Résumé de la formule : une grande barque-étal expose les produits de la pêche. On choisit le poisson que l'on souhaite se mettre sous la dent et sa cuisson qui sera faite au feu de bois. Si la faim vous tenaille, le chef, afin d'éliminer les stocks, passe avec une *parillada* de sardines ou de la petite friture cuite sur la braise. Grande terrasse et service efficace par une foule de serveurs. Les prix du poisson sont évidemment moins élevés que dans le centre mais ils varient en fonction du marché.

|●| **Marisquería Naypa** *(hors plan I par D2, 27)* : paseo Marítimo del Palo, 115. ☎ 952-20-46-01. Fermé le lundi. Également appelée la *Barca de Paco Carrasco.* Même topo que précédemment, mais moins usine. *Parillada* (poissons passés sur un gril) de 7 *raciones* différentes à 21 € (138 F).

Spécial gourmands

♀ Pour les amateurs de glaces, **Heladería Casa Mira** *(plan II, C2, 28)*, calle Marqués de Larios, 5. Ouvert tous les jours de 10 h à 23 h. Sur un comptoir rectangulaire en zinc, venez vous rafraîchir et, le temps d'un cornet glacé ou d'un *granizado de limón* pour 1 à 2 € (7 à 13 F), échapper à la canicule andalouse.

La tournée des bodegas

Dotés d'un bouquet unique et d'une douceur légendaire, les vins de la région de Málaga vous laisseront un bien agréable souvenir. Pour le tester, voici le circuit que nous vous avons concocté... à pied, évidemment. Nous ne fournissons pas l'aspirine, nous n'indiquons pas non plus les prix car cela dépend de ce que l'on consomme. Néanmoins, sachez que si la bière est facturée plus de 1,20 à 1,40 € (8 à 9 F), ça commence à sentir l'abus. Demandez aussi si les tapas que vous prendrez sont facturées ou non avec le verre.

♟ **Antigua Casa de Guardia** *(plan II, B2, 40)* : alameda Principal ; à l'angle de la calle Pastora. ☎ 952-21-46-80. Ouvert de 9 h à 22 h. Compter moins de 1 € (7 F). Notre préféré, c'est sûr. Fondé en 1840, ce vieux bar tout en longueur propose plusieurs dizaines de vins différents, tirés directement des tonneaux qui couvrent les murs *(moscatel, málaga quina, pajarete*...*)*. La clientèle déguste debout en mangeant d'énormes moules. Devant le choix plutôt impressionnant, n'hésitez pas à demander conseil aux serveurs qui notent votre ardoise à la craie sur le bar graisseux en bois. Chaque verre est servi avec une tapa (olives, amandes grillées et salées). Nous, on a bien aimé le *seco trasañejo* (doré et demi-sec). À la vôtre !

☐ *Quitapeñas (plan II, C1, 41) :* avenida Juan Sebastian Elcano, 149. ☎ 952-29-01-29. Ouvert jusqu'à 22 h 30. Fermé le samedi soir et le dimanche toute la journée. Moins de charme que le précédent car beaucoup plus petit et un peu plus touristique. Comme dans le bar précédent, on peut acheter quelques bonnes bouteilles. Quelques tapas et *pescadito frito*.

☐ *La Tasca (plan II, C2, 42) :* Marín Garcia, 12. ☎ 952-22-20-82. Fermé le dimanche. Petit bar étroit et chaleureux où l'on mange des tapas assez élaborées. Décor de chorizos, jambons et *azulejos*... Magnifique comptoir en bois sculpté, difficile à voir aux heures de pointe !

☐ *Mesón Las Garrafas (plan II, C1, 43) :* Mendez Nuñez, 5. ☎ 952-21-91-49. Près de la plaza Uncibay. Ouvert tous les jours, midi et soir. Reconnaissable à ses portes de bois vert et ses lanternes extérieures.

Grande salle, pyramide de tonneaux et bar en bois. Sympa et très fréquenté. Goûtez le *vino Canasta cream* ou le *vino de Málaga.*

☐ *Bar Alaska (plan II, C1, 44) :* plaza San Pedro de Alcántara, 4 ; au bout de la calle Carreteria. Ouvert tous les jours, midi et soir. Un petit troquet sur une placette. On déguste en terrasse un *pedro* ou un *moscatel* à l'ombre d'un gros arbre joufflu. On peut accompagner son verre de fruits de mer (crabes, coquilles Saint-Jacques, crevettes, moules, poulpe, etc.). Très frais et populaire.

☐ *Mesón Ajo Blanco (plan II, C1, 45) :* plaza Uncibay, 2. ☎ 952-21-29-35. Là, c'est la génération moderne. Du bois et de la brique, mais pas encore de patine. Vin au verre, gazpacho à l'écuelle et chorizo sur assiette. Bonnes tapas. Bondé le week-end.

☐ La calle Beatas (près de la plaza de Uncibay), vers 23 h le week-end, est noire de monde. Non, ce n'est pas une manif ni une sortie de concert, mais simplement la poignée de *bars* du quartier qui attire la jeunesse de Málaga et de ses environs... Très spectaculaire et rien de comparable, de près ou de loin, en France.

Afterhours

☐ *El Colonial (plan I, C2, 46) :* paseo de Reding. Ferme à 2 h du matin. Grand bar nouvelle sauce avec de confortables sofas dans lesquels il fait bon se vautrer pour siroter un thé à la menthe ou un kawa allongé. Meubles volontairement vieillots et clientèle gentiment homosexuelle.

☐ *La Tetería (plan II, C1, 47) :* San Agustín, 9. Tout pour tomber amoureux, inviter sa promise ou son promis. Déco au charme discret et élégant. Grandes tentures en toile blanche avec petits motifs peints. Belle palette de thés et de pâtisseries.

À voir. À faire

Pas grand-chose sur le plan historique ou culturel, mais le paseo del Parque appelle à la promenade vespérale.

★ Le quartier aux alentours du futur musée Picasso (l'ancien musée des Beaux-Arts) est charmant, avec son lacis de ruelles aux façades typiques, aux patios fleuris... N'hésitez pas à pousser les portes.

★ *L'Alcazaba (plan II, C-D2) et le Musée archéologique :* ☎ 952-21-60-05. Heures d'ouverture fluctuantes, en théorie de 9 h 30 à 20 h. Fermé le mardi.

En restauration récemment. Se renseigner avant d'y aller. Imposante forteresse aujourd'hui en ruine, bâtie par les Romains au IXᵉ siècle mais restaurée par les Arabes. On accède aux hauteurs de l'Alcazaba à partir de la plaza de la Aduana. Gravir le chemin piéton qui permet d'accéder au petit Musée archéologique situé sur les hauteurs de l'Alcazaba. La promenade est charmante et vous permet de déambuler à travers l'ancienne forteresse : bosquets fleuris à l'andalouse, porches, passages en arcades...

Le musée se trouve autour d'un large patio de style mauresque. Collection de statues romaines, poteries, etc. Le plus intéressant, selon nous, réside dans les mosaïques du IIIᵉ siècle et les jolies arcades hispano-musulmanes richement travaillées, ainsi que dans les *azulejos* colorés. Décidément, les Arabes avaient un don pour l'ornementation et l'équilibre des formes. Belle terrasse avec vue sur la ville.

★ Au pied de l'Alcazaba, les ***ruines d'un théâtre romain*** *(plan II, D2).*

★ ***El castillo de Gibralfaro*** *(plan II, D1) :* ouvert tous les jours de 9 h 30 à 20 h. De l'Alcazaba, une sente escarpée monte jusqu'au castillo de Gibralfaro, perché au sommet de la colline. Pour les masos de la grimpette. On peut aussi y accéder en voiture en gravissant la route au départ de la calle la Victoria. Le château, joliment restauré, permet de se faire une idée de l'architecture militaire de l'époque et de la complexité du système défensif. Ce castillo d'origine phénicienne fut reconstruit par Yusuf Iᵉʳ au XIVᵉ siècle.

★ ***La cathédrale*** *(plan II, C2) :* plaza del Obispo. Entrée (payante) par le jardin à gauche, où des fouilles ont été entreprises. Ouvert en théorie du lundi au samedi de 9 h à 18 h 45. Fermé le dimanche (sauf pendant les messes).

Cette œuvre mastoc et inachevée de style Renaissance n'est pas un chef-d'œuvre, c'est certain. Elle fut construite en 1528 sur l'emplacement d'une mosquée arabe et fut achevée en 1782. Ce sont les fonds (ou pillages !) de la conquête du Nouveau Monde qui permirent son élaboration, mais les budgets vinrent à manquer rapidement et la seconde tour ne fut jamais mise en place, c'est d'ailleurs pourquoi on la surnomme « la manchote ». Un des seuls attraits du monument réside dans l'intimité de ses voûtes finement sculptées. Le pupitre de marbre aussi vaut le coup d'œil, ainsi que quelques-unes des toiles visibles dans les chapelles des bas-côtés. Enfin, par le jardinet, on peut accéder au *Sagrario,* reste de l'ancienne mosquée, aujourd'hui sanctuaire possédant un superbe retable sculpté de style plateresque (XVIᵉ siècle), provenant d'une église de Castille. En sortant du côté de la calle Santa Maria, on note une intéressante porte de style isabellin, qui se caractérise par son décor très chargé.

★ ***La maison natale de Picasso*** *(plan II, C1) :* plaza de la Merced, 15. ☎ 952-21-50-05. Ouvert du lundi au samedi de 10 h à 14 h et de 17 h à 20 h et le dimanche matin.

Pour les fans seulement, puisqu'il n'y a rien de particulier à voir. C'est en fait une fondation, et aucune œuvre de Picasso n'est présentée ici. C'est pourtant là que le petit Pablo vit le jour, en 1881. Son père, peintre lui aussi, lui donna le goût du dessin. Très vite, l'enfant réalisa des portraits de l'entourage de la famille et son père lui-même prirent très rapidement au sérieux. Toute sa vie, Picasso n'eut de cesse d'« apprendre à dessiner comme un enfant ».

★ ***La plaza de toros de la Malagueta*** *(plan II, D2) :* ☎ 952-21-94-82. Ouvert de 8 h à 15 h. Édifiée à la fin du XIXᵉ siècle, cette place à l'origine donnait sur la mer. Picasso y ébaucha ses premiers dessins et huiles alors qu'il était dans sa période tauromachique. On dit que c'est à Málaga qu'il s'inspira de José Moreno Carbonero, maître ès peintures de chevaux étripés par les taureaux. Les chevaux de *Guernica* remonteraient à cette période.

★ **Le paseo de Reding** peut constituer une intéressante balade pour les férus d'histoire urbaine. D'imposantes maisons et palais style Belle Époque s'étalent le long de l'avenue. Beaux portails travaillés et façades à l'Andalouse, couleur *albera* et bow-windows.

★ **El Jardín botánico histórico « La Concepción »** *(hors plan I par B1, 60)* **:** bien fléché depuis l'autoroute de Grenade. ☎ 952-25-21-48. Ouvert dès 10 h. Horaires de départ de la dernière visite et de fermeture des grilles compliqués, variables de 16 h (en hiver) à 19 h 30 (du 21 juin au 10 septembre). Fermé le lundi. Visite obligatoirement guidée (moins de 5 €, soit 33 F). Téléphoner pour connaître l'horaire des visites en français, qui dépend de la demande.

Jardin tropical fort plaisant avec ruisseau et cascatelles, statues pseudo-romaines et tout plein d'oiseaux, éventré par la construction de l'autoroute de Grenade dans les années 1980 (aujourd'hui, on ne le ferait plus, nous a-t-on assuré...). Heureusement, l'essentiel a été préservé et le vacarme de la circulation n'est pas trop audible pendant la visite. Nombreuses essences parfois spectaculaires (gigantesques ficus, cycas dont les ancêtres ont nourri les dinosaures, araucarias, oiseaux de paradis géants, arbres dragons des Canaries, etc.). Les multiples nuances ont valu à l'endroit son surnom de *parc des cent verts*. En été, un havre de fraîcheur. Nous, on l'aime encore mieux à l'automne, avec sa symphonie de nuances cuivrées et mordorées au cachet romantique à souhait.

♪ **Le théâtre Cervantes :** ici se déroulent les plus grands concerts, de Bob Dylan à l'orchestre symphonique. Alors, s'il pleut (non, on rigole !), cela peut constituer une bonne solution de repli. Les locations sont ouvertes 15 jours avant la première du spectacle. Infoline : ☎ 952-22-41-09. Vente par téléphone : ☎ 952-22-41-00. Guichets ouverts de 11 h à 14 h et de 18 h à 21 h.

⌒ **Les plages :** pas géniales, mais grandes et bien équipées. On les trouve au nord de la ville, sur une vingtaine de kilomètres.

Fête

– Importante **Feria** aux alentours du 15 août.

QUITTER MÁLAGA

En bus

Deux stations.

🚌 **Gare routière** *(plan II, A3, 1)* **:** paseo de los Tilos. ☎ 952-35-29-56. Située à côté de la gare ferroviaire. | Elle dessert toutes les grandes villes.

➤ **Marbella, Almería, Grenade, Séville, Madrid, Barcelone, Cordoue...** Trois compagnies *(Sierra de la Nieves, Los Amarillos, Comes)* se partagent l'éventail des destinations. Comparez les prix, il est parfois possible de grappiller quelques pesetas.

🚌 **Station de bus Portillo** *(plan II, C2, 2)* **:** muelle Heredia, continuation | de l'avenida Agustin Heredia. Pour les destinations plus proches.

➤ **Fuengirola, Torremolinos, Nerja** et **Rincón de la Victoria.** Départs environ toutes les heures. Pas de téléphone. On va directement sur place.

En train

🚊 **Gare RENFE** *(plan I, B2 et plan II, A3) :* esplanada de la Estación, au bout de la calle Cuarteles. ☎ 952-36-02-02. ● www.renfe.es ● Liaisons avec la plupart des villes d'Andalousie.

➤ Départs fréquents **pour Barcelone** (3), **Madrid** (3 départs pour **Chamartín**, 1 pour **Atocha**) *via* Cordoue, **Cordoue** (2 départs l'après-midi avec l'*Andalucía Express* et le *TRD*). Moins cher que le précédent.

En bateau

➤ **Pour Melilla :** liaison 1 fois par jour (durée : 8 h) par la *Trasmediterranea (plan II, C2).* ☎ 952-22-43-91 ou 92.

En voiture

En direction du nord, deux routes remarquables s'offrent au touriste peu pressé.

➤ **Route du Parque dos Montes de Málaga :** à prendre en ville (pas d'accès à partir de l'autoroute de contournement). Suivre « Málaga Norte » puis C 345. Cette bonne route permet d'abord des vues impressionnantes sur la baie de Málaga et la ville, en général coiffée de son couvercle de pollution. Comme par hasard, le meilleur point de vue est au niveau du restaurant *El Mirador*! La route longe ensuite le parc qui s'étend à gauche. On y pénètre par un réseau de pistes plus ou moins fléchées. Terrain très sec. Très tranquille en semaine. Sentiers pédestres partant de-ci, de-là. *Hôtel Humaina* pour les amoureux de la solitude (3,8 km de route de terre battue). Passé le puerto del Léon, on retrouve petit à petit un paysage de collines parsemées d'oliveraies. À Colmenar, une bonne route conduit à Casabermeja pour retrouver l'autoroute de Grenade.

➤ **Autre route** moins fréquentée mais tout aussi belle. Prendre l'autoroute de Grenade et la quitter en suivant le fléchage *Finca de la Concepción.* Au petit rond-point, prendre à gauche la MA 431 (pas de panneau) qui s'élève dans une zone de peuplement peu dense. Une occasion de comprendre la réalité de l'Andalousie rurale, loin des circuits touristiques : oliviers, aloès (utilisé pour des produits de soin de la peau), chênes-lièges, chèvres et porcs, ruches, petits potagers. Après une montée sinueuse, la route passe sans crier gare de l'autre côté de la crête, offrant une vue dégagée d'une large zone où se mélangent deux palettes, celles des ocres de la terre et celle des verts de la végétation et des cultures. À cet endroit-là, chemin à gauche fléché *Ermita.* Moyennant quelques cahots, il offre de beaux coins pour le pique-nique, avec vue plongeante sur la vallée du Guadalmedina, et panoramique sur les Montes de Málaga à l'est, la région d'Almogía à l'ouest, et Málaga au fond de sa baie au sud. Quant à la route, elle permet de rejoindre Casabermeja et l'autoroute de Grenade, avec des paysages du même acabit. 4 km avant ce village, petite auberge à droite avec une terrasse ombragée par les mimosas et une grande salle bien fraîche, dans le plus grand calme, au milieu des collines couvertes d'oliviers et d'amandiers. Cuisine honorable et prix très doux.

FRIGILIANA
(29788)

À 8 km au nord de Nerja. Route de Málaga sur 1 km, puis à droite. Petit village blanc, joliment fleuri, élu plus beau village d'Andalousie en 1988. L'endroit est également connu pour son huile d'olive et son vin apéritif.

On vous conseille de vous garer (si vous êtes en voiture) sur le parking dès l'entrée du village et de gravir à pied ses jolies ruelles blanchies à la chaux et fleuries de géraniums. Les constructions récentes essaient de s'intégrer aux anciennes, et le village, tout en se développant, conserve malgré tout sa cohérence. Dans le centre, belles boutiques de céramique et caves à vin. L'été, il y a du monde, c'est certain, mais la proximité de la côte fait que personne ne séjourne ici. Alors, pourquoi ne pas y passer la soirée ? Les ruelles seront toutes à vous !

À voir, outre les ruelles typiques en pente : une *église* d'époque Renaissance, les *ruines d'un château arabe* et deux *grottes préhistoriques.* Processions intéressantes à Noël et pendant la Semaine sainte.

Où dormir ?

▲ *Hotel Las Chinas :* plaza Doña Amparo Guerrero, 14. ☎ et fax : 952-53-30-73. Pas de charme particulier, mais le patron est sympa. | Chambres avec sanitaires, autour de 36 € (236 F) absolument impeccables. Bon confort.

NERJA
(29780)

Ville mignonne et très touristique, un peu trop peut-être. Mais c'est sans doute la seule de toute la côte à avoir réussi à échapper aux constructions anarchiques de blocs de béton hideux. Et puis, il y a ici deux lieux assez spectaculaires : les grottes et le célèbre *Balcón de Europa,* promontoire naturel qui donne sur la mer, baptisé ainsi par Alfonso XII en 1885, lorsqu'il visita la ville.

Au bord de la Méditerranée, Nerja possède un doux parfum de farniente qu'on ne retrouve guère sur la Costa del Sol. Bien sûr, il y a du monde en été, voire beaucoup de monde. Mais les jolies ruelles, la bonne ambiance qui y règne et le respect général du site font vite oublier les inconvénients, finalement presque normaux, pour cette petite ville côtière.

Adresses utiles

🔲 *Office du tourisme (plan B3) :* puerta del Mar, 2. ☎ 952-52-15-31. Ouvert en théorie du lundi au vendredi de 10 h à 14 h et de 17 h 30 à 20 h, et le samedi de 10 h à 13 h. Fermé le dimanche. Hors saison, ouvert de 9 h à 14 h. En pratique, quand il en ressent le besoin. Ne pas en attendre beaucoup d'aide donc.

✉ *Poste (plan B2) :* calle Almirante Ferrandiz, 6. Ouvert du lundi au vendredi de 8 h 30 à 14 h 30 et le samedi de 9 h 30 à 13 h.

■ *Banques (plan A3, 1) :* très nombreuses dans le centre, notamment dans la calle Diputación et sur la plaza Cavana. La plupart possèdent un distributeur et font le change. Généralement ouvertes du lundi au vendredi de 9 h à 14 h et le samedi jusqu'à 13 h.

■ *Croix-Rouge :* ☎ 952-52-24-50.

■ *Police municipale :* ☎ 952-52-15-45.

■ *Station de taxis :* ☎ 952-52-05-37.

🚌 *Station de bus (plan A1) :* sur la route Málaga-Almería. Bus réguliers pour Málaga, Almuñecar, Almería, Cordoue, Cadix et Séville. Horaires à l'office du tourisme. Bus fréquents pour les grottes.

Où dormir ?

Pas énormément d'hôtels, en fait. La plupart sont trop chers, seuls quelques-uns offrent un bon rapport qualité-prix. En revanche, rien dans la rubrique « Bon marché » ! Les prix varient de manière assez notable selon la saison. Voici notre palmarès.

Prix moyens

▲ **Hostal Miguel** *(plan B2, 10)* : calle Almirante Ferrandiz, 31. ☎ 952-52-15-23. Fax : 952-52-65-35. ● hostal-miguel@hotmail.com ● Chambres doubles entre 24 et 36 € (157 et 236 F) selon la saison. À ne pas confondre avec *l'Hostal San Miguel*... Jolie maison avec bow-windows. La plupart des chambres disposent d'une salle de bains privée. Terrasse de poche pour le petit déjeuner ou pour l'heure du thé. Bonne petite adresse centrale, accueil sympathique.

▲ **Hostal Castillo** *(plan A-B2, 11)* : calle Pintada, 67. ☎ 952-52-81-16. Entre 27 et 39 € (177 et 256 F) la chambre double avec salle de bains, selon la saison. Une excellente adresse, voilà, c'est dit ! Marbre dans le hall, chambres toutes neuves avec salle de bains. Nickel et familial à la fois. On y parle le français. Visiblement, le changement de proprio n'a rien changé aux bonnes habitudes de la maison !

▲ **Pensión Montesol** *(plan A1, 12)* : calle Pintada, 130. ☎ 952-52-00-14. À 5 mn du centre à pied. Fermé en novembre. À partir de 30 € (197 F) la chambre double. Pension agréable, dotée de tout le confort (douche, w.-c., TV) et proprette. Ce n'est pourtant pas la pension la plus gaie que l'on ait été amené à voir. Moins de charme que les précédentes, bon accueil toutefois.

▲ **Hostal Nerjasol** *(plan B2, 13)* : calle Pintada, 54. ☎ 952-52-21-21. Fax : 952-52-36-96. Chambres doubles avec salle de bains complète à partir de 30 € (197 F). Dans une ruelle calme, près du Balcón de Europa. On aime ou on n'aime pas la déco scotchée sur les années 1950, mais force est de reconnaître que c'est absolument impeccable. Spacieux. Deux niveaux avec petits salons, TV, journaux... Petite terrasse donnant sur les toits. N'accepte que les paiements en espèces. Accueil cordial.

▲ **Hostal Atenbeni** *(plan A3, 14)* : calle Diputación, 12. ☎ 952-52-13-41. En plein centre. Réception au 1er étage. Fermé de mi-octobre à fin mars. Compter entre 25 et 37 € (164 et 243 F) la chambre double. Un peu bruyant. Chambres avec balcon riquiqui et salle de bains privée. Décoration particulièrement absente, hormis des meubles en bois ouvragé. L'ensemble a un côté un peu tristounet. Accepte la carte *Visa*. Pas de petit déjeuner, comme pour les précédentes.

■ **Adresses utiles**

- ℹ Office du tourisme
- ✉ Poste
- 🚌 Station de bus
- 1 Banques

▲ ⚒ **Où dormir ?**

- 10 Hostal Miguel
- 11 Hostal Castillo
- 12 Pensión Montesol
- 13 Hostal Nerjasol
- 14 Hostal Atenbeni

- 15 Hotel Portofino
- 16 Camping El Pino
- 17 Camping Nerja

🍽 **Où manger ?**

- 20 Café-bar Las 4 Esquinas
- 21 Bar Dolores - El Chispa
- 22 Bar Los Mariscos

🍸 **Où boire un verre ?**

- 24 Pub Dirty Nelly
- 25 La Viña

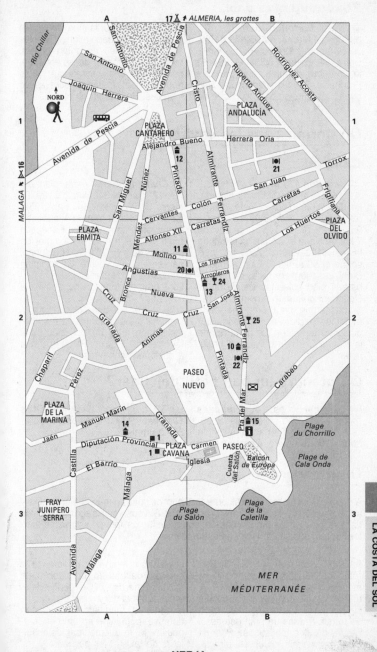

NERJA

Beaucoup plus chic

⚑ *Hotel Portofino (plan B3, 15) :* puerta del Mar, 4. ☎ 952-52-01-50. Juste à côté de l'office du tourisme. Entre 54 et 60 € (354 et 394 F) la chambre double. Tenu par une Française. Situation impeccable : les chambres surplombent la crique de Cala Onda et disposent toutes d'une loggia donnant sur la mer. Un certain goût dans la décoration (meubles simples et toiles de coton grège), mais du laisser-aller dans l'entretien, semble-t-il. Les chambres, toutes équipées de sanitaires, sont assez inégales. Restaurant réputé.

Où dormir dans les environs ?

Campings

⚑ *Camping El Pino (hors plan par A1, 16) :* ctra N 340 Málaga-Almería, km 285, 29793 Torrox-Costa. ☎ 952-53-01-54 ou 952-53-03-42. Fax : 952-53-25-78. À Torrox, à environ 7 km de Nerja et à 1 km en retrait de la mer. 450 Ptas (2,7 €) par personne et 500 Ptas (3 €) par voiture. Bien indiqué, en face d'un gros bateau bleu qui fait office de resto. Douches chaudes payantes. Très grand terrain bien ombragé dans certaines parties, et échelonné sur plusieurs terrasses. Le gérant parle le français. Piscine. Plage à proximité.

⚑ *Camping Nerja (hors plan par A1, 17) :* ctra N 340, km 297, 29787 Maro. ☎ 952-52-97-14. Fax : 952-52-96-96. Sur la route d'Almuñecar, à environ 6 km de Nerja. Réception ouverte de 9 h à 12 h. Compter un peu plus de 3 € (20 F) par personne, par tente et par voiture. Ce camping a le bon goût de pratiquer des réductions pour les longs séjours. C'est là son seul intérêt car il est loin du centre-ville, sur une colline. Emplacements les uns sur les autres, rentabilisation maxi du sol, bloc sanitaire central. Piscine. Plage et crique à quelques kilomètres.

Où prendre un bon petit déjeuner ?

▮●▮ *Café-bar Las 4 Esquinas (plan A-B2, 20) :* calle Pintada, 55. ☎ 667-64-53-79 (portable). À l'angle de la calle Arropiero. Compter environ 3 € (20 F) pour des *churros* frais et du pain grillé. Parfait pour la collation du matin.

Où manger ?

À Nerja, c'est un peu « welcome in Coup de matraque-les-bains ». On y attend le touriste et les prix s'en ressentent. Si vous voulez économiser vos deniers, sachez qu'une journée de jeûne, c'est excellent pour la santé (surtout que la qualité ici n'est pas extraordinaire).

▮●▮ *Bar Dolores - El Chispa (plan B1, 21) :* San Pedro, 12. On y mange bien pour moins de 9 € (59 F). Heureusement, il y a encore du populaire caché (pour combien de temps ?) dans un petit quartier à l'écart du flot touristique. Pas de carte en français, on choisit directement son poisson dans la vitrine (pê- ché dans la nuit) et on demande la cuisson désirée *(a la plancha, al ajillo, al horno...)*. On peut également commander au bar des coquillages à la marinière. Une bonne adresse populaire et un rien crapouilleuse, fréquentée par les chauffeurs de taxis et les pêcheurs.

▮●▮ *Bar Los Mariscos (plan B2, 22) :*

calle Almirante Ferrandiz, 17. ☎ 952-52-27-14. De de 6 à 7 € (39 à 46 F) le repas. Petit bar populaire et familial, relativement touristique. Cuisine pas reluisante et prix un poil élevés. Sert pourtant quelques tapas bien fraîches, du poisson grillé et autres calmars. Bonne paella, qu'il est plus sûr de venir commander le matin. Bien vérifier son addition car les erreurs ont un peu tendance à s'y glisser rapidement.

Où manger dans les environs ?

À Torrox

Voilà 8 km qui valent d'être parcourus. Vilaine ville, vilaine plage, vilains immeubles, Torrox est quasiment une colonie allemande avec charcutier allemand (pour une petite envie de saucisses fumées), coiffeur allemand, restos allemands. Mais comme il existe un dieu pour les gastronomes, il a mis dans cette horreur un remarquable restaurant où l'on peut faire halte sans risque.

|●| **El Caballo Andaluz :** avenida del Faro, Bloque 75. ☎ 952-53-23-35. Compter un bon 13 € (85 F) sans les vins. La bouteille de Rioja est à 15 € (98 F). Une salle plutôt agréable, climatisée sans excès, meublée andalou avec des petits rideaux et de vraies nappes. Un service prévenant et cordial et une cuisine remarquable de fraîcheur et de qualité des produits : la viande est tendre, les poissons cuits *al dente*, les desserts impeccables (y compris les profiteroles au chocolat). Joli choix de vins mais leurs prix alourdissent un peu l'addition finale, dommage.

Où boire un verre ?

⟙ **Pub Dirty Nelly** (plan B2, 24) : calle Arropiero, 8. Les soirs de match de foot, une foule se presse dans la rue pour regarder la TV posée sur la fenêtre. Ambiance garantie à partir de 23 h.

⟙ **La Viña** (plan B2, 25) : calle Almirante Ferrandiz, 40. Pub anglais étroit comme un abribus et murs recouverts de sous-bocks. Bruyant et animé.

À voir

★ **El Balcón de Europa** (plan B3) : belle esplanade dans le centre de Nerja, donnant sur un vaste balcon en demi-lune, surplombant deux petites criques aussi prisées que mignonnes. À gauche, *playa de Cala Onda*, et, à droite, *playa del Salón*. On peut accéder à la première par des escaliers. Sur l'esplanade, on a planté une jolie végétation, notamment des palmiers. Il est très agréable d'y flâner le soir, entre ses marchands de glaces et ses vendeurs ambulants. Et puis, quelle vue ! Quelle immensité ! Tout le monde s'y retrouve pour la cérémonie du coucher du soleil. Nécessaire aussi d'y contempler, en juin-juillet, à la tombée de la nuit, l'enivrant ballet des nombreux martinets qui zèbrent le littoral de leurs acrobaties.

★ En quittant le Balcón de Europa, prenez immédiatement sur votre gauche. Et perdez-vous tout autour de l'*église*. Quelques petits artisans égaient la nuit. De même, la balade dans les rues de Nerja constitue un moment agréable. Pourquoi ? On ne saurait trop le dire, mais on a aimé. Il faut préciser que c'est vraiment l'un des seuls endroits de la côte non ravagé. Un peu comme si on avait trouvé une perle rare dans un dépotoir. Alors on la bichonne.

★ *La Cueva de Nerja :* grotte située à 2 km au nord de la ville, sur la route d'Almuñecar. ☎ 952-52-95-20. En bus : départs réguliers de Nerja (environ toutes les heures) ; horaires précis à l'office du tourisme. Ouvert théoriquement de 10 h à 12 h et de 16 h à 18 h 30 (préférable de se renseigner avant d'y aller). Entrée : 5 € (32 F) par personne.

Découverte en 1959 par des jeunes gens à la recherche de chauves-souris, la grotte se révèle être l'une des plus importantes d'Europe. Ce serait un incommensurable mouvement de l'écorce terrestre qui créa il y a plusieurs dizaines de millions d'années (votre grand-mère n'était même pas née !) ces grottes et bien d'autres. Puis l'intérieur se façonna : agglomérations de dépôts calcaires ici, usure du passage de l'eau là... ainsi se créa ce chef-d'œuvre de la nature. Sanctuaire naturel, célèbre pour ses impressionnantes concrétions calcaires (une stalactite mesure 65 m !), on pense qu'elle fut occupée par l'homme il y a environ 30 000 ans. Des peintures rupestres, datant du paléolithique supérieur, témoignent d'ailleurs de cette antique présence. Des fouilles sont toujours en cours. La partie des grottes comportant des peintures n'est pas visitable pour des raisons de conservation évidentes. Y aller tôt (ou très tard) pour éviter la foule qui risque de gâcher un peu la visite. Le parcours (libre) permet de découvrir d'immenses grottes, d'étroits passages, d'incroyables stalactites et stalagmites. La plus grande salle semble être une véritable cathédrale. Seul regret, les techniques d'éclairage datent un peu, et on sent bien que la mise en valeur du site n'est pas optimale.

♪ Chaque année à la 2e semaine de juillet, la Cueva de Nerja vibre aux accords très classiques d'un *festival de musique et de danse.* Rostropovitch et Yehudi Menuhin ont déjà bercé de leurs virtuosités le silence séculaire de cette nef souterraine.

Les plages

⌂ Il y a, bien sûr, les deux adorables plagettes rapidement bondées en été et en contrebas du Balcon de l'Europe, la *playa de Cala Onda,* avec ses croquignolettes cabanes de pêcheurs, encastrées dans la roche, et celle de *Caletilla,* de l'autre côté. Et puis, plus à gauche, la *playa del Salón,* plus grande. Toutes ne sont pas des plus intimes et soumises à un passage régulier.

⌂ Une bonne solution pour éviter ce problème est de se rendre au nord de Nerja. Tout d'abord à la *playa Alberquillas.* Prendre la direction de Salobreña et Almería, passer le camping, puis, sur la gauche, un gros rocher avec une antenne rouge et blanc style *On a marché sur la Lune.* Dans la courbe suivante, juste après un panneau de limitation de vitesse à 60 km/h, prendre sur la droite une petite sente de terre qui descend à flanc de coteau vers le littoral. La plage se situe dans une crique et est fréquentée par les habitants de Nerja.

♟ Petit *chiringuito* pour acheter deux trois bouteilles d'eau. Un peu plus loin, après un portail vert et blanc côté montagne, se situe toujours côté montagne le petit bar *Venta de Gerardo.*

➤ Continuer sur 10 m et prendre tout de suite sur la gauche vers la mer et la *cala del Pino* et la *cala del Cañuelo.* Continuer le chemin de terre toujours tout droit, ne pas prendre à droite par exemple. Ces deux calanques se situent entre deux éperons rocheux qui viennent mourir dans la grande bleue.

SALOBREÑA (18680)

Gros village agréable, composé de maisons cubiques, construit sur un promontoire près de la mer. Les maisons ne sont pas blanches comme ailleurs mais d'un léger bleu qui fonce avec la pluie et s'atténue ensuite. Tout autour, une vaste plaine où s'étendent à perte de vue des champs de canne à sucre et d'arbres fruitiers. Dommage que les immeubles en béton commencent sérieusement à ravager les alentours. L'atmosphère du village s'en ressent fortement. Longue plage de sable noir (au grain assez épais) qui se prolonge jusqu'à Velilla *(playa del Tesorillo)*. Bondée en été mais animée d'une chouette ambiance : *chiringuitos* sur la plage, à l'ombre des palmiers. Pour un peu, on se croirait aux Caraïbes.

Le cœur ancien de Salobreña est typique des villages musulmans de l'antique royaume de Grenade. À son sommet domine un *château* phénicien-arabe que l'on peut visiter (théoriquement ouvert de 10 h 30 à 14 h et de 16 h à 19 h environ, et jusqu'à 21 h en été). Rien à voir de particulier, mais l'ensemble a été bien retapé et offre un superbe panorama sur la plaine et la mer.

Adresses utiles

Office du tourisme : plaza Goya. ☎ 958-61-03-14. En bas du village. Un petit bâtiment moderne à côté de l'arrêt de bus et de la station de taxis. Ouvert du lundi au vendredi de 9 h 30 à 13 h 30 et de 16 h 30 à 19 h, et le samedi de 9 h 30 à 13 h 30. Fermé le dimanche.

Taxis : la station se trouve plaza Goya. ☎ 958-61-09-26. Très utile lorsqu'on arrive en bus, chargé de bagages, et qu'on doit gravir les rues tortueuses pour trouver son hôtel.

Station de bus : à côté des taxis. Destinations possibles : Almuñecar, Grenade, Málaga, Almería. Plusieurs départs par jour pour toutes ces destinations.

Où dormir ?

Nos adresses sont situées dans la partie basse du village, mais c'est sur les hauteurs que se trouvent les ruelles typiques. De la place de l'Église, vue géniale sur la plaine et la mer.

Pensión San José : calle Cristo, 68. ☎ 958-61-03-54. Compter 21 € (138 F) pour une chambre double et 30 € (197 F) pour une double avec salle de bains. Maison très ancienne, pittoresque, avec un charmant patio à ciel ouvert. Chambres avec lavabo hautes de plafond comme autrefois, quand on construisait sans regarder à l'économie. Bon marché. Tenue par une famille charmante. Possibilité d'y prendre son petit déjeuner et le repas du soir (autour de 6 €, soit 39 F).

Pensión Maria Carmen : calle Nueva, 32. Fax et ☎ 958-61-09-06.

Compter 15 € (98 F) pour une chambre double avec lavabo et 24 € (157 F) avec bains. Pas loin de la calle Hortensia, dans une rue qui monte vers le château. Tenue par une mamma vraiment adorable. Très agréable, sanitaires propres. Pas cher. Excellent rapport qualité-prix. Vue superbe de la terrasse. À ce propos, demander si possible une chambre avec terrasse. Possibilité d'y prendre petit déjeuner (copieux et excellent), repas et d'y laver son linge.

Pensión Arnedo : calle Fabrica Nueva, 21. ☎ et fax : 958-61-02-27.

Compter 18 € (118 F) pour une chambre double avec lavabo. Même genre de prestations qu'à la *pensión Maria Carmen*. Très propre. Toilettes et salles de bains communes bien entretenues. Quelques chambres avec petite terrasse (parasol, table et chaises...). Belle vue sur la sierra. Patronne gentille comme tout. Possibilité d'y prendre son petit déjeuner.

≜ *Pensión Palomares :* calle Fábrica Nueva, 44. ☎ et fax : 958-61-01-81. Chambres autour de 21 € (138 F), propres, avec salle de bains commune. Terrasse.

Où manger ?

|●| *Bar Pesetas :* en haut du village, juste en dessous de l'église, avant le long passage voûté, sur la droite de l'église. Ouvert tous les jours. Vue magnifique sur la plaine et Salobreña. On peut y boire un verre et y manger des tapas. Pas trop cher mais rien d'extraordinaire. Ne pas forcément se contenter du bar mais entrer dans le restaurant, par la porte à droite.

➤ *DANS LES ENVIRONS DE SALOBREÑA*

★ ***La vallée tropicale d'Almuñecar :*** à 15 km à l'ouest de Salobreña, à Otivar, en suivant la vallée du río Verde, sur la route touristique qui va à Grenade en passant par la Puerta del Suspiro del Moro. Il y pousse avocatiers, bananiers, manguiers, papayers et de nombreux néfliers. Les plantations s'étendent de chaque côté de la route sur des centaines d'hectares, mais tous ces fruits ne sont mûrs qu'en hiver.

– Entre Salobreña et Nerja, la côte a subi plus que jamais les assauts tragiques des promoteurs.

LES ALPUJARRAS

Voici un coin à ne pas manquer. On y passe au moins une journée, mais cette région de moyenne montagne, située à une cinquantaine de kilomètres au sud de Grenade, mérite bien deux jours de balade. Imaginez un chapelet de villages admirables, coquets, accueillants, qui flottent entre 1 000 et 1 500 m d'altitude. Chacun d'entre eux possède son propre cachet. Curieusement, la proximité de la côte n'a pas abîmé ces villages sans âge. Malheureusement, de plus en plus de sacs poubelles sont abandonnés sur le bord des routes. Quelques *hostales*, de bonnes tables, des paysages changeants, des balades le nez en l'air... Hormis pendant la Semaine sainte et *grosso modo* du 15 juillet au 15 août, vous ne serez pas trop bousculé par le monde.

D'ailleurs, il est assez étonnant que les touristes n'aient pas découvert cette région plus tôt. Allez, en avant pour un grand bol d'air ! À l'entrée des Alpujarras, la route commence par traverser une jolie région connue pour ses vignes et ses orangers. Puis, peu à peu, elle prend de l'altitude et permet de découvrir de merveilleux panoramas. Pour les randonneurs, c'est évidemment le rêve (bonne carte indispensable). Une association dans le village de Pampaneira est spécialisée dans les randonnées pédestres, à VTT, une autre dans les randonnées équestres à Bubión (voir plus loin « Adresses utiles »).

Il n'y a pas énormément d'hôtels ni *hostales* dans les villages. Pour ceux qui comptent séjourner au moins 3 jours, une bonne solution : la location d'un maison ou d'un appart' (voir un peu plus loin *Rustic Blue* à la rubrique « Adresses utiles »).

Cette microrégion possède sa microcuisine. Tout d'abord, à Trevélez on fabrique un jambon superbe, très parfumé. Et puis tous les restos servent l'*alpujarreño*, reconstituant à défaut d'être raffiné. Il s'agit de jambon, de petites saucisses (très grasses), de quelques patates frites et d'un œuf sur le plat, le tout mis en vrac dans une assiette. La soupe tient du même registre. On y décèle également, entre autres, du jambon. Pas mauvais. Pas vraiment excitant... mais tellement local ! Et puis, chaque village possède ses fêtes propres, souvent assez hautes en couleur. Ouvrez l'œil !

UN PEU D'HISTOIRE

Après la prise de Grenade par les Rois Catholiques en 1492, de nombreux Maures se réfugièrent dans ces montagnes pour éviter de se convertir au catholicisme. Il s'agissait donc d'un lieu d'asile pour une population en fuite, une population résistante. On compta jusqu'à 50 000 morisques dans cette région (nom des musulmans qui restèrent après la Reconquête), s'accrochant bec et ongles à leurs traditions, à leur foi. Philippe II dut mettre les bouchées doubles pour écraser les révoltes en 1571. Le problème ne fut définitivement réglé qu'au début du XVIIe siècle. Les populations qui s'y installèrent par la suite et jusqu'à maintenant conservèrent toujours un certain esprit d'indépendance et édifièrent des villages à l'image de leur culture berbère. C'est ainsi que de nombreux villages ont encore un air de famille avec ceux que l'on trouve au Maroc : des maisons cubiques aux toits plats, blotties les unes contre les autres, et surtout un système unique d'irrigation appelé *acequias,* réseau de canaux de récupération des eaux de fonte des neiges. On peut d'ailleurs se balader le long de ces *acequias.*

L'écrivain espagnol Antonio de Alarcón contribua à faire connaître les Alpujarras. L'Anglais Gerald Brenan fréquenta la région dans les années 1920. Ce n'est pourtant que dans les années 1960-1970 que les artistes, sympathiques margeos et certaines communautés religieuses se lancèrent à la découverte de ce havre de tranquillité, à 1 h de l'Alhambra et autant de la Méditerranée.

Balades dans les Alpujarras

Tout plein de balades et de randonnées à effectuer. Quand on ne connaît pas du tout, il est raisonnable de passer par une agence qui s'occupe d'organiser des circuits à pied dans la région (voir « Adresses utiles »).

La plupart des patelins sont reliés par de nombreux chemins de campagne qu'empruntaient les morisques. On y découvre parfois des fontaines d'eau gazeuse ou ferrugineuse. De par ses changements brusques d'altitude de la côte à la haute montagne, la région offre de grands contrastes de végétation et de climat. Les passionnés de randonnées pourront tenter l'ascension du *Mulhacén* (3 481 m), le plus haut sommet d'Espagne continentale.

Comment y aller ?

Il est assez difficile (bien que réalisable) de visiter les Alpujarras en bus. En général, un bus relie Grenade et les villages quotidiennement. C'est évidemment bien plus pratique en voiture. Une bonne solution consiste à se grouper pour louer une voiture 1 ou 2 jours afin d'explorer ce secteur.

De Grenade, emprunter la N323 vers le sud, en direction de Motril. À une quarantaine de kilomètres, prendre vers Lanjarón. Vous entrez dans les Alpujarras.

Adresses utiles

■ *Rustic Blue :* barrio La Ermita, 18412 Bubión. ☎ 958-76-33-81. Fax : 958-76-31-34. ● info@rustic blue.com ● C'est le premier édifice à droite en arrivant dans le village en grosses pierres grises. Bien indiqué. Ouvert du lundi au vendredi de 10 h à 14 h et de 17 h à 20 h et le samedi de 10 h 30 à 13 h 30. Cet organisme loue des appartements et des maisons dans tous les Alpujarras. Tous les genres et tous les prix, du vieux ou du neuf, au cœur des villages ou perdus dans la nature. En général, prestations de qualité. Demandez leur brochure, bien faite, avec de nombreuses photos qui donnent une bonne idée de la configuration des maisons à louer. Selon la capacité, l'exposition, les locations à la semaine débutent à partir de 210 à 240 € (1 378 à 1 574 F) pour 4 à 5 personnes. Insistez bien pour avoir des détails sur les sanitaires ou l'électroménager qui, dans certaines maisons, fait défaut. Accueil sympa où l'on ne vous pousse pas forcément à la conso.

■ *Nevadensis Guías de Naturaleza :* sur la place du village, à Pampaneira. ☎ 958-76-31-27. Fax : 958-76-33-01. Ouvert les dimanche, lundi et mardi de 10 h à 15 h, et du mercredi au samedi de 10 h à 14 h et de 16 h à 18 h. Toutes les infos sur la sierra. Ils organisent des randonnées à vélo, à pied ou à cheval, avec guide. À la journée ou sur plusieurs jours, avec nuit en refuge.

■ *Cabalgar-Rutas alternativas :* 18412 Bubión. ☎ 958-76-31-35. Fax : 958-76-31-36. En arrivant à Bubión sur la droite après *Rustic Blue*. Rafael Belmonte organise diverses randonnées à cheval non seulement dans les Alpujarras mais aussi dans la région entière. On peut notamment descendre de Bubión vers le désert de Tabernas (se prendre pour un garçon vacher au passage) et finir par un bon bain au Cabo de Gata. Logement en hôtel ou en bivouac, avec un petit coup de gnôle derrière les oreilles, histoire de bien dormir. Très sympa, Rafael (qui parle le français) accompagne également des randos moins longues d'un ou deux jours. Son écurie est composée de petits andalous et barbes, et, vu la grimpette, ce sont ceux qui ont le pied le plus sûr. Rafael met un point d'honneur à fournir un équipement digne de ce nom, et la plupart ont droit à leur martingale et à leur anti-mouches en cuir sur le frontal. Un petit reproche toutefois, les écuries de *Cabalgar* ne sont pas terribles. À partir de 60 € (394 F) la journée (de 4 à 6 h de monte), mais tarifs négociables selon le nombre de personnes, la saison, etc. Débutants, s'abstenir.

★ *LANJARÓN*

C'est la première bourgade qu'on rencontre en empruntant la A 348, véritable porte d'entrée des Alpujarras. Pas un charme débordant, mais cette station thermale est particulièrement connue pour son eau minérale servie sur les tables des restos. Sur place, on soigne les rhumatismes. Voilà une bonne adresse où envoyer votre belle-mère. On poursuit la route vers Orgiva. De là débute la véritable grimpette pour les villages de la sierra.

– *Feria del Agua y del Jamón :* le 24 juin. C'est la fête de l'eau et du jambon. On s'asperge les uns les autres, on mange du jambon... et on boit du vin. Ce qui vaut mieux que de s'asperger avec du vin et boire de l'eau !

★ *PAMPANEIRA*

Adorable village tout blanc, à flanc de colline, dans la gorge de Poqueira. Beaucoup de cars s'y arrêtent, c'est donc parfois un peu l'invasion. Malgré

tout, avec ses ruelles chaulées, ses galets au sol, ses passages, culs-de-sac, promontoires, terrasses... il s'en dégage un certain charme. Croquignolet serait le mot juste. Belle église du XVIe siècle d'un gothique gentil. Parking gratuit *(aparcamiento público)* dès l'entrée du village, sur la gauche.
– *La fête des Croix :* début mai où l'on brûle la *quema de la zorra,* une peau de renard empaillé, après l'avoir trimbalée dans tout le village.

Adresse utile

■ *Nevadensis Guías de Naturaleza :* sur la place. ☎ 958-76-31-27. Fax : 958-76-33-01. Voir plus haut « Adresses utiles » dans les Alpujarras.

Où dormir?

Peu d'hôtels dans le village.

🛏 *Hostal Ruta del Mulhacén :* avenida Apujarra, 6, dans le tournant du village, sur la gauche. ☎ 958-76-30-10. Fax : 958-76-34-46. ● ruta mul@arrakis.es ● Fermé en janvier. Chambres doubles à 36 € (236 F). Petit édifice tout blanc. Pas de charme intrinsèque, mais vue sur la vallée (pour certaines chambres) et bon confort général. Très propre et assez touristique toutefois. Chambres décorées avec les typiques *jarrapas alpujarreñas* (facile à prononcer, non?). Bon accueil.

Où manger?

Sur l'adorable place du village, quelques terrasses ombragées bien attirantes.

À voir si l'on a du temps

★ *Centre bouddhique O.Sel.Ling :* apartado 99, 18400 Orgiva. ☎ et fax : 958-34-31-34. Sur la route entre Pampaneira et Orgiva, dans le creux d'un virage en face du restaurant-venta *Los Sauces,* prendre directement à droite à côté d'un petit ermitage. Continuer toujours tout droit. Après un héliport, bifurquer à droite et suivre les indications. La route est splendide (nombreux stops pour pique-niquer) et serpente sur l'un des contreforts du Mulhacén. Les visites ne se font que l'après-midi, à partir de 13 h. Attention, il s'agit d'un centre et non d'un monastère. Ne pas s'attendre à voir une flopée de bonzes en train d'agiter leurs moulins à prières. Il y a seulement un *stupa* et une grande cabane, genre casemate « On a marché sur la Lune », où l'on dirige la prière. *O.Sel.Ling* signifie « lumière pure », et c'est vrai qu'à 1 600 m elle est sacrément belle. Le centre a été consacré par le dalaï-lama, *himself!* Pour ceux qui seraient tentés par une retraite, les moines (plutôt sympas) proposent des petits appartements indépendants dans des bungalows à raison de 21 € (3 €) par jour en pension complète. Mais attention, il faut faire un minimum d'efforts, réaliser un travail sur soi-même, prier, participer aux tâches collectives... bref, ce n'est pas une auberge espagnole!

★ *BUBIÓN* (18412)

Un autre village digne d'intérêt, avec ses toits tout plats et tout gris, revêtus d'une poudre d'ardoise. C'est là qu'on retrouve le plus le style architectural

LA COSTA DEL SOL

des villages de l'Atlas marocain, notamment les maisons cubiques serrées les unes contre les autres. C'est aussi à Bubión qu'est né Osel, un enfant dans lequel les autorités religieuses bouddhistes virent la réincarnation d'un lama tibétain. Le lama Tenzin Osel Rimpoché est désormais en Inde pour y suivre une éducation à la hauteur de son rang. Tiens, ça ne vous rappelle pas un certain Little Buddha ?

Où dormir ? Où manger ?

Prix moyens

🛏 *Alojamientos Turísticos Rural los Tinaos* : calle Parras, s/n. ☎ 958-76-32-17. Fax : 958-76-31-92. Sur la route principale qui traverse le village, dans le centre, prendre à gauche ; c'est 100 m en contrebas. Compter 54 € (354 F) si vous ne restez qu'une nuit. Situation parfaitement au calme, avec ter-rasse face à la vallée. Bon confort, ameublement un peu vieillot, mais c'est vraiment parce qu'on est pointilleux. D'ailleurs, José ne l'est pas, lui. Ce sympathique patron vous accorde une réduc à partir de la 3ᵉ nuit. Appartements avec cuisine, terrasse (ah oui ?) et cheminée pour les nuits frisquettes.

Plus chic

🛏 |●| *Villa Turistica de Bubión* : barrio Alto. ☎ 958-76-31-11. Fax : 958-76-31-36. ● www.ctv.es/alpujarr ● Compter un bon 72 € (472 F) la maisonnette pour 2 à 3 personnes, 108 € (708 F) pour 4 à 5 personnes et 120 € (787 F) pour 4 à 6 personnes. Un endroit magique, réhabilité par la région (la Junta de Andalucía). Perché à 1300 m d'altitude, c'est un village, avec ses ruelles, ses places et ses 43 maisons traditionnelles, la plupart avec petit jardin, sur plusieurs niveaux, meublées dans le style local. Beaucoup de charme, même si les salles de bains mériteraient un éclairage plus soutenu. Excellente table à base de produits locaux ; bon petit vin blanc du pays (*viña laujar*). Petit déj' pas terrible en revanche. Très bon accueil. Toutes les maisons ont leur caractère, c'est donc assez difficile d'en recommander une en particulier. Mais tout cela est un peu en train de perdre de sa superbe, on pourrait attendre de la part de la Junta une petite baisse des prix, non ? Voilà qui est dit, c'était notre quart d'heure « citoyen révolté »...

|●| *Restaurante Teide :* sur la route principale. ☎ 958-76-30-37. On s'en tire au bar pour environ 6 € (39 F), un peu plus en salle. Le genre d'endroit où touristes et autochtones se mélangent allègrement, sans que personne n'y trouve à redire. Sur la terrasse, on rencontre quand même plus de touristes que de gens du village, qui semblent pour leur part préférer le comptoir.

★ *CAPILEIRA* (18413)

À un petit kilomètre plus haut que Bubión, voilà un mignon petit village où aboutit le chemin qui franchit la sierra Nevada. Capileira domine toute la vallée. Panorama époustouflant. Toutes sortes de chouettes balades à effectuer dans la région, de facile à difficile.

Pour les marcheurs, des sentiers faciles relient Trevélez à Berchules (3 h), Berchules à Yegen (3 h 30) et Yegen à Urgivar (5 h). Se procurer la carte de la région de la sierra Nevada au 1/150 000, au *Vieux Campeur* à Paris. Se rendre également à Pampaneira au centre d'information *Nevadensis Guías de Naturaleza* (voir plus haut « Adresses utiles » dans les Alpujarras).

Où dormir ? Où manger ?

De bon marché à prix moyens

⌂ |●| ***Mesón Poqueira :*** Doctor Castilla, 11. ☎ et fax : 958-76-30-48. Donne sur la route principale, côté gauche, derrière l'office du tourisme. Compter 24 € (157 F) la chambre double. Chambres très propres, avec salle de bains. La plupart d'entre elles ouvrent sur la vallée et l'on vous facture un peu la vue. Allez, c'est de bonne guerre... Les autres sont beaucoup moins intéressantes. Le patron loue aussi des appartements plus haut dans le village, à la semaine. Bistrot au rez-de-chaussée. Resto.

⌂ |●| ***Hostal Paco Lopez :*** carretera de la Sierra, 5. ☎ 958-76-30-11. Chambres doubles refaites à neuf à 30 € (197 F) avec sanitaires. Bon accueil du patron. Correct, mais vue bouchée par un bâtiment. En revanche, le restaurant est réputé pour ses spécialités locales : *jamón serrano* (jambon de pays), *platón alpujarreño* (jambon, saucisse et œufs)...

★ *FERREIROLA* (18416)

Comme ça fait du bien de s'éloigner un peu de la route principale pour descendre dans les petits villages où même le bitume n'a pu pénétrer car la rue était trop étroite pour la bétonnière. On aime bien la petite fontaine de Ferreirola, où les paysans du coin s'arrêtent pour faire boire leur âne ou pour papoter avec les voisins. Le lavoir est également sympa et les restes d'une mosquée laissent augurer que c'est peut-être l'un des plus vieux villages des Alpujarras. Avant d'entrer dans Pitres, prendre une petite route qui descend vers la droite (côté vallée). Premier embranchement vers la gauche.

Où dormir ?

⌂ ***Sierra y Mar :*** ☎ 958-76-61-71. Fax : 958-85-73-67. ● www.sierray mar.com ● Fermé en janvier. Compter 48 € (315 F) en haute saison pour une chambre double avec son petit cabinet de toilette et petit déjeuner maison sur une terrasse ombragée. Petite maison bien tenue par une Danoise, Inger Norgaard, et son mari italien piémontais, Giuseppe Heiss. Ils organisent normalement des cours d'espagnol pour une clientèle nordique et anglaise. Mais entre deux cours, s'il y a une chambre disponible, ils la louent aux gens de passage. Donc, éviter la période estivale car le planning est booké à l'avance. Possibilité d'utiliser la cuisine des hôtes et la bibliothèque. Une bonne adresse 100 % nature, 100 % sans voiture... d'ailleurs, quand on a rencontré Inger, elle transportait des packs de lait dans sa brouette !

★ *PORTUGOS* (18415)

Village plus important, avec des maisons assez modernes. Certaines d'entre elles sont construites au-dessus des ruelles, créant des passages abrités comme dans les casbahs d'Afrique du Nord. Globalement moins de charme que les autres. Plus tranquille aussi.

Où dormir ? Où manger ?

⌂ |●| ***Hostal Mirador de Portugos :*** plaza Nueva, 5. ☎ 958-76- 61-76. Certaines chambres ont un balcon offrant un joli panorama. Le tout n'ayant guère de caractère, demandez les chambres donnant sur la vallée. S'il n'y en a plus, tracez la route ! Bar-resto au rez-de-chaussée et discothèque au sous-sol. Très bien tenu. Un peu plus cher que la moyenne.

△ |●| *Camping El Balcón de Pitres :* à quelques kilomètres de là, juste en dehors du village de Pitres

(18414). ☎ 958-76-61-11. Moins de 3 € (20 F) par adulte, par tente et par voiture. Air pur et panorama de rêve. Douches chaudes. Bar-resto, piscine. Très calme, disposé sur plusieurs terrasses et bien équipé. Vent à décorner les cocus et ombre généreuse. Possibilité de balades dans la région (on s'en doute !). Accueil dans une petite cahute en bois à l'entrée.

À voir

★ À environ 300 m après la sortie de Portugos en allant vers Trevélez, sur la gauche, une petite *chapelle.* Allez-y le samedi vers 19 h 30 pour entendre les femmes du village chanter des cantiques. Puis descendez les escaliers d'en face pour y découvrir *la Fuente Agria y Chorrerón :* une source d'eau minérale ferrugineuse bien mignonne.

★ BUSQUITAR

Encore un patelin authentique en diable, où vous ne serez pas gêné par la foule. Tiens, une légende circule au sujet de ce village : lors d'une rude et sanglante bataille entre chrétiens et musulmans, on dit que même le sang des victimes de chaque camp ne se mêla pas dans un désespoir commun ; le sang des uns coula vers la vallée, tandis que celui des autres remonta vers les collines. Ben voyons...

★ TREVÉLEZ (18417)

Accroché à la sierra Nevada, à 1 480 m d'altitude, Trevélez est le plus haut village habité d'Espagne. Célèbre dans toute la région pour ses jambons de montagne. Ne cherchez pas les élevages de cochons. Ici, on fait simplement sécher les jambons une fois la salaison effectuée.

Le village, très étendu sur toute la colline, se compose de trois parties : la *baja* (basse), où se concentre toute l'activité touristique, la *media* (moyenne) et la *alta* (haute), plus typique, plus populaire et sympathique tout simplement. Si vous poussez jusqu'à Trevélez, il serait dommage de ne pas aller jusque là-haut. Quelques centaines de mètres ne vous décoifferont guère plus ! Vue splendide, cela va de soi, et le silence de la vallée, seulement troublé par des cris d'enfants, le chant des oiseaux ou le vent qui se perd dans les draps qui claquent aux terrasses. Balade sans but ni raison. Pour le plaisir, comme dirait Herbert (Léonard). Curieusement, les touristes y grimpent rarement. Tant pis ! ou tant mieux !

Où dormir ? Où manger ?

△ *Camping Trevélez :* ctra Trevélez-Orgiva, km 1. ☎ et fax : 958-85-87-35. ● cam-trev@teleline.es ● À l'entrée de Trevélez, sur la gauche (côté montagne). Le bus qui relie Grenade aux Alpujarras s'arrête devant. *Grosso modo,* environ 3 € (20 F) par personne, par tente et par voiture. Situé sur des terrasses plein

est, donc en demi-saison le froid tombe rapidement. Oui, car vous êtes à 1 500 m d'altitude tout de même. Vue superbe, piscine et douches chaudes gratuites. On y parle un peu le français.

🛏 |●| *Camas y restaurante Gonzalez :* sur la place du village. ☎ 958-85-85-31. Compter 21 €

(138 F) la chambre double avec bains à l'extérieur. Chambres avec vue sur la vallée en contrebas, avec ou sans sanitaires. Charme inexistant. En cas d'arrivée tardive uniquement. Petit bar sympa et bon resto.

Après Trevélez, le paysage s'adoucit, les montagnes se creusent en vallées moins profondes, la roche se fait moins présente. Les brebis broutent ce qu'elles trouvent, la vue se dégage.

★ *BERCHULES*

Autre village de montagne avec un panorama un peu moins spectaculaire. Les maisons cubiques sont recouvertes de lauzes, comme dans l'Atlas marocain.
Pas d'hébergement digne de ce nom.

★ *CADIAR* (18440)

Un peu en retrait des Alpujarras, par l'A348 qui descend sur la Rabita et la côte. Pas un charme fou mais une petite étape douillette.

Où dormir ?

Prix moyens

🛏 *Centro Turístico La Alquería de Morayma :* A348 Cádiar-Torvizcón. ☎ 958-34-32-21 ou 958-34-33-03. Fax : 958-34-32-21. Compter 48 € (315 F) la chambre double et pour les appartements, entre 57 € (374 F) pour 2 personnes et 75 € (492 F) pour 4. Comme ça, à vue de nez, on se dit encore qu'il s'agit d'un *resort* pour Américains friqués en vacances dans les « Alpyujawuass ». Mais non ! Ouverte il y a peu, cette *alquería* (une ferme-hameau) rassemble dans divers petits bâtiments 8 chambres et 5 appartements bien équipés avec cuisine, salle de bains, mini-terrasse, et chambre avec TV et téléphone. Quitte à choisir, on préfère les appartements avec leurs lauzes en ardoise sous la charpente, de très belles mosaïques au sol, des photos des années 1900 chinées avec leurs cadres, de chouettes fermoirs de porte troqués dans les ventes de fermes des alentours. Piscine, restaurant... Une bien belle étape, ma foi. En semaine, 10 % de réduction accordés sur le prix des chambres à nos lecteurs sur présentation du *GDR* de l'année.

★ *YEGEN* (18460)

Petit village de montagne avec une vue ravissante sur un cirque de montagnes de la chaîne des Alpujarras. Au cœur du village, une petite place qui cherche à singer la cour des Lions de l'Alhambra de Grenade.

Où dormir ? Où manger ?

Très bon marché

🛏 🍴 *Bar Nuovo La Fuente :* au centre du village. ☎ 958-85-10-67. Compter un bon 8 € (52 F) par personne, quelle que soit la saison. Petits plats pas chers non plus. La maison comporte une dizaine de chambres extrêmement sommaires donnant sur le village ou sur la campagne. Un fil pour la lumière pend du plafond et Dieu sous verre veille sur le repos du guerrier sur un matelas en ferraille. En dépannage donc, ou

pour jeunes randonneurs. Possibilité de garer son vélo dans le hall d'entrée. Attention, nécessaire de réserver en haute saison car l'endroit est très couru chez les fauchés. Accueil attachant de Maria, la patronne.

Prix moyens

🏠 🍽 *El Rincón de Yegen :* camino de las Eras. ☎ 958-85-12-70. À la sortie de Yegen en venant de Cadiar. Fermé le mardi et 3 semaines en juin. Quelques chambres de 30 à 36 € (197 à 236 F). Menu autour de 9 € (59 F). La façade ne

paie pas trop de mine mais les chambres viennent d'être refaites, et une fois que l'on a su apprivoiser l'amitié de ses hôtes on se régale devant une perdrix aux lentilles. Étape calme et reposante.

ALMERÍA

(04000)

> Jusques en haut des cuisses elle est bottée
> Et c'est comme un calice à sa beauté
> Elle ne porte rien d'autre qu'un peu
> D'essence de Guerlain dans les cheveux
> À chaque mouvement on entendait
> Les clochettes d'argent de ses poignets
> Agitant ses grelots elle avança
> Et prononça ce mot : ALMERÍA
>
> Serge Gainsbourg, *Initial B.B.*
> Sidonie/Melodie Nelson Publishing.

Almería est une ville portuaire peu touristique, aux charmes très limités, mais qui tente peu à peu de devenir séduisante *via* un sérieux lifting. Surtout depuis qu'elle a la charge d'organiser les Jeux méditerranéens de 2005. À y regarder de plus près, la ville possède quelques petites rues animées les soirs de week-end et une Alcazaba aux créneaux restaurés plutôt sympathique. Derrière, un vieux quartier de pêcheurs, le Chanco, aux maisons colorées, constituera un but de promenade pour ceux qui ont du temps à tuer. Cela dit, ceux qui ne viennent pas uniquement pour prendre le ferry pour le Maroc peuvent rayonner dans la région, qui présente pas mal de haltes dépaysantes. Pas de plage agréable à proximité immédiate, malgré un grand front de plage à l'ouest de la ville.

UN PEU D'HISTOIRE

Les Arabes développent un faubourg maritime de l'actuelle Pechina (un village situé à une dizaine de kilomètres à l'intérieur des terres) en y construisant une forteresse (l'Alcazaba) et en ceignant de murailles la zone habitée. « Al Mariya », la tour du guet, est née. Dès le démantèlement du califat de Cordoue, elle acquiert l'indépendance et prend le dessus sur Séville tout au long du XIe siècle, attirant la fine fleur des artistes et des savants. À la fin du long règne de 40 ans du sage Almotacín, qui avait conduit Almariya à son apogée, ses successeurs abandonnent la ville à la cupidité des Almoravides. Elle devient vite un tel repaire de pirates que les puissances navales catholiques en oublient leurs querelles. Unis dans un même intérêt, Espagnols, Catalans, Pisans et Génois la conquièrent en 1147. Mais 10 ans plus tard, les Almohades la reprennent pour plus de trois siècles, sans jamais lui redonner son éclat de jadis. Coup de grâce, le 26 décembre 1489, les Rois

Catholiques reçoivent les clés de la cité des mains du roi El Zagal, qui avait fait assassiner son neveu Boabdil cinq ans plus tôt, sans savoir que bien mal acquis ne profite jamais. Rentrant dans le rang, Almería amorce un lent déclin jusqu'à ces dernières années. C'est l'exceptionnel développement des cultures fruitières qui, grâce à l'amélioration de l'irrigation et à la surveillance informatique des serres, a fait de l'Almería moderne le centre du jardin de l'Europe, au point que la ville a le plus fort taux de croissance de toute l'Andalousie. Ce développement subit ne va pas sans problème : Almería manque cruellement de parkings pour absorber l'augmentation du parc automobile, et bureaux et boutiques s'arrachent à prix d'or.

Adresses utiles

Office du tourisme (plan B3) : parque Nicolás Salmerón ; à l'angle de la calle Martinez Campos. ☎ 950-27-43-55. Fax : 950-27-43-60. Ouvert toute l'année ; du lundi au vendredi de 9 h à 19 h et les samedi et dimanche de 10 h à 14 h.

Poste centrale (plan B2) : calle Padre Luque ; à l'angle de la plaza Juan Casinello, 1.

■ **Hospital SAS-Torrecárdenas :** pasaje de Torrecárdenas.

■ **Urgences :** ☎ 061.

Gare RENFE (hors plan par B1) : plaza de la Estación. ☎ 950-25-11-35. À deux pas de la station de bus. Départs fréquents pour Grenade (10), Málaga (8), Madrid (3).

Gare routière (hors plan par B1) : plaza de Barcelona. ☎ 950-21-00-29. À 2 mn à pied de la gare.

■ **Iberia :** à l'aéroport. ☎ 950-21-37-97 ou 950-21-37-15.

■ **Laverie :** rambla de Belén, 52. Ouvert de 8 h 30 à 13 h 30 et de 16 h à 20 h 30.

Ferry pour le Maroc

Les ferries qui partent d'Almería desservent Melilla et Nador uniquement. Prendre direction Puerto (des pancartes « Ferry Melilla » vous indiquent le chemin à suivre).
– **Vente des billets :** directement au terminal du port. Guichets en général ouverts de 7 h à minuit avec interruption entre 13 h et 15 h. Petit resto et distributeur au terminal.
– Deux compagnies :

■ **Trasmediterranea** (plan A3, 1) : ☎ 950-23-69-56. L'été, 2 départs par jour pour Melilla (7 h de traversée) et 1 pour Nador. L'hiver, une seule liaison pour chaque destination. Les cabines sont pour 4 personnes avec couchettes. Évidemment, plus on remplit la cabine, moins chère est la traversée. Premiers prix autour de 40 € (262 F) dans une cabine sans w.-c. Vélos gratuits. Toutes cartes de paiement acceptées. Pas de réduction étudiants.

■ **Ferri-Maroc** (plan A3, 2) : ☎ 950-27-48-00. Fax : 950-27-63-66. En hiver, 1 liaison par jour pour Nador. En été, 2 départs par jour les mercredi, jeudi et vendredi ; les autres jours, 3 départs quotidiens. Même processus que pour la compagnie *Trasmediterranea*. Même type de tarif que le précédent. Pas de réduction étudiants.

En été, on vous conseille de faire la queue le plus tôt possible pour avoir une chance d'embarquer sur le bateau du jour. Sinon, il vous faudra dormir en ville et attendre le lendemain. Le personnel des deux compagnies est évidemment polyglotte et manie l'arabe, l'espagnol et le français. Attention, ne pas oublier (naturellement) son passeport et sa carte grise. Attention *bis,* vous ne pouvez pas passer une voiture de location prise en Espagne vers le Maroc ou autres pays du Maghreb.

Où dormir ?

Tous ces hôtels sont situés en plein centre, non loin les uns des autres. Et comme dans toute l'Espagne, en été, les hôtels sont bel et bien pleins.

Camping

⚑ *La Garrofa Camping :* à 4 km à l'ouest d'Almería par la route côtière, en allant vers Motril, 04007 Almería. ☎ 950-23-57-70. De la station de bus d'Almería (en face de la gare RENFE), demander le bus pour Aguadulce. Attention, en voiture, d'Almería, prendre la route côtière et non l'autoroute ; le camping est à 4 km sur la gauche, entre un charmant aqueduc de pierre et un vilain viaduc de béton où passe l'auto-route, mais devant une crique, bien ombragée. En gros, 3 € (20 F) par personne et par tente, donc relativement cher. Le camping donne directement sur une plage de gravier propre et plutôt mignonne. On le reconnaît à ses drapeaux multicolores à l'entrée. Petite épicerie. La partie proche de l'eau est très mal ombragée par de faux palmiers. Sanitaires propres.

Bon marché

🛏 *Casa La Francesa* (plan A2, 10) : calle Narvaez, 18, 04002 Almería. ☎ 950-23-75-54. Compter 27 à 30 € (177 à 197 F) pour une chambre double, mais dépêchez-vous car l'adresse est très courue. Si la pension s'appelle *La Francesa,* c'est parce que la petite patronne, Maruja, a passé 17 ans en France. Elle n'a rien perdu de son sympathique accent franco-espagnol. Petites chambres simples mais très propres et calmes dans un quartier à deux pas du centre. Douche au bout du couloir, comprise dans le prix.
🛏 *Casa Universal* (plan B1, 11) : puerta de Purchena, 3, 04001 Almería. ☎ 950-23-55-57. Très central, sur le grand carrefour. Chambres vieillottes autour de 23 € (151 F).

Grandes chambres, hautes de plafond, dans un vieux palais de plus en plus décrépit et un peu cradingue. Bel escalier central. Sanitaires communs. Évitez les chambres donnant sur la rue car elles sont assez bruyantes. Accueil un chouïa nonchalant. Quitte à choisir, on préfère largement la *Casa La Francesa.*
🛏 *Albergue Juvenil (AJ) :* Isla de Fuerteventura, s/n, 04007 Almería. Ciudad Jardin. ☎ 950-26-97-88. Fax : 950-27-17-44. ● www.inturjo ven.com ● Absolument à déconseiller, car excentrée et pas de bus direct. De plus, c'est vraiment la zone le soir. Pour ceux qui persistent, demander « el campo de fútbol ».

Prix moyens

🛏 *Hostal-Residencia Nixar* (plan B1, 12) : calle Antonio Vico, 24, 04003 Almería. ☎ et fax : 950-23-72-55. À 100 m de la puerta Purchena. Compter moins de 36 € (236 F) la chambre double avec douche. Bien tenu et central. Atmosphère agréable et accueil courtois. Les chambres sont toutes avec douche ou bains.
🛏 *Hostal Bristol* (plan B1, 13) : plaza San Sebastián, 8, 04003 Al-

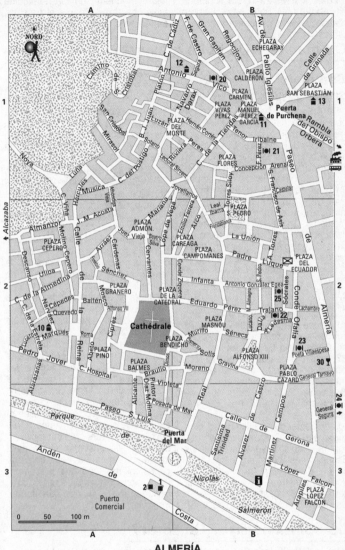

NORD

ALMERÍA

Adresses utiles		Où dormir ?		21 Bodega La Botas
	Office du tourisme	10	Casa La Francesa	22 Cervecería La Charka
	Poste centrale	11	Casa Universal	23 La Bodeguilla
	Gare RENFE	12	Hostal-Residencia Nixar	24 Calle Mayor
	Gare routière	13	Hostal Bristol	25 Taberna El Postigo
1	Guichets Trasmediterranea			
2	Guichets Ferri-Maroc		Où manger ?	Où boire un verre ?
		20	El Super Pollo	30 Molly Malone

mería. ☎ 950-23-15-95. Compter 31 € (203 F) pour une chambre double. Petit hôtel coquet avec *azu-* *lejos,* moquette un peu fatiguée, mais chambres propres et fraîches, toutes avec sanitaires. Bon accueil.

Où manger ? Où boire un verre ?

Bon marché

|●| *El Super Pollo* (plan B1, **20**) : calle Antonio Vico, 2. Ne riez pas, le poulet grillé est leur spécialité. On l'achète entier à emporter (environ 7 €, soit 46 F, la bête). Si vous prenez le bateau, c'est une bonne idée.

|●| *Bodega La Botas* (plan B1, **21**) : calle Fructuoso Perez, 3. Compter un gros euro (7 F) le verre de vin avec une tapa de fromage ou de jambon, et envrion 6 € (39 F) l'assiette. On ne sait pas si c'est le dynamisme des serveurs étriqués dans leurs petits costumes, aussi rapides que Guy l'Éclair, la qualité des assiettes servies sur des tables en forme de tonneaux, les drôles de chaises rouges autrichiennes ou la TV à tue-tête qui nous ont séduits. Peut-être est-ce l'ensemble ! À moins que ce ne soient les petits vins doux qui nous aient tourné la tête...

|●| *Cervecería La Charka* (plan B2, **22**) : calle Trajano. On s'en tire facilement pour moins de 3 € (20 F). Dans une ruelle blanche très étroite du centre. Petit bar crépi et coiffé d'un petit chapiteau. Pas d'intérêt particulier si ce n'est la bière qui coule à flots, des petites tapas bien ficelées et *hamburgesas* maison qui, comme seuls savent le faire les Espagnols, s'accompagnent de vin.

|●| *La Bodeguilla* (plan B2, **23**) : Poeta Villaespesa, 2. Avec un petit verre, compter moins de 3 € (20 F). Un peu plus chic que le précédent.

Carte de tapas assez exhaustive écrite à la craie sur une grande ardoise. Entre autres, bonnes *patatas a lo pobre*. Petite terrasse bien agréable pour prendre l'air à la fraîche.

|●| *Calle Mayor* (hors plan par B3, **24**) : General Segura, 12. Mêmes prix que le précédent. Impressionnante carte de tapas située en hauteur en face du bar. Atmosphère chaleureuse de briquettes et bon accueil de Carlo, l'un des serveurs. Vers 23 h, tous les clients sont au coude à coude. Bonnes pommes de terre cuites au four avec un peu de crème fraîche, *pincho* de saumon au fromage, sempiternelles *patatas a lo pobre*. Une chouette adresse un peu chicos, courue par une clientèle locale de 25/35 ans...

|●| *Taberna El Postigo* (plan B2, **25**) : au croisement de Gonzales Egea et de Socrates. Fermé les lundi et mardi. Compter moins de 2 € (13 F) pour un verre et une tapa. Décorum traditionnel de toute bodega qui se respecte : poutrelles et contre-volets en bois, jambons qui sèchent et papiers gras par terre. Au cœur du vieux centre et en plein milieu du quartier des *bars de copas*. Même topo que précédemment, bons *pimientos asados,* saucisse braisée et fromage fondu. Petite terrasse.

Où boire un verre ? Où sortir ?

Dans le cœur historique, les rues Antonio González Egea et Real forment ce que tout le monde appelle les « cuatro esquinas ». C'est ici que tous les jeunes sortent dans les divers *bars de copas*. Selon la mode, ils rivalisent de décibels avec leurs voisins. Éviter de s'y pointer avant minuit. Les plus jeunes préfèrent cependant « s'arsouiller » sur la place Lopez Falcón en achetant à boire dans les divers débits de boissons des alentours.

▼ *Molly Malone* (plan B2, **30**) : paseo Almería, 56. Ouvert de 7 h 30 à 6 h du matin. Compter moins de 2 € (13 F) la demi-pinte. Notre bar préféré qui, bien que nous soyons de vrais amoureux de l'Espagne, n'a vraiment rien mais alors rien d'autochtone. Gigantesque salle, haute de plafond, surchargée d'alcôves et de chichis en bois sombre doré à l'or fin. Petites fenêtres en verre de couleur aux joints d'étain. Bref, la déco fait extrêmement plaisir à voir, et vous l'aurez compris, il s'agit d'un bar irlandais. Tous les whiskies sont présents, depuis le Black Bush jusqu'au Jameson, *idem* pour les « binouzes », de la Guinness râpeuse à la fluide et légère Kilkenny.

Où danser dans les environs ?

♪ *Dulce Beach :* à Agua Dulce, à une dizaine de kilomètres d'Almería en direction de Málaga. Au rez-de-chaussée du centre commercial *Neptuno,* bien repérable de loin grâce à l'enseigne lumineuse « Fama Once ». Entrée : environ 6 € (39 F) ; bière à moins de 2 € (13 F). Boîte 100 % « Surf-in-USA », un *line-up* de barmaids qui sortent tout droit de *Alerte à Malibu* (à la différence près qu'elles ont un maillot de bain deux pièces pas très gourmand en tissu) et de barmen aux muscles amphétaminisés. La déco suit le fil de l'histoire, filet de pêche, bouées de sauvetage et plein de trucs oubliés/perdus par les touristes sur la plage. Tous types de public, de l'Anglaise un peu défoncée au teenager boutonneux. Bonne climatisation, son un peu écrasé par le plafond bas. Pas de *dress code* particulier, mais la tendance est au *happy few* ou au *groovy trend. Capito ?*

À voir

Pas grand-chose à se mettre sous les mirettes.

★ Le long du boulevard près des quais, nombreux kiosques dans les lauriers-roses vous serviront un *limón granizado* qui rafraîchit agréablement. Remonter le **paseo de Almería** le soir. L'Espagne tardive et nonchalante s'y étale. Les messieurs dignes et corrects aux terrasses des cafés chic sont encore là. Mais plus pour longtemps, l'Espagne bouge vite.

★ **L'Alcazaba** *(hors plan par A2) :* belle forteresse arabe dominant la ville. Pour y accéder, emprunter la calle de la Reina partant de la route côtière, tourner à gauche dans la calle Almanzor, à suivre jusqu'au bout, puis grimper les marches ; l'entrée est un peu plus haut. Horaires d'ouverture assez fluctuants ; *grosso modo*, tous les jours de 9 h 30 à environ 14 h et de 17 h 30 à 20 h (plus tôt l'hiver). Gratuit.
Il n'y a pas grand-chose à voir à proprement parler, mais cette forteresse mauresque dégage un charme indicible. Les murailles crénelées ont été superbement restaurées par l'utilisation d'un pisé identique à celui d'origine. Belle vue sur la ville, depuis les jardins, en suivant le chemin de ronde. Le rempart pittoresque court sur la colline ocre. Points culminants de l'Alcazaba, deux anciennes *tours* crénelées, desquelles on peut observer de curieuses habitations troglodytiques et le quartier dit de Chanco, accroché à la roche et dont les maisons rappellent l'Afrique du Nord, avec leurs tons pastel et leurs terrasses. Également un parc où s'ébattent des antilopes ! Voir aussi la *torre de la Vela,* dont la cloche annonçait les grands événements et rythmait les travaux agricoles. Ce lieu donne au visiteur une agréable impression d'harmonie, de douceur, d'équilibre.

★ **La cathédrale** *(plan A2) :* dans le vieux centre. On y arrive par la calle Eduardo Perez. Ouvert le matin et l'après-midi. Érigée sur le site d'une mosquée en style gothique et Renaissance. La partie arrière rappelle un château fortifié. On pénètre par le côté gauche. Belles stalles et singulier retable de marbre à colonnes.

★ Si vous avez une heure devant vous, vous pourrez toujours prendre le frais sous les arcades à plafond de bois de la *plaza de la Constitución.*
– *Les plages* aux alentours d'Almería ne sont ni propres ni sympathiques.

➤ *DANS LES ENVIRONS D'ALMERÍA*

Tout le monde sait que la plupart des westerns dits « spaghetti » ont été tournés en Espagne et particulièrement dans cette région. Pour deux raisons : le paysage rappelle étrangement le Far West et les figurants espagnols coûtaient bien moins cher que les Américains. De grands (et moins grands) réalisateurs comme Anthony Mann, Sydney Lumet ou même Terri Gilliam et le père d'*E.T.,* Steven Spielberg, ont utilisé le décor naturel de la région comme cadre du *Dernier des Mohicans,* de *Lawrence d'Arabie, des Aventures du baron de Münchhausen* ou encore d'*Indiana Jones et la dernière croisade.* Quelques parcs servent encore de décor à des tournages, mais le gros se fait désormais dans les barrancos, les ravins. Les voici par ordre d'arrivée à l'écran. Ils se trouvent tous à une trentaine de kilomètres au nord d'Almería, sur la N 340. Bien fléchés juste avant l'embranchement de la route pour Murcia. Prix d'entrée élevé pour tous. En fait, c'est assez amusant avec des gamins. Sinon...

★ *Mini-Hollywood :* c'est le premier parc qu'on rencontre. ☎ 950-36-52-36. Entrée : 16 € (105 F) pour les adultes, et environ 9 € (59 F) pour les enfants. Ouvert de 9 h à 21 h environ en été. Spectacles à 12 h et 17 h. Décors flambant neufs un peu factices.

★ *Texas-Hollywood :* à 4 km après Mini-Hollywood, sur la gauche. Bien fléché. ☎ 950-17-54-56. Mêmes prix que le précédent. Construit il y a plus de 20 ans, le parc est complètement délabré. Cependant, les décors de ville du Far West et le village mexicain sont plutôt réussis. Pour les cinéphiles, la visite a un intérêt historique. En effet, on y a tourné *Il était une fois dans l'Ouest* de Sergio Leone, *El Condor* avec Lee Van Cleef (qui habita dans la région), *Les Sept Mercenaires* et quelques scènes de *Lawrence d'Arabie.* On y tourne encore des films et des clips.

★ *Western Leone :* le troisième parc du même genre (bande de copieurs !), plutôt de style mexicain. Attractions semblables.

★ *LE DÉSERT DE TABERNAS ET LA SIERRA DE ALHAMILLA*

Le paysage désertique qui ceinture sur une vingtaine de kilomètres Almería est une création de l'homme. Mais, entre création et destruction, on ne sait pas trop sur quel pied danser. Aussi incroyable que cela puisse paraître, le désert de Tabernas, la sierra de Gador ou la sierra de Alhamilla étaient couverts il y a à peine 150 ans par une immense forêt. Au XIXᵉ siècle, la région fonctionnait au plomb. Mais depuis que l'on roule au sans plomb, tout fout le camp ! Bref, afin d'acheminer le produit de l'extraction minière, on a défriché pour alimenter les locomotives. Tant et si bien qu'aujourd'hui il s'agit d'une des régions les plus arides d'Espagne, où il ne tombe pas plus de 250 mm d'eau par an. Le désert avance tandis que la température monte très souvent au-dessus des 40 °C. Les 40 000 chemins de muletiers qui s'effacent petit à petit sont désormais parcourus par des fanas du cross ou du VTT (parcours fléché depuis Pechina en direction de Vietator).
Témoins du foisonnement passé, les *bains d'Alhamilla* se nichent dans l'anfractuosité de deux ravins. Vraiment très surprenant de voir cette oasis en plein milieu du désert s'accrocher coûte que coûte à sa montagne.

Où dormir ? Où manger ?

⌂ **Balneario de Sierra de Alhamilla :** sierra de Alhamilla, 04259 Pechina. ☎ 950-31-74-13. Fax : 950-16-02-57. Deux tarifs : environ 63 € (413 F) avec vue sur la sierra (ça vaut le coup d'œil !) et 53 € (348 F) sans vue sur la montagne. Connu et apprécié déjà par les Arabes, ce bel établissement accueille les curistes au cœur même de la sierra. Superbe patio avec une double galerie d'arcades au milieu duquel glougloute une fontaine maure. Chambres spacieuses auxquelles il manque toutefois un peu de déco pour en faire un relais classieux. Idéal pour les couples encore transis par la flamme des premiers temps.

|●| **Bar Sierra :** dans le centre du village d'Alhamilla. Compter 6 € (39 F) par tête de pipe. Y aller le dimanche car c'est le rendez-vous des familles. Ce bar, dont la décoration est aussi passionnante qu'une compétition de curling, offre des petits plats bien ficelés (friture de foie de bœuf, paella) et des spécialités régionales. Bon accueil et terrasse sous les palmiers.

D'ALMERÍA À SALOBREÑA PAR LA CÔTE

Si vous n'empruntez pas la route des Alpujarras (ce qui serait dommage, voir ce chapitre plus haut), vous longerez la côte. Vous serez alors submergés, pendant des dizaines de kilomètres, par des *invernaderos*, ces serres recouvrant d'une mer de plastique les plaines littorales d'Almería jusqu'à Motril. Elles sont mêmes visibles depuis le Mulhacen, où leur vue laisse perplexe aussi bien randonneurs étrangers qu'autochtones : c'est quoi, cette immense tache blanche près de la mer ? des salines, de la neige ? Non, ce sont les bâches de plastique qui ont transformé cette côte, autrefois délaissée, en un *Eldorado* qui produit trois millions de légumes par an, dans la plus grande concentration de serres au monde.

Le phénomène est relativement récent : il y a encore quelques décennies cette région, une des plus sèches d'Espagne et d'Europe (il y pleut aussi peu qu'au Sahel), était quasi inhabitée et à peine parcourue par quelques troupeaux de moutons qui devaient se contenter d'une maigre végétation steppique. C'est l'introduction de la culture de légumes sous serres qui a tout changé. La recette est la suivante : faites alterner couches de sable et couches de fumier pour créer un sol artificiel, recouvrez de plastique, arrosez avec l'eau des *sierras* environnantes et laissez chauffer au soleil (de plomb). Vous obtenez alors, deux fois par an, tomates, aubergines, poivrons ou asperges, à profusion et... à contre-saison. Les maraîchers andalous inondent alors le marché européen de leur production (20 % des légumes verts consommés en Europe viennent d'Andalousie !) et prennent part à un enrichissement sans précédent de la région, à tel point qu'aujourd'hui celle-ci abrite les communes les plus riches de la province.

Dans ce *Far-West* espagnol, sujet à de véritables opérations de colonisation, les villes naissent et se développent à toute allure. El Ejido, à une trentaine de kilomètres d'Almería, est ainsi passée de l'état de bourgade à celui de ville de plus de 50 000 habitants, où les banques sont plus nombreuses que les bars. Elle s'est d'ailleurs fait connaître il y a peu par des émeutes racistes dirigées contre des travailleurs agricoles marocains (voir « Généralités »). Car ces *invernaderos* exigent beaucoup de main d'œuvre, et, comme la France des « Trente Glorieuses », font massivement appel à des travailleurs étrangers (plus ou moins exploités), entretenant une immigration clandestine en provenance du Maroc. Cette montée de racisme est un des dérapages faciles de l'essor économique spectaculaire qu'a connu la région.

Le type de paysage créé par cet essor est à l'agriculture ce que Torremolinos ou Benidorm sont au tourisme. Car il s'agit bien d'agriculture industrielle, qui met l'hectare à 240 000 € (environ 1 600 000 F), qui épuise les ressources en eau et qui se soucie peu de qualité et d'environnement. Ah, si José Bové voyait ça !

Malgré tout, il y a quelques endroits... pour faire halte. Belle plage dans le village de *Castell de Ferro* (on la voit de la route). Quelques bateaux de pêcheurs se reposent sur les galets. *Camping* à la sortie du village. À 2 km en direction de Motril, en contrebas, belle petite crique aux eaux très pures. À partir de Salobreña et jusqu'à Málaga, la côte devient sauvage, la montagne s'abîme dans les eaux bleues, et la route en corniche offre de superbes panoramas. Chouette, les promoteurs n'ont pas encore sévi dans la région.

À L'EST D'ALMERÍA

La succession des côtes (Blanca, Cálida, de Almería...) ne correspond pas à une stricte appellation géographique. Il s'agit en fait d'un adjectif donné par les communautés autonomes afin de mettre en relief un caractère attrayant de leur littoral. Parfois certaines ont été inspirées. C'est le cas de la Costa Tropical aux alentours de Nerja, où pullulent les plantations de *chirimoyas* ou de la Costa de la Luz puisque l'Atlantique fait naître une lumière à la fois crue et belle. Mais revenons à la Costa Cálida. C'est une pointe rocheuse qui en marque le point de départ.

LE PARC NATUREL DU CABO DE GATA

L'Andalousie sans béton, avec un minimum de touristes, la vieille Andalousie aux maisons de terre blanchies à la chaux et aux plages vierges existe encore. Bien plus, elle continuera à exister. Transformée en parc naturel et soumise à une protection sévère, la région du Cabo de Gata a été gelée par la Junta d'Andalousie sous la pression des écolos. Fabuleux ? Oui et non. Ce qui est rare est cher.

UN PEU D'HISTOIRE

Le parc du Cabo de Gata n'a pas d'histoire. Tout au plus s'accorde-t-on à dire que les mines d'or, de marbre et d'onyx ont été exploitées dès la plus haute antiquité. Le nom même est une déformation de *Cabo de Agatas*, le Cap des Agates, car les Phéniciens apportaient leurs pierres précieuses qu'ils allaient troquer contre le fer de Tartessos (actuelle Huelva). La côte, sauvage, déchiquetée, où les plages de sable se nichent entre les falaises abruptes, est peu propice à l'installation humaine. Le parc est une succession de dépressions volcaniques, de montagnes en forme de *mesetas* (tables) où les stries rougeâtres du grès voisinent avec les affleurements de roches volcaniques. Après le XVIe siècle, les plantes mexicaines ont été introduites : on voit encore, au flanc des *mesetas*, les terrasses où étaient cultivés les figuiers de Barbarie, cactus de la famille des oponces qui servaient de base à l'élevage des cochenilles. Ces petits insectes, broyés, permettaient de produire une teinture rouge très appréciée des Espagnols. Partout se dressent les hampes florales des *pitas,* les agaves mexicaines dont le jus fermenté donne le *mescal*. L'ensemble évoque très fortement les déserts de Sonora et de Basse Californie, surtout quand surgissent, tapis au creux d'un vallonnement, les petits villages blancs groupés autour d'une antique noria.

Jusqu'à une date récente, la presque totalité du parc appartenait à la famille Gonzalez Montoya, qui y élevait des toros de combat et cultivait le blé et l'orge sans se soucier le moins du monde du tourisme. Pourtant, il y aurait eu à faire dans une zone dont la température moyenne sur l'année avoisine les 20 °C avec plus de 3 000 heures de soleil par an ! Mais c'est comme ça et le désert est resté désert. En 1987, toute la région était déclarée parc naturel.

La conséquence de ce statut est géniale. Les nouvelles constructions sont limitées aux villages et à leurs alentours immédiats. Les maisons ne peuvent dépasser deux étages et doivent obligatoirement être construites dans le style du pays. Il est interdit d'agrandir les ports de pêche car, pour faire bonne mesure, on a ajouté 12 000 ha de mer aux 38 000 ha de terre. Le tout-terrain hors pistes est sévèrement réglementé et tout camping sauvage est interdit (encore qu'il nous a semblé que les camping-cars étaient relative-ment bien tolérés).

Ce petit paradis a tapé dans l'œil des artistes et créateurs de Madrid. Aujourd'hui, il est à la mode de se retirer au Cabo de Gata pour préparer une exposition ou écrire un scénario. On retape des maisons isolées, sachant que nul voisin ne viendra nous gêner. Bref, c'est le scénario d'Ibiza dans les années 1960 qui recommence, avec la certitude qu'aucun hôtel de 1 000 chambres ne viendra cacher le soleil. Quant aux habitants, ils sont par-tagés entre le plaisir de vivre dans un endroit de rêve et l'envie de spéculer sur la manne touristique qui leur échappe en partie.

Bon à savoir

Le Cabo de Gata est un cap (eh oui !) qui sépare le parc en deux parties bien distinctes : à l'ouest, les villages de Pujaire et San Miguel de Cabo de Gata forment une zone plutôt plate, plutôt vilaine et peu intéressante. Il vaut mieux aller à l'est du cap, vers les villages de San José ou Las Negras.

En août, tout est plein et il est hors de question d'improviser. Juillet reste accessible. En juin ou septembre, les prix baissent sensiblement et il y a de la place partout. Pour profiter du parc, il est préférable de disposer d'une voi-ture : le stop ne marche absolument pas et il n'y a qu'une ligne d'autobus. Or, les plus belles plages sont isolées.

Comment y aller ?

En voiture

Les sorties pour Cabo de Gata sont indiquées sur la N340 Almería-Murcia. La plus simple est la sortie 467. Si vous choisissez la sortie 471, attendez-vous à une route de montagne très sinueuse.

En bus

🚌 **Autocares Bernardo :** ☎ 950-25-04-22. 3 bus par jour entre Alme-ría (gare routière, guichets nos 7 et 8) et San José avec prolongation à Isleta del Moro le samedi et le lundi.
🚌 **Autocares Becerra :** ☎ 950-22-13-24. 4 bus par jour (2 le week-end) entre Almería et San Miguel de Cabo de Gata. Attention : les bus sont marqués « Cabo de Gata » mais ne desservent que l'ouest du parc. Ne pas les prendre pour San José.

Adresse utile

■ **Centre d'Interprétation de la Nature :** ☎ 950-16-04-35. Sur la droite avant le village de Ruescas quand on vient d'Almería par la sor-tie 467. Ouvert de 10 h à 15 h. Fermé les lundi et jours fériés. Vente de livres et de cartes, panneaux explicatifs en espagnol et informa-tions surtout écologiques. Exposi-tions temporaires d'artistes locaux.

Où dormir dans le parc ?

⚊ **Camping Cabo de Gata :** Ctra Cabo de Gata s/n, Cortijo Ferron, 04150 Cabo de Gata. ☎ et fax : 950-16-04-43. Plusieurs tarifs selon la saison : en haute saison, compter 12 € (79 F) pour 1 emplacement, 2 personnes et 1 voiture. Réduction pour les étudiants. C'est le seul camping de la zone, situé bien avant San Miguel et même avant Pujaire. Vous le verrez de loin, bien fléché, sur la droite, juste après Ruescas. On peut y trouver de la place même en août. Et pour cause : loin de tout, loin des plages, loin des jolis villages. Mais ça peut être une excellente solution de repli ou une simple base d'exploration, d'autant qu'il est très bien tenu (et pratique : piscine, bar-resto, etc.). De plus, l'accueil est sympa.

➤ À L'OUEST DU CABO DE GATA

★ SAN MIGUEL DE CABO DE GATA

Gros village, sans grâce et sans charme, surtout connu pour ses salines et son immense plage : plus de 6 km de sable volcanique grisâtre entre le village et le cap. Même quand il y a du monde, il y a moyen de s'isoler.

★ SALINAS DE CABO DE GATA

De l'autre côté de la route par rapport à la mer entre San Miguel et La Almadraba. Un paradis pour ornithologues : deux sentiers, faciles à trouver, y mènent depuis la grande route. Les salines sont en exploitation et sont donc grillagées, mais le grillage est bas et permet l'observation aux jumelles sans difficultés et même la photo. Bien sûr, les flamants roses sont blancs, mais ils ne sont pas seuls : avocettes, canards de surface et beaucoup de limicoles, y compris en été. En automne et au printemps, halte de très nombreux migrateurs. Si vous n'avez pas la passion des piafs, il vous reste le plaisir de voir les montagnes de sel gris blanc, dont les cristaux étincellent au soleil. Le plus beau point de vue, c'est en descendant du phare : le panorama des salines blanches et turquoise sous le soleil vaut le coup d'œil.

★ LA ALMADRABA DE MONTELEVA (04150)

Vrai village de pêcheurs, avec barques et étals à préparer le poisson. Pas reluisant mais authentique !

Où dormir ?

🏨 **Hotel Las Salinas :** ☎ 950-37-01-03. Fax : 950-37-12-39. ● www.serinves.es/hotellassalinas ● Fermé en octobre. Chambres doubles avec bains à 90 € (590 F) en haute saison. C'est un hôtel qu'on aurait adoré s'il était situé ailleurs. Tout refait, tout propre, tout brillant au soleil, avec 14 chambres joliment décorées, face à la mer, un petit jardin-terrasse et un patron sympa. Mais si la plage est vraiment tarte, l'usine des salines, derrière, vraiment trop proche et la grande route vraiment pas assez loin. Malgré tout, il faut réserver en juillet et août parce que c'est le seul hôtel correct de la zone.

★ CABO DE GATA

La route qui mène au cap et au phare est vertigineuse, étroite et offre de superbes points de vue sur la Méditerranée et le golfe d'Almería. En son milieu, elle est creusée dans la roche et ne possède qu'une voie. Klaxonnez avant chaque virage. Attention : ne vous y engagez pas avec un camping-car trop gros, vous pourriez toucher sur les rochers qui dépassent, abîmer salement la carrosserie et ne pas pouvoir faire demi-tour. Mais le panorama vaut la peine. Un mirador près du phare permet de voir (parfois) une colonie de phoques moines. Contrairement à ce qu'on vous dira, la petite plage de Corralete dans la crique n'est pas privée (il n'y a pas de plages privées en Espagne) et l'eau y est délicieuse.

➤ À L'EST DU CABO DE GATA

★ POZO DE LOS FRAILES

Petit village sur la route de San José. On peut s'y arrêter pour voir la très jolie noria récemment restaurée et les quelques canaux d'irrigation qui témoignent des temps anciens.

★ SAN JOSÉ (04118)

Le plus gros village, celui où l'on trouve tout même une pharmacie. Le village a grossi un peu vite et continue au prix d'une bagarre continuelle entre les autorités municipales et le parc. Trop de maisons neuves, certes, mais l'urbanisme reste quand même contrôlé et les nouvelles constructions au flanc des collines ne dépassent pas un ou deux étages. San José demeure la base pour une visite de la région, d'autant qu'il abrite la seule AJ et le meilleur hôtel du parc. Attention : en août, tout est retenu des semaines à l'avance. En revanche, hors saison (mai, juin, septembre) il y a tant de chambres et d'apparts à louer que la concurrence joue à plein.

Adresses utiles

𝟙 Office du tourisme : sur la place centrale. ☎ 950-61-10-55. Ouvert de 9 h 30 à 13 h 30. Fermé les mardi et dimanche.

𝟙 Bureau d'informations du parc : calle Correos s/n. ☎ 950-38-02-99. ● grupo126@larural.es ● Mêmes horaires que l'office du tourisme. On peut s'y procurer cartes et documents, notamment pour la randonnée.

■ Location de vélos : calle Carreos, 14. ☎ 950-38-04-48. Compter 12 € (79 F) par vélo, 21 € (138 F) pour un couple. Tenu par un sympathique retraité français, qui parfois accompagne ses clients pour leur faire découvrir le parc à coups de pédales (attention, ça monte parfois). En plus d'être sympa, il a une bonne connaissance de la région et pourra vous emmener dans des endroits inaccessibles en voiture. Les lecteurs du *Guide du routard* bénéficient d'une réduction de 10 % sur présentation du guide de l'année en cours. Que demander de plus ?

■ Club de plongée sous-marine Alpha : sur le port. ☎ 950-38-02-31.

Où dormir ?

⌂ Camping Tau : à 300 m du village, fléché. ☎ et fax : 950-38-01-66. ● www.parquenatural.com/tau ● Ouvert de Pâques à début octobre. Moins de 4 € (26 F) par personne et entre 3 et 5 € (20 et 33 F) par tente, selon la taille. Un des meilleurs campings que l'on ait visités en Andalousie. Petit, idéalement situé dans un bosquet d'eucalyptus, familial et sympathique. Douches chaudes gratuites. Bon accueil, bar (un peu cher) et supérette. Un bémol : les emplacements sont, eux aussi, de petite taille. Beaucoup de monde l'été.

🛏 *Albergue Juvenil de San José :* Montemar s/n. ☎ 950-38-03-53. Fax : 950-38-02-13. Prendre à gauche, à la flèche, à l'entrée du village. Réception ouverte de 9 h à 11 h et de 19 h à 21 h ; les samedi et dimanche, de 9 h à 13 h et de 17 h à 21 h. Chambres en dortoir autour de 8 € (52 F) avec draps, 7 € (46 F) sans draps. Toute pimpante, blanche et bleue, avec une terrasse donnant sur le village, la mer et la sierra. Site calme et agréable. L'AJ fonctionne à l'électricité solaire.

🛏 *Fonda Costa Rica :* Correos s/n. ☎ 950-38-01-03. Entrée autonome dans le patio, qui évite de traverser le bar. Dans le centre, chambres propres avec mobilier en pin tout neuf et AC pour 30 € (197 F) la chambre double.

🛏 *Hostal San José :* Barriada San José. ☎ 950-38-01-16. Fax : 950-38-00-02. Ouvert de Pâques à octobre. Compter 90 € (590 F) pour une chambre double avec salle de bains. On vous l'indique parce que c'est le plus bel emplacement du village, face à la mer et au port, et parce que c'est le plus ancien hôtel de la ville. Grandes chambres, belle salle de restaurant en terrasse, petit air Mykonos, blanc et bleu. Évidemment, le prix est un peu élevé par rapport aux prestations. Mais c'est vrai qu'il y a la mer et seulement 8 chambres, donc un petit air exclusif.

🛏 |●| *Hotel Cortijo El Sotillo :* ☎ 950-61-11-00. Fax : 950-38-02-16. À l'entrée du village. Ne vous laissez pas impressionner par les 4 étoiles : elles indiquent le luxe, pas les prix. La chambre double coûte environ 84 € (551 F) en haute saison (Semaine sainte, juillet, août et Noël) et 60 € (394 F) le reste de l'année ! Au resto, plats à partir de 7 € (46 F) et excellents vins de Rioja de 9 à 11 € (59 à 72 F) environ. Prix archi-raisonnables au bar. Tout nouveau, tout beau, tout propre. L'hôtel a été installé dans l'ancienne *ganadería* de la famille Gonzalez Montoya et entièrement refait dans le style des grandes propriétés andalouses. Bâtiments bas, blancs, grandes pièces, mobilier ancien et azulejos. Autour du bâtiment principal où sont regroupés réception, salons, salle à manger et bar, ont été édifiées de vastes chambres auxquelles on accède par des terrasses. Parfaitement décorées, elles sont dotées de terrasses privées, dressing-rooms et belles salles de bains. Bien sûr, il y a une superbe piscine et le service qui va avec. Le luxe à ces prix-là, on en redemande ! Petit conseil : pour réserver par téléphone, faites-le de préférence après 20 h : le réceptionniste de nuit, José, a vécu 20 ans à Oyonnax et parle un français parfait, ce qui n'est pas le cas de son homologue du jour.

|●| Plusieurs restaurants sur le port de San José, pas vraiment pièges à touristes, pas vraiment authentiques non plus, mais de toute évidence destinés aux propriétaires espagnols et fortunés des bateaux du port. Les prix tournent partout autour de 6 à 12 € (39 à 79 F) selon la formule choisie, ce qui reste raisonnable.

★ PLAYA CALA DE HIGUERA

Prendre la route de terre à gauche à l'entrée du village de San José (fléché) et la suivre sur 2 km. Petite plage de galets, calme avec une adresse sympa.

Où dormir ? Où manger ?

🛏 |●| *Refugio Mediterráneo de Gata :* Cala Higuera s/n, 04118 San José. ☎ 950-52-56-25. ● albergerar @larural.es ● De 24 € (157 F) la petite chambre double avec des lits riquiqui façon bateau à plus de 48 € (315 F) pour un appartement fonctionnel pour 3 à 5 personnes. 2 nuits minimum exigées. C'est propre, mais un petit coup de peinture ne serait pas de trop. L'accueil est sympa (et en français). Attention, aux dernières nouvelles, le resto était fermé quelque temps pour travaux. Tout à fait recommandable pour quelques jours loin de la foule déchaînée.

★ PLAYAS DE GENOVESES ET MONSUL

Des plages comme on n'osait plus en rêver. Longues (surtout la première), blondes, désertes. Suivre les flèches à l'entrée de San José vers la droite (à gauche en sortant du village pour les dyslexiques). Belle route de terre sur un kilomètre, au milieu des champs d'agaves. Après l'élevage de sangliers (à droite), la longue plage de Genoveses se voit sur la droite. Le premier parking, tout petit, conduit à l'extrêmité est de la plage : là, vous trouverez un petit bois d'eucalyptus. Autour des arbres, sur le sable, des petits malins ont construit des cabanes avec des pierres et des palmes tressées. Certaines sont occupées, d'autres libres et vous pouvez construire la vôtre. Mais que fait la police ? Rien. Il n'y a ni tentes, ni caravanes, donc ce n'est pas du camping. Le second parking, 500 m plus loin, conduit au centre de la plage. Quelques groupes isolés, beaucoup de naturistes, ambiance cool. Si l'on va un peu plus loin, on arrive à la plage de Monsul, plus petite, plus abritée et moins déserte car il y a un point d'eau (parfois). Bon, quand on dit qu'il y a plus de monde, ce n'est pas la foule quand même. Au bout de la plage part le chemin de randonnée qui rejoint l'autre côté du cap (il y a un portail pour empêcher le 4x4 sauvage). Superbe randonnée d'environ 1 h, très facile (en été, emportez de l'eau).

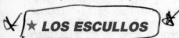 ★ LOS ESCULLOS

Site superbe, longue plage désolée surveillée par un fort du XVIIIe siècle et une caserne de la Guardia civil en ruine. Un bistrot qui fait épicerie, une boîte de nuit en plein air (mais où sont les clients ?), quelques babas germaniques et le sentiment d'être arrivé au fond de nulle part.

Où dormir ?

⚑ **Camping Los Escullos :** sur la droite avant d'arriver à la plage. ☎ et fax : 950-38-98-11. Tarifs raisonnables : moins de 8 € (52 F) la parcelle pour une tente ou une caravane et deux adultes en haute saison (juillet, août et Semaine sainte) ; remises importantes en basse saison (35 % pour 15 jours). Au resto, menu du jour à prix raisonnable. Camping plutôt récent (construit en 1994) et donc propre et bien entretenu. Accueil agréable en français. Taille moyenne (250 places) et parcelles ombragées par un système de toiles plastiques. Beaucoup de caravanes sont stationnées là à l'année. Grande piscine. Nombreuses animations. En juillet et août, réservation obligatoire au moins deux mois à l'avance.

★ LA ISLETA DEL MORO

Petit village de pêcheurs, a l'avantage d'être accessible en autobus. Barques tirées sur la plage, filets en vrac, toits-terrasse, la vraie carte postale... Le démon du tourisme pointe un peu son nez, mais il n'a pas encore fait de gros ravages. Deux bars, dont un loue des chambres.

Où dormir ? Où manger ?

🛏 |●| *Pension-Hostal La Isleta del Moro :* au bord de la mer. Vous ne pouvez pas le louper : l'enseigne se voit de loin. ☎ 950-38-97-13. Chambres à 36 € (236 F) environ la double (réservation obligatoire en juillet et août). Compter 12 € (79 F) le ragoût de poissons. Le cadre est médiocre mais çe n'est pas grave, il suffit de prendre une table face à la mer sur la terrasse et commander une *cuajadera de pescados* (ragoût de poissons) avec un vin blanc frais ou plus simplement un poisson grillé.

Mais ce n'est pas notre adresse préférée, malgré une remarquable situation.
|●| *Bar La Marina :* ☎ 950-38-97-57. Au centre du village. Paella autour de 6 € (39 F) par personne. Bar crapouilleux de l'Espagne éternelle, épicerie, débit de boissons, maison de la presse, patron bourru qui vaque d'abord à ses affaires. Il peut vous faire une paella sur commande. Il y a même une terrasse. Une adresse pour routards de la première heure.

★ PLAYA DEL PEÑON BLANCO

Au nord d'Isleta del Moro. Belle et grande plage de sable bordée de... camping-cars de toutes les nationalités de l'Europe protestante : anglais, hollandais, allemands, danois. Mais on croyait que le camping était interdit ? Ben oui, nous aussi... Sur la plage, tétons à l'air et zézettes au vent. Le naturisme est donc autorisé ? Non, mais c'est comme ça...

★ RODALQUILAR

Le village a vécu longtemps de l'énorme mine d'or qui le domine. Après la fermeture, tout le quartier où vivaient les ouvriers a été laissé à l'abandon. Sentiment de ville fantôme. On peut monter en voiture jusqu'à l'entrée de la mine pour voir les énormes trémies où coulait le minerai et se laisser aller à rêver...

 LAS NEGRAS

Encore un petit port qu'on aime beaucoup, bien qu'il se soit un peu agrandi ces dernières années. On laisse la voiture et on se balade dans les rues étroites. Les femmes ramendent les filets, les hommes nettoient les bateaux, les chiens font la sieste au soleil. C'est le bout de la route.

Où dormir ? Où manger ?

🛏 |●| *El Manteca :* au bout de la minuscule promenade le long de la plage. ☎ 950-38-80-77. Antonio loue des appartements donnant sur le port pour 4 à 6 personnes. Compter 601 € (3942 F) pour 15 jours en haute saison, 30 € (197 F) la nuit, 150 € (984 F) par semaine en basse saison. En juillet et août, c'est 15 jours minimum le reste de l'année ça se négocie. Pour louer, appelez Antonio directement chez lui (☎ 950-38-81-20), il pourra

vous orienter vers quelqu'un d'autre s'il n'a pas de place. Compter 12 € (79 F) le repas, un moment génial au soleil. Ouvert tous les jours en été et pendant les vacances, le week-end seulement le reste du temps. C'est le petit bistrot avec terrasse de notre copain Antonio, né à Lyon où il a vécu trente ans, avant de revenir un jour au pays, avec son vieux père. Bien sûr, il connaît tout le monde, tous les trucs, tout ce qu'il faut aller voir et le reste. Les pêcheurs lui apportent le poisson, sa femme le cuisine, et lui, il blague, ravi de pouvoir parler français avec l'accent de la Croix-Rousse. Au menu, essentielle-ment poisson (super, et ça change tous les jours en fonction de la pêche).

★ *AGUA AMARGA*

C'est le plus septentrional des jolis villages du parc. Y accèder par la route goudronnée nécessite un grand détour. Alors un petit truc : de Las Negras, vous remontez vers l'autoroute et vous prenez la piste à droite dans le village de Fernan Perez. Excellente route de terre (quoique un poil défoncée quand on passe entre les mines de bentonite, mais ce n'est pas difficile). Au moulin de Fernan Perez, on retrouve le goudron et on plonge à droite vers Agua Amarga. Village tout blanc, tout clair, tout clean, avec une très jolie plage de sable blond blottie au pied d'une falaise. On n'est pas les premiers à l'avoir découvert : il y a tant de Mercedes et de BMW qu'on se croirait dans la cour d'un concessionnaire, et les bateaux tirés sur le sable ne sentent pas vraiment le poisson. La plupart des maisons sont louées à l'année. Il y a quand même un hôtel (complet en août, bien entendu).

Où dormir? Où manger?

|●| ≜ *Hotel-restaurant La Palmera :* ☎ 950-13-82-08. 72 € (472 F) la chambre double. Au resto, compter 11 € (72 F) la portion de lotte grillée, à titre d'exemple. Au bord de la plage : la terrasse donne sur le sable. Récent, et bien entendu d'une propreté à faire honte aux Suisses. Avec un escalier extérieur décoré d'*azulejos* pour accéder aux chambres, du marbre partout, des petits rideaux roses et des lits vert pastel, des tables juponnées et des balcons donnant sur la Méditerranée (la plus belle vue, c'est de la chambre n° 4). Tout ceci a évidemment un prix. Mais l'accueil est adorable (et en français) et l'endroit est superbe. Très bon restaurant de poisson avec des prix raisonnables.

MOJÁCAR (04638)

Le petit village apparaît dressé sur son piton rocheux, à 1 km de la mer. De là-haut, vue exceptionnelle. Pas bête d'avoir construit ce village tout récent à la manière des anciens. Toutes les constructions sont plus ou moins incrustées dans la roche et respectent le style traditionnel de la région. Ce qui démontre qu'on est capable, à l'heure du tourisme sauvage, de faire du neuf qui ne soit pas moche. Dommage, en revanche, que les habitations vieillissent si mal et que des traces brunâtres dégoulinent de certaines façades. Les ruelles escarpées, les impasses en surplomb donnent quand même du cachet à l'ensemble. Difficile d'y loger en été car c'est souvent complet.

Mojácar se compose en fait de deux parties : le village lui-même, situé sur une colline, et son extension en bord de mer, à 1,5 km de là, tout au long de la plage (mais du mauvais côté de la route). Car Mojácar possède l'une des plus longues plages de la région. Pas mal certes, mais pas transcendante. Évidemment, avec ses 22 km, on a de la place pour poser sa serviette.

Si vous arrivez en voiture, garez votre véhicule dès que vous le pouvez à l'entrée du village. La petite plaza Nueva est à deux pas, avec son large balcon ouvert sur la plaine et la côte.

Adresses et infos utiles

Ⓘ *Office du tourisme :* plaza Nueva, sous la place centrale de la « vieille ville », dans l'Edificio de Servicios Multiples. ☎ 950-47-51-62. Ouvert du lundi au samedi de 10 h à 14 h et de 17 h à 19 h. Fermé le dimanche.

✉ *Poste :* dans le même local que l'office du tourisme. En été, il y a également un petit bureau sur la plage dans le parque comercial Atica. Ouvert seulement de 10 h à 12 h.

■ *Banques :* dans le village, sur la plaza Nueva, deux banques qui font le change. L'une possède un distributeur.

■ *Police :* à côté de l'office du tourisme.

– Une *navette* relie le village et la plage. On la prend plaza Nueva. Depuis le village, toutes les heures de 9 h 45 à 21 h 45. Depuis la plage, toutes les heures de 10 h à 20 h.

■ *Location de vélos :* avenida del Mediterráneo, 315. ☎ 950-47-28-23. Sur la plage, compter moins de 8 € (52 F) la journée, et environ 21 € (138 F) les trois jours.

■ *Laverie automatique :* sur la gauche de la plage, en face du supermarché Arbol. Ouvert du lundi au samedi de 9 h à 17 h. Moins de 1 € (7 F) par kilo de linge.

Où dormir ?

Pas d'hébergement très bon marché par ici ! Mais quitte à dépenser un peu, autant le faire dans les deux premières adresses en plein cœur du village sur la colline. Beaucoup de charme, on n'hésite pas.

Dans le village

Prix moyens

⌂ *Pensión El Torreón :* calle Jazmin, 4-6. ☎ et fax : 950-47-52-59. Compter entre 30 et 36 € (197 et 236 F) la chambre double et moins de 5 € (33 F) le petit déj'. Ne demandez pas la rue, demandez la pension, tout le monde la connaît. Si c'est pas adorable une petite pension comme ça ! Avec son hall lumineux donnant sur un balcon raffiné, avec sa vue imprenable sur le littoral et ses chambres aux couleurs pastel, voilà la meilleure adresse du village. 5 adorables chambrettes chouchoutées avec amour et soin aux couleurs douces et reposantes, agrémentées d'une jolie frise de petites fleurs des champs. Ah, qu'on se sent bien ici ! Il y a des dominantes de rose, de jaune, de violet. Salle de bains commune pour certaines. La chambre la plus grande, la n° 5 (qui possède deux balcons), est un peu plus chère, mais quel charme ! Priez saint Christophe (patron des voyageurs) pour qu'il y ait de la place ! À réserver absolument.

⌂ *Hostal Casa Justa :* calle Morote, 5. ☎ et fax : 950-47-83-72. Un peu plus chère que les précédentes : un bon 36 € (236 F) la chambre double. Si les autres pensions sont complètes et que vous souhaitez à tout prix être dans le vieux village, il vous reste cette adresse. Propre et confortable, à défaut d'être charmante. Pas grand-chose à dire de plus.

Sur la côte

Tous les hôtels sont situés le long de la route côtière, mais pas côté plage. Uniquement des structures modernes, sans charme, assez chères, et qui s'étalent sur plusieurs kilomètres de chaque côté de la route qui mène au village.

Camping

⚑ *Camping El Cantal :* au bord de la mer, prendre à droite la route côtière en venant du village ; c'est à environ 1 km. ☎ 950-47-82-04. Compter 3 à 4 € (20 à 26 F) par personne, par tente et par voiture. Bien tenu. Supermarché à l'intérieur. Assez ombragé (eucalyptus), mais gare aux étourneaux qui laissent des souvenirs sur la toile de tente... Toujours bondé. Douches chaudes payantes.

Prix moyens

🛏 *Hostal Bahia :* du village, descendre jusqu'à la route côtière et prendre sur la droite ; c'est à environ 1,2 km. ☎ 950-47-80-10. Compter 27 € (177 F) hors saison et 33 € (216 F) en saison. Une des pensions les plus petites et les plus familiales. Structure sans histoire, avec des chambres simples et propres, donnant pour certaines sur l'arrière (plus calme), et toutes avec sanitaires. 16 chambres seulement, ce qui évite la venue des groupes. Resto avec terrasse et vue sur la plage. Pas d'effort de déco, c'est dommage. Au menu, paella et sangria !

Un peu plus cher et pas forcément plus chic

🛏 *Hôtel Virgen del Mar :* en venant du village, prendre à droite en arrivant sur le bord de mer, à environ 2 km. ☎ 950-47-22-22. Fax : 950-47-22-11. Compter 42 € (276 F) tout compris (avec parking et IVA). Tout blanc et bleu, avec beaucoup de carrelage, ce qui lui donne un petit côté clinique. Mais au moins, c'est propre ! Architecture cherchant à rappeler le style mauresque. Pas de piscine. Chambres claires et lumineuses, avec une tête de lit gentiment décorée. Nickel et confortable. Attention, réputé parmi les groupes allemands, donc vite prit d'assaut. Petit déj' à éviter.

Où dormir dans les environs ?

Prix moyens

🛏 *Cortijo El Nacimiento :* Sierra Cabrera, 04639 Turre. ☎ 950-52-80-90. Pour s'y rendre : sortir de Mojácar vers Turre, puis prendre en direction de la E15 ; s'engager sur la gauche vers le cortijo Grande et la sierra de Cabreras, passer sous la ligne à haute tension, à côté des *casas Williamson et Oxford,* puis un petit hameau avec une allée d'eucalyptus (dans le hameau, il y a le *bar Almazara*) ; continuer tout droit, on débouche ensuite sur une des petites maisons style Opio alignées en rang d'oignons ; continuer toujours en direction de Cabreras, dans le creux d'un tournant, il y a un gros rocher ; prendre le large chemin blanc qui descend vers une petite vallée ; tout schuss pendant 1 km sur ce même chemin qui se termine en cul-de-sac. P.-S. : avoir un bon frein à main ! Compter 36 € (236 F) pour une chambre double avec salle de bains, petit déjeuner compris. Adolfo fait également la cuisine mais végétarienne, s'il vous plaît (8,5 €, soit 56 F, dîner à réserver obligatoirement avant 16 h). Il s'agit d'une vieille ferme de 150 ans, qui se niche dans un pli de la sierra. Parmi la verdure et offrant une superbe vue. Elle a été retapée avec passion par Adolfo et sa compagne. 6 chambres doubles décorées à la mode arabo-méditerranéo-dépouillée. Notre chambre préférée est la bleue avec sa mezzanine pour bouquiner, ses murs peints à l'éponge, sa douche au pavage de mosaïque, ses petites fenêtres arabes filtrant les rayons du soleil. Eau chaude solaire, piscine dans une citerne réhabilitée, pergola et bibliothèque à disposition des hôtes. Accueil familial et coolos.

Aux dernières nouvelles cette adresse, qui fut un de nos coups de cœur dans la région, battrait de l'aile. À suivre...

Où manger ?

Dans le village

On vient surtout dîner dans le village. En général, le midi, les touristes restent côté plage.

|●| *El Viento del Desierto :* plaza de Abastos, 4. ☎ 950-47-86-26. Derrière l'église et en face du marché des abats. Compter entre 5 et 9 € (33 et 59 F) pour un plat de viande. Un charmant monsieur marocain propose tous les soirs la cuisine du désert. Brochettes, couscous, viandes grillées, soupe de poisson (pêché dans une mer de sable, sans doute !)... et couscous sur commande. On s'y sent vite chez soi.

|●| *El Antler :* calle Enmedio. Fermé le dimanche. Un mignon petit resto dans la rue longeant le flanc gauche de l'église. Menu quotidien à moins de 6 € (39 F) avec un plat en sauce, une soupe et un fruit. Reconstituant et vite ficelé.

Sur la côte

|●| *Ristorante Piazzetta :* prendre la route de la plage sur la droite en venant du village ; c'est à 1,5 km de là, côté plage. ☎ 950-47-82-27. Premiers prix autour de 6 € (39 F). Allez, pour une fois, on va passer d'une péninsule à une autre. Voici un resto italien où les pizzas sont plutôt bonnes, ce qui n'est pas si fréquent, et les prix raisonnables, ce qui est plutôt rare. Service prévenant.

|●| *Restaurant de l'hostal Bahia :* voir « Où dormir ? ». Pour sa paella et sa sangria.

Les plages

Bien sûr, il y a celle de Mojácar, qui dépanne bien quand on n'a pas de véhicule. Pour les chanceux qui auraient de quoi se déplacer, il y a un peu plus tranquille quand même.

⌂ *Playa del Sombrerico :* en sortant de Mojácar Playa en direction de Sopalmo et Carboneras, prendre sur la gauche en direction de la tour Piruluca avant que la route ne s'enfonce dans les terres. S'engager sur le petit chemin de terre qui suit le littoral, passer devant une petite bicoque jaune qui fait office de bar. Continuer sur la large piste de terre battue bien damée. Passer une seconde tour défensive. La route débouche sur la plage del Sombrerico. Les naturistes ont l'habitude de se mettre sur la gauche vers les galets.

⌂ *Cala de Graniletas :* dans Sopalmo, prendre un tout petit chemin qui paraît s'engager dans un potager derrière le bar. La première partie de la route est assez mauvaise (ravines, ornières...). L'idée est de déboucher sur le lit de la rivière et de laisser le pont sur la droite. Mieux vaut y aller en voiture ou à VTT qu'à pied, car cela fait une petite trotte. Arrivé sur la mer, on peut suivre la falaise à pied par un petit chemin qui la longe et crapahute par endroits. Plusieurs criques tranquilles se succèdent. Y aller le matin car, aux dernières nouvelles, le soleil se lève à l'est et se couche à l'ouest.

QUITTER MOJÁCAR

En bus

🚌 **L'arrêt des bus** se trouve sur la côte, devant le parque comercial Atica, au croisement de la route qui mène au village et de celle qui longe la côte.

➤ **Pour Málaga :** 1 départ quotidien, à 12 h. ☎ 950-22-18-88.
➤ **Pour Guadix et Grenade :** 2 départs par jour. Compter 4 h de trajet.
➤ **Pour Murcia et Madrid :** 2 départs par jour. Un l'après-midi, l'autre à minuit (sauf le week-end). Compter 8 à 9 h de trajet.
➤ **Pour Almería :** 4 départs par jour. Compter 1 h 30 de trajet.

LA COSTA CÁLIDA ET MURCIE

Drôle de communauté que celle de Murcie, coincée entre le territoire valencien et l'Andalousie. On a beau ne pas être conquis par son intérêt immédiat,
il est difficile de la laisser de côté. Ouverte à tous vents, elle est réputée pour
sa huerta, cette grande plaine maraîchère d'où proviennent bon nombre des
produits de nos supermarchés. À l'image de Murcie qui semble avoir grandi
trop vite, on ne peut embrasser la totalité du territoire et tomber amoureux de
but en blanc. C'est vers les plages (parfois) désertes d'Águillas ou vers
l'arrière-pays qu'il faut donc se retirer. Ce dernier recèle encore quelques
enclaves ignorées du tourisme de masse tel qu'on le connaît à Torrevieja ou
à San Pedro del Pinatar, où se concentrent les lotissements pour Allemands
en mal de soleil.

MURCIE (MURCIA) (30000)

Capitale de la communauté autonome du même nom, cette cité moderne
mêle quelques « vieilleries » superbes et beaucoup de constructions nouvelles. Une fois que l'on sait qu'elle s'efforce d'être coquette et propre pour
faire oublier ses imperfections, on peut y passer deux bonnes journées sans
le regretter.

Adresses et infos utiles

🛈 Offices du tourisme : plusieurs
localisations. Plaza Julián-Romea
(*plan B2 ;* ouvert de 9 h à 14 h et de
17 h à 19 h ; ☎ 902-27-77-77 ou
902-10-10-70) ; calle Plano de San
Francisco, 8 (*plan B2-3 ;* ouvert en
été de 10 h à 14 h 30 et de 17 h 30 à
21 h ; ☎ 968-35-87-20) ; et calle
Santa Clara (*plan B2 ;* mêmes horaires ; ☎ 968-22-06-59). Très bon
accueil et agents super efficaces.

✉ Poste (*plan B1*) **:** plaza Circular,
8. ☎ 968-24-12-43.
🚂 Gare RENFE (*hors plan par B3*) **:**
Barrionuevo, 4. ☎ 968-25-21-54.
Pour se rendre dans le centre, le bus
n° 9 est le plus direct, mais il faut
changer à la plaza de Camachos
pour les 1-AB, 1-C et 1-DE ou mieux
le 5.
🚌 Gare routière (*plan A2*) **:** Sierra
de la Pila, 1. ☎ 968-29-22-11 ou

■ Adresses utiles

   🛈 Offices du tourisme
   ✉ Poste
   🚂 Gare RENFE
   🚌 Gare routière

🛏 Où dormir ?

   10 Hostal El Perro Azul
   11 Pensión Murcia
   12 Hotel La Huertanica

🍴 Où manger ?

   20 Tasca Garrampon
   21 Tasca El Palomo
   23 Los Ventanales
   24 La Tapa
   25 Señorío de Jomelsu
   26 El Mesón del Corral de José Luis

🍴 🍸 Où prendre le petit déjeuner ?

   27 Drexco Café
   28 El Arco

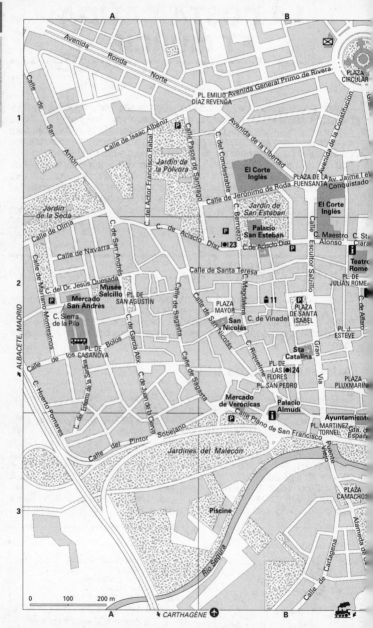

Avenida Ronda Norte

Avenida General Primo de Rivera

PLAZA CIRCULAR

Calle de San Antón

PL. EMILIO DÍAZ REVENGA

Avenida de la Libertad

Calle de Isaac Albéniz

Calle Pasos de Santiago

Calle del Actor Francisco Rabal

Jardín de la Pólvora

Calle del Condestable

C. del Condestable

Avenida de la Constitución

Av. Jaime I el Conquistado

Calle de Jerónimo de Roda

El Corte Inglès

PLAZA DE LA FUENSANTA

El Corte Inglès

Jardín de la Seda

Calle de Olma

C. de San Andrés

Jardín de San Esteban

C. de Acisclo Díaz

C. Berruezo

Palacio San Esteban

C. Maestro Alonso

C. Sta Clara

Calle de Navarra

C. de Acisclo Díaz

Teatro Rome

Calle de Mariano Montesinos

C. del Dr. Jesús Quesada

Calle de Santa Teresa

Escultor Salzillo

PL. DE JULIÁN ROME

Musée Salcillo

Mercado San Andrés

PL. DE SAN AGUSTÍN

Calle de Sagasta

Calle de Santa Teresa

Magdalena

11

PLAZA MAYOR

C. de Vinadel

PLAZA DE SANTA ISABEL

ALBACETE, MADRID

C. Sierra de la Pila

PL. DE los CASANOVA

C. de García Alix

Calle de San Nicolás

San Nicolás

C. Riquelme

Sta Catalina

PL. J. ESTEVE

C. de Alfaro

Calle de Enrique la Serna

C. de Bolos

C. de Juan de la Cierva

Calle de Sagasta

PL. DE LAS FLORES

24

PL. SAN PEDRO

Gran Vía

PLAZA PLUXMARIN

C. Huerto Pomares

Calle del Pintor Sobejano

Mercado de Verónicas

Calle Plano de San Francisco

Palacio Almudi

Ayuntamient

PL. MARTÍNEZ TORNEL

Gta. de España

Jardines del Malecón

Puente Viejo

PLAZA CAMACHO

Piscine

Río Segura

PLAZA CAMACHOS

Alameda de U

Calle de Cartagena

0   100   200 m

CARTHAGÈNE

23

A   B

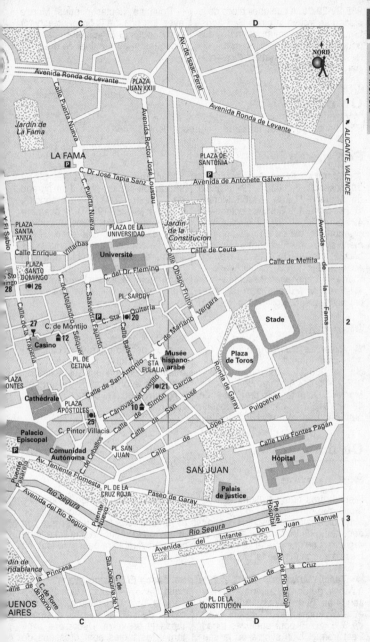

MURCIE

968-29-22-90. À quelques blocs de la station se trouve la place San Agustín, nœud de communication des bus pour de nombreuses directions.

✈ *Aéroport San Javier (hors plan par A3) :* ☎ 968-17-20-00.

– Pour se déplacer dans Murcie avec les bus *LAT,* on peut acheter un bonobus (9 €, soit 59 F) dans les kiosques et au terminal de bus.

Où dormir ?

Pas d'auberge de jeunesse, malheureusement !

Prix modérés

🛏 *Hostal El Perro Azul (plan C2, 10) :* calle Simón García, 19 ; à l'angle de Mariano Padilla, 30003 Murcia. ☎ 868-91-13-84. Compter entre 24 et 42 € (158 et 276 F) pour une chambre double ou un mini-appartement avec une kitchenette. Un peu bricolé à la va-vite mais au pied du quartier des bars. Accueil franc et liberté de mouvement assurée.

🛏 *Pensión Murcia (plan B2, 11) :* calle Vinadel, 6. Edificio Monte Ulía,

30004 Murcia. ☎ 968-21-99-63 ou 968-90-54-47. En face d'un bureau de l'Inem (l'*ANPE* espagnole). Compter 30 € (197 F) la chambre double avec bains dans le couloir. Pas exactement l'adresse rêvée pour flemmarder au lit. Même si les chambres sont de bon aloi (murs en crépi jaune et couchage correct) l'ensemble reste relativement cher. Bien pour une nuit, sans plus.

Plus chic

🛏 *Hotel La Huertanica (plan C2, 12) :* calle Infantes, 3-5, 30001 Murcia. ☎ 968-21-76-68 ou 69. Fax : 968-21-25-04. À l'angle de la rue de Montijo. Compter un peu plus de 48 € (315 F) la chambre double, petit déj' non compris. Bon accueil,

central, belle déco avec motifs cordés et loupiotes bleues à 12 V, mélange de briques et d'acajou. L'hôtel a le privilège d'avoir un parking privé et, de plus, d'être dans une rue calme.

Où manger ?

Bon marché

Rien de très nouveau sous le soleil de Murcie, où l'on mange les mêmes tapas que dans le reste de la péninsule. Une petite exception toutefois, on aime bien faire des travaux pratiques avec les *habas* (des fèves) que l'on décortique de leur cosse, avec ici un peu de *bonito* séché, là une lichette de *morcilla.* Lorsque que le vermouth à la pression vient faire passer le tout, on n'est pas très loin de la félicité...

🍽 *Tasca Garrampon (plan C2, 20) :* à l'angle de Santa Quiteria et de Meseguères. Fermé entre 16 h et 20 h et le dimanche midi. Compter moins de 3 € (20 F) pour quelques tapas. Petit troquet bien sympa où la saucisse sèche fond sur la langue. Très populaire et rapidement bondé.

🍽 *Tasca El Palomo (plan C2, 21) :* calle Cánovas del Castillo, 28. Ouvert le soir uniquement. Compter moins de 3 € (20 F) pour quelques tapas et un verre. Décor pas excitant : les tables sont dressées de nappes en papier et le tout ressemble à une buvette de kermesse à petit budget. Qu'importe, car on y trouve sûrement le meilleur choix en matière de tapas et ce, très loin des touristes.

|●| *Los Ventanales (plan B2, 23) :* à l'angle des calles Arcisclo Díaz et García Martínez. Compter moins de 6 € (39 F). Un classique un peu plus sélect que les précédents. On pourrait dire que *Los Ventanales* a revisité la tradition et s'en accommode très bien. Les *mashed potatoes* côtoient aussi bien les excellentes *patatas a lo pobre*, déclinées en une dizaine de sortes, que les jambons ibériques et autres *patas negras.* Très bon Rioja ou vin local au verre. On peut se contenter de venir y prendre un verre ou, plus goulûment, s'y restaurer entre amis.

|●| *La Tapa (plan B2, 24) :* plaza de las Flores, 13. ☎ 968-21-13-17. Compter pour un petit stop à la *barra* moins de 6 € (39 F). Ouvert tous les jours de la semaine jusqu'à 2 h du matin. Bondé le dimanche midi à l'intérieur comme sur la terrasse. Compter une bonne demi-heure avant de pouvoir passer votre commande. Papiers gras par terre, Espagnols « gouaillant » (parlant fort car c'est bien connu les Espagnols parlent fort, les Italiens avec les mains *and so, and so...*), bref l'Espagne comme on l'aime.

Prix moyens

|●| *Señorio de Jomelsu (plan C2-3, 25) :* Isidoro de la Cierva. ☎ 968-21-21-33. Ouvert de 11 h à 16 h et de 19 h au dernier client. Compter *grosso modo* 9 à 12 € (59 à 79 F) pour un repas. Chorizo, *jamón serrano, jabugo* et bon vin pour pas si cher que ça (Jumilla del Duero, Rioja, Navarra).

|●| *El Mesón del Corral de José Luis (plan C2, 26) :* plaza Santo Do-mingo, 23-24. ☎ 968-21-45-97. À quelques encablures de l'édifice de l'Argentaria (assez remarquable). C'est ici que bon nombre de notables de Murcie se donnent rendez-vous. L'endroit n'est pas à portée de bourse de tout le monde mais ne plafonne pas pour autant vers l'inabordable. De surcroît, ce qui ne gâche rien, une bonne cave maintenue à température adéquate.

Où prendre le petit déjeuner ?

Pas d'endroit spécialisé mais quelques adresses sympas où (notamment) on trouve la presse du jour.

⧴ *Drexco Café (plan C2, 27) :* calle de la Traperia, 26. ☎ 968-21-95-95. 7 cafés différents pour ce lieu qui allie des couleurs chaudes, un bar en marbre rose et des tables et chaises en bois précieux. Élégant et dandy, un peu branché, mais reste quand même abordable si l'on se contente du bar.

|●| *El Arco (plan C2, 28) :* calle del Arco de Santo Domingo. ☎ 968-21-97-67. Juste à côté du teatro Romea. Bon café dans un cadre qui mélange les tableaux abstraits, et une mezzanine sous les toits.

À voir. À faire

★ *Le casino (plan C2) :* calle de la Traperia, 22. ☎ 968-21-53-99. Superbe bâtiment à l'intérieur luxueux. Un bel exemple de décoration arabe. Une petite salle par un escalier qui monte sur la gauche est réservée à quelques expositions de peinture qui ne sont pas toujours de bon goût. Attention, c'est un bâtiment privé dans lequel il faut montrer patte blanche pour entrer et faire partie du cercle.

★ *La cathédrale* *(plan C2-3)* : plaza Hernández Amores, 2. ☎ 968-21-63-44. Tous les jours de 10 h à 13 h et de 17 h à 20 h. Sa façade baroque est assez impressionnante. Sans être passionné d'architecture religieuse, l'intérieur de la cathédrale vaut bien une heure de visite. À voir, sur l'un des côtés du déambulatoire, la chapelle des Velez, bâtie sur ordre de Don Juan Chacón, majordome d'Isabelle la Catholique et par la même occasion seigneur de Cartagena. Beau style gothique de la seconde moitié du XVᵉ siècle. Également à voir, un beau retable et des stalles ouvragées. De la tour, on peut jouir d'une vue assez complète sur la ville.

★ *Le retable Mayor de Santa Ana* *(plan C2)* : situé dans l'église conventuelle de Santa Ana, plaza Santa Ana. ☎ 968-23-92-37. Dans le genre ça croule sous l'or... probablement du Nouveau Monde... Elle a bon dos la religion !

★ *Le monastère de Santa Clara de la Real* *(plan B2)* : Santa Clara de la Real. Via Alfonso X El Sabio, 1. ☎ 968-23-35-19. Il est souvent appelé « Las Claras » en raison des sœurs qui sont cloîtrées dans les lieux. C'est en fait un monastère médiéval construit sur les ruines d'un palais musulman du XIIIᵉ siècle, l'*Alcázar Seguir.* Il possède aussi une église baroque du XVIIIᵉ et un cloître gothique-mudéjar, qui vaut le coup.

★ *Centro Cultural Las Claras* *(plan B2)* : ☎ 968-23-46-47. Ouvert du lundi au samedi de 10 h à 13 h et de 16 h à 21 h et le dimanche de 10 h à 13 h. Entrée gratuite. Belles salles d'exposition qui jouxte le monastère du même nom. Reste encore quelques pans de murs d'origine romaine et médiévale. Les expos tournent régulièrement et sont souvent de bonne qualité.

★ À voir aussi, le *musée de Salcillo* *(plan A2)* : plaza San Agustín, 3. ☎ 968-29-18-93. Ouvert du mardi au samedi de 9 h 30 à 13 h et de 16 h à 19 h, et les dimanche et jours fériés de 11 h à 13 h. Entrée : environ 3 € (20 F). Un poil l'arnaque, car les sculptures de Salzillo sont exposées dans l'église N.P. Jesus. Il faut donc s'acquitter du droit d'entrée pour pouvoir entrer dans cette église toute ronde. Le style est un peu prétentieux avec sa débauche de peintures en trompe l'œil et ses grands volumes de marbre. Chaque chapelle renferme une des statues du maître sculpteur. Belle Cène où les apôtres se font face. À noter également, un Christ aux cheveux longs, sorti une fois l'an, lors des fêtes paroissiales. Force est de reconnaître que la plastique des corps est très bien exprimée.

★ *Le palais épiscopal* *(plan C3)* : plaza Cardenal Belluga, 1. ☎ 968-21-42-04.

★ *L'Université* *(plan C2)* avec sa façade rose bonbon.

– Ne manquez pas non plus un petit tour dans les *marchés*. Celui de la calle Verónicas *(plan B2)* est plus spacieux et mieux fourni que le marché San Andrés *(plan A2)*. À l'étage, fruits et légumes, au rez-de-chaussée, viandes, poissons...

– Bon à savoir, le bord du río Segura est aménagé pour la promenade tandis que le *parc botanique* l'est pour la sieste. Au passage, on peut jeter un œil sur l'originale passerelle du Malecón dont le tablier en résine et en béton armé se courbe sur le río. Un mât d'acier fait contrepoids à l'édifice par le biais de gros câbles.

À faire

– *Escalade :* Murcie est bien connue des grimpeurs, sa région possède de nombreux sites de tous niveaux. Pour les topos, *El Refugio,* Salitre, 14, ☎ 968-22-08-48 ; ou *Bazar La Tierra,* à Alcantarilla, ☎ 968-80-04-63. Pour plus de renseignements, s'adresser à la *Federación de Montañismo de la Región de Murcia,* Francisco Martinez Garcia, 4, 30003 Murcia. ☎ 968-34-02-70.

Fêtes

– 3 millions de personnes se déplacent chaque année (le week-end qui suit le lundi de Pâques) pour aller voir les *fêtes du printemps* à Murcie, que l'on a pris coutume d'appeler l'*Enterrement de la sardine* (*Entierro de la Sardina*). Ça ressemble beaucoup au carnaval de Nice ou de Menton. Plus de 80 groupes, brésiliens, *sardineros* de toutes parts (Barcelone, Cartagena...), des fanfares de tous types, beaucoup de *topless* défilent en bon ordre. À la fin, feu d'artifice pour que tout le monde soit content.

Les *tunas* terminent la nuit dans les bars qui, pour l'occasion, prolongent ou font naître des terrasses un peu partout.

➤ *DANS LES ENVIRONS DE MURCIE*

Au sud

★ Le week-end, de nombreux Murciens vont s'aérer les poumons vers les contreforts boisés de la sierra de los Villares, où se cache l'*église de la Fuentesanta.* Ouvert de 9 h à 13 h et parfois le soir. Pour s'y rendre, prendre la 301 en direction de Cartagena ; à la hauteur d'El Palmar, sortir de l'autoroute, c'est plus ou moins bien indiqué (ne pas aller à El Palmar). Une petite route, à 14 km du centre de Murcie, commence ses lacets au sortir du village de La Alberca. Très beau parcours qui chemine à l'ombre des eucalyptus, dans un dédale de blocs de pierre et dans la poussière d'une terre rouge brique. C'est l'endroit où les amoureux viennent se promener bras d'sus, bras d'sous, où les familles viennent pique-niquer (plusieurs espaces à flanc de coteaux avec quelques aires de jeu pour les enfants). Elle se termine sur le sanctuaire bénédictin de la Fuentesanta. Ne manquez pas son magnifique retable, encore une fois très bien travaillé avec un luxe de surenchères dorées.

Un tuyau pour les VTTistes et autres randonneurs, une fois la route parcourue dans les deux sens, vous allez être vites barbés. D'une part, parce que vous n'êtes pas venus pour ce beau tapis de bitume, d'autre part, parce que le défilé des voitures va rapidement vous excéder. Montez donc jusqu'à la *Casa forestal el Sequen* en passant par l'ancienne auberge de jeunesse. Si la chaîne qui bloque le passage est levée, déposez votre véhicule et sortez votre vélo. Si la chaîne est baissée, continuez un peu votre chemin jusqu'à la hauteur des antennes radio. De là, on accède à un superbissime paysage lunaire qu'on aurait bien du mal à imaginer en restant à Murcie. Les formes décharnées du relief, les aiguilles découpées avec une extrême finesse par dame Nature, les promontoires escarpés narguant le vide, les plateaux et mamelons désertiques... bref, en Espagne, seule la route de Valdemossa (aux Baléares) et le cap de Gata (aux environs de Mojácar) doivent l'égaler. Le mieux est d'y aller à partir de 15 h 30 ou très tôt le matin. *Attention,* il n'y a aucun point où faire des provisions d'eau. Partez donc avec de copieuses réserves. L'ensemble des chemins est accessible aux voitures et sont très bien damés. Néanmoins, si la *casa forestal* est ouverte, n'hésitez pas à leur demander une carte car on y perd vite son chemin. Les grimpeurs avertis peuvent également y dénicher quelques « écoles ».

Au nord

★ *Les bains d'Archena :* dans l'entrée d'Archena, prendre à droite après le pont. Accessibles par bus (7 bus en semaine au départ de Murcia, 4 le samedi et un seul le dimanche). Ouvert du lundi au vendredi de 10 h à 22 h 30 (24 h en été). Compter 6 € (39 F) l'entrée, autour de 4 € (26 F) à partir de

18 h. C'est dans cette petite oasis qui se love parmi citronniers et palmiers que jaillit une eau à 52 °C. Les établissement thermaux ne sont pas transcendants mais une petite visite peut délasser les mordus des papouilles dans l'eau.

QUITTER MURCIE

En bus

Avec la compagnie *Graells*. Guichet de vente des billets ouvert de 9 h 30 à 14 h et de 16 h 30 à 21 h ; en dehors de ces heures, les billets s'achètent directement auprès du chauffeur.

➤ *Pour Grenade et Cordoue :* bus réguliers de 8 h 30 à 22 h.
➤ *Pour Séville :* 3 bus dans la journée, à 11 h 30, 16 h et 22 h. Le premier continue sur Cádiz.
➤ *Pour Cartagena :* 3 départs par jour. Compter 2,6 € (17 F) l'aller.

LES PETITS VILLAGES DES SIERRAS

Comme une pile d'assiettes renversées, les sierras de l'ouest de Murcie (Espuña, de Ponce o Cambrón, de Lavía, de Ceperos, de Quipar...) laissent quelques routes se faufiler entre leurs flancs. L'absence de végétation et le soleil généreux en rendent l'accès difficile, et pourtant...

★ LOS BAÑOS DE MULA

Tout le village s'est construit autour de ces bains que contournent une grosse route. Compter 6 € (39 F) l'accès, un peu cher tout de même.

Où manger ?

I●I *Venta Magdalena :* ctra de Caravaca, km 17. ☎ 968-66-05-68. Compter 9 € (59 F). On ne remarque presque pas cette venta qui ressemble à s'y méprendre à une baraque de station-service. Pourtant, foi de Murcien, elle mitonne l'un des meilleurs riz de toute la région. Une cuisine de la campagne riche en saveurs et en générosité, animée par le brouhaha des habitués. Goûtez le riz au lièvre malicieusement épicé par un *pimiento morrón* mémorable. Vous l'avez compris, une très bonne adresse, où il n'est pas superflu de réserver.

★ CARAVACA DE LA CRUZ

Comme son nom l'indique, accueille un sanctuaire chrétien depuis qu'en 1232 l'évêque Chirinos déclare avoir vu la Sainte Croix (très exactement *Lignum Crucis*). Depuis, tous les prétextes sont bons pour lui demander son aide. Pendant la Reconquête elle sert de symbole contre les Maures ; par la suite, elle devient l'emblème des hospitaliers. En 1588, une procession est organisée pour qu'elle envoie ses ondes positives contre l'Invincible Armada. Et même Murcia, en 1677, demande le soutien de la croix lors d'une épidémie de peste.

Où dormir? Où manger dans le coin?

Casa rural

🏠 |●| *El Molino del Río* : Camino Viejo de Archivel, s/n, 30400 Caravaca de la Cruz. ☎ 606-30-14-09. ☎ et fax : 968-43-33-81. • www.molinodelrio.com • À 11 km du centre de Caravaca de la Cruz, sur la route de Grenade. Chambres doubles avec bains entre 45 et 64 € (296 et 422 F), et compter moins de 83 € (548 F) l'appartement de 4 places avec cuisine, TVA incluse. Et des menus entre 15 et 30 € (99 et 197 F). Petit moulin du XVIᵉ siècle perdu dans le creux d'un *barranco* sableux. Très belles chambres, toutes avec poutres apparentes, très simples mais accueillantes. Les couettes donnent envie de se plonger dans les lits et la grande salle chaleureuse invite à se repaître en commençant par un bon apéro. Peut-être préférez-vous vous prélasser auprès de la piscine ou saliver devant le barbecue. Carmen, la propriétaire des lieux, est d'une douceur qui ne dépareille pas avec le lieu. Une adresse à consommer sans modération.

À voir

★ La croix est conservée dans un grand *sanctuaire,* château de marbre rose et gris. Ouvert de 8 h à 14 h et de 16 h à 19 h. Un magnifique portail de marbre, toujours rose et gris, de facture bien baroque, marque l'entrée de l'église, flanquée sur sa gauche d'un bâtiment civil. Ce dernier a d'ailleurs été un refuge pendant la guerre de Succession (1700-1713) et pendant la guerre d'Indépendance contre les Français en 1812. L'intérieur est entretenu avec une méticulosité extrême. Bizarrement, l'autel évoque quelques réminiscences orthodoxes et est encadré par deux angelots porte-loupiotes. Un petit musée se trouve également dans le cloître.

★ Depuis le sanctuaire, on peut jeter un œil à l'étrange façade rouge et blanche de la *plaza de toros,* qui date de 1926. Son style néo-mudéjar ne laisse pas indifférent, sa façade paraît avoir été lavée par le sang des taureaux ! Elle s'est installée sur l'emplacement du couvent des pères franciscains, qui quittèrent la région vers le milieu du XIXᵉ siècle. C'est la troisième plus vieille place du coin.

★ À voir également, l'*église paroissiale del Salvador,* dans le centre de la ville (qui se distingue par un luxe de bondieuseries). Cette église édifiée dans la deuxième moitié du XVIᵉ siècle sur l'ancien hôpital des Templiers est presque aussi intéressante que le sanctuaire lui-même. Siège de l'évêché et de l'Ordre de Santiago, elle n'a jamais été terminée. Le retable (entièrement doré à l'or fin) mesure quelque 8 m de haut. Cette église sans transept ressemble étrangement à un temple soutenu par quatre grosses colonnes ioniques dont les cannelures ne commencent qu'à mi-hauteur. Sept petites chapelles plus ou moins bien entretenues. Messes à 7 h et 12 h le dimanche, 20 h en semaine.

★ À voir enfin, l'*hôtel de ville,* dont le bâtiment forme une belle arche.

★ MORATALLA

Encore un petit village qui s'organise autour d'un piton rocheux au sommet duquel un château médiéval monte la garde.

Où dormir dans le coin ?

Casas rurales

⌂ *El Molino de Benízar :* 02438 Benízar. ☎ 968-73-60-06. À une vingtaine de kilomètres de Moratalla, par une très douce route qui serpente parmi les genêts, les pierres sèches, les oliviers et les brebis. Bien fléché à partir de Socovos. Compter 33 € (216 F) la chambre double avec vue et 30 € (197 F) la double standard ; 210 € (1 378 F) l'appartement pour une semaine en haute saison. Beau petit moulin restauré avec beaucoup d'attention, qui se recroqueville dans la roche et est surplombé par un énorme rocher. Ressemble au logis de la belle Emmanuelle Béart dans *Manon des Sources*. Petit ruisseau qui glougloute au pied du moulin. Pour les amoureux du silence et de la nature. Faites-vous bien expliquer le chemin en réservant.

⌂ *El Cortijo Rojas :* ☎ 630-16-50-16 ou 968-70-82-89. À 3,3 km de Moratalla. Pour s'y rendre, en sortant du village sur la route de Calasparra et Elche de la Sierra, prendre à gauche, puis à droite par un petit chemin qui s'enfonce dans les propriétés ; passer un gué dans un *barranco* ; suivre les indications par la suite. Compter 78 € (512 F) par jour l'appartement pour 4 personnes, 158 € (1 037 F) pour un week-end, 379 € (2 486 F) pour une semaine, IVA incluse. Un poil cher. Grand domaine à la façade ocre, s'adossant à une ferme et organisé autour d'un patio central. Plusieurs chambres *(viviendas)* avec salon TV, salle de bains neuve et cuisine aménagée, partagent l'usage des parties communes (barbecue, terrasse...). Entrée indépendante pour chacune d'entre elles. Piscine, terrain de tennis et surtout un silence magistral rompu uniquement la nuit par le bruit des grillons.

CARTHAGÈNE (CARTAGENA) (30200)

Déroulant son épine dorsale sur les rives du Mar Menor, il y a quelque chose de brut dans cette Carthage espagnole. De son illustre cousine qui titilla la puissance romaine, elle garde l'héritage maritime. C'est en effet dans son port que viennent mouiller de nombreux navires de la marine espagnole. Même si un sérieux coup de peinture, l'exhumation de ses murailles puniques ou la remise en état du théâtre antique tente de lui donner quelques attraits, sa population paraît bien mal équilibrée. À la fois port, ville débouché de la huerta murcienne, second centre administratif de la communauté murcienne, ville industrielle, universitaire et de garnison, elle mêle marins, ouvriers saisonniers, truands à la petite semaine, notables bien pensants, étudiants pensant beaucoup. Difficile de tomber sous le charme. Mais difficile également de laisser de côté cette chimère, ce mélange de tout et de rien.

Adresse utile

🅸 *Office du tourisme :* en face en sortant de la station de bus. Depuis la gare RENFE, remonter l'avenue arborée en face de la sortie ; au premier rond-point, à onze heures. Ouvert du lundi au vendredi de 10 h à 13 h 30 et de 14 h à 19 h, et le samedi matin.

Où dormir ?

Bon marché

⌂ *Pensión-Hospedaje Oriente :* calle Jara, 27, 30201 Cartagena. ☎ 968-50-24-69. Juste en face de l'immeuble de la Citybank. Chambres correctes pour 21 € (138 F). Réparties sur trois étages, ces petites chambres avec lavabos et bains communs ont été rafraîchies par un coup de pinceau... mauve. Bon accueil de Luis, un gentil papi.

Où manger ?

De prix modérés à prix moyens

I●I *La Tartana :* calle Mayor, 5. Juste en face du *MacDo*. Compter moins de 6 € (39 F) pour plusieurs bouchées d'une belle palette de tapas. On y vient aussi bien en famille qu'avec ses collègues de travail ou ses vieux copains. Lorsqu'on s'assoit, les prix ont un peu tendance à s'alourdir.

I●I *Asadorio Cartagena* : à l'angle du paseo Alfonso XIII et de la calle Juan de la Cosa. En face de l'université polytechnique. Compter moins de 6 € (39 F). On est toujours rassuré de trouver ce style de bar, témoin vivant de l'Espagne traditionnelle. Les guirlandes d'ail et de piments font la course au-dessus du bar, de gigantesques gamelles en terre cuite attendent que les convives viennent se repaître des *caldos, pimientos de piquillos* et autres tapas. Une bonne adresse.

Où manger dans les environs ?

I●I *Restaurante El Mosqui :* ctra del Faro, 30370 Cabo de Palos. ☎ 968-56-45-63. Réservation recommandée le week-end. Menu le midi à 8 € (52 F), compter le double à la carte. On vient dans ce drôle de resto à la devanture de bateau pour le *caldero,* un plat que jadis les marins pêcheurs de la côte concoctaient à même la plage en posant leur fait-tout directement sur les braises. Pour que le *caldero* soit bon, il faut que le riz vienne de Calasparra, les poissons de roche, que le mulet soit gris et le *pimentón* versé avec générosité. C'est le cas au *Mosqui.* Également de bons poissons en croûte de sel puisque le Mar Menor avoisinant en regorge.

Où boire un verre ?

🍷 *La Uva de Jumilla :* calle de Jara. Petit débit de vin, comme son nom l'indique, où les petits vieux dès 10 h du mat' viennent siroter leur manzanilla syndicale au vu et au su de leur médecin qui fréquente sûrement les mêmes adresses. Quelques *montaditos* (petites tartines) pour la route.

🍷 *Pub Trastera :* plaza del Rey. À proximité de l'Arsenal militaire. Sur l'une des places les plus tranquilles de la ville. Le bar paraît s'enfoncer jusqu'à plus fin. C'est peut-être pour la même raison que c'est l'un des plus fréquentés de la ville pour prendre un pot. Lumière bien travaillée.

– Lorsque les pubs du centre ferment, tout le monde émigre vers les rues Principe de Asturias et Pintor Ballaca.

À voir

★ *L'église Santa María de Gracia :* à l'angle des calles del Aire et San Miguel. Construite au XVIIIe siècle, amendée aux XIXe et XXe. En fait elle n'aurait rien de très fulgurant si elle n'était flanquée de petites chapelles richement parées. À noter, celle sur le bas-côté gauche et celle dédiée à Bernadette Soubirous dans une... grotte, ça ne s'invente pas.

★ *L'église Santo Domingo :* calle Mayor. Très drôle d'église avec un retable... inexistant. Fait de lamelles en bois sur lequel ondule bizarrement un drapeau du pays. Le volume est assez effrayant et ne se distingue pas par son élégance. Pour corriger le tir, on s'est senti obligé de faire dans la débauche d'ors dans la petite chapelle baroque de Marraja. Impeccablement restaurée, elle renferme de nombreuses images pieuses.

★ *L'hôtel de ville ou Palais consistorial :* au commencement de la calle Mayor. Bel édifice moderniste qui semble surveiller le large depuis sa tour vigie. Malgré le marbre gris, on ne peut être insensible à une certaine élégance, même si une sorte de tribune à la soviétique accentue son côté lourdaud. Faites-en le tour, chaque face a une physionomie différente.

★ De nombreuses maisons au style moderniste, notamment la **maison Llagostera** (en face de l'église Santo Domingo), la *maison Clares* (à l'angle de la calle del Aire et de la calle Cuatro Santos) avec leurs élégants bow-windows, corniches et dentelles architecturales.

★ *Le théâtre romain :* construit au Ier siècle av. J.-C., il ne fut découvert qu'en 1987. Une armée d'archéologues continuent encore à dégager les gradins. En fait, à la place de la scène se trouvait une maison. Faire le tour du théâtre, car d'en haut, on peut jouir d'une belle vue sur la baie et les tuiles latines de l'église Santa María la Vieja (pompeusement appelée cathédrale, sic...), autre témoignage de l'occupation du sol.

Où faire trempette ?

Éviter toute la zone du Mar Menor, gangrenée par les constructions. Des plages plus sauvages se trouvent, par exemple, dans la région d'Aguilas.

QUITTER CARTAGENA

En bus

➤ *Pour Séville :* 3 départs par jour avec la compagnie *Alsina Graells.* Compter 33 € (216 F).
➤ *Pour Málaga :* 1 seul départ l'après-midi. Compter un peu plus de 28 € (184 F).

ELCHE
(03200)

Ville moyenne qui n'a pas un charme fou. L'intérêt d'Elche réside en fait dans sa palmeraie, l'une des plus belles d'Europe, voire du monde. Les palmiers furent plantés par les Carthaginois mais ce sont les Arabes, avec leurs techniques d'irrigation très inventives, qui les ont développés. Encore aujourd'hui, l'eau si précieuse est mise aux enchères tous les matins. Dommage que la palmeraie soit si mal entretenue. Mais les choses pourraient changer puisque l'UNESCO instruit actuellement son inscription au patrimoine mondial culturel et naturel.
Pour le dimanche des Rameaux, Elche fournit en palmes toutes les églises du pays. D'où le surnom de « Jérusalem espagnole » que l'on donne souvent à la ville. On rappelle aux athées et mécréants que, pendant les Rameaux, on recouvre le sol des églises avec des palmes, en souvenir de l'entrée de Jésus dans Jérusalem.

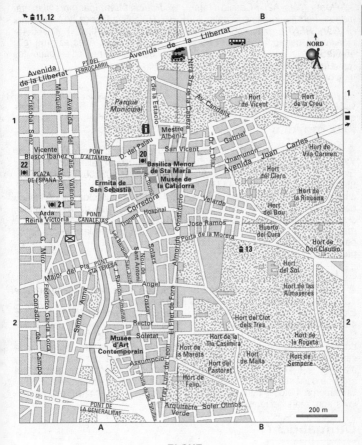

ELCHE

Adresses utiles

■ Office du tourisme
🅱 Poste
🚂 Gare RENFE
🚌 Gare routière
1 Policía Municipal

🏠 Où dormir ?

11 Pensión Faro
12 Hostal la Callosina
13 Hotel Huerto del Cura

🍴 Où manger ?

20 El Arlequin de Elche
21 Mesón el Tozal
22 Mesón el Granaino

Adresses utiles

■ *Office du tourisme (plan A1) :* plaza del Parque. ☎ 965-45-38-31. | Fax : 965-45-78-94. ● touristinfo.elx@ turisme.m400.gva.es ●

✉ **Poste** *(plan A2)* : Camilo Flammarion. Fermée le samedi matin.

🚂 **Gare RENFE** *(plan A-B1)* : avenida de la Libertad. Elx-Parc. ☎ 965-45-62-54.

🚌 **Gare routière** *(plan B1)* : avenida de la Libertad. ☎ 965-42-42-42.

■ **Policía Municipal** *(hors plan, par B1, 1)* : antiga fabrica de Messalina, route d'Alicante (Altabix). ☎ 965-45-25-00. Très utile. Avec sa grue, elle est sans aucune pitié pour les quatre-roues.

Où dormir?

Prix moyens

🛏 **Pensión Faro** *(hors plan par A1, 11)* : cami dels Magros, 24, 03206 Elche. ☎ 965-46-62-63 ou 630-60-85-88. Compter 22 € (144 F) la chambre double sans petit déj'. Très bon accueil dans cette petite pension de quelques chambres entièrement refaite à neuf. Bois clairs, salle de bains commune, couchage impec'. Rien à redire.

🛏 **Hostal la Callosina** *(hors plan par A1, 12)* : calle Mario Pastor Sempere, 15, 03206 Elche. ☎ 965-46-00-76. Compter environ 22 € (144 F) la chambre double. À l'étage d'un petit bar de quartier. Simple, propre, sans prétention. Quitte à choisir, on préfère la *Pensión Faro*.

Plus chic

🛏 **Hotel Huerto del Cura** *(plan B2, 13)* : porta de la Morera, 14, 03203 Elche. ☎ 965-45-80-40. Fax : 965-42-19-10. ● www.huertodelcura.com ● Compter 109 € (715 F) la chambre double. Le week-end, les prix sont sérieusement dégraissés : compter alors 72 € (472 F) la double ; une aubaine que l'on ne saurait manquer. Un superbe 4 étoiles dont les bungalows sont magnifiquement situés au cœur de la palmeraie, juste en face du célèbre jardin du Curé *(huerto del Cura)*. L'ensemble des édifices commence à dater un peu et les équipements s'en ressentent quelque peu. Reste le parc, entretenu de main de maître par une armée de jardiniers. Personnel très efficace et petit déj' buffet pantagruélique. Tennis, bar, restaurant et piscine superbe.

Où manger?

Prix moyens

🍴 **El Arlequin de Elche** *(plan A1, 20)* : pza Congreso Eucaristico, 17. ☎ 965-42-01-60. Compter moins de 12 € (79 F). Petit estaminet aux murs de crépi et au bar long comme le bras. Les petits vieux qui y accourent ont leurs habitudes et leurs connaissances. On passe donc quelques heures en salamalecs avant de déguster un bon gros *arroz con costra* (LE plat d'Elche, une sorte de paella avec une croûte en omelette) calmé par un bon aïoli. Une bonne adresse où l'on vient même chercher sa paella à emporter, c'est dire !

🍴 **Mesón el Tozal** *(plan A1, 21)* : carrer dels Arbres, 22. Prendre l'avenida Reina Victoria, au nord du pont Nou, puis la 3ᵉ à gauche. Ouvert à partir de 14 h. Compter 6 à 9 € (39 à 59 F) le plat. Bon, fin et bien servi. Bon vin, cadre agréable et très abordable.

Plus chic

🍴 **Mesón el Granaino** *(plan A1, 22)* : José María Buck, 40. ☎ 966-66-40-80. Fermé le dimanche et les 15 derniers jours d'août. Compter

24 € (157 F) à la carte. Valeur sûre, car fondé en 1964, déco typique – azulejos, brique, bois sombre –, cuisine inventive à base de produits frais (glace à la figue, potage de mo- rue) et surtout un bon assortiment de tapas font de cette adresse une halte gastronomique incontournable. Prix honnêtes si l'on reste au bar.

À voir

★ *El huerto del Cura* *(le jardin du Curé ; plan B2)* : ouvert de 9 h à 19 h (20 h l'été). Ne pas confondre avec l'hôtel *Huerto del Cura,* dont le parc est interdit aux non-résidents. Entrée payante : moins de 2 € (13 F).
Dans ce jardin botanique, au cœur de la palmeraie, on découvre des cactus, bougainvillées, orangers, citronniers et palmiers à plusieurs troncs, dont le palmier impérial, âgé de 150 ans et unique au monde : ses rejets ont poussé, non pas au pied de l'arbre comme d'habitude, mais à près de 2 m du sol, ce qui lui donne une curieuse apparence de chandelier à 8 branches. Son poids (10 tonnes au bas mot) l'oblige à être soutenu par une structure métallique. Ne manquez pas, à l'entrée, la reproduction de la célèbre *Dame d'Elche,* mystérieuse sculpture d'influence phénicienne qui représente le buste d'une prêtresse, ou d'une princesse ibérienne. Ce trésor tout en finesse a près de 2 500 ans. Découverte au siècle dernier sur le site archéologique de la Alcudia, aux abords de la ville, la sculpture originale est exposée au Musée national d'Archéologie de Madrid. Un peu plus loin, le buste de Jaime Ier d'Aragon, qui semble sortir tout droit d'un album d'Astérix. Le parc est certes bien entretenu mais ne vaut peut-être pas la dépense... d'autant que le parc municipal offre aussi bien. En face, un *marchand de dattes* fantastiques. On peut aussi acheter une spécialité : le gateau de *higos,* composé uniquement de figues sèches *(higos)* et d'amandes. Régimes amaigrissants, s'abstenir. Sinon, excellent, naturel et moins écœurant que le *turrón.* À proximité, un pépiniériste chez qui l'on peut acheter des plantes tropicales, des mini-palmiers et même des plantes carnivores !

★ *El parque municipal (plan A1)* : jardin public, très étendu et fort bien tenu. Très agréable pour une balade ou une sieste à l'ombre des palmiers, pendant les heures chaudes de la journée.

★ *La iglesia Santa María (plan A1)* : en plein centre. Ouverte de 10 h 30 à 13 h 30 et de 17 h à 21 h. Superbes dômes dont les tuiles vernissées bleues comptent parmi les plus belles d'Espagne. Les 14 et 15 août s'y déroule une curieuse cérémonie en l'honneur de la Vierge. Les acteurs, tous masculins, reconstituent avec une scrupuleuse exactitude une fête du Moyen Âge avec costumes d'époque et chants sacrés. Attention, fermée récemment pour restauration.

★ Un détour au *marché,* tous les jours plaza de la Fruita, derrière l'Ayuntamiento, est rassérénant. Superbes étals de poissons (la mer est toute proche), charcuteries, fromages, fruits et légumes, délicieux pains de dattes et de figues aux amandes fraîches... Les peintures sur les rives bétonnées du Vinalopó sont aussi sympas.

★ Pour ceux qui ont du temps, voir également le *musée d'Art contemporain (plan A2).*

➤ DANS LES ENVIRONS D'ELCHE

★ *La Alcudia* : à 4 km. Ouvert de 9 h à 13 h et de 16 h à 19 h. Fermé les dimanche et jours fériés. Fouilles archéologiques romaines. Musée contenant des objets du paléolithique à l'époque des Wisigoths. Ruines où fut découverte la Dame d'Elche.

ALICANTE

QUITTER ELCHE

En train

➤ La ligne *Cercanias de Alicante* dessert régulièrement la station « Elche Parque ». 23 liaisons dans un sens comme dans l'autre, *d'Alicante à Murcia*.

En bus

➤ *Pour Murcie :* un départ toutes les heures, pour un prix un poil moins cher que le train.

ALICANTE (ALACANT)   (03000)

On arrive sur une rangée de grands immeubles posés en rang d'oignons tout le long de la baie. On pense à une sorte de Côte d'Azur locale avec sa plage en pleine ville, sa longue et large esplanade bordée de palmiers, ses terrasses à « m'as-tu-vu », ses sens uniques et ses embouteillages l'été. Lorsqu'on arrive par la route d'Alcoy, c'est encore plus dramatique : le désert partout et des formes érosives assez facilement repérables, même par l'œil du néophyte. Cependant, on peut y passer une journée sans déplaisir, juste comme ça. L'été, on se retrouve dans les dizaines de discothèques de la plage San Juan, à 6 km au nord. Chaude ambiance.

UN PEU D'HISTOIRE

Malgré le manque de charme (comparé à ses voisines du même rang), Alicante se singularise par sa richesse architecturale. Ce qui paraît d'ailleurs très ludique, c'est la relative logique de la ville et de son aménagement au cours de l'histoire.

Limitée longtemps au quartier situé au pied du « Macho » (le rocher calcaire Benacantil sur lequel est perché le château) et ceint de murs, Alicante est aujourd'hui un des exemples de croissance des villes selon le modèle radial. Quelques rapides repères permettent de l'expliquer.

Au XIVᵉ siècle, Alfonso El Sabio offrit des maisons (pratique courante pour repeupler un pays récemment conquis sur les Arabes) et des moyens budgétaires au Conseil municipal pour permettre l'organisation rationnelle de la ville. Aujourd'hui, peut-on imaginer que l'église Santa María a été construite sur le *solar* de l'ancienne mosquée ? De même, peut-on supposer en y passant que la tranquille place Santisima Faz accueillait au bas Moyen Âge les souks arabes ?

Longtemps, la rambla Menendez Muñez a servi de rempart à ces mêmes Arabes. C'est sur elle qu'ils avaient construit leur muraille de défense.

Du XVIᵉ au XVIIIᵉ siècle, la prospérité commerciale des Alicantins suscite une importante immigration italienne et particulièrement ligure. Cette immigration vaut à la ville quelques beaux édifices coloniaux et de style bourgeois.

Après la guerre de Succession, au XVIIᵉ siècle, Alicante jouit d'une évidente prospérité urbaine dont témoignent, entre autres, le travail de la façade de l'église Santa María mais surtout l'Ayuntamiento. Sur les rues Maldonaldo, Labradores, Gravina, on trouve quelques beaux exemples (parfois complètement laissés à l'abandon) de maisons baroques.

S'il est difficile de lire l'espace à l'intérieur du *casco antiguo,* en revanche, au fur et à mesure que l'on s'éloigne du centre, le modèle radial de la ville s'affirme.

Au XIXe siècle, la cité de la lumière du soleil est aussi touchée par la fièvre des hygiénistes. Malgré leurs tentatives, les épidémies ne sont pas endiguées. Enfin, comme un peu partout en Europe, on procède à la connexion de la ville au chemin de fer. Il subsiste encore aujourd'hui une compagnie qui n'est pas passée sous la coupe de la RENFE. Les *Ferrocarril de la Generalitat Valenciana* (FGV) constituent une exception. Cette compagnie assure, grâce au développement touristique de la zone de San Juan, une liaison constante entre la ville et les cités de la côte.

ALICANTE

Adresses utiles

🛈 *Offices du tourisme :* Avda Mendez Nuñez *(plan C2).* ☎ 965-20-00-00. Fax : 965-20-02-43. Ouvert du lundi au vendredi de 10 h à 19 h et le samedi de 10 h à 14 h et de 15 h à 19 h. Également un bureau à *l'aéroport El Atlet* pour des informations sommaires. ☎ 965-28-50-11. Et à la station de bus *(plan B3).*
✉ *Poste centrale (plan C3) :* plaza Gabriel Miró.
■ *Consigne :* de 7 h à 23 h à la gare, face au quai n° 6.

■ *Consulat de France :* calle Arquitecto Morell, 8. ☎ 965-92-18-36.
■ *Casa de Socorro :* avenida de la Constitución, 1.
■ *Policía Municipal :* Fernando Madronál, 2.
■ *Presse internationale :* derrière la mairie, sur la plaza de la Santisima Faz.
■ *Iberia :* Pedro de Soto, 9. ☎ 965-21-86-13 ou 85-10.

Transports

Bus

🚌 *Station principale de bus (plan B3) :* ☎ 965-13-07-00. À l'angle de la calle de Portugal et de la calle Pintor Lorenzo Casanova. Pour gagner le quartier des hôtels, prendre l'avenida Maisonnave ; c'est à 10 mn à pied.

➤ *Pour la plage San Juan :* Aparisi Guijarro, 14.
➤ *Pour l'aéroport :* en moyenne toutes les heures de l'avenida de Denia, devant l'hôtel *Maya.* Compter une trentaine de minutes de trajet.
➤ La ligne de bus *Iberbus Linebus* dessert au départ d'Alicante un grand nombre de capitales européennes comme Paris, Bruxelles, Londres, Amsterdam... Infos : ☎ 965-22-93-36 ou 965-22-95-04.

■ **Adresses utiles**

🛈 Offices du tourisme
✉ Poste
🚌 Station de bus
🚂 1 Gare RENFE
🚂 2 Gare FGV

🛏 **Où dormir ?**

10 Albergue de la Juventud
11 Pensión los Monges
12 Hostal Cataluña
13 Residencia Milagrosa
14 Hotel NH Cristal

🍽 **Où manger ?**

20 Taberna Castellana
21 O'pote Gallego
22 Nou Manolin
23 Bar Luis Restaurante

🍸 **Où boire un verre ?**

30 John Mulligan's and Co
31 Desden Café
32 Ma non troppo
33 El Forn
34 100 Fuegos
35 Baccus

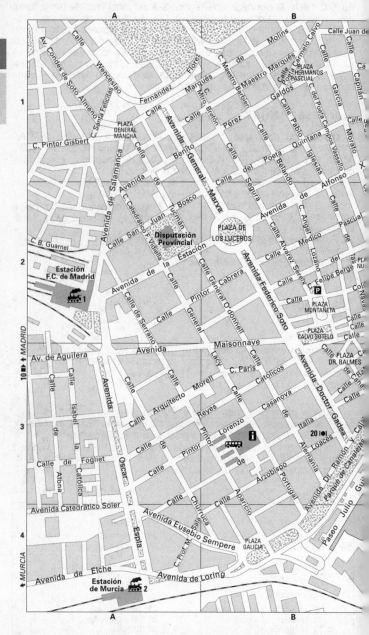

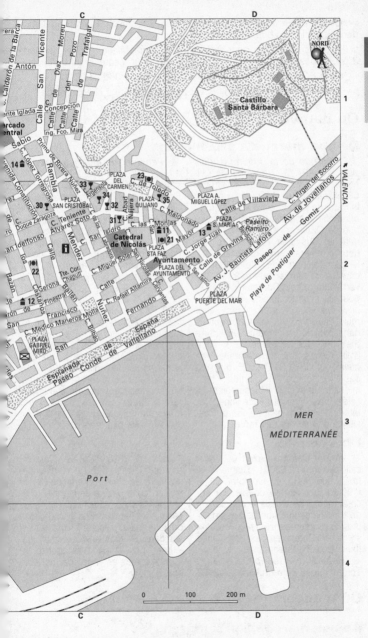

ALICANTE

Train

🚊 **Gare RENFE** (plan A2, 1) : avenida de Salamanca. Bureau également dans la station de bus. ☎ 965-22-68-40.

➤ 5 trains quotidiens pour Barcelone, 4 pour Málaga, 3 pour Grenade, 2 pour Algésiras. Environ 7 trains quotidiens pour Madrid, dont 2 directs.

🚊 **Gare FGV** (plan A4, 2) : avenida Villajoyosa. ☎ 965-26-27-31.

➤ Uniquement pour les départs vers Denia, s'arrête à chaque plage.

Où dormir ?

De bon marché à prix moyens

🛏 **Albergue de la Juventud** (hors plan par A3, 10) : avenida de Orihuela, 59, 03007 Alicante. ☎ 965-28-09-34. Du centre d'Alicante, prendre la route de Madrid sur 3 km environ, on tombe automatiquement sur l'avenue de Orihella ; l'auberge est sur la gauche. Bus 3 et 7 du centre ; les deux premiers s'arrêtent devant l'AJ, le troisième derrière (demander au chauffeur) ; dernier bus à 23 h. Ouvert toute l'année. Compter 7 € (46 F) pour les plus de 26 ans. 5 € (33 F) pour les plus jeunes. Assez cher mais bien. 220 lits en tout, répartis dans plusieurs bâtiments en chambres individuelles et de 2, 3, 4 ou 8 lits. Choisissez de préférence les bâtiments A, B, C, D ou E, qui sont des résidences étudiantes, bien mieux tenues (disponibles seulement l'été). Lave-linge et sèche-linge. Cafétéria. Excellent petit déjeuner. Possibilité de prendre des repas.

🛏 **Pensión los Monges** (plan C2, 11) : calle Monjas, 2, 03002 Alicante. Au 1er étage. ☎ 965-21-50-46. Parking payant. La chambre double avec douche et w.-c. à partir de 33 € (217 F). Une bonne adresse dans ce quartier des bars. Entièrement refaite à neuf, avec double-vitrage et bois clairs ; couchage nickel. Accueil gentil et parfois en français.

🛏 **Residencia Milagrosa** (plan D2, 13) : Villavieja, 8, 03016 Alicante. ☎ 965-21-69-18. Compter 24 € (157 F) la chambre double. Chambres simples dans cette maison familiale. Une terrasse permet de prendre son petit déjeuner face au château. Quelques-unes donnent sur le portail de l'église Santa María, d'autres sur les rues de ce quartier qui, les fins de semaine, s'anime la nuit tombée. Les prix sont un poil chers, compte tenu de ses concurrents directs plus neufs.

Plus chic

🛏 **Hostal Cataluña** (plan C2, 12) : calle Gerona, 11, 03001 Alicante. ☎ et fax : 965-14-33-57. Compter 29 € (190 F) la chambre double. Là encore, refait à neuf mais le quartier est déjà moins sympa que pour les deux premières, même s'il est plus facile de s'y garer. Chambres pas très claires mais accueil très agréable.

🛏 **Hotel NH Cristal** (plan C1, 14) : Tomás López Torregrosa, 11, 03002 Alicante. ☎ 965-14-36-59. Compter environ 72 € (472 F) la chambre double avec bains. Émanation alicantine de cette chaîne espagnole d'hôtels qui se situe à mi-chemin entre les Novotel et les Ibis. Pas grand-chose de surprenant, puisque le mobilier est standard. Si vous envisagiez d'y séjourner, passez par une agence de voyages, vous en tirerez de meilleurs prix.

Où manger ?

De bon marché à prix moyens

🍴 **Taberna Castellana** (plan B3, 20) : Arzobispo Loaces, 4. ☎ 965-22-89-31. Fermé le dimanche. Compter moins de 9 € (59 F). Clientèle d'habitués. Propre, bien et copieusement servi. On pourrait donc s'attendre au coup de bâton mais ce n'est pas le cas, les prix restent encore corrects.

|●| **O'pote Gallego** *(plan C2, 21)* : plaza Santisima Faz, 6. ☎ 965-20-80-84. Ouvert de 10 h à 16 h 30 et de 20 h à minuit. Premiers plats pour un gros 5 € (33 F). Les mordus du club de foot RCD La Coruña s'y retrouvent pour un pot (galicien, évidemment...) les jours de match. En dehors de ces périodes, somme toute limitées, c'est un bon endroit pour lézarder au soleil sur cette petite place tranquille derrière l'Ayuntamiento.

Chic

|●| **Nou Manolin** *(plan C2, 22)* : calle Villegas, 3. ☎ 965-20-03-68. Compter moins de 18 € (118 F). Le moins qu'on puisse dire, c'est que les clients sont des gens très sérieux, tirés à quatre épingles, buvant leur vin dans de grands et élégants verres. Même si les produits y sont de toute première qualité, les prix sont quand même un tantinet élevés.

|●| **Bar Luis Restaurante** *(plan C1-2, 23)* : Pedro Sebastiá, 7. ☎ 965-21-14-46. Fermé le dimanche et le lundi midi, ainsi qu'en septembre. Compter plus de 21 € (138 F). Coincée dans le Barrio, cette maison coloniale vous propose une cuisine raffinée et originale. De succulents fromages régionaux et de savoureuses figues farcies au foie gras de canard. L'ambiance, malgré les prix de la carte (abordables pour un bon repas), n'est pas guindée, un tantinet dandy.

Où boire un verre? Où sortir?

Là où ça bouge, c'est dans le quartier de Santa Cruz *(El Barrio),* entre les places del Carmen et San Cristóbal. Voici une petite sélection ici et là dans les rues qui montent du plus vieux quartier d'Alicante. Depuis la réhabilitation des quais et la création d'une marina, on note un regain d'activité dans cette zone. Si la balade est toujours plaisante, on déplore tout de même l'absence d'endroits authentiques ou *groovy*.

▼ **John Mulligan's and Co** *(plan C2, 30)* : Tomás López Torregrosa, 1. Depuis quelques années, l'Espagne s'est pris d'une passion pour les pubs irlandais et Alicante ne dépareille pas dans le paysage. Faut dire que les décorateurs ont mis le paquet pour recréer une atmosphère de vieux club aux bois qu'on jurerait polis par les ans et les effluves d'alcools forts. Une bonne adresse pour commencer la nuit.

▼ **Desden Café** *(plan C2, 31)* : Labradores, 22. ☎ 965-14-33-23. Bon rock bien solide pour ce café ouvert à partir de 11 h. Couleurs style Technicolor ou Avi 3000 plus pierres apparentes plus mezzanine. Clientèle 25-35 ans et joueurs d'échecs la nuit.

▼ **Ma non troppo** *(plan C2, 32)* : Cienfuegos. Clientèle ado à étudiante, style rendez-vous des bidasses. Techno bien hard; pour ceux qui n'aiment pas, ça passe... *ma non troppo!*

▼ **El Forn** *(plan C2, 33)* : Argensola. Ambiance andalouse à la sauce alicantine. Petites maisons en maquettes qu'on voit partout dans le monde, bougies, dentelles noires. On y va pour boire un verre, pas pour danser ni écouter de la musique.

▼ **100 Fuegos** *(plan C2, 34)* : Cienfuegos. Bonne musique rock bien balancée. Grand choix d'alcools au bar en plexi et néons bleus. La devise de l'endroit c'est « Rhum, or et femmes ». On n'a pas compris pourquoi mais on ne désespère pas d'y arriver un jour...

▼ **Baccus** *(plan C2, 35)* : plaza Quijano. Un des endroits préférés

des Alicantins. Nous, ça nous apparaît plutôt banal.
– Sinon, l'été, c'est plutôt le long de la playa de San Juan qu'il faut aller (bus G de la plage du Postiguet). On y trouve force *discothèques* et *bars* où les jeunes friqués viennent draguouiller, entre autres le *Voy-Voy* et ses jardins.

À voir

★ Dans la plus ancienne partie de la ville, on visitera le petit *musée d'Art moderne* situé dans un bel édifice aux arches élégantes. Ouvert de 10 h 30 à 13 h 30 et de 18 h à 21 h. Fermé le lundi. Gratuit. Quelques toiles et sculptures contemporaines habillent joliment les murs fraîchement rénovés. En vrac, Miró, Juan Gris... Au premier, quelques œuvres appartenant au mouvement « art optique ».

★ Les fans d'églises jetteront un œil sur la façade baroque de l'*église Santa María* *(plan D2)* située sur la place en sortant. Non loin, la *mairie* (Ayuntamiento) présente une façade à colonnes baroques qui ne manque pas de cachet. On poursuivra la balade par la *calle Mayor (plan C-D2)*, la rue piétonne la plus vivante de la ville.

★ *Le château Santa Bárbara (plan D1) :* ouvert du 1er avril au 30 septembre de 10 h à 19 h 30. La route monte jusqu'à cette forteresse sur plusieurs niveaux, coincée entre les pins, les cactus et quelques palmiers. Le déplacement est intéressant, ne serait-ce que pour les deux vues que l'on a en haut. L'une sur la ville, l'autre sur la mer. Également un musée Nace una Ciudad, ouvert du mardi au samedi de 10 h à 14 h et de 17 h à 19 h, et le dimanche matin ; fermé le lundi.

Fêtes

– Chaque année, pendant trois jours au début du mois d'août, a lieu une fête sur le thème *Moros y Cristianos,* qui relate la lutte entre les chrétiens et les Maures, avec, à la fin, la reconquête de la ville par les premiers. Coups de feu et de canons, chevaux, costumes d'époque. Tout cela dans la rue, donc gratuit.
– La plus représentative de ces fêtes qui ont lieu un peu partout dans la communauté valencienne se déroule du 22 au 24 avril à *Alcoy.* Pourquoi des dates aussi fixes ? En fait, c'est en raison de la Saint-Georges *(San Jorge).*
La dévotion à san Jorge, le martyr de Cappadoce, a dû arriver à Alcoy dans les années 1244-1245, à partir de la reconquête chrétienne et du repeuplement de Jaime Ier. Effectivement, « Sant Jordi, firam, firam » était le cri de guerre des troupes du roi d'Aragon, de Catalogne et de Valence. Le culte de dévotion à ce saint est profondément enraciné dans la plupart des territoires alentour. De ce fait, lorsque Al-Açdraq essaya de se révolter contre Jaime Ier, les troupes du roi, mues par la foi, obtinrent le soutien de san Jorge. Il se manifesta, dit la légende, sur les murs de la ville en chevalier vêtu de blanc. Tous les changements juridiques des statuts des villes ne parvinrent pas à faire diminuer l'intensité de la célébration de la fête ou de la commémoration. La fête s'y déroule en trois jours. Le premier est celui des *entradas* où défilent, chacun à leur tour, les groupes de Maures et de chrétiens, les uns avec leur bannière dévouée à san Jorge, les autres avec le croissant de lune de l'islam. Le deuxième jour est celui de la dévotion : défilés, pèlerinages, processions comme savent le faire les Espagnols. Le dernier jour, celui de l'affrontement. Les charges de pétards explosent et font trembler les murs de la ville. Un temps fort : le feu d'artifice sur le pont.

Déclarée d'« intérêt touristique international », la fête attire non seulement la télévision valencienne (appartenance oblige !), qui retransmet en direct les principaux moments, mais aussi d'autres (nationales et internationales), qui viennent y pointer le bout de leur lentille.

➤ DANS LES ENVIRONS D'ALICANTE

★ La N340 qui mène directement à *Alcoy* se divise en deux parties. Avant *Jijon* (la capitale du *turrón*, dont on peut visiter les usines du *Turrón el Lobo*, Alcoy, 62 ; ☎ 965-61-02-25 ; de juillet à septembre, on peut assister à la fabrication), le paysage est complètement aride. Après la cité du nougat espagnol, le relief commence à s'élever et laisse apercevoir sur ses flancs un étagement de terrasses cultivées, beaucoup plus vert et offrant de nombreux points de vue intéressants.

★ On peut aussi se rendre, si on a le temps, à *Novelda,* pour son église dont on dirait qu'elle est faite de papier mâché. *Petrel* et *Sax* ne sont que des ruines qui (évidemment) ne se visitent pas.

★ Enfin *Biar*, pour son château et sa ville, faite de petites rues imbriquées les unes dans les autres, vaut un rapide coup d'œil. Pour se désaltérer, une bonne adresse :

🍸 *L'Arc :* paseo El Plátano. ☎ 965-81-03-73. Il y règne une bonne ambiance jeune et décontractée, très loin des touristes de la côte. Aussi étrange que cela puisse paraître dans ce coin, ils ont une chouette palette de whiskies.

BENIDORM (03500)

Le symbole de la promotion immobilière à l'époque franquiste. Des immeubles géants, entassés et construits en dépit du bon sens. C'est la capitale du tourisme bas de gamme « qui envahit et n'achète pas ».
Néanmoins, il est peut-être utile d'y aller, ne serait-ce que 2 h (si vous arrivez à supporter d'y rester aussi longtemps). C'est aussi la capitale des beaufs qui se précipitent au petit déjeuner-buffet à la plage, s'enduisent d'un litre d'huile solaire et se pavanent sur la promenade couverts de coups de soleil. C'est par conséquent la capitale du mauvais goût, de l'inauthenticité, du surfait. Enseignes clignotantes des restos en forme de paellas pour attirer les clients béats, hébétés et ramollis par l'exposition prolongée au soleil. C'est enfin la capitale du mièvre, du facile et de la mauvaise qualité. Scénettes avec rideaux de paillettes derrière une chanteuse recyclée se déhanchant sur des airs de lambada ou bars qui rivalisent par les décibels de leur musique. À vous de voir ce qui vous déplaît le moins. Peut-être préférezvous le BIIINNGGOOO !!!
Mais après tout, peut-être y a-t-il des gens qui s'amusent et qui aiment ça. Nous, on n'est vraiment pas notre truc, on ne se sent pas du tout à l'aise dans l'apocalypse urbaine. Ethnologiquement, c'est peut-être à voir.
Mais il y a pire... Benidorm est une catastrophe écologique. Si, depuis longtemps, le désert a reconquis en quelques décennies l'espace que des civilisations avaient tenté d'enrayer à la sueur de plusieurs siècles de labeur, aujourd'hui le problème principal demeure l'eau.
Les besoins en eau sont colossaux. L'usage individuel est déjà élevé. Imaginez une tour de 30 étages avec 20 appartements par étage et trois individus par appartement. *Grosso modo*, il y a 100 tours sur les deux plages qui

composent le front de mer de Benidorm. C'est peut-être évident pour certains, mais l'été, dans la région, est chaud et sec. L'eau est une denrée rare et les touristes prennent vaillamment leur douche (10 litres environ par personne) en dépit du bon sens.

Les besoins collectifs ne sont pas moins importants. Il faut bien arroser ces jardins pour faire plaisir à ces hordes de touristes allemands, danois, français ou norvégiens qui déferlent chaque saison. Pour les besoins de l'irrigation et surtout de l'infrastructure hôtelière (lessives, cuisines, entretien des piscines...), on puise dans les nappes phréatiques. On collecte l'eau des rivières en asséchant les rives ou en les cultivant. De ce fait, on détruit le fragile écosystème. Les sols s'appauvrissent et l'érosion s'installe peu à peu. C'est ainsi que la diversité des paysages cède la place à un espace aride et désertique.

Récemment (comme quoi la bêtise n'attend pas le nombre des années), un projet de détournement (!) des eaux du Júcar a été adopté pour alimenter la « fantastique » cité. Benidorm rapporte tellement qu'il faudrait veiller à ne pas stopper cette manne financière.

Pour toutes ces raisons, il serait vain de notre part de vous indiquer un hôtel sympa, puisqu'il n'en existe pas et que l'ensemble des chambres sont vendues dans le monde entier plusieurs mois à l'avance.

Où sortir ?

♪ **Mégadiscothèques :** Benidorm a la réputation d'avoir l'une des plus grandes discothèques d'Europe. Pour ceux qui aiment s'exploser les tympans : *Penelope* (la pauvre, si elle savait !), *Star Garden*... Allez-y avec un appareil photo, c'est terrible, et prenez-y un verre (quelquefois gratuit avec l'entrée).

À voir

★ **Terra Mitica :** ctra Benidorm, Finestrat Camino de Moralet s/n, 35000 Benidorm. ☎ 902-020-220. ● terramiticapark.com ● Parc à thème de 105 ha, rassemblant héros et mythes de la Méditerranée, qui a ouvert ses portes au printemps 2000. Attractions et spectacles répartis sur les 15 aires qui constituent le parc. Quelque 3 millions de visiteurs étaient attendus pour cette première année d'exploitation.

➤ DANS LES ENVIRONS DE BENIDORM

★ **Villajoyosa :** à 10 km en allant vers Alicante. Ancien village de pêcheurs, pas encore entièrement dévoré par les promoteurs. Plage de sable, remblai avec palmiers et surtout un quartier ancien aux façades multicolores. En bas de ce quartier, une place où les restaurants abondent. Prix modérés. Pour louer dans le vieux quartier, se renseigner auprès de l'*Información Turistica*, Costera la Mar. ☎ 966-85-13-71.

CASTILLO DE GUADALEST   (03517)

À 22 km de Benidorm. Cette proximité pose justement un problème, car cet endroit ravissant est bondé en été. Dès 10 h 30 les cars de touristes débarquent. La route qui y accède en partant de Benidorm est entièrement neuve. C'est une route à faire tôt le matin, quand il n'y a personne. L'intérêt, c'est de pouvoir observer le phénomène d'inversion thermique. Brume dans les fonds de vallée, temps superbe et dégagé en altitude.

De Benidorm, prendre la C3318 vers Callosa d'en Sarrià. Remarquez les agrumes qui colonisent le Guadalest et les formes géologiques décharnées. Arrivé à Guadalest, on sent qu'on y attend le touriste. Des musées de-ci, de-là, aguichent les visiteurs. Le parking est une bonne halte nocturne pour les camping-cars.

UN BRIN DE TOPONYMIE

Vous avez sans doute remarqué qu'il existait beaucoup de villages dont les noms avaient une consonance musulmane.

La toponymie permet évidemment d'évoquer les structures claniques relativement nombreuses commençant par Béni. De Tarragone à Murcie, on rencontre fréquemment des noms de groupes tribaux d'origine maghrébine, par exemple les Masmudas (Benimasmut), et plus rarement arabes.

Parmi ces tribus, il faut noter la présence des Hawwaras, qui échappent à la domination de Cordoue, notamment sur les rives du Júcar. Il est intéressant de constater que cette même tribu est présente un peu partout en Méditerranée : en Tripolitaine, en Sicile, dans la vallée de l'Èbre, au nord de Séville. Il est probable que l'installation de ces groupes dans un vide démographique correspond à l'essor d'une mystérieuse piraterie qui avait cours alors sur les côtes provençales et italiennes.

Où dormir? Où manger dans les environs?

Rien dans le village même. Tant mieux car l'immensité du parking prouve bien que vous aurez du mal à trouver la tranquillité. Allez plutôt à *Benimantell*, à 2 km de Guadalest :

🛏 |●| *Pensión El Trestellador :* ☎ 965-88-52-21. Fax : 965-88-53-71. Restaurant fermé le mardi. Compter un bon 36 € (236 F) pour une chambre double avec salle de bains. Et environ 10 € (66 F) pour le menu. Au-dessus du village de Benimantell. Pour y parvenir, laisser la petite route qui descend à Benimantell, poursuivre sur 200 m et emprunter le chemin goudronné qui monte à gauche sur 1 km et, arrivé à une fourche, poursuivre encore 300 m sur la gauche. On adore cette pension perdue au milieu des amandiers. Très propre. Une gigantesque terrasse offre un panorama merveilleux sur toute la vallée. Point de départ pour d'agréables balades le long des sentiers de montagne. On vous recommande le petit bungalow juste à côté de la piscine. La patronne, un petit bout de femme adorable et énergique, prépare une cuisine typiquement valencienne : *arroz al horno, pilotes, olleta...* Pas cher. Une excellente adresse.

🛏 L'été, les motards disposent d'un chouette site pour le *camping sauvage* un peu plus loin dans la cour de l'école, à Benifato.

|●| *La venta de Benifato :* ctra de Alcoy, km 15. ☎ 965-88-52-26. Compter environ 10 € (66 F) pour un menu bien savoureux. Les plats n'essaient pas de raconter des histoires, comme cette soupe au porc et à la farine de maïs. Un poil cher pour le lieu, alors, tant qu'à faire, vous gagnerez quelques pesetas en vous installant au bar. Excellent vin de la maison.

À voir

★ *Le château :* ouvert de 10 h 15 à 14 h et de 15 h 15 à 18 h 45. Plus qu'un château, ça ressemble plutôt à des maisons de Schtroumpfs déposées sur un piton rocheux. Il n'a vraiment rien d'une forteresse imprenable mais vaut quand même le coup d'œil.

Une anecdote : les trottoirs en pente douce qui montent vers la petite place qui précède l'entrée du château ne servent pas uniquement aux handicapés. En fait, cela permet aux autochtones de monter des marchandises pondéreuses avec des motoculteurs munis de chenilles. Sinon, il faut se taper les marches !

Point de vue spectaculaire sur la région avoisinante, notamment sur l'Aixorta (1 126 m), le barrage de Guadalest et son lac de retenue.

– Évitez l'attrape-touristes que sont les sources de l'Algar à Callosa d'en Sarrià. L'entrée est payante et le parcours est aussi mal entretenu que sans intérêt.

JÁTIVA (XÀTIVA) (46800)

Plutôt que d'arriver directement de Valence ou d'une autre grande ville par les nationales ou les autoroutes, préférez arriver à Játiva par les petites routes. Elles sont infiniment plus agréables car elles traversent des champs d'orangers, d'amandiers ou des vignes.

Tantôt incorporée aux royaumes arabes de Denia, puis de Valence et enfin de Murcie, Játiva a su, malgré son récent développement, garder ses vieux quartiers et de beaux monuments témoins d'une certaine splendeur médiévale. Játiva, berceau de la famille Borgia connue pour avoir donné des papes – Calixte III et Alexandre VI – qui n'étaient guère à cheval sur les principes religieux, est une petite ville sans prétention que les amoureux de l'Espagne sauront savourer.

Adresses utiles

Ⓘ *Offices du tourisme :* avenida Jaume I, 48. ☎ 962-28-23-30. Ou Noguera, 10. ☎ 962-27-33-46. Ouvert du lundi au samedi de 10 h à 13 h 30 et de 16 h à 18 h, et le dimanche matin.

✉ *Poste :* avenida Jaume I, 4. ☎ 962-88-25-78. Juste en face de l'office du tourisme. Ouvert du lundi au samedi, de 9 h à 14 h.

🚆 *Gare RENFE :* Ximen de Tovia. ☎ 962-27-16-64. Meilleur marché et moins long lorsqu'il s'agit d'aller vers les grandes villes. 3 trains en moyenne vers Murcie et Carthagène par la ligne 1. Pour rejoindre Valence, compter environ 1 h, 8 départs en moyenne. Pour venir de Valence,

compter un peu moins (40 mn). 7 départs en moyenne.

🚌 *Gare routière :* Ximen de Tovia. Départ pour les petites villes des alentours mais aussi pour Gandia, Ontinyent et Valence. Parfois la seule liaison possible pour rejoindre deux petites villes. Pour les horaires, il vaut mieux se rendre sur place la veille afin d'être sûr de partir le lendemain. Se renseigner auprès des chauffeurs.

■ *Taxis :* plaza Bassa. ☎ 962-27-34-37. À la gare RENFE : ☎ 962-27-16-81.

@ *Cibercafé :* Cosmógrafo Ramirez, 6. Entre la plaza de Toros et la Guardia Civil.

Où dormir ? Où manger ?

Bon marché

🛏 |●| *Fonda El Margallonero :* plaza del Mercat, 42. ☎ 962-27-66-77. Fermé le dimanche, sauf d'avril à octobre. Chambres doubles à partir de 17 € (112 F). Bon accueil dans cette pension simple qui se maintient bon an mal an sans changer ses vieilles fleurs en jardinières sur une cour intérieure. Les chambres sont sans chichis, mais il est préférable d'avoir une vue sur le marché plutôt que sur une cour pas terrible. Cuisine familiale. Possibilité de pension complète pour un prix très modique.

Prix moyens

🛏 *Hôtel Murta :* Angel Lacalle, s/n. ☎ 962-27-66-11. Fax : 962-27-65-50. Parking gratuit. Compter 45 € (295 F) la chambre double, petit déj' et IVA compris. Petit hôtel qui ravira les dingues de foot car ils auront la sélection locale qui jouera sous leur fenêtre, puisque l'établissement est coincé contre le stade de la ville.

Pour les autres, il s'agit d'un hôtel très correct un peu froid mais qui offre justement l'avantage de ne pas se livrer à la surenchère. C'est parfois un peu dommage, car on serait en passe d'attendre un petit déj' plus copieux. Clim' et TV dans toutes les chambres.

Chic

🛏 |●| *Hostería de Mont Sant :* montée du château. ☎ 962-27-50-81. Fax : 962-28-19-05. ● www.servidex.com/montsant. ● Ouvert tous les jours, mais fermé une semaine en janvier. Compter un bon 120 € (788 F) pour une chambre double avec salle de bains sans petit déj'. Au resto, des menus à partir de 24 € (158 F). On avait déjà adoré ce petit refuge enchâssé dans les contreforts du château médiéval de Játiva. Dix ans après son ouverture, cet ancien monastère cistercien a mis les bouchées doubles. Quatre nouvelles chambres ou *cabañas* ont vu le jour et ouvrent désormais leur grande baie vitrée sur la ville endormie. Les 17 000 m² d'amandiers et d'orangers ont été conservés, à l'instar du

|●| *Casa Floro :* plaza del Mercat, 46. ☎ 962-27-30-20. Fermé les quinze derniers jours d'août. Compter autour de 6 € (39 F) le menu. Sous les arcades de la place du marché, juste à côté del Margallonero. Cuisine réputée pour ses plats valenciens, notamment la paella.

canal d'irrigation hérité des Arabes, et de nouvelles petites terrasses intimes ont même été créées. Le service est toujours aussi impeccable (équipement tip'top des sanitaires) et les affables propriétaires mettent un point d'honneur à vous offrir une récolte d'oranges de l'hostería. Déco d'une extrême simplicité. Toujours une alliance attentionnée entre le moderne design-avant-gardiste et l'ancien régional-classique. Ceci donne un ensemble très réussi dans lequel on se sent bien, tout confort évidemment (TV, piscine, etc.). Côté cuisine, l'hostería s'est imposée comme une adresse incontournable. Les riz sont extraordinaires, mais on a aussi craqué pour la tarte tatin de foie gras...

À voir

★ De l'avenida Jaume I (artère principale de la ville), prendre la calle del Porta del Lleo (à la hauteur d'une station-service). Là commence le *vieux quartier* le plus intéressant de la ville avec ses églises plateresques, ses bâtiments anciens longeant d'étroites ruelles. Les principales curiosités touristiques se situent en étoile autour du marché.

Les plus remarquables sont l'*église de Sant Francesc,* construite avec une armature de sept chapelles autour de la nef centrale, la *casa de Diego,* pour sa superbe collection d'azulejos, l'*Hopital Real* et l'imposante *église collégiale de la Seu.* Ouvert le matin uniquement. L'édifice fut construit à la fin du XVIᵉ siècle, la dernière touche sur la façade n'eut lieu que trois cents ans plus tard.

★ *L'Almodí* ou ***musée municipal :*** carrer de la Corretgeria. Ouvert du mardi au vendredi de 10 h à 14 h et de 16 h à 18 h, et les samedi et dimanche de 10 h à 14 h. Fermé le lundi. Entrée : environ 2 € (13 F) pour les plus de 18 ans.

Beau petit musée étonnamment bien fourni pour une petite ville comme Játiva. On vous recommande de commencer par le dernier étage (ascenseur sur la droite en entrant), qui présente le matériel archéologique trouvé dans la région. Quelques pipes à kif de l'époque arabe, le superbe toit d'un ancien palais musulman. Au second, quelques copies de Murillo et de l'école de Vélasquez, ainsi qu'un magnifique triptyque du maître Borbotó. Ne ratez pas cet étrange portrait placé à l'envers. Il s'agit en fait de la vengeance d'un conservateur très porté sur l'esprit de clocher. L'incriminé n'est autre que Philippe V, qui ordonna à ses troupes la destruction de Játiva... Non, mais !

★ *La chapelle San Feliu :* à l'extérieur de la ville, sur la route qui grimpe à la forteresse. Attention aux horaires : de 10 h à 13 h et de 16 h à 19 h ; les jours fériés, de 10 h à 13 h seulement. Très jolie église de style roman. L'auvent est soutenu par de superbes colonnes de marbre. À l'intérieur, intéressants tableaux primitifs. Un chapiteau de marbre blanc est utilisé en guise de bénitier.

★ *La forteresse :* ouvert de 10 h à 18 h. Fermé le lundi. Entrée : autour de 2 € (13 F) pour les plus de 18 ans. Constituée en fait de deux châteaux, le *Castell Menor* et le *Castell Major*, posés par la magie de la construction sur une ligne de crête. Le château fut longtemps une prison pour une bonne brochette de nobles : du roi de Majorque Jaume IV à Didac de Borgia (le frère de saint François) en passant par l'évêque d'Urgel. Du Castell Menor, il ne reste qu'un tas de pierres qui n'a d'intérêt que pour sa vue imprenable sur les vallées environnantes. Paradoxalement, le Castell Major n'est guère plus passionnant. Une trop grande hétérogénéité des bâtiments et une mauvaise mise en valeur n'aident pas le visiteur à comprendre la chronologie des constructions. À voir toutefois, la chapelle de Saint-Jordi. Vous l'aurez compris, la balade vaut surtout pour le splendide panorama sur la plaine de Játiva.

➤ DANS LES ENVIRONS DE JÁTIVA

Un Peu d'histoire régionale

Non loin de Játiva se trouvent, juste à côté d'une autoroute, les ruines du château de *Montesa*. Celui qui enfile les kilomètres ne laissant pas d'imprévus dans son programme peut oublier ce chapitre. En revanche, le routard un peu curieux, sensible aux vieilles pierres et aux stigmates que l'histoire a gravés sur leurs flancs, celui qui souhaite comprendre l'Espagne et cette région riche de souvenirs médiévaux ne peut rester indifférent à Montesa. Depuis le best-seller d'Umberto Eco, *Le Pendule de Foucault,* chacun connaît plus ou moins le triste sort que la papauté a réservé aux Templiers. L'Espagne, en 1307, est également touchée par la fermeture des commanderies des Templiers. Le royaume de Valence en comptait 11. Un peu partout dans l'Europe médiévale, les Templiers avaient amassé des sommes colossales (ce fut d'ailleurs l'une des raisons de leur chute). Soit dit au passage, les Templiers avaient joué un rôle considérable dans la reconquête de Valence.

Le 10 juin 1317, le roi et le pape se mettent d'accord pour donner un successeur aux soi-disant sodomites (les Templiers) dans l'ordre de Montesa. Cet ordre, beaucoup moins important que celui de Calatrava, est typiquement valencien. Montesa était non seulement défenseur de la Couronne d'Aragon menacée par l'infidèle nation des Sarrasins, adversaire impie du nom chrétien, mais encore était chargé de repeupler la région par des chrétiens. Pourtant, un dicton disait « qui tient un maure tient de l'or »...

★ *BOCAIRENTE* (46880)

Petit détour valable uniquement si vous n'êtes pas pressé. À 11 km d'Onteniente, Bocairente est un petit village accroché à une colline.
Célèbre pour sa *plaza de toros* creusée dans le roc. Les guides touristiques concurrents, et néanmoins amis, oublient de dire que cette plaza est souvent fermée et invisible de l'extérieur. On ne peut la voir que de 12 h à 13 h, le week-end et les jours fériés, en suivant la visite guidée que propose l'office du tourisme.

DENIA
(03700)

Placée sur la corne de l'Espagne, cette petite station balnéaire offre une tranquillité bien inhabituelle. Ses façades coquettes en font le rendez-vous d'un tourisme de la petite bourgeoisie. Les édifices du front de mer ont eu la bonne idée de ne pas se vendre aux sirènes du béton et dépassent rarement la cime des pins parasols. Si l'on rajoute une belle façade constituée de plages et de calanques, Denia devient une bonne halte.

Adresses utiles

⊞ *Office du tourisme :* plaza Oculista Buigues, 9. ☎ 966-42-23-67. Fax : 965-78-09-57. ● www.denia. net ● Ouvert du lundi au vendredi de 9 h à 13 h 30 et de 16 h à 19 h, et le samedi de 10 h à 14 h et de 16 h à 19 h. Bon accueil et très pro. La plupart des agents sont polyglottes. L'office peut vous recommander les adresses des clubs de plongée, et même vous organiser des routes « découverte » comme celle *del Acuario* ou de la « Cova Tallà ».
■ Tous les clubs de *planche à voile* se trouvent au nord du centre-ville sur les plages de *Les Marines* (*Nova Denia,* ☎ 619-53-33-95) et *els Molins*.

Où dormir ?

Camping

⚕ *Los Pinos :* sur la route de Jávea et Las Rotas, vers les plages Marineta Cassiana et El Trampolí. Passer le cimetière puis prendre selon les indications sur la gauche. ☎ 965-78-26-98. Compter moins de 3 € (20 F) par personne, par tente et par voiture. Très bel établissement dans une petite pinède donnant directement sur la plage. Pas trop fréquenté par les Anglais contrairement à tous ses concurrents. Bon accueil de Carla.

Prix moyens

🏠 *Hostal L'Anfora :* esplanada de Cervantes, 9. ☎ 965-78-61-19. Fax : 966-42-16-90. Sur l'esplanade principale de la ville, un peu avant la criée. Selon la saison, compter 36 à 48 € (236 à 315 F) la chambre double avec bains, sèche-cheveux, w.-c. et AC. Petit hôtel récemment rénové et bien situé. Chambres plutôt petites, mais une bonne adresse quand même.

▲ *Hotel Castillo :* avda del Cid, 7. ☎ 966-42-13-20. Fax : 965-78-71-88. ● tenerest@ctv.es ● Contourner le château par la gauche ; au milieu d'une petite rue remontant vers la forteresse, en face d'un centre de santé. Compter 39 € (256 F) la chambre double, petit déj' compris. Hôtel familial dans tous les sens du terme. Tapisseries, cadres et déco ne sont pas du meilleur goût. Très propre. Pour quelques jours, sans plus.

Où manger ? Où boire un verre ?

I●I *El Jamonal de Ramonet :* passeig del Saladar, 106. Compter *grosso modo* 5 à 6 € (33 à 39 F). Typique petite taverne espagnole qu'on aime bien pour ses tapas, ses habitués et ses jambons pendus au plafond. Bonne qualité des produits.

Y *Cervecería Gambrinus :* carrer marques del Campo, 11. Dans le centre de Denia, sur une petite rue non accessible au public. Estaminet gentillet aux antipodes de la précédente adresse. Dédié à la bière, allemande de préférence.

Plages

⌇ *Les nudistes* pourront s'installer en dessous de la *Torre del Gerro,* juste à côté du cap de San Antonio et de sa grotte sous-marine. Prendre la route de Las Rotas. À 4,5 km du centre. Bus toutes les heures de 8 h 30 à 20 h 30.

⌇ *Les véliplanchistes* s'en donneront à cœur joie sur la *plage de les Deveses*. En avril et août, le Levant et le Ponant se répartissent la tâche de gonfler les voiles.

LA RÉGION DE VALENCE

VALENCE (VALENCIA) (46000)

Troisième ville d'Espagne sur le plan démographique, Valence a toujours voulu être une grande ville sans en avoir les inconvénients. Phagocytée par sa voisine Barcelone, elle est la capitale de la communauté du même nom. Plus intéressant encore, Valence s'étend dans une vaste vallée fertile, la Huerta, drainée par deux rivières : le Jucar – Xúquer en valencien – et le Túria.

Un ingénieux système d'irrigation hérité des Romains et développé par les musulmans permet encore aujourd'hui aux propriétaires valenciens (pour la majeure partie des citadins) de produire les meilleurs agrumes et autres productions maraîchères qui inondent la plupart des marchés d'Europe.

Valence est loin d'être une ville étouffante. Bien au contraire. Elle est d'une richesse architecturale surprenante, avec de superbes églises, de riches musées et de romantiques promenades. Une adorable vieille ville faite d'un dédale de petites rues qui font que la plupart des automobilistes ne s'y aventurent pas. Résultat, elle est vivante et toujours pleine de rencontres à faire.

C'est une ville que l'on a tort d'évoquer uniquement pour ses *Fallas*. Bien sûr, ces fêtes du début de printemps sont le moment majeur de la vie de la cité. Mais les Valenciens et les Valenciennes savent être très ouverts... et se révèlent d'infatigables fêtards à n'importe quelle période de l'année !...

Fiers de leur particularisme, ils parlent le *valenciano* (en castillan), le *valencià* (en valencien) et l'affirment surtout par leurs journaux et leur chaîne de télévision, *Canal Nou*. Bref, ils sont fiers de leur communauté... Quoi de plus normal en Espagne ?

Valence gagne à être connue de jour... et surtout de nuit. Vous l'aurez compris, c'est le coup de foudre !

UN PEU D'HISTOIRE

Valence a connu toutes les civilisations et c'est pour cela qu'elle est si riche. Il est quasi impossible d'évoquer l'histoire de Valence comme entité unique. La vie de la principale cité du Levant s'est nourrie des apports de tous ordres de son arrière-pays, quelle que soit l'époque considérée.

Parmi les événements significatifs qui ont marqué la vie de Valence depuis le Moyen Âge se situe évidemment l'épisode du *Cid Campeador*. Pour mieux comprendre ce qui a amené ce chevalier-mercenaire à prendre Valence, il faut remonter au contexte plus général d'une Espagne (ou des Espagnes) coupée en deux. L'une à dominante musulmane et arabe, l'autre de confession chrétienne et d'héritage wisigothique. Au niveau local, entre ces deux extrémités, vivaient juifs, mozarabes et mudéjars.

Sous l'impulsion des souverains et de la papauté, la Reconquête s'est effectuée peu à peu sous diverses formes. Suite à une crise de succession, de petits royaumes (Denia, Tortosa...) dirigés par des « roitelets » (les *reyes de Taifas*) se sont maintenus bon an mal an. Ils assuraient un rôle de tampon. Un système de rançons (les *parias*) avait été établi et, de cette manière, les musulmans négociaient la paix avec les chrétiens en poudre d'or.

Le *Cid* (nom qui provient de *Sidi* ou *Caïd*) est l'un de ces grands princes territoriaux qui perçoivent ces sommes pour le compte du roi de Castille. Cependant, en 1081, Rodrigo Díaz de Bivar (le Cid) est condamné à l'exil par le roi. Il propose donc ses services et ceux de ses hommes à qui veut bien l'entendre, musulmans ou chrétiens de la région. Une petite précision d'importance : le « leader » loué dans *El Cantar del mio Cid* reste et demeure un mercenaire. Il compte donc parmi ses rangs des musulmans comme des chrétiens enrôlés pour la cause. Alphonse VI ayant du mal à se maintenir à Valence, le Cid parvient en 1086 à s'y imposer en tant que roi au détriment du leader du royaume de Denia. Comme de nos jours, la région valencienne est fortement peuplée. Agriculture irriguée, élevage – notamment celui des chevaux –, artisanat en font l'un des territoires les plus riches de la péninsule, que les puissances locales essaient de s'attribuer. Comment Díaz de Bivar parvient-il à s'emparer de la ville ? Une bataille rangée menée par le Cid, l'inondation de la Huerta et un siège finissent par venir à bout des Valenciens (musulmans).

Il faut se garder de croire que les motivations de reconquête sont purement et uniquement économiques pour le Cid. S'il est vrai qu'effectivement l'idée lui a effleuré l'esprit, le Cid est bien cependant l'un des héros de la Reconquête. À ce titre, il symbolise la lutte religieuse contre une hérésie. C'est pour cette dernière raison, et pour se constituer une aire d'influence, qu'il tente de restaurer et de propager la foi catholique à Valence. L'un de ses premiers actes est de construire la cathédrale sur la mosquée, tout en conservant une partie musulmane. Toujours par souci d'indépendance, le Cid fait de son Église une autarcie. Son évêché ne dépend pas d'une province religieuse. Il est complètement autonome. Le Cid prend toujours la précaution de ne pas se déclarer vassal du Saint-Siège. Son Église en revanche en dépend. Le premier évêque, Jérôme (eh oui ! un petit Français), est garant de la liberté de la ville.

La période des Rois Catholiques est suffisamment connue pour qu'on ne s'y attarde pas. Ce qu'il est peut-être plus intéressant de noter, c'est l'héritage musulman après la Reconquête. Au cours du XVe siècle, les échanges commerciaux avec l'Afrique du Nord sont restés très importants. La conquête de la partie andalouse et des rives de l'Afrique du Nord en témoigne. Il ne s'agissait pas seulement d'augmenter les possessions mais bien de développer les zones de contrôle et d'influence. Dans la structure de ces échanges, les dattes occupent le premier rang, suivies par le blé, les épices – piment et cannelle –, les produits tinctoriaux (indigo) ainsi que les gommes et résines. À l'inverse, on importe d'Afrique du Nord esclaves, cuirs, animaux vivants, tissus (de laine, de lin ou de coton), des toiles ainsi que de l'artisanat primaire.

Jusqu'en 1790, Valence fait partie des cinq grandes villes qui comptent dans l'Espagne, grâce à la richesse agricole de son arrière-pays, au dynamisme de son commerce et de son industrie urbaine. Si bien qu'au XVIIIe siècle, Valence est une cité qui croît. Les indices économiques et les schémas démographiques l'attestent. Le riz, la soie, les vins, les céramiques, les cordages assurent aux Valenciens un niveau de vie relativement élevé. Les réseaux de communication sont bien développés avec la France et avec Madrid. Quelques sociétés d'investisseurs se mettent à rechercher des marchés potentiels et des profits plus importants. Ces mêmes choix structurent l'économie de la province aux XIXe et XXe siècles. Sur le plan culturel, Valence possède également ses salons privés et ses académies où l'on discute entre bourgeois des nouvelles théories philosophiques. Une plethore de livres et d'essais écrits par des universitaires et étudiants sont publiés.

L'arrivée de la Révolution française et de la République – l'ennemie traditionnelle de la monarchie espagnole – masque quelque peu, voire complètement, ces progrès en matière d'échanges économiques. L'occupation française ne fait que développer ce mouvement de rejet déjà observé. Cette situation se traduit par une hausse croissante des prix et une courbe décroissante des augmentations de salaires. Moyennant quoi, les investissements sont au point mort. L'apparition des vagabonds et des mendiants, comme un peu partout en Europe, se fait un peu plus sentir. Toutes ces conditions ne permettent pas à la petite paysannerie de jouer le rôle de précurseur qu'elle a eu dans le reste de l'Europe et en Amérique du Nord, d'autant que ce déclin de la région n'est pas enrayé par une révolution de l'éducation suffisamment ambitieuse pour changer quelque chose.

L'essor des agrumes (principalement les oranges) a assis progressivement la richesse de Valence depuis le XIXe siècle. Un exemple permet d'illustrer cette situation, c'est celui des fruits des *Pascual Hermanos*. En 1980 (donc avant l'entrée de l'Espagne dans l'Union européenne), le total des ventes de cette entreprise familiale s'élève à 250 000 tonnes de fruits, ce qui représente 6,5 milliards de pesetas, soit 400 millions de francs. 87 % de son chiffre d'affaires sont réalisés à l'exportation. Les « frères » sont présents un peu partout sur la côte levantine, de Tarragone à Málaga mais aussi en Europe : Perpignan (pour son marché d'intérêt national), Bordeaux, Rungis, Bruxelles, Cologne, Rotterdam, Londres, Copenhague, Prague. Ce sont sûrement eux qui symbolisent le mieux le dynamisme de la Huerta.

Adresses utiles

Infos touristiques

Plusieurs offices se partagent le monopole de l'info. Généralement, très bien équipés en brochures de toutes sortes, accueillants et sympas.

🚹 *Office du tourisme (plan II, D2, 1)* : calle Paz, 48. ☎ 963-98-64-22. Fax : 963-98-64-21. • touristinfo.valencia@turisme.m400.gva.es •
🚹 *Office du tourisme (plan II, C4, 2)* : calle Játiva, 24. Dans la gare. ☎ 963-52-85-73. Fax : 963-52-85-73. • touristinfo.renfe@turisme.m400.gva.es •

Postes et télécommunications

✉ *Grande poste (plan II, C3)* : plaza del Ayuntamiento, 24. Poste restante. ☎ 963-51-67-50.
– *Dans le quartier de la Seu* : plaza Conde Carlet, 5 *(plan II, D1)*. Ouvert seulement de 8 h 30 à 14 h 30.
– *Dans le quartier de Gran vía Marqués del Túria* : calle Ciscar, 7 *(plan II, A1)*. Mêmes horaires.
– *Dans le quartier de Canbanyal* : calle Doctor Lluch, 251 *(plan III, D2)*. Mêmes horaires.
– Enfin, juste *à côté de la gare rou-*tière, une poste dans le Corte Inglés, Avda. Menéndez Pidal, 15 *(plan II, A1)*. Ouvert du lundi au vendredi de 8 h 30 à 20 h 30 et le samedi matin.
■ *Téléphone :* plaza del Ayuntamiento, 27 *(plan II, C3)*. Également Gran vía Germanías, 34B *(plan II, C4)*. ☎ 963-51-07-03. Ouvert de 9 h à 22 h 30.
■ *Renseignements téléphoniques :* ☎ 1003.
■ *Télégrammes par téléphone :* ☎ 963-52-20-00.

– On peut également acheter des cartes *Telefonica* dans tous les bureaux de tabac ; d'autres petites compagnies proposent le même service.
– Sachez que de 18 h à 8 h, le tarif est réduit pour les communications métropolitaines mais ce n'est qu'à 20 h que vous obtiendrez un tarif réduit pour les communications inter-provinces. Comme ailleurs en Europe, tarif réduit le week-end pour les deux zones.

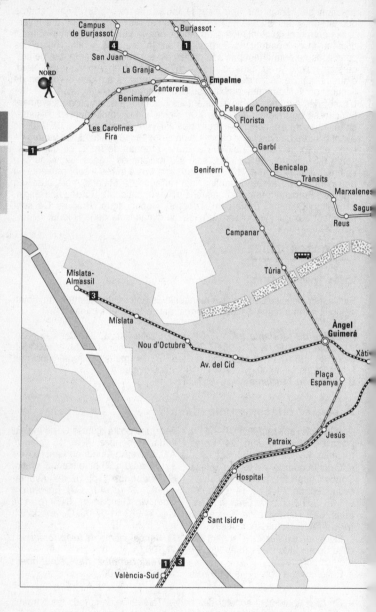

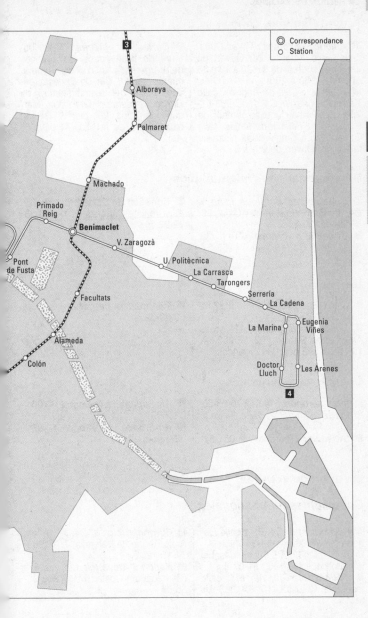

VALENCE

LE MÉTRO DE VALENCE

Argent, banque, change

■ *American Express :* Viajes Duna, calle Cirilo Amorós, 88. Ouvert du lundi au vendredi de 9 h 30 à 13 h 30 et de 16 h 30 à 20 h.
■ *Change :* Caja de Ahorros, calle Xátiva, 14 *(plan II, C4, 1)*. ☎ 963-51-78-69. Ouvert du lundi au samedi, de 9 h à 18 h. *Fenicia de Indias,* calle Caballeros, à l'angle de la plaza de la Virgen. Ouvert de 9 h à 21 h.

■ *Cartes de paiement :* distributeurs de billets dans les agences de l'*Argentaria* (plaza del Ayuntamiento ; *plan II, C3*), de *Banesto* (encore plaza del Ayuntamiento), du *Banco Santander* (Gran Vía Marqués del Túria, 29 ; *plan II, D4 ;* ou plaza Porta de la Mar, 4 ; *plan III, A2*).

Représentations diplomatiques

■ *Consulat de Belgique (plan II, B4, 2) :* Gran Vía Ramón y Cajal, 33. ☎ 963-80-29-09.
■ *Consulat de France (plan II, D2, 3) :* Cronista Carreres, 11. ☎ 963-51-03-59.

■ *Consulat de Suisse (plan II, D2, 4) :* Cronista Carreres, 9. ☎ 963-33-37-22.

Urgences

■ *Croix-Rouge :* ☎ 902-22-22-92 ou 963-67-73-75.
■ *Policía Local (plan III, A2) :* calle Amadeo de Saboya, 12. ☎ 963-62-10-12 ou 092 pour les urgences.

■ *Pharmacies de garde :* ☎ 900-50-09-52.

Compagnies aériennes

■ *Infos aéroport :* ☎ 963-70-95-00.
■ *Iberia (plan II, C2, 5) :* calle de la Paz, 14. ☎ 963-52-06-77.
■ *Swissair :* à l'aéroport. ☎ 961-52-17-70.

■ *Air España :* à l'aéroport. ☎ 961-52-27-37.
■ *Air France :* à l'aéroport. ☎ 961-52-32-53.

Location de voitures

Compagnies internationales

■ *Hertz (plan II, C4, 9) :* calle Segorbe, 7. ☎ 963-41-50-36.
■ *Avis (plan III, A2, 6) :* calle Isabel la Católica, 17. ☎ 963-51-07-34.
■ *Budget (plan III, A2, 6) :* calle Isabel la Católica, 19. ☎ 963-51-68-18.

■ *Europcar (plan II, D4, 7) :* Avda. Antic Regne de Valencia, 7. ☎ 963-74-15-12.
■ *National Atesa (plan III, A3, 8) :* calle Joaquín Costa, 57. ☎ 963-95-36-05.

Compagnies locales (parfois moins chères)

■ *Lider Rent :* San Vicente Mártir, 276. ☎ et fax : 963-77-12-06.

■ *Abirent :* paseo de la Pechina, 70. ☎ 963-79-21-21 ou 83-67-00.

Location de deux-roues

■ *Eurotransac (plan III, B3, 10) :* avenida del Puerto, 72. ☎ 963-89-06-47. Compter 24 € (57 F) le scooter 50 cc pour 1 à 3 jours de location, IVA en sus. Dépôt de garantie de 60 € (394 F).

Divers

■ *Institut français (plan II, D4, 11) :* calle San Valero, 7. ☎ 963-73-04-00 ou 963-73-08-03.

@ *Cafés Internet :* Cyberdrac *(plan II, D2, 12),* calle de la Paz, 33. ☎ 963-51-04-44. Fax : 963-51-05-96. Ouvert du lundi au vendredi de 10 h à 14 h et de 17 h à 21 h. Également au centre Commercial Corte Inglés : Quisiera Salas Internet *(plan II, A1, 13).* Ouvert de 10 h à 21 h 30. ● internet@quisiera.es ●

■ *Consignes :* pour les fauchés, il sera astucieux de choisir les consignes de la station de bus, beaucoup moins chères qu'à la gare RENFE.

■ *Laverie automatique (plan II, C2, 14) :* plaza del Mercado, 12. Ouvert de 10 h à 14 h et de 16 h à 20 h 30. Fermé le dimanche.

Transports urbains

La solution la plus économique pour visiter la ville est une invention géniale : le mollet ! En effet, les rues du centre étant trop étroites, tous les moyens de transports se cantonnent à l'extérieur dudit périmètre.

Bus

La plupart des bus de l'EMT (bus rouges) passent par la plaza de la Reina *(plan II, C2),* par la porte de la Mar *(plan II, D3 et plan III, A2),* la gare routière *(plan II, A1)* et la gare RENFE *(plan II, C4).* Rapides et pas chers. **Attention,** repérez bien votre trajet ou munissez-vous d'une carte car il n'existe pas de liste des arrêts dans le bus même. Le billet simple (moins de 1 €, soit 7 F) s'achète auprès du conducteur, le *bonobus* et le *bono 10* (respectivement un bon 4 € et 5 €, soit 26 et 33 F) dans les stations de métro ou les kiosques. Le *bonobus,* comme son nom l'indique, ne s'utilise que dans le bus, tandis que le *Bono 10* est valable à la fois dans le bus et le métro, avec un changement de bus à métro ou de métro à bus. Les deux sont « transferrible » c'est-à-dire qu'ils s'utilisent au forfait. Trois personnes peuvent l'utiliser pourvu qu'il soit composté 3 fois à la montée.
– En arrivant de la gare routière, prendre les bus nos 8 ou 79 pour le centre.

Métro

Valence s'est dotée de 4 lignes de métro (une cinquième est en projet à l'heure où nous imprimons), ressemblant plus à un RER qu'à un métro, d'ailleurs. La bleue, TVV-Dr Lluch, est très pratique car elle permet d'accéder rapidement tant au Palais des Congrès qu'aux plages.
Le *Bono 10* peut être utilisé dans le métro comme dans le bus.

Taxis

Pas de problèmes particuliers. Tous les chauffeurs ont un compteur. Pour les longues courses on peut même parfois s'arranger pour qu'ils ne le branchent pas.

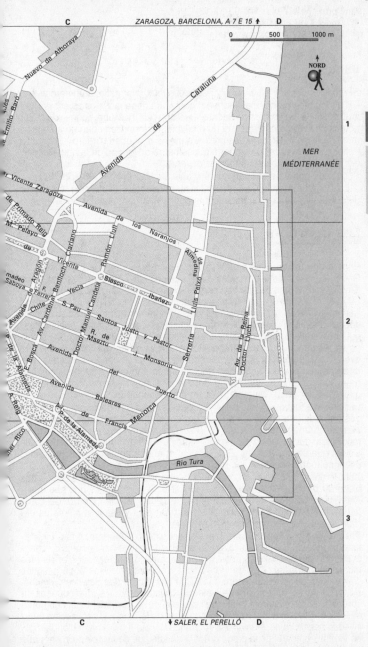

VALENCE – ENSEMBLE (PLAN I)

■ *Coop. Tele Taxi :* ☎ 963-57-13-13.
■ *Onda Taxi :* ☎ 963-47-52-52.
■ *Radio Taxi :* ☎ 963-70-33-33.

Voiture

Si, malgré tout, il y en a qui s'y risquent. Deux informations primordiales :
– La 1re concerne ceux qui auraient décidé de dépenser leur argent en voulant défier la *policía local*. Sachez que ce n'est pas une bonne idée. Les agents de la force publique ont dû recevoir une formation spéciale au maniement de la *grua*. Ce sont des pros. En moins d'un quart d'heure, un quartier entier est vidé. Et ce, à n'importe quelle heure du jour ou de la nuit. Respectez les stationnements interdits et payants.
Pour ceux pris au piège, un numéro utile, la *fourrière* : ☎ 963-69-90-34.
– La 2e pour ceux qui voudraient éviter Valence : l'autoroute A7 fait un détour autour de la ville, impeccable pour éviter sa traversée pénible.

Les quartiers

Encore une fois si vous cherchez à Valence le pittoresque des ruelles de Grenade, la frénésie de celles de Barcelone, la noblesse des palais de Séville, vous n'êtes pas au bon endroit. Dans le *quartier del Carmen (plan II, C1)* se concentre toute l'activité piétonne. C'est la vieille ville telle qu'on l'aime, avec ses rues qui se faufilent à angle droit entre les vieux palais décatis. Plus on l'arpente, plus on se surprend à découvrir des petits détails qui nous avaient échappés. Dans la vieille ville, les rues s'assemblent mais ne se ressemblent pas. La tranquillité des *rues de la Seu (plan II, C1)* jure avec l'agitation fébrile du *quartier del Mercado (plan II, C2)*. Le paseo nocturne de la place del Tossal ne ressemble en rien aux rades pouilleux des rues Torno del Hospital, Horno del Hospital ou Roger de Flor dans lesquelles, d'ailleurs, il vaut mieux éviter de baguenauder.
Difficile, une fois que l'on s'arrache à ces vieilles dalles de pierre battues par des milliards de semelles, de retomber sur le marbre poisseux des rues du *quartier San Francisco (plan II, D3)*. C'est dans ces émanations postmodernes qui glissent doucement vers les affreux buildings de la calle Colón, que se trouvent les *Zara, Mango* et autres boutiques du cheap-chic espagnol pour lesquelles les routards perdent la tête.
Difficile aussi de trouver un charme à la disposition presque américaine des blocs du *quartier Gran Vía (plan II, D4* et *plan III, A2)* mais qui, heureusement, vient buter sur l'ancien cours du río Túria, très bien arboré. Ce cours fait d'ailleurs l'objet d'une visite à lui seul. On peut y flâner et même perdre l'impression d'être dans une grande ville.
Enfin, parce que l'appel de la crevette est plus fort que tout, il faut bien se faire à l'idée de descendre l'avenida del Puerto battue par les pots d'échappement et bordée par des petites rues qui, au sud, ouvrent sur d'anciennes friches industrielles. Ces dernières sont d'ailleurs promises à de juteuses plus-values grâce à l'ouverture de la *Cité des Arts et des Sciences (plan III, B4, 125)*. Au nord, le bâti parle dans son plus simple appareil et l'on s'interroge. Des rues coupées au cordeau, longues comme le fil d'un Laguiole, où se succèdent sans esbroufe d'élégantes façades aux azulejos et balcons de fer forgé. C'est l'ancien quartier des pêcheurs de *Malvarrosa (plan III, D1)*, où, il n'y a pas si longtemps, on tirait les bateaux de la plage grâce à un attelage de taureau. Un chouette quartier qui tremble car la municipalité prévoit d'étendre l'avenida Blasco Ibañez jusqu'à la mer.

Où dormir ?

Très bon marché

🛏 *Albergue Juvenil Las Arenas* (plan III, D2, 20) : calle Eugenia Viñes, 24, 46011 Valencia. ☎ 963-56-42-88. Métro ligne bleue : arrêt Las Arenas. Depuis la gare RENFE, bus n° 32. Prévoir un bon 5 € (33 F) la nuit en dortoir de 15 lits, avec réduction. La réduction en question est simplement un *flyer* qu'on se pro- cure dans les offices du tourisme de la ville. Comme son nom l'indique, vous aurez les pieds dans le sable car l'édifice donne directement sur la plage. C'est son seul avantage (qui n'est pas négligeable !) car c'est assez (mais pas trop tout de même) excentré.

Bon marché

🛏 *Hostal Universal* (plan II, C3, 21) : calle Las Barcas, 5, 46002 Valencia. ☎ et fax : 963-51-53-84. À côté de la place de l'Ayuntamiento. Compter 25 € (166 F) avec lavabo et 29 € (189 F) avec douche pour une chambre double. Chambres très grandes, bien tenues, avec des sanitaires flambant neufs. Celles donnant sur la rue sont bruyantes. La famille possède une autre pension toute proche, un poil moins cher en-

■ **Adresses utiles**

- 🛈 1 et 2 Offices du tourisme
- ✉ Poste
- 🚇 Gare RENFE
- 🚌 Gare routière
- ☎ Téléphones publics
- 1 Change
- 2 Consulat de Belgique
- 3 Consulat de France
- 4 Consulat de Suisse
- 5 Iberia
- 7 Europcar
- 9 Hertz
- 11 Institut français
- 12 Cyberdrac (café Internet)
- 13 Quisiera Salas (café Internet)
- 14 Laverie automatique

🛏 **Où dormir ?**

- 21 Hostal Universal
- 22 Hostal Moratín
- 23 Hostal del Rincón
- 24 Hostal Alicante
- 25 Hospedaría del Pilar
- 26 Hostal Granero
- 27 Hostal Venecia
- 29 Hotel Ad Hoc

🍴 **Où manger ?**

- 29 Restaurant Chust Godoy
- 31 El Restaurante Cultural
- 32 Sidrería El Molinón
- 33 Bar Pilar
- 34 Los Toneles
- 35 Asador Pipol
- 37 El Palacio de la Bellota
- 38 Ca'n Bermell
- 40 Ocho y medio
- 41 Cervecería Villaplana
- 46 La Casa Ramón

🍸 🎵 **Où boire un verre ? Où sortir ?**

- 83 Ghecko
- 84 Johnny Maracas
- 85 Pitapeira
- 86 Fox Congo
- 87 Café Bolsería
- 88 Café Negrito
- 89 Hannase Al Babal
- 90 El Carmen Sui Generis
- 91 Jimmy Glass Jazz
- 93 Finnegan's of Dublin
- 95 Havana Club
- 96 Carioca
- 98 Venial
- 99 La Calcatta
- 100 El Gran Caimán

★ **À voir**

- 110 Cathédrale
- 111 Palacio de la Generalidad
- 112 La Lonja
- 113 Musée national de la Céramique Gonzalez Martí
- 114 Musée des Beaux-Arts
- 115 Puente del Real
- 116 Collège du Patriarche
- 117 Musée historique municipal
- 119 Musée d'Art moderne
- 121 Église Santo Domingo
- 123 Torre de Serrano

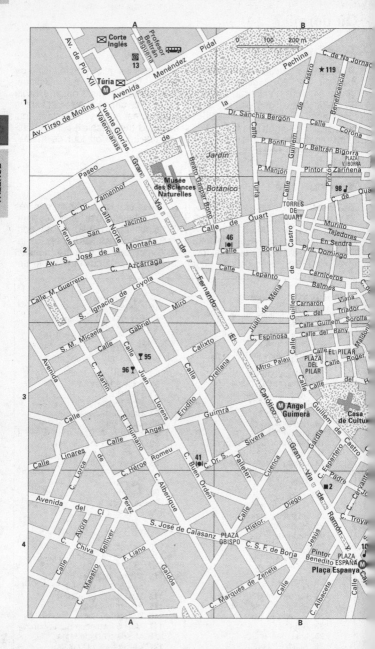

A B

⊠ Corte Inglés

Profesor Beltrán Báguena

Pidal

@ 13

Av. de Pio XII

Menéndez

Pechina

C. da Na Jornac

★ 119

Túria ⊠

M

Avenida

la

Dr. Sanchis Bergón

Calle

Corona

C. de Castro

Beneficencia

Av. Tirso de Molina

Puente Glorias Valencianas

de

Calle

P. Bonfil

Guillem

Dr. Beltrán Bigorra

PLAZA V. BORRA

1

Paseo

Gran

Jardín

P. Manjón

Pintor

Zariñena

98 ♪

C. de Qua

Musée des Sciences Naturelles

Botánico

TORRES DE QUART

Calle

Castro

Murillo

Tejedores

C. Dr. Zamenhof

Calle Norte

Jacinto

Calle de Quart

En Sandra

Pint. Domingo

C. Teruel

San

Montaña

46 ▮◉▮

Calle

Borrul

Carníceros

2

Av. S. José de la Montaña

C. Azcárraga

Calle

Lepanto

de

Balmes

Calle M. Guerrero

S. Ignacio de Loyola

Miró

Fernando

Juan de Mena

Carnarón

Viana

C. del

Triador

Guillem

Calle Guillem

Sorolla

Gabriel

Calixto

C. Espinosa

Calle del Bany

S.M. Micaela

Calle

Calle

Avenida

C. Martin

96 ♟

95 ♟

El

Orellana

Mtro. Palau

Calle EL PILAR Roger

PLAZA DEL PILAR

Calle

Maldon

3

Calle

C. Martin

Juan

Llorens

Erudito

Guimrá

Católico

M Angel Guimerà

Guillem de Castro

Casa de Cultu

del

Calle

Linares

de

El Humano

Angel

Romeu

C. Héros

C. Dr. S.

Sivera

Palleter

Garcia

Espartero

C. Lorca

C. Albarique

41 ▮◉

C. Buren Orden

Cuenca

Gran Via de

C. Padre

Cervantes

2 ▪

C. Troya

Avenida del Ci

Perez

S. José de Calasanz

PLAZA OBISPO

Histor.

Diego

Ramón

10

C. Chiva

C. Ayora

Belliver

F. Llano

Galdós

C. S. F. de Borja

Jesús

Pintor Benedito

PLAZA ESPAÑA

M Ca

C. Maestro

C. Marqués de Zenete

Calle

C. Albacete

Plaça Espanya

A B

0   100   200 m

VALENCE – CENTRE (PLAN II)

core : **Pensión Paris,** calle Salvá, 12. ☎ 963-52-67-66.

🛏 **Hostal Moratín** *(plan II, C3, 22)* : calle Moratín, 15, 46002 Valencia. ☎ et fax : 963-52-12-20. Au 5e étage avec ascenseur. Chambres doubles à partir de 24 € (157 F). 14 petites chambres dans une toute petite pension tenue par un patron jovial qui fera l'effort de parler le français. Pas le grand confort, mais bon, on peut y prendre le petit déjeuner et même y déjeuner à condition de passer commande à Javier (c'est le patron). Il cuisine alors ce que vous désirez, pour des prix imbattables. Le parking de 5 étages jouxtant l'immeuble peut se révéler pratique. Attention, résas pas trop fiables aux dernières nouvelles.

🛏 **Hostal del Rincón** *(plan II, C2, 23)* : calle Carda, 11, 46001 Valencia. ☎ 963-91-60-83. Tout près de la place du Marché, dans la vieille ville. S'il n'y a personne, s'adresser au garage à côté. Compter environ 16 €

(105 F) la chambre double sans bains, ajouter 6 € (39 F) de plus avec. Un peu tristounet, mais vraiment pas cher, propre et bien entretenu. Bon accueil.

🛏 **Hostal Alicante** *(plan II, C4, 24)* : Ribera, 8 (2e étage), 46002 Valencia. ☎ et fax : 963-51-22-96. Chambres autour de 24 € (157 F) avec douche mais sans toilettes, et 27 € (46 F) avec toilettes dans la chambre. Pas loin de la gare et de la plaza del Ayuntamiento. Chambres avec lavabo, petites mais propres.

🛏 **Hospedería del Pilar** *(plan II, C2, 25)* : plaza del Mercado, 19, 46001 Valencia. ☎ 963-91-66-00. Ouvert tous les jours. Chambres doubles avec salle de bains à partir de 23 € (151 F), sans douche autour de 14 € (92 F). À peu près le même genre que le précédent, un peu moins cher, mais les livraisons du marché demeurent quand même très bruyantes.

Prix modérés

🛏 **Hostal Granero** *(plan II, D4, 26)* : Martínez Cubells, 4, 46002 Valencia. ☎ 963-51-25-48. Entre la gare et la plaza del Ayuntamiento. Au 1er étage. Compter 25 € (164 F) la chambre double avec bains. Dans un bel immeuble. Rue au calme. Prix encore raisonnables. Très propre. La plupart des chambres sont avec bains ou douche.

🛏 **Hostal Venecia** *(plan II, C3, 27)* : En Llop, 5 (plaza del Ayuntamiento), 46002 Valencia. ☎ 963-52-42-67. Très central. Compter 42 € (276 F) la chambre double. Assez imperson-

nel. Propreté acceptable. Tous les prix. Chambres avec lavabo, douche ou bains et AC.

🛏 **Hotel Tres Cepas** *(plan III, D3, 28)* : paseo Neptuno, 22, 46011 Valencia. ☎ 963-71-51-11. Compter un peu plus de 48 € (315 F) la chambre double. Chambres simples mais correctes, en prise directe sur la plage. Idéal pour ceux qui n'aspirent qu'au farniente. Un petit détail cependant, il n'y a pas de clim', qui pourrait pourtant se révéler fort utile en plein cagnard... Accueil sympa.

Chic

🛏 **Hotel Ad Hoc** *(plan II, D1, 29)* : c/Boix, 4, 46003 Valencia. ☎ 963-91-91-40. Fax : 963-91-36-67. Chambres doubles avec salle de bains de 57 à 120 € (375 à 785 F). Dans un ancien édifice du XIXe siècle, cet hôtel, meublé avec beaucoup de goût

par un antiquaire, fait oublier les luxueux hôtels froids et impersonnels. Restaurant. Éviter toutefois les chambres donnant sur la petite rue, moins tranquilles que celles sur cour. Le personnel est efficace, jeune et sympa.

Où manger ?

Valence est bien la ville où vous pourrez vous gaver de paella et de fruits de mer. En fait, on compte plusieurs sortes de paellas. La *paella de mariscos,* au poisson et aux fruits de mer, la *paella valenciana* au poulet ou au lapin, la *paella mixta,* aux fruits de mer et à la viande (pour les touristes, mais pas mal de Valenciens l'aiment aussi). On décline le riz non seulement sous la forme paella mais aussi sous celle de l'*arroz a banda* (fond de riz avec du poisson), ou encore sous celle de l'*arroz negre* (avec des calmars cuits dans leur encre). Avec le tout, on ajoute de l'*all i oli* (aïoli).On peut aussi déguster de l'*ail y pebre* (sauce d'ail et de poivre avec un poisson ou fruit de mer unique, généralement on le précise). Le plus souvent vous aurez affaire à un *ail y pebre de anguilas* (anguilles).

Les *tapas* sont préparées sous autant de formes qu'il y a d'espèces de coquillages.

Dans le centre historique

Bon marché

|●| *El Restaurante Cultural (plan II, D2, 31)* : calle Conde Motornes, 1. Petit menu rarement au-dessus de 6 € (39 F). Franchement bon marché mais pas d'une fraîcheur formidable. Ne vous attendez pas non plus à une discussion sur les récentes évolutions du droit constitutionnel européen et ses dérives potentielles, le restaurant s'appelle ainsi parce qu'il est à côté de la place de la Culture.

|●| *Sidrería El Molinón (plan II, C2, 32)* : calle Bolsería, 40. ☎ 963-91-15-38. Ouvert de 13 h à 16 h 30 et de 20 h à minuit. Compter moins de 6 € (39 F). On remarque à peine ce petit bar aussi étroit qu'un conduit de ramoneur et qui semble même se faire oublier volontairement à côté des nombreux bars chic. On y vient avant tout pour le cidre qui, contrairement à son grand frère basque, est ici en bouteille capsulée. Mariez-le avec la pointe acide d'un fromage de Cabrales, et vous nous en direz des nouvelles...

|●| *Bar Pilar (plan II, B-C2, 33)* : calle Moro Zeit, 13. ☎ 963-91-04-97. Fermé le mercredi. Ouvert de 9 h à 23 h 30 ; les jours fériés, break l'après-midi. Compter entre 6 et 12 € (39 et 79 F). Un autre classique dans un quartier qui est plus fréquenté de nuit que de jour. On vient souvent s'y avaler une ration de *clóchinas*, des fruits de mer qui sont à la moule ce que le sirtaki est à la danse populaire : une partie de plaisir. Très populaire, faites un tour aux toilettes en passant par la cuisine vous verrez qu'on ne s'encombre

VALENCE

NORD

Jardines
del Real

U. Politècnica Ⓜ
Avenida de Catalunya

Av. del Primado Reig
Camino de Vera

Alvaro Bazán
Comi Ferrer al Primado Reig
Daniel Balaciart

C. Roig
C. Cavanilles
Jaime
Juan
Medendez
Pelayo
Gascó

Gal Elio
P. del Real
Avenida
Facultats Ⓜ

Albalat dels Tarongi
Almela y Vives
101

Monforte
Calle
Molner
Dr. R. Forns
Suecia
Vicente
P. Rubén Darío
Clariano
Vinatopó
P. Artola

Micer
Masco
Aragón
Gorgos
PLAZA XÚQUER
Serpis

Stade du
F.C. Valence

Gal Tovar
P. de la Ciudadela
Paseo
de
la
Exposición

Calle
Amadeo de Saboya
V. Pallarés
Yecla
Blas

Porta
de la Mar
P.
Alameda Ⓜ

N. Reverter
45
Gal G. Dolz
S. Flores
Calle
Chile
Calle
Séneca
Calle
Candela

PLAZA
DE AMÉRICA
Avenida
del
Calle
Manuel
Santos

6
Cirillo
Amorós
82 80
81
P. de
Aragón
PLAZA
DE
SARAGOZA
R. de Cepeda
Aben al Abbar
Ramiro
Duque de Gaeta
Maeztu

PLAZA Turia
C. DEL CASTILLO
Gran Vía M. del
42
C. Conde de Altea
J. Costa
Reina D. Germana
8
43
Avenida Antic Regne de València
44
Pedro III el Gr.

Avenida
A. Llorens
Doctor
del

Paseo de la Alameda
Calle
Eduardo Boscá
A. Maceto
Canarias
10

Matias
Perelló
Avenida de Perís y Valero
Calle Oliag
Calle Pedro
Escultor José Capuz
C. Alcade
Antiga
Reig
Cauce
Avenida
Baleares
Pintor Ma

Calle Zapadores
Calle General Urrutia
Calle Obispo
la
Avenida
de
Plata
118
PLAZA
MONTEOLIVETE
del
Río

MONTE
OLIVETE
Cité des Arts et
des Sciences
125
Turia

Av. Alcalde Gisbert Rico
120

P. Ángel
Custodio

Av. H. Maristas

VALENCE

VALENCE – HORS LES MURS (PLAN III)

pas avec les normes d'hygiène de la commission européenne !

I●I *Los Toneles* (plan II, C4, **34**) : Ribera, 17. ☎ 963-94-01-81. Comme son nom l'indique, le bar est installé sur des tonneaux. À côté de la gare, ça peut être une bonne adresse pour venir prendre des tapas correctes.

I●I *Asador Pipol* (plan II, C3, **35**) : Convento de San Francisco, 3. ☎ 963-94-11-10. Également près de la gare et derrière l'Ayuntamiento, une grande mezzanine permet de surplomber le bar. L'accueil est correct, comme les prix.

Prix moyens

I●I *El Palacio de la Bellota* (plan II, C3, **37**) : Mosén Femades, 7. ☎ 963-51-49-94. On peut s'en tirer facilement pour moins de 9 € (59 F) pour une assiette au bar. Végétariens et musulmans, passez votre chemin. Entre quelques corbeilles remplies de pommes de terre et d'oignons, une cinquantaine de jambons sont accrochés au plafond, ça vaut le coup d'œil. Une alléchante odeur de cochonnaille s'en dégage et, logiquement, elle vous fond dans la bouche, un vrai délice. On y vient aussi acheter son jambon au poids. La sélection de vins *(rioja, alto túria)* est également de bonne qualité. Un chouia trop touristique toutefois.

Chic

I●I *Ca'n Bermell* (plan II, C1, **38**) : Sant Tomas, 18. ☎ 963-91-02-88 ou 963-91-89-01. Menu à 21 € (138 F). Vous l'aurez compris, on y parle le valencien, bien qu'on comprenne le castillan. Ne comptez pas sur vos voisins de gauche pour vous aider... eux aussi parlent le valencien ! Quoi qu'il en soit, les tapas y sont assez nombreuses et de bonne qualité, et l'adresse est une valeur sûre.

I●I *Restaurant Chust Godoy* (plan II, D1, **29**) : Boix, 6. ☎ 963-91-38-15. Fermé le samedi midi et le dimanche, pour la Semaine sainte et en août. Compter un bon 28 € (185 F) pour le menu. Situé dans l'*hôtel Ad Hoc*, il ne fait qu'en rehausser le charme. La cuisine est raffinée, de qualité, et très bien présentée. On y fait dans le détail, une dizaine de tables, pas plus. Pas d'esprit d'usine mais celui du service et l'envie de faire goûter de bonnes choses. La cave est à la hauteur de l'ensemble et l'on fait même le voyage pour s'approvisionner sur place... Un rapport qualité-prix-service dont on ne se lasse pas. Bref, une bonne adresse.

I●I *Ocho y medio* (plan II, C2, **40**) : plaza Lope de Vega, 5. ☎ 963-92-20-22. Fermé le samedi midi, une quinzaine de jours autour de la Semaine sainte et une autre début octobre. Compter environ 12 € (79 F) pour quelques tapas, le double pour un repas assis et complet. *Ocho y medio* est l'une des dernières créations du propriétaire de *Gargantua*. Le cadre est beaucoup moins bien léché qu'au resto qui a fait son succès. Parfois, une large terrasse s'ouvre sur la petite place Lope de Vega. Excellent *ajoarriero* (un mélange d'ail, pain et pomme de terre), *esgarrat* (poivrons, ail et morue séchée) également bien préparé.

Au sud du centre historique

De bon marché à prix modérés

I●I *Cervecería Villaplana* (plan II, A3, **41**) : Sanchis Sivera, 24. ☎ 963-25-06-13. Compter moins de 6 € (39 F) par personne. Fermé le dimanche. Ambiance populaire, très fréquentée en fin de semaine par des gens de tous les âges et de toutes les conditions. La salle à l'arrière est enfumée et donc à déconseiller. Le week-end, ça grouille, ça tourne et ça roule... alors poussez-vous des allées, y'a des gens qui travaillent ici ! Quelques vieux couples vont y manger et se regardent dans le blanc des yeux sans mot dire, se laissant bercer par le brouhaha ambiant. Une bonne adresse pour grignoter des tapas avant de sortir dans le quartier. Également de bonnes pâtisseries maison.

|●| Taberna Andaluza El Albero (plan III, A2-3, *42*) : calle Ciscar, 12, bajo. ☎ 963-33-74-28. Rations *grosso modo* entre 2 et 3 € (13 et 20 F). Fréquentée par une clientèle d'habitués, cette petite taverne porte sur ses murs de crépi les marques des *ganaderías*, sous le regard d'une petite Vierge implorant le panthéon de la province voisine. Très bon *jerez*, ça va de soi !

|●| Bar Iruña (plan III, A3, *43*) : calle Salamanca, 42. ☎ 963-33-10-64. Compter moins de 5 € (33 F). De la cuisine coincée dans un petit réduit style cabine de douche se dégagent d'alléchantes effluves des *guisos* (sorte de ragoût) dont la maison s'est fait la spécialité. Un chouia crapouilleux mais vaut le coup d'y jeter un œil.

|●| Cervecería Maipi (plan III, A3, *44*) : Maestro José Serrano, 1. ☎ 963-73-57-09. Compter moins de 6 € (39 F). L'esprit de famille règne sur ce petit troquet que Gabriel (dites Gabi, comme tout le monde) dirige de main de maître. Un grand et vrai zinc, cinq tables pas plus, ce qui facilite les contacts et le tutoiement. Délicieux *esgarrat* et *ajoarriero*, et tendre *solomillo*. Une bonne adresse.

Chic

|●| Gargantua (plan III, A2, *45*) : Navarro Reverter, 18. ☎ 963-34-68-49. Dans une avenue entre la plaza de America et M. de Estella. Fermé le samedi midi, les jours fériés, 15 jours autour de la Semaine sainte et la dernière quinzaine d'août. Menus à partir de 24 € (158 F) ; menu dégustation autour de 31 € (203 F) pour 6 plats différents. Pas de réservation. Accueil charmant. Décor et cadre raffinés. Plusieurs salles de couleur rose disposées agréablement. Terrasse fleurie pour les beaux jours. « Cuisine valencienne et imaginative », est-il affiché à l'entrée... et c'est vrai ! Soupes onctueuses et viandes très tendres.

Goûter au *tizona* ou à *la lubina* à l'infusion de thym. Prix très raisonnables pour la qualité. Une de nos adresses préférées !

|●| La Casa Ramón (plan II, B2, *46*) : Borrull, 32. ☎ 963-91-50-24. Fermé le dimanche soir et lundi. L'une des meilleures *marisquerías* de Valence, les fruits de mer y sont délicieux et souvent bien présentés. Éviter la salle du fond, un peu guindée. L'accueil est assez chaleureux et les serveurs plaisantent avec les clients accoudés au bar. Les *tunas* du coin l'ont compris. Comme un peu partout en Espagne, elles y boivent à l'œil. Moyennant quoi, elles viennent pousser leur chansonnette.

Dans le quartier de Cabanyals et les environs du littoral

|●| Casa Montaña (plan III, D3, *47*) : José Benlliure, 69. ☎ 963-67-23-14. Ouvert de 10 h à 15 h et de 19 h à 23 h. Fermé le dimanche soir et lundi. Compter moins de 9 € (59 F). De loin notre adresse préférée dans

ce quartier. Une belle bodega remplie de tonneaux, couverte de vieilles affiches émaillées à la gloire des grandes marques d'anis et de manzanilla, l'image que l'on se fait de l'Espagne. Les vins sont servis au verre et toutes les spécialités de la maison sont inscrites sur des ardoises disséminées un peu partout.

|●| Casa Guillermo *(plan III, D3, 48)* **:** calle José Benlliure, 26. ☎ 963-67-38-25. Fermé le samedi midi et le dimanche midi. Compter moins de 9 € (59 F). Traditionnel décorum de vieux débit de boisson espagnol mais attention, ici, ce n'est pas n'importe quel établissement. Vous venez de pénétrer chez les rois de l'anchois ! À l'huile d'olive avec quelques gousses d'ail effilées... un régal.

|●| Bar J. Flor *(plan III, D2, 49)* **:** calle Marti Grajales, 21. ☎ 963-37-12-019. Menu tout compris à moins de 9 € (59 F). Parce qu'au sortir du marché de Cabanyals la faim tiraille sur les arrières, on est bien content de trouver ce petit bar proposant une bonne cuisine de grand-mère. N'hésitez pas à réserver car, contrairement aux apparences, l'endroit est fréquenté.

|●| La Pepica *(plan III, D3, 51)* **:** paseo Neptuno, 6. ☎ 963-71-03-66. Menu autour de 20 € (131 F), paella à moins de 7 € (46 F). Grand resto que l'on vous indique plus pour l'ambiance que pour son côté intime et délicat. On croirait déjeuner dans une salle de bal bulgare, avec son lot de moulures éclairées par des néons déchaînés. Le service à la soviétique réglé comme la mécanique d'une boîte à musique s'enclenche dès le passage de la porte battante qui débouche directement sur les fourneaux et leurs grandes paelle-

ras. Riz réputés. Réservation recommandée.

|●| El Pescadito *(plan III, D2, 50)* **:** calle Eugenia Vines, 229. ☎ 963-71-84-90. Compter un bon 15 € (98 F). Dans une grande maison vert amande aux faux airs d'hacienda, un resto familial où la bonne humeur des cuisinières est contagieuse. Très belles assiettes de fruits de mer, paella très savoureuse et préparée par plusieurs grands-mères. Une bonne adresse sans prétention que l'on se transmet à demi-mot.

|●| El Famos *(hors plan III par C1, 52)* **:** Ermita de Vera, 14. ☎ 963-71-00-28. Pour s'y rendre, aller jusqu'à l'université de Polytechnique (également possible en bus ou en métro) ; dépasser le département des Beaux-Arts (Bellas Artes), continuer la route en direction de la mer et prendre la 1re à gauche ; ne pas passer la voie ferrée. Fermé le lundi. Compter un peu plus de 7 € (46 F) la paella. Un resto presque caché entre canaux d'irrigation et cultures maraîchères, au pied d'une petite église. De l'extérieur, on a l'impression d'entrer sous la véranda d'une maison particulière. À l'intérieur, un grand choix de fruits de mer, *arroz a banda, ail i pebre, conill al ail* (lapin à l'ail), *conill a la braza* et *paella valenciana* au feu de bois. Les prix ne défient pas la concurrence mais on peut s'en tirer à bon compte. Le week-end, mieux vaut réserver.

Où manger dans les environs ?

À El Palmar *(46012)*

À 15 km de Valence. Pour s'y rendre, prendre la direction d'El Saler (toutes les heures par l'autobus de la compagnie *Herca* ; le départ se situe sur la Gran Vía Marqués del Túria, entre les rues Sueca et Cuba (toutes les 2 h entre 12 h et 20 h) puis continuer en direction de Cullera. Un autre bus part du même endroit et effectue le trajet Valencia - El Perelló. Le bus parcourt les abords de La Albufera, offrant de belles balades. Départ du même endroit, *grosso modo*, tous les jours toutes les demi-heures.

Dans ce petit village typique du pays valencien, vous mangerez l'une des meilleures paellas valenciennes dans une atmosphère devenue assez touristique. En fait, beaucoup de familles valenciennes font le déplacement le week-end pour s'y régaler les papilles. Aujourd'hui orienté sur la restauration, El Palmar est un ancien village de pêcheurs. Un seul regret, peu de patrons pêcheurs sont des restaurateurs, et vice versa. Ces derniers s'approvisionnent pour la plupart sur le marché de Valence.

De part et d'autre des deux artères principales, les rues Sequiota et Recollins, les restaurants de fruits de mer se disputent les trottoirs, s'installant entre des huttes triangulaires de pêcheurs aux murs blancs et au toit d'herbes.

I●I **Planta Azul :** Francisco Monleón, 29. ☎ 961-62-01-48 ou 961-62-03-25. Menu à partir de 12 € (79 F) environ. Grand resto d'environ 400 couverts. La déco n'est pas exceptionnelle, néons froids et mosaïque noire et blanche au sol. En revanche, la cuisine est d'une propreté irréprochable. Les plats, *paella, fideua, arroz a banda* et *mariscada* (fruits de mer et poisson grillés) sont copieux et bons.

I●I **Bon Aire :** Caudete, 41. ☎ 961-62-03-10 ou 01-33. Fermé le mardi en hiver. Compter environ 10 € (66 F) le menu. La salle un peu plus intime qu'au *Planta Azul* – 200 couverts – est précédée par une cuisine ouverte, sur laquelle on peut jeter un coup d'œil, décorée de mosaïques. Bon accueil sans prétention, franc et ouvert.

Où boire un verre? Où sortir?

Sortir à Valence est un passage obligé pour connaître à fond la ville. Celle-ci a la réputation d'être la plus fêtarde d'Espagne! Le plus incroyable au premier abord est la foule que l'on rencontre quotidiennement, et surtout en fin de semaine. Dans certains quartiers, notamment à El Carmen, on en vient à se demander comment on peut faire entrer autant de personnes dans aussi peu de maisons. Les bars sont à la fois en intérieur et en extérieur.

À Valence, pour sortir, tout est une question d'horaire. Si vous arrivez une heure trop tôt, tout est complètement vide. Une heure trop tard, tout est déjà fermé. Pour les bars, inutile d'arriver avant 1 h, 1 h 30. Pour les boîtes, rien avant 3 h. D'ailleurs, vous ne pouvez pas vous tromper : avant, elles sont fermées!

Enfin, même si vous êtes en voiture, pour sortir, prenez le taxi. Bon marché, il vous évite de chercher une place pendant des heures ou de vous retrouver bloqué par une autre voiture jusqu'au lendemain (ça nous est arrivé!). Il y a tellement de voitures le soir à Valence que certains se garent au beau milieu des carrefours, qui deviennent des ronds-points pour l'occasion.

Un peu comme partout, tout fonctionne par zones. Les unes courtisent une clientèle d'ados (musique forte, voire franchement à la limite de la saturation), les autres encanaillent les VRP et cols blancs ou encore offrent quelques pistes aux danseurs de musiques latino-américaines.

Dans le quartier de Cánovas *(plan III, A2)*

De chaque côté de la Gran Vía Marques de Túria, on retrouve cette partition. Situé à 5 mn du centre historique, il n'a rien d'architecturalement passionnant. De jour, personne ne le remarque. Mais de nuit, les rues qui le constituent s'animent à tel point qu'on les croirait piétonnes.

▼ **Mentiroso** *(plan III, A2, 80)* : calle Serrano Morales. Tout en longueur avec un billard tout au bout, particulièrement animé jusque tard dans la nuit. Goûter ce cocktail exquis de champagne glacé, mais attention la tête!

▼ **El Dopo** *(plan III, A2, 81)* : calle Serrano Morales. Tout blanc et noir. Parfait pour goûter la liqueur de *manzana* (à la pomme) et celle de *melocotón* (à la pêche).
▼ **Batucada** *(plan III, A2, 82)* : calle Serrano Morales. Pour les incondi-

tionnels des rythmes brésiliens, c'est l'une des meilleures adresses de salsa et *merengue* (rien à voir avec la pâtisserie, le merengue est une danse rapide des Caraïbes).

Dans le quartier el Carmen

Longtemps délaissé au profit de Cánovas, El Barrio del Carmen ou El Carmen, comme on l'appelle, a repris du poil de la bête. Il est maintenant le rendez-vous B.C.B.G. de la jet-set valencienne depuis que d'autres zones ont été « assainies ». Quelques bars aux décors plus recherchés les uns que les autres, et aux consommations pas données. Jeunes et moins jeunes s'y côtoient, mais aussi quelques marginaux en quête d'espèces sonnantes et trébuchantes. Bizarrement, certaines rues marquent des zones de transition et en déambulant au nord de la place San Jaime, l'atmosphère se képonise soudainement. Malgré tout, El Carmen reste un coin attirant.

De cool à B.C.B.G.

Y *Ghecko (plan II, C2, 83) :* plaza del Negrito, 2. Une des merveilles de déco du quartier. Le nom de ce bar est celui d'une espèce de gros lézard originaire de l'île de Kathakali, près de Bali. Les bars sont constitués de deux immenses plaques de verre au-dessous desquelles des mini-galets sont empilés les uns sur les autres. Tous les éléments du décor vous regardent boire : un immense dragon chinois lorsque vous vous accoudez au bar, des statues féminines priant les mains jointes quand vous décidez d'aller dans une petite salle. Comble du raffinement, la sono est très bonne et la musique aussi : style soul music, R & B... Et si votre compagne décide de vous fausser compagnie lorsque vous allez aux toilettes, rien n'est perdu : la glace sans tain vous permet de la surveiller du coin de l'œil pendant que vous vous soulagez... Les consos ne sont pas très bon marché, mais ça vaut largement le coup d'œil.

Y *Johnny Maracas (plan II, C2, 84) :* Caballeros, 39. ☎ 963-91-52-66. Là encore, le bar est assez sympa. Si on arrive le samedi à 1 h, il faut se battre pour avoir de la place et commander un verre. Les maracas sont pendues au mur et Johnny les décroche quelquefois pour accompagner le rythme très latino, mambo, salsa. Un détail encore une fois, allez aux toilettes. Les urinoirs sont recouverts d'une plaque de verre derrière laquelle sont entreposées en désordre des TV. Comme il se doit dans ce genre de bar, ils ont une bonne collection de rhums. Essayez le Black Death... fatal !

Y *Pitapeira (plan II, C2, 85) :* calle Caballeros, 27. À l'angle de la rue Mendoza. Bonne atmosphère moite, digne d'un bateau ivre sur les eaux boueuses de l'Amazone. Atmosphère brute de décoffrage, mezzanine en acier dépoli, pierres apparentes. Ce n'est pas le genre de lieu dans lequel on demande un cocktail mais plutôt une mousse.

Y *Fox Congo (plan II, C2, 86) :* Caballeros, 35. ☎ 963-92-55-27. La déco fait un peu ringard. L'alliance de plaques de cuivre travaillé et d'un grand bar en onyx éclairé par-dessous rend l'ensemble plutôt cool. Eurodance, disco, techno, jungle de bon goût, bref, très contemporain. Quelques DJ's invités le week-end. Clientèle très trentaine, élégante, originale, voire gay. Un endroit sympa où l'on ne se prend pas la tête.

Y *Café Bolsería (plan II, C2, 87) :* Bolsería, 41. ☎ 963-91-89-03. Fer forgé et plantes tropicales, loupiotes bleues sur des tables de couleur acajou. Encore plus chic que le reste.

Y *Café Negrito (plan II, C2, 88) :* plaza del Negrito. Ouvert jusqu'à 6 h le week-end. Immense terrasse se déployant sur la plaza. Bien agréable pour boire un verre. Déco intérieure feutrée. Belle époque ou grand siècle contemporain.

🍷 *Hannax Al Babal (plan II, C1-2, 89)* : Caballeros. Une ancienne enceinte médiévale est encore visible dans ce bar de plusieurs étages. C'est l'adresse branchée de la jet-set valencienne. Ambiance à thèmes certains soirs, genre drag-queens et claudettes très peu habillées, avec perruques de toutes les couleurs. Musique très sourde et très jungle, devient boîte en fin de soirée... ou plutôt au petit matin. Une *bodeguita del Medio* de fortune a été aménagée sur une mezzanine en, entrant sur la gauche. Avis aux amateurs de *Cuba libre* ou de *Mojitos*. Un classique qui tient ses promesses.

🍷 *El Carmen Sui Generis (plan II, C1-2, 90)* : à l'angle de la calle Caballeros, 38 et de la plaza San Jaime, 9. ☎ 963- 2-52-73. Ouvert à partir de 19 h. Cet ancien palais du XVIIIe siècle, renfermant un mur arabe du XIe, a fait l'objet d'une très attentive restauration. Les briques se marient à la perfection avec le verre et les bois rougeâtres style acajou. Ce n'est pas l'endroit pour venir se taper sur l'épaule avec de vieux copains mais plutôt avec un(e) compagnon(ne). Parfois quelques *mixes*, au gré des humeurs.

🍷 *Jimmy Glass Jazz (plan II, C1, 91)* : calle Baja. Une originalité dans le PBV (le Paysage Baresque Valencien) : un bar où l'on distille savamment le jazz. Quelques bœufs et lives dans une atmosphère bleue très reposante. Petit billard, atmosphère enfumée, bref un bar sorti tout droit d'un polar.

🍷 *Finnegan's of Dublin (plan II, C2, 93)* : un bar bondé en fin de semaine sur la plaza de la Reina, qui, saturée par les autobus pendant la journée, devient tranquille et agréable la nuit. Ambiance évidemment irlandaise, bat-flanc en bois sombre et vitraux découpent la salle. Une bonne adresse pour les amateurs de bière.

Dans le quartier de Juan Llorens *(plan I, A3)*

Le rendez-vous des jeunes qui sont lassés d'El Carmen.

🍷 *Havana Club (plan II, A3, 95)* : Juan Llorens, 41. ☎ 963-84-38-40. Fermé les dimanche soir et lundi. Espace luxueux et concerts chaque jeudi soir. Ambiance keep cool, funky, soul, acid jazz en début de soirée tandis que, à l'heure où l'ambiance commence à monter, les rythmes latinos prennent le pas. Pour les amoureux de la salsa, on y distribue gratuitement *Salsa noticias*, qui résume tous les bons plans de la semaine en matière de... salsa (gagné !). Ambiance vraiment sympa et bon accueil.

🍷 *Carioca (plan II, A3, 96)* : Juan Llorens, 52. Ici, les « carioquettes » sont soit carrossées comme des joueurs de rugby – ce qui ne vous donne pas trop envie d'aller les chatouiller –, soit de jolies métisses. Quoi qu'il en soit, la déco du bar ne peut vous laisser indifférent(e). Couleurs flashy en veux-tu en voilà. Colonnes tronquées dans lesquelles s'insèrent des masques. Comme un peu partout, il y a des soirées à thèmes. On y célèbre entre autres une *happy hippy year* (!). Musique et *agua de Valencia* (subtil mélange de jus d'orange, de vodka, de cointreau et de champagne).

Dans le quartier de Malvarossa

À côté du port, donnant directement sur la plage de Malvarossa qui lui a donné son nom, ce quartier est souvent animé le week-end et l'été. Durant l'année, il est réduit à la calle Eugenia Vines sur laquelle s'étalent de nombreux bars sans originalité. L'été, la rue est vraiment fréquentée puisque se montent de nombreux bars en plein air. Des sonos un peu partout font sortir en pleine rue les fêtards de leur boîte.

En vrac, voici quelques lieux qui ouvrent de manière temporaire, en majeure partie l'été : *Akualera, Caballito de Mar.*

Les boîtes

♪ *Los Jardines del Real (plan II, D1)* accueillent une boîte assez yuppy. Comme partout ailleurs quelques fêtes improvisées se transforment en *raves*. Sachez vous renseigner auprès des boutiques de fringues et de disques.

♪ *Venial (plan II, B2, 98) :* calle de Quart. Entrée chère : 9 € (59 F). Inutile d'arriver avant 3 h du mat'. La seule boîte du centre, en théorie pour les gays mais ouverte au reste des noctambules. Service d'ordre complètement abruti, mieux vaut le savoir avant d'y aller.

♪ *La Calcatta (plan II, C2, 99) :* Reloj Viejo, 4. ☎ 669-42-67-27. Fermé du dimanche au jeudi et en août. Éviter d'y arriver avant 1 h du matin. Un vieil escalier en pierre menant à l'étage fait de cette boîte à patio central un ensemble sympa. Entrée libre, ce n'est qu'à la fin que l'on paie ses consos.

♪ *El Gran Caimán (plan II, B4, 100) :* Convento de Jerusalém, 55. ☎ 963-42-34-62. Du mercredi au dimanche, de 23 h 30 à 6 h. Pas la peine d'aller dans cette boîte salsa, mambo, *merengue* avant 2 h. C'est à partir de ce moment que les clients des bars d'El Carmen émigrent pour s'endiabler au son de la musique caraïbe. Droit d'entrée bon marché. Bonne ambiance, assez bondé avec les grands musclés émigrés des Caraïbes qui tentent de s'y ressourcer. La salle n'est pas terrible mais l'ambiance est très chaude.

♪ *Woody (plan III, B1, 101) :* Menéndez y Pelayo, 25. ☎ 963-85-61. Façade immanquable en néon rose et bleu sur 2 étages, très jeune et pas franchement transcendant à l'intérieur, excepté peut-être la scénette en inox et la déco, qui paraît ne pas avoir changé depuis des lustres.

Enfin... pour les adeptes de la techno

Valence est reconnue pour sa techno *(bacalao)*. Donc, après avoir fait la route des fruits de mer la journée, si vous êtes tenté par les transes nocturnes vous pourrez faire celle du *bacalao*.

– En direction del Saler, une dizaine de boîtes telles que **Chocolate, Sound Factory** et **The Face** (à Pinedo), **Resaca** (à Saler), **99 Calamares** (sur la plage de Pinedo) (pour les plus connues) distillent un martèlement assourdissant de basses pour les non-initiés élevés au Bob Dylan. En milieu de nuit, certaines boîtes affrètent des bus gratuits (généralement au départ des pubs de Canovas ou de la gare).

Loisirs

– On retrouve dans le *Valencia Semanal* (un peu plus de 1 €, soit 7 F) une bonne sélection de l'actualité culturelle, de la galerie d'art au concert, sans pubs ni blabla. Chaque vendredi, un dossier thématique écrit à la fois en valencien et en castillan. *Que y Donde* paraît, lui, tous les lundis. Synthèse moins travaillée que le précédent sur l'actualité cinématographique, les théâtres, les concerts et expositions, etc. Plus *underground*, la *Túria* vous donne les meilleurs plans de la vie nocturne de Valence.

Cinémas

■ Si la nostalgie du français se fait sentir ou si vous préférez tout simplement les films en version originale, rendez-vous à la *Filmoteca de la Generalidad Valenciana* (dans l'édificio Rialto, plaza del Ayunta-miento, 17; *plan II, C3),* où vous pourrez voir de nombreux films en v.o., plutôt dans un style d'art et d'essai. ☎ 963-51-23-36. Entrée presque symbolique (moins de 2 € ou 13 F).

Salles conventionnelles

■ *Babel :* calle Vicente Sancho Tello, 10. ☎ 963-62-67-95.
■ *Albatros :* plaza Fray Luis Colomer, 4. ☎ 963-93-26-77.

■ *Aragón :* avenida del Puerto, 1. ☎ 963-37-12-11.
■ *Metropol :* calle Hernán Cortés, 9. ☎ 963-51-53-38.

Certains programment des films en v.o. Les séances commencent en général vers les 16 h. En moyenne une place est facturée 4 à 5 € (26 à 33 F); tarif réduit à moins de 2 € (13 F).

À voir

★ *La cathédrale (plan II, C2, 110) :* shorts en principe interdits. Elle succéda à une mosquée. Commencée au XIIIe siècle, achevée au XVe en style gothique, puis profondément remaniée au XVIIIe. Ça lui donne de l'extérieur un air bizarre. Côté calle de Palau, on découvre un porche roman, plaza de Virgen un portail gothique, et plaza de Zaragoza une superbe façade baroque (maquette en bronze devant la cathédrale pour les aveugles). À côté, *la Micalet,* une haute tour gothique dont nous vous recommandons vivement l'ascension (de 10 h à 13 h et de 16 h à 19 h) pour découvrir le plan en croix de l'édifice, ses élégants clochetons en tuile vernissée bleue et la vue sur la vieille ville. Droit d'entrée modique.

À l'intérieur, à la croisée du transept, élégante tour-lanterne avec fenêtres gothiques. Voir la *chapelle du Saint-Graal,* ancienne salle capitulaire. Magnifique haut-relief Renaissance, d'un gothique fleuri d'une grande richesse, encadrant le calice dans lequel le Christ aurait bu la nuit de la Cène. De là, on accède au *musée de la Cathédrale.* Ouvert de 10 h à 14 h et de 16 h 30 à 18 h; le samedi, de 10 h à 13 h. Fermé les dimanche et jours fériés. Entrée : un peu plus de 1 € (7 F). Nombreux primitifs religieux, belle statuaire, riches custodes et ostensoirs, incunables, deux Goya superbes, etc.

– Devant la puerta de Los Apostoles, tous les jeudis à 12 h précises, se tient le *Tribunal de las Aguas.* Depuis le Moyen Âge, dans un petit cercle fermé par une barrière, les syndics des huit canaux de la Huerta se réunissent pour discuter des problèmes et litiges nés de la distribution des eaux d'irrigation. Ils portent la blouse noire des paysans de la région et sont élus par leurs collègues pour un mandat de deux ans. En période d'abondance, il y a peu de conflits. Cependant, lorsque la sécheresse sévit, chacun ne peut utiliser l'eau que proportionnellement à la superficie de ses terres. Tout contrevenant à cet usage peut être dénoncé (y compris un juge lui-même) et convoqué au tribunal du jeudi. Les syndics discutent alors de la validité de la plainte, de l'importance de l'infraction et de la sévérité de la sanction. Tout jugement est verbal, rien n'est écrit. Après délibération, le président rend la sentence, qui est sans appel. Nous conseillons à nos lecteurs d'être à l'heure, car il arrive souvent qu'il n'y ait pas de litiges et la séance ne dure dans ce cas que quelques minutes.

★ Aux abords immédiats de la cathédrale, **basilique de la Virgen de los Desemparados**, qui abrite la statue de la patronne de la ville. Coupole peinte du XVIIIᵉ siècle.

En suivant la carrer de Palau, le **palacio de los Almirantes de Aragón** propose un superbe patio avec un gracieux puits. Les amateurs de belles demeures seigneuriales arpenteront d'ailleurs la **carrer dels Cavallers** (calle de los Caballeros).

Calle Abadia, **église San Nicolás,** l'une des plus anciennes de Valence. Peintures, retable, etc.

★ **El palacio de la Generalidad** (plan II, C1, 111) : de l'autre côté de la plaza de la Virgen. Entrée calle de los Caballeros, 2. En principe, visite de 9 h à 14 h du lundi au vendredi ; mais, en fait, il vaut mieux prendre rendez-vous : ☎ 963-86-34-61. Il possède l'une des plus belles cours gothiques de la ville. Sala Dorada avec un plafond doré à caissons de la Renaissance. Intéressant salón de Cortes, typique du XVIIᵉ siècle espagnol. En face s'élève le palais du marquis de la Scala.

★ **La Lonja** (plan II, C2, 112) : plaza del Mercado. Ouvert du mardi au vendredi de 9 h à 14 h et de 16 h à 18 h, et les samedi et dimanche de 9 h à 13 h 30. Fermé le lundi. Entrée gratuite. Ancienne bourse des marchands de soie, construite au XVᵉ siècle dans un style gothique flamboyant superbe ; architecture intérieure d'une rare élégance, avec colonnes torsadées éclatant en arches raffinées. Superbe.

En vis-à-vis, l'imposante façade de style baroque italien de l'*église des Santos Juanes* et le marché central, immense monument de fer de la période moderniste. L'ensemble produit une composition tout à fait pittoresque. C'est ici qu'a lieu, pendant les trois semaines précédant les Fallas, la fameuse exposition des *ninots* (entrée payante pendant l'expo).

★ **Le Musée national de la Céramique Gonzalez Martí** (plan II, C2, 113) : Rinconada de Garcia Sanchis. ☎ 963-51-63-92. Petite rue qui donne dans la carrer del Poeta Querol. Ouvert du mardi au samedi de 10 h à 14 h et de 16 h à 18 h et le dimanche matin. Fermé le lundi. Gratuit pour les moins de 21 ans. Le musée occupe l'ancien palacio du marquis de dos Aguas. Façade géniale, sommet du rococo délirant (l'artiste mourut d'ailleurs fou).

Des Ibères à nos jours, superbes collections de céramiques sous toutes les formes. On admirera surtout la gracieuse céramique populaire de Manises. Au rez-de-chaussée, pavements d'*azulejos* valenciens du XVIIᵉ siècle, scènes de la vie champêtre en fresques de céramique, etc. Au 1ᵉʳ étage, remarquer la belle céramique catalane ou religieuse, les tableaux de personnages ou métiers populaires. Au passage, un mobilier complètement kitsch avec pieds en porcelaine ornés d'angelots. Au 2ᵉ étage, superbe cuisine valencienne reconstituée. Si vous n'êtes pas trop fatigué, poussez jusqu'aux dernières salles du fond : intéressante expo de caricatures, dessins humoristiques, gravures et eaux-fortes...

★ **Le musée des Beaux-Arts** (plan II, D1, 114) : sur le quai San Pio V. ☎ 963-60-57-93. Entre le pont Trinidad et le pont del Real. Ouvert de 9 h à 14 h et de 16 h à 18 h ; les dimanche, jours fériés et en août, de 9 h à 14 h. Demi-tarif avec la carte d'étudiant française et gratuit avec la carte internationale d'étudiant. L'un des plus beaux musées d'Espagne, installé dans un ancien monastère. À ne pas manquer, surtout pour les primitifs religieux valenciens et les œuvres de la Renaissance. Patio ombragé pour récupérer par grandes chaleurs.

– **Au rez-de-chaussée :** petite section archéologique et un important département de sculpture. Au hasard : un saisissant *Saint Vincent* du XVIᵉ siècle en albâtre, les tripes à l'air ; la statue d'un romantisme échevelé de *Vicente Domenech*, grand héros valencien qui lança le premier cri de révolte contre l'occupation française ; le plâtre original du mausolée d'un torero tué au combat (d'un grand réalisme expressionniste), etc.

– **Au 1er étage :** dans le cadre frais et séduisant du monastère complète-ment rénové (belle pierre sur fond blanc), orgie de retables et triptyques (petits schémas explicatifs des compositions, affûtez votre espagnol). Magnifique *retable de la Puritad* dans une salle au plafond richement sculpté (celui de Fray Bonifaci Ferrer), montrant l'influence italienne dans l'art valen-cien.

Triptyque de Jérôme Bosch, *Los Impropios*, un *Christ* du Greco, etc. Beau-coup d'œuvres de Ribalta, père du ténébrisme en Espagne avec Ribera, dont on peut admirer *Le Martyre de saint Sébastien*, plus Murillo, Morales le Divin et un *Autoportrait* de Vélasquez. Salle consacrée à des Goya majeurs. Les *impresionistas valencianos* du 2e étage ont bien du mal à passer après tant de chefs-d'œuvre. Si ce n'est pas la surdose, grimper au dernier étage pour admirer les quelques dignes exemplaires du style héroïco-mystico-pompier, comme la *Vision del Coloseo,* de José Benlliure Gil.

★ En sortant du musée, on note l'architecture gothique du **puente del Real** *(plan II, D1, 115),* construit au XVIe siècle. Belle perspective sur tous les ponts enjambant le río Túria. D'ailleurs, à propos de ce fleuve, une explica-tion s'impose car, si fleuve il y avait, il n'y a plus, ou, en tout cas, plus en ville. Le cours d'eau aux crues capricieuses se révélait dangereux et gênait souvent la circulation en hiver. Alors on a employé les grands moyens en le détournant depuis le nord-ouest de la ville grâce à un canal passant au sud de Valence. Puis on a asséché le fleuve qui coulait autour des anciennes portes de la ville. Ce sont maintenant des promenades, des terrains de foot et de tennis qui occupent le lit asséché. Ainsi qu'un magnifique palais de la Musique, bel exemple d'architecture moderne parfaitement intégrée. Alors, si l'on vous indique une direction avec pour référence « el río », ne cherchez pas d'eau !

Pour ceux qui ont un peu plus de temps

★ **Le collège du Patriarche** *(plan II, D3, 116) :* carrer de la Nave, 1. ☎ 963-51-41-76. Ouvert tous les jours, de 11 h à 13 h 30 seulement. Droit d'entrée modique.

Ce musée, ancien séminaire du XVIe siècle, propose des œuvres de grande valeur. Cloître d'une architecture raffinée. Vous trouverez ici l'une des plus belles toiles du Greco : *L'Adoration des bergers ;* le *Triptyque de la Passion* de Dick Bouts, et puis Ribalta, Morales le Divin, Jan Gossaert dit Mabuse et de nombreux primitifs valenciens. Dans la chapelle, tapisseries flamandes. Dans l'église attenante, des lecteurs mystiques assisteront à la messe chan-tée du vendredi. Vers 10 h 10, l'admirable *Cène* de Ribalta disparaît du maître-autel pour laisser la place à un crucifix. En face du collège du Patriarche, la vieille université.

★ **Le Musée historique municipal** *(plan II, C3, 117) :* plaza del Ayunta-miento, 1. Dans l'Ayuntamiento. Ouvert de 9 h à 14 h. Fermé les samedi, dimanche et jours fériés.

N'intéressera que les mordus d'histoire. Pas grand-chose, à part quelques objets de valeur historique exceptionnelle : manuscrits rares comme le *Llibre del Consolat del Mar* (livre du tribunal maritime de 1409), la « bannière de la Reconquête » qui flotta sur Valence, après le départ des maures, au XIIIe siè-cle. C'est la *senyara,* la fierté de Valence. On la sort pour les grandes occa-sions, pour l'accrocher au fronton de la mairie. Manœuvre délicate puisque la hampe doit rester absolument droite, car la *senyara* ne s'incline jamais, fierté de Valencien oblige ! Seuls Juan Carlos et Sophie, à l'occasion d'une visite suivant l'intronisation, ont eu droit à une légère inclinaison respec-tueuse, et c'est tout !

★ **Le musée des Fallas** (plan III, A4, **118**) : plaza de Monteolivete, 4. Ouvert du mardi au vendredi de 10 h à 14 h et de 16 h à 19 h et les samedi, dimanche et jours fériés de 10 h à 14 h. Fermé le lundi, en août et l'après-midi en septembre.
Doit déménager depuis longtemps, mais le provisoire semble durer. Ceux qui n'auront pas la chance d'assister aux Fallas, le carnaval de Valence, peuvent s'en faire une petite idée ici. Collections de *ninots* (maquettes des scènes satiriques avec personnages géants ; voir, plus loin, la rubrique « Fêtes : les Fallas »), caricatures époustouflantes qui sont promenées pendant les Fallas et conservées ici depuis des dizaines d'années. D'originales compositions, comme ce char de 1969 : « Peligro de un parte multiple », consacré aux dangers de l'amour trop partagé, ou celui de 1961 sur les joies de la famille. Belle collection d'affiches et de projets de chars.

★ **Le musée d'Art moderne** (IVAM, Instituto Valenciano de Arte Moderno ; plan II, B1, **119**) : gratuit le dimanche. Un musée inauguré il y a peu de temps, consacré aux artistes récents ou contemporains espagnols. Il est divisé en deux sections :
– *Centre Julio González* : calle Guillem de Castro, 118. ☎ 963-86-30-00. Ouvert du mardi au dimanche de 11 h à 20 h. Grand bâtiment très moderne, décoration tout en carrelage blanc. Les œuvres de Julio González et de Pinazo y sont exposées de façon permanente, et on y trouve également de très belles expositions temporaires d'artistes espagnols modernes ou contemporains (Torres García par exemple).
– *Centre del Carme* : calle Museo, 2. Ouvert du mardi au dimanche de 12 h à 14 h 30 et de 16 h 30 à 20 h. Situé dans l'un des cloîtres les plus anciens de la ville. Sa construction remonte au XIIIᵉ siècle. Complètement restauré, il est dédié à la promotion des artistes locaux par des expositions temporaires et donne un aperçu de l'actualité artistique internationale.

★ **Palaú de la Música** (plan III, A3, **120**) : situé entre le pont Aragón et le pont Angel Custodio, ce gigantesque bâtiment construit en 1988 mérite bien son nom de palais. Construit de marbre et de verre, entouré de jardins extraordinaires et rempli de plantes vertes qui lui donnent un air de serre exotique vu de l'extérieur, il prend des allures de palais de conte de fées lorsqu'il est illuminé le soir. De l'intérieur, il est tout aussi exceptionnel. La grande salle ultramoderne dispose d'une acoustique brillante et claire. Les concerts qui y sont donnés bénéficient d'une programmation soignée qui alterne, comme beaucoup d'activités culturelles à Valence, entre de grands concertistes reconnus mondialement et de jeunes artistes espagnols.

★ Nombreuses **églises** dignes d'intérêt comme **Santo Domingo** (plan II, D2, **121** ; plaza de Tetouán), ancienne chapelle des rois. Cloître et salle capitulaire superbes. *San Martín* (carrer San Vicente), bronze flamand du XVᵉ siècle sur la façade, *San Tomás* (plaza San Vicente Ferrer), orgie de baroque, etc.

★ À voir aussi, **Las Reales Atarazanas** (plan III, D3) : plaza de Juan Antonio Benlliure. Juste à côté de l'église Santa Maria del Mar. Ouvert du mardi au samedi de 9 h 30 à 14 h et de 17 h 30 à 21 h, et le dimanche matin. Entrée gratuite. Bel édifice dans lequel se tiennent quelques expos temporaires. Le bâtiment en tant que tel mérite un coup d'œil pour ses *ladrillos* et son toit de forme concave.

★ D'autres **musées** aussi : de la Préhistoire et d'Ethnologie (dans le centre culturel de la Beneficencia ; entrée gratuite), de Paléontologie, de la Tauromachie, maritime, etc. Renseignements à l'office du tourisme.

★ Et puis, il ne faut pas manquer de flâner de-ci, de-là, dans le centre historique. Une réelle atmosphère joyeuse y règne sans cesse. Allez voir la somptueuse **torre de Serrano** (plan II, C1, **123**), la plus belle porte gothique de la ville. À l'ouest du centre, voir également la **Torre de Quart**, qui porte les impacts de balles des troupes napoléoniennes.

★ *CIUDAD DE LAS ARTES Y LAS CIENCIAS* (PLAN III, B4)

Arzobispo Mayoral, 14-2. ● www.cac.es ●
À la périphérie sud de la ville, près de la sortie d'autoroute El Saler. Bus n°s 13, 14 et 15.

Santiago Calatrava : l'enfant du pays

C'est jusqu'ici le projet le plus important de la carrière de l'architecte Santiago Calatrava. Cet enfant du pays, né en 1951 à Benimanet, se distingue par une recherche de l'élégance *via* une étude systématique de la géométrie. Son parcours d'étudiant l'a mené jusqu'en Suisse où il a reçu son diplôme. Ce fils spirituel du Corbusier cherche l'inspiration dans la nature, mariant formes épurées et dépouillement très... scandinave. On lui doit notamment une belle brochette de ponts, dont les tabliers sont souvent tenus par de graciles haubans. Il est également à l'origine de la gare de Lyon Satolas, du Pavillon du Koweit lors de l'Expo de Séville, de la rue couverte de la BCE à Toronto, d'éléments décoratifs de l'église Saint John The Divine de New York, et enfin de l'auditorium de Tenerife. Comme couronnement de cette fécondité, au mois de mai 2000, Calatrava a reçu l'une des plus prestigieuses récompenses de la péninsule : le *prix Principe de Asturias* pour les Arts.

Étendue

Placer ce parc sur l'ancien cours du río Túria, c'est jouer avec deux concepts. D'une part, éviter la périphérisation de ces quartiers jadis coupés du port par des usines désaffectées. D'autre part, utiliser les reliquats du Xuquer pour transmettre l'idée de « fleuve de la connaissance ». La Cité des Arts et des Sciences sera à Valence ce que le Guggenheim a été pour Bilbao. Placer la ville sur la carte de l'Europe et enfin l'intégrer dans l'Espagne moderne (le foot a déjà fait beaucoup). Quatre ans auront été nécessaires entre la formulation du projet et la pose de la première pierre. L'ensemble de la cité ne sera ouvert qu'en 2002 lorsque le palais des Arts sera définitivement achevé.
C'est donc sur plus de 350 000 m² que Calatrava a articulé son projet. Sorte de ville futuriste dans la ville, la Cité des Arts et des Sciences est composée de quatre bâtiments : l'Hemisfèric et le musée des Sciences Príncipe Felipe (tous deux déjà ouverts), le Palais des Arts et l'Oceanogràfic.

★ *El Hemisfèric :* ☎ 902-10-00-31. Réservations : ☎ 963-99-55-77. Ouvert du lundi au vendredi de 10 h 30 à 21 h 30 (minuit le vendredi), le samedi de 12 h à minuit et le dimanche de midi à 21 h 30. Entrée individuelle : environ 7 € (46 F) par séance ; réductions pour les étudiants, les moins de 12 ans, etc., sauf les dimanches et jours fériés. On peut retrouver le programme des films dans les dernières pages du *Pais*, du *Mundo* ou du *Levante*.
L'Hemisfèric est la seule salle en Europe capable de combiner show laser, planétarium et films de technologie Imax. Ce ciné, le plus petit bâtiment de la cité, a malicieusement la forme d'un œil. Ses paupières (un quart de cercle composé de vitres et d'armatures en fer blanc) reposent sur un lac artificiel et peuvent se replier sur elles-mêmes en l'espace de vingt minutes. L'illusion est du meilleur effet puisqu'elles laissent alors apercevoir le bâtiment qui renferme la salle, une boule recouverte de petits morceaux de céramique blanche collés par des joints. Son écran concave de 900 m (un chouia moins grand que la Géode) vous permet de frissonner bien assis sur un plan incliné à 30°. Quatre langues permettent d'apprécier les films et spectacles. Avant de ressortir, allez faire un tour sur le côté droit de la salle. On peut y voir la

machinerie. Les bobines sont tellement grandes qu'on les déplace sur des chariots élévateurs !

★ *Le musée des Sciences Príncipe Felipe :* ouvert du lundi au jeudi de 10 h à 20 h, et du vendredi au dimanche de 10 h à 21 h. Entrée : 6 € (39 F) pour la journée, tarifs réduits.
Imposante construction de 41 000 m. Défie les plus grands musées scientifiques avec sa hauteur de plafond hallucinante. Sa façade alvéolée en béton blanc diffuse une douce lumière. On dirait une gigantesque cascade de verre. Les expos sont assez décevantes malgré un comité de prix Nobel censé transmettre les découvertes de la science.

★ *El Palacio de las Artes :* à l'heure où nous imprimons, les derniers fers à béton sortent de terre. À l'heure où vous lirez ces lignes, les premiers visiteurs entreront sûrement dans le bâtiment.

★ *Le parc Océanographique :* une resucée du parc océanographique de Lisbonne inauguré lors de l'Expo 1998. Le parc travaillera le thème des mers du globe. On déclinera faune et flore en fonction du milieu (polaire, tropical, méditerranéen, atlantique).

Fêtes : les *Fallas*

C'est le grand, grand événement de Valence. Elles attirent chaque année plusieurs millions de visiteurs et se déroulent toujours la semaine précédant le 19 mars, fête de saint Joseph. Un conseil d'amis, prévoyez TRÈS longtemps à l'avance votre logement car les hôtels sont très rapidement bondés. Deuxième tuyau, venez en bus ou en train car durant toute une semaine le centre de Valence est proscrit à toute autre circulation que celle des bus. Côté pratique et avant de partir, vous retrouverez le programme des festivités sur le site Internet de l'office du tourisme ● www.espagne.infotourisme. com ● Sur place, les suppléments des journaux locaux (*El levante, El Mercantil Valenciano, las Provincias* et *El Pais*) publient un plan très pratique sur les différentes *fallas*, leur emplacement, la catégorie de compétition, l'artiste fallero... Enfin, les sponsors officiels de la manifestation publient généralement des petits plans de poche disponibles gratuitement dans les nombreux bars et les bureaux de l'office du tourisme.

Origines

Les origines de cette fête populaire sont un peu confuses. On a coutume de rappeler qu'au XVIIIe siècle, menuisiers et charpentiers bâtissaient un grand portant sur lequel ils plaçaient des lampes pour éclairer leurs ateliers. Le printemps venu et les jours rallongeant, portants, copeaux et chutes de bois finissaient dans les flammes le jour de la fête de leur saint patron. De là à habiller les portants et à en faire des caricatures, il n'y avait qu'un pas... On n'est pourtant pas sûr de cette provenance car, malgré les tentatives de la papauté d'éradiquer les formes de paganisme, la coutume veut que dans de nombreuses régions d'Europe, on allume des feux de joie entre le dimanche de Carême et le samedi de la Gloire. C'est le cas dans la communauté valencienne, en Catalogne et aux Baléares, où l'on brûlait des personnages de paille pendant le Carême pour disperser les maux qui pouvaient toucher les animaux et les hommes, et surtout écarter la superstition et les sorcelleries. Arrivée avec ceux qui repeuplèrent la région au XIIIe siècle, la tradition se serait transmise jusqu'à la fin du XIXe. La satire en valencien, quant à elle, et selon de rigoureux historiens, serait le seul outil, craint par les puissants, que le peuple aurait en main pour affirmer son caractère propre. Aussi sérieux qu'une catéchèse, le rire sert autant à dédramatiser qu'à dénoncer la réalité. Et c'est ce dernier point qui justement gêne un peu aux entournures.

En 1885, les « concejales » de Valence tentent de supprimer cette fête « inculte et impropre dans une capitale sérieuse et de premier ordre »...! La dictature n'a pas non plus loupé l'occasion d'y mettre un terme. Croyant la rue à eux, les franquistes, *via* leur archevêque, ont cherché à congeler la fête en la ramenant à une vulgaire expression folklorique.

Ninots et *casals*

Les Fallas ne sont pas une fête mais plusieurs événements s'imbriquant les uns dans les autres. Tout débute dans les quartiers de la ville, qui s'organisent en commissions *(falleras)*. Celles-ci siègent dans quelques-unes des 300 *casals* dénombrés par la *Junta Fallera de Valencia*, l'organisme qui coordonne l'ensemble de la fête. Ce ne sont ni plus ni moins que des associations de quartier où l'on se réunit, aujourd'hui pour voir un match de foot, demain pour organiser un bal... bref, à chaque fois qu'une occasion de boire un coup se présente. Et c'est souvent ainsi que la commission définit le thème éponyme qu'elle portera jusque dans les flammes. Une fois les instructions données sur le *boceto* (une esquisse), l'artiste fallero réalise une maquette à l'échelle 1/20. Pour remporter le concours, certaines commissions n'hésitent pas à mobiliser des sommes colossales, pouvant atteindre les 32 millions de pesetas !... Tous n'ont cependant pas un tel budget pour se payer un artiste et les plus modestes devront mettre directement la main à la pâte. Pour l'édition 2000, la Junta dénombrait 456 *fallas* réparties sur 7 catégories, de la section spéciale (la plus en vogue) dotée d'une récompense de 3 millions de pesetas (120 000 F, soit 18 293,90 €), à la septième et dernière catégorie qui « rapportait » seulement 20 000 pesettes (800 F, soit 122 €) à ses auteurs. Il va sans dire que beaucoup ne rentrent pas dans leurs frais et recourent de plus en plus au sponsoring.

On reconnaît toutefois rapidement les *ninots* dressés par des professionnels. Ceux qui soignent avec une application quasi maniaque la plasticité des visages, le drapé des étoffes, les dentelles des frises et des pilastres. Leurs compositions, des catafalques géants pouvant atteindre plus de 15 m de haut, semblent issues des cerveaux des plus malicieux cartoonistes. Jusqu'à la *plantá*, le jour où toutes les pièces sont unies, le ninot est saucissonné dans un atelier au dehors de la ville. Au détour d'une place, au croisement d'une rue, vous entendrez sûrement les initiés commenter l'évolution des figures, des styles et des textures utilisées. Si jadis le bois et le plâtre faisaient la part belle aux composants, aujourd'hui la fibre de verre, le polyester et autre matériaux synthétiques viennent alléger les structures en facilitant par la même occasion leur élévation.

Artistes *falleros*

Traditionnellement, l'attention se porte sur le match légendaire : Na Jordana vs El Pilar. Les deux quartiers qui vénèrent la création et s'arrachent les Julio Monterrubio et Miguel Santaeulalia ou autres Paco López Albert, Juan Carlos Molés. Aucune censure n'existe, et les artistes s'en donnent à cœur joie ! On a vu la mairesse de Valence, Rita Barberá, à quatre pattes habillée de pied en cape en sado-maso se faire fouetter par Jordi Pujol... Mais les thèmes traités ne sont pas tous sexuels, loin s'en faut. On a vu également une critique acerbe des filles anorexiques, les mutants que nous prépare l'environnement ou encore le « Jesus Harem » du quartier de Jerusalem... en somme, plein d'occas' de se bidonner. Chaque édifice est « sous-titré » de petits commentaires indiquant aux passants les intentions de la commission. À son pied se trouve une *falla* infantile pour que tout le monde y trouve son compte. Contrairement à ce que l'on pourrait croire, être artiste fallero n'est pas de tout repos. D'ailleurs, beaucoup quittent l'Espagne et se laissent charmer par les sirènes du show biz' hollywoodien. On se plaît à citer l'enfant du pays, Regino Mas, un des plus célèbres artistes falleros, qui a monté des décors de films comme *La Chute de l'Empire romain, La Bataille des Ardennes,* ou a mis sa patte dans ceux des casinos de Las Vegas.

Falleras

Mais les Fallas ne seraient rien sans les *falleras* (âaaahhh ! les falleras !) qui, durant une semaine, se livrent à des processions dignes des plus prestigieux marathons. Quelques mois avant le début de la fête, chaque commission présente la plus gracieuse de ses jeunes filles, qui s'entoure d'une cour de donzelles froufroutantes. Comme pour les *fallas,* la commission se livre au même exercice avec une fillette d'une dizaine d'années. L'assemblée des présidents des commissions élira la Fallera Mayor, la Fallera Mayor Infantil... sans l'aide de Mme de Fontenay. Les heureuses élues deviennent alors illico presto les ambassadrices des Fallas de Valence.
Habillées à la mode du XVIIIe siècle, à mi-chemin entre la Dama de Elche et la Pompadour, toutes cherchent (évidemment) à éblouir et à rivaliser d'atours grâce à une toilette atteignant des sommes délirantes. On estime que les *falleras mayores* déboursent entre 1,5 et 2 millions de pesettas en tissus pour leurs robes de soie, parure de bijoux, peignes en or et mantilles. L'*espolín,* ce fin tissu de soie brodé, représente l'un des gouffres du budget. Les moins exigeantes achèteront un tissu industriel mais les plus pointilleuses commanderont auprès du tailleur le motif d'une toile de soie fabriqué essentiellement à la main à raison de 20 cm par jour ! Attention, ce n'est pas terminé, la *fallera* devra également ajouter sur l'ardoise les services d'un cameraman ou d'un photographe, ainsi que le repas qu'elle offrira à la commission dans un restaurant plus ou moins sélect de la ville. Mais ces belles d'une semaine sont si fières d'assumer une telle charge qui les fait côtoyer la crème de la ville... D'ailleurs, nombreuses sont celles qui profitent de leur « règne » pour nouer des contacts avec le monde du travail. Si la charge aurait tendance à perdre du prestige, beaucoup finissent tout de même journalistes, voire dans de rares cas, à l'instar de Sandra Clement, chef de cabinet du président de la Generalitad...

Mascletà

Comme pour tirer du lit les derniers flemmards, vers quatorze heures a lieu la *mascletà,* du nom du masclet, le plus gros des pétards. Toute la matinée, on peut observer des artificiers professionnels, commandités par les commissions, tirer des cordes entre les arbres sur des dizaines de mètres, y accrocher des charges (les *carcasses*) enrubannées comme des bonbons dans des étuis de couleur. Puis, avant le déjeuner, après quelques *broncas* et sifflets, la *fallera mayor* allume la première mèche. Trois coups de semonce préparent les écoutilles des spectateurs et ouvrent le bal des déflagrations. À partir de ce moment, comme une vieille maison dans l'œil du cyclone, la ville se met à craquer de toutes parts. Venant se mêler à l'odeur des beignets *(buñuelos),* les rues s'enveloppent dans une écharpe suffocante de soufre, de poudre et de fumée. Attention, quand on parle de pétards, c'est du sérieux. Rien à voir avec nos petits pétards du 14 juillet ! Pour ceux qui ne seraient pas convaincus, lors de la *mascletà* de la plaza del Ayuntamiento, près de 120 kg d'explosifs partent en fumée... Les *aficionados* soutiennent que d'un jour à l'autre les *mascletàs* ne se ressemblent pas. Les artificiers jouent avec la fréquence, la couleur de la fumée, la puissance des déflagrations, la hauteur des fusées, autant de nuances qu'un artiste compose sur son tableau.

Toros

Préférant les toreros dans un autre cadre, les opérettes, on renvoie les *aficionados* aux journaux spécialisés pour la *Feria de Fallas*. Quelques points forts toutefois. Le *sorteo* a généralement lieu à 12 h. Dans les alentours de la plaza de Toros, on peut trouver de nombreuses tavernes taurines *(El Café Gaón, El Raim, El Club Taurino)* où vous retrouverez des passionnés. Pour ceux voulant jouer les groupies, les toreros descendent généralement à l'hotel *Astoria*, au *Valencia Palace*, au *Rey Don Jaime* et au *Reina Victoria*. Attention, il n'y a jamais, entre le troisième et le quatrième taureau, de *merienda* à la Feria de Fallas contrairement à la Feria de Juillet. Bah, oui... le soleil est encore clément. Enfin, pour ceux souhaitant se livrer à un commentaire sur les différentes *faenas* de *novilleros* et *matadores,* les initiés se retrouvent souvent pour une *tertulia* finale à l'*Astoria* (évidemment), à l'association *De tinto et oro* (calle Julio Antonio) et à l'*hôtel Don Jaime.*

Feux d'artifices et *Cremà*

Tous les soirs à partir de minuit, grand feu d'artifesse sur l'ancien cours du río Túria. Les « oh, la belle bleue » et « waouh, la belle rouge » sont tirées chaque soir par une entreprise différente qui s'en sert comme d'une vitrine pour ses nouveaux produits. On cache généralement les budgets de tels tirs. Mais pour vous donner une idée, un audit a été mené par les opposants aux Fallas (oui, il y en a). Le coût général des Fallas est de 40 milliards de pesetas, dont 222 millions en poudre (*mascletà* et feux d'artifice).

Le soir du 19 mars, toutes les fallas terminent dans le feu (*cremà*). C'est l'occasion de pleurs pour les Falleras, qui voient leur règne s'éteindre dans les flammes et le travail des orfèvres de la construction détruit en quelques instants.

Comment bien vivre les *fallas*?

– Pour ceux qui ne peuvent assister à la semaine « S » aux Fallas : du 1er au 19 mars se tient sur la place de l'Ayuntamiento une *mascletà*. De la même manière, un mois avant la *plantà,* une exposition des *ninots* de l'année a lieu dans le sous-sol du marché de Ruzafa.

– Pour entrer au cœur des Fallas, il faut savoir se concilier les bonnes grâces des *falleros*. Pointez-vous dans un *casal* et cherchez à faire ami-ami avec l'un des membres. En demandant, par exemple, le programme des processions. En théorie, il est affiché à l'entrée, mais faites comme si vous ne le saviez pas. Ce n'est pas un exercice très difficile car généralement, on dresse une grande table dans la rue sur laquelle dînent *falleros,* musiciens, artificiers...

– Pour les *mascletàs,* rien ne sert d'aller à celle de la plaza del Ayuntamiento sous prétexte qu'elle est impressionnante. Une *mascletà* de quartier coincée entre les arbres d'une petite rue fait autant de raffut, si ce n'est plus...

– Suite à quelques accidents, les enfants doivent acheter leurs pétards dans des boutiques autorisées et accompagnés de leurs parents. Néanmoins, après une *mascletà* de quartier, avec ou sans enfants, redoublez de prudence. Il arrive que quelques *carcasses* n'aient pas explosé. Malgré les vérifications des artificiers, on a vu des adolescents faire sauter des plaques d'égouts... Soyez vigilant !

– Pour les feux d'artifesse, les zones les mieux desservies se trouvent sur le paseo de la Ciudadela, le puente de Mar, la plaza de America, le puente Aragón et le paseo de la Alameda *(plan II, A2)*.

– Un petit truc : les *falleras* de Valence ont toujours un collier, c'est à cela qu'on les différencie de leurs cousines d'Alicante, Castellón ou même des Canaries.

VALENCE

– Si vous avez besoin de confier vos oreilles à des professionnels, une série de concerts gratuits accueillent chaque soir de la semaine les badauds. Généralement, ils se tiennent aux *Jardines de Viveros*. Renseignements à l'office du tourisme.

– Tous les deux ans la *Generalitat de Valencia* organise de juin à septembre une **biennale**. Un grand rendez-vous pour les amateurs d'art contemporain. Les lieux d'expo varient d'une édition sur l'autre : l'Almudé, les Atarazanas...
● www.bienaldevalencia.com ●

– **La Feria de Valencia :** depuis quelques éditions Valence a remis à flots sa *Feria de Julio*. Toute une série de concerts, de feux d'artifice, ponctués par une bataille de fleurs sur l'ancien cours du rio Tutia (généralement fin juillet). Pour ceux qui n'ont pas l'occasion de se rendre aux Fallas, la *Feria* ressemble à une répétition (*ninots* en moins).

Achats

– Le matin, n'hésitez pas à aller vous promener autour de la **plaza del Mercado,** admirer le style résolument rococo des halles, qui rappelle un peu celui des Halles de Baltard. Construite par Alejandro Soler et Francisco Guardia dans les années 1920, c'est, paraît-il, le plus grand marché couvert d'Europe, avec quelque 8 000 m^2. Si vous n'êtes pas convaincu, pénétrez donc à l'intérieur. Profusion en veux-tu en voilà de fruits de mer *(cigalas, rojos, almejas...)*, de fruits et légumes, charcuterie (jambons splendides ; les meilleurs et les plus chers sont à *pata negra* : sabots noirs, encore fichés à l'extrémité de l'os) et volailles qui débordent des étals. C'est aussi là que vous trouverez les plats à paella d'un mètre de diamètre. On sent vraiment ici les anciennes influences mauresques de la ville. Les petites boutiques vendent de tout et de rien. Olives, épices, gourdes côtoient jambons, fromages et céramiques, et rappellent l'ambiance des souks arabes. Bar à tapas **El Central** au fond du hall.

– Le jeudi, vous pouvez aussi vous rendre au **Mercado de Cabanyals** *(plan III, D2, 126)*. On y arrive par le bus n° 32 de la plaza del Ayuntamiento. Mais attention ! N'y allez pas comme des touristes de Miami avec votre Rolex et vos Ray Ban. Quelques vols à la tire et vente à la sauvette. Un peu moins intéressant que le marché central. En fait, ce marché déborde sur les rues adjacentes (Mediterraneo, Rosario). Les prix ne sont pas forcément extraordinaires. Pas mal de fringues et de fripes d'occasion mais pas super originales.

– Sur les rues Avellanes, del Mar et Gravador Esteve, de nombreux **antiquaires** vous proposent quelques pièces rares.

➤ *DANS LES ENVIRONS DE VALENCE*

★ Vous pouvez contacter les guides de *El Palmar* (☎ 961-71-07-14), qui vous commenteront la faune et la flore de *La Albufera* et l'histoire de leur village. 3 à 4 h de visite. En théorie, réservé aux groupes mais si vous les prévenez longtemps à l'avance, ils se mettront en quatre pour vous trouver une place. Pas cher et accueil sympa. Les 15 derniers jours d'août, c'est leurs vacances ; donc, éviter de les réveiller. D'ailleurs, en ce qui concerne la faune, il y a beaucoup plus à voir en automne et au printemps.

QUITTER VALENCE

En bus

🚌 **Estación de Autobuses** *(plan II, A1)* : avenida Ménendez Pidal, 13. ☎ 963-49-72-22. Desserte des principales villes du pays. Le service n'est pas franchement rapide, mais c'est un peu moins cher que le train.

➤ **Pour Barcelone :** environ 9 départs.
➤ **Pour Málaga :** 4 départs.
➤ **Pour Madrid :** 8 départs.
➤ **Pour Murcie :** 5 départs.
➤ **Pour Séville :** 3 départs.

En bateau

⚓ **Estación marítima** *(plan III, D3, 5) :* ☎ 963-67-65-12 (réservations) et 963-67-10-62 (infos). De la station de bus, prendre l'autobus n° 8 jusqu'à la place de l'Ayuntamiento et changer pour le n° 1, 2 ou 3 jusqu'au port. De la gare ferroviaire, prendre le bus n° 19, qui dessert le port.

➤ Départs **pour Ibiza** (6 par semaine), **Palma** (*idem*) et **Minorque** (1 par semaine).

En train

🚆 **Gare RENFE** *(plan II, C4) :* calle Xátiva. ☎ 963-52-02-02. Préférer les trains de nuit, cela permet d'économiser une nuit à l'hôtel (mais cela vous prive aussi du plaisir de voir le paysage). Le *Bono City* permet d'économiser jusqu'à 30 % sur les liaisons entre les grandes villes pour 4 voyages.

➤ **Pour Séville :** 2 trains, plus 1 train de nuit (environ 8 h de trajet).
➤ **Pour Madrid Atocha :** 4 trains (environ 3 h 30 de trajet), 8 dans le sens inverse.
➤ **Pour Játiva** et **Alicante :** 5 trains (environ 2 h).
➤ **Pour Barcelone :** 5 trains. Les plus directs (environ 3 h) sont les TGV *Euromed*.

En avion

✈ **Aéroport de Manises :** pour se rendre à l'aéroport, préférer le train au bus spécial de la gare routière. On évite ainsi les retards systématiques dus aux embouteillages. Départ toutes les heures. Station à 2 mn de l'aéroport. Sinon, le bus n° 52 (jaune) part de la gare routière à heure régulière. Beaucoup moins cher que le taxi. 12 départs environ en semaine (de 6 h à 21 h), un peu moins le samedi. Mais attention, si vous partez un dimanche, vous n'avez aucune autre solution que le taxi. Pas de bus le dimanche ? Drôle d'idée !

En stop

La meilleure solution pour gagner le Sud est de prendre l'autobus pour la plage (El Saler). De là on peut tenter sa chance. Une autre solution consiste à se poster sur la place Manuel Sanchis Garner pour l'autoroute vers Gandía et Alicante.

SAGUNTO
(46500)

Après Valence, il serait dommage de passer à côté de Sagunto, jolie petite ville dominée par une imposante forteresse, dite l'Acropole (carrément !). Située sur les derniers contreforts de la sierra Calderona, elle offre une vue sympa. Le village, d'une part, qui paraît engoncé dans la vallée, et la côte, d'autre part, avec le port et la plage (elle aurait même reçu un prix européen pour sa propreté).

Clef stratégique au nord pour le contrôle de Valence, la prise de Sagunto sera l'une des causes de la deuxième guerre punique entre Rome et Carthage. Longtemps appelée « Murviedro », ce n'est qu'au début du XIXᵉ siècle qu'elle retrouve son appellation antique.

Adresse utile

🛈 *Office du tourisme :* plaza Cronista Chabret. ☎ 962-46-22-13.

Où dormir ? Où manger ?

Il faut absolument éviter de dormir à Sagunto même. Tous les hôtels sont au bord de la N340, et le développement du port et de l'industrie locale vous assure un défilé incessant de poids lourds. Idéal pour une bonne sieste...

🛏 Quelques *pensions* et *hostales* bon marché à Sagunto-Puerto (à 4 km), par ailleurs bien quelconque. 🍽 *Mesón Casa Felipe :* Castillo, 21. ☎ 962-66-38-01. En plein cœur de l'ancien quartier juif. Idéal lorsque l'on redescend du château. Menu autour de 7 € (46 F). Petit resto familial sans prétention. On n'y sert pas la paella des grands soirs, mais il n'empêche qu'elle est quand même bien mangeable. Le week-end, passez réserver une table avant d'aller prendre l'air sur les murailles du château car l'intérieur du resto étant assez exigu, les tables sont vite occupées.

À voir

Toute la vieille ville vaut la balade, avec ses maisons médiévales, les petites places, son quartier juif fait de quelques ruelles et le petit cimetière. Mais l'intérêt va grandissant avec les monuments importants de la ville.

★ *Le château :* ouvert de 10 h à 14 h et de 16 h à 18 h. Fermé le dimanche après-midi et le lundi. Entrée gratuite. Monumentale forteresse de 5 ha dominant la ville. La rue sinueuse qui monte au château est superbe. Dommage que l'intérieur de l'enceinte ne soit pas bien entretenu. Les Ibères, les Maures, les Romains et les architectes du Moyen Âge ont tous mis la main à la pâte pour modifier petit à petit l'Acropole. C'est en 218 av. J.-C. que ce lieu fut le théâtre d'une tragédie incroyable. Alors qu'Hannibal assiégeait depuis 8 mois la forteresse, et que la population sagontine commençait à faiblir, les hommes décidèrent d'allumer un gigantesque brasier dans lequel ils jetèrent tout ce qu'ils possédaient, y compris femmes et enfants, pour s'y jeter ensuite eux-mêmes. Joyeux ! Un petit dépliant distribué à l'entrée permet de se figurer les diverses étapes de construction de la forteresse.

★ *Le théâtre romain :* mêmes horaires que le château. Complètement refait à neuf, c'est le lieu de nombreux concerts d'art lyrique en été. Programme à l'office du tourisme.

★ En redescendant du château, dans le quartier juif, jeter un œil à l'*Ermita de la Sangre* aux tuiles vernissées.

★ *Le temple de Diane :* au pied du coteau, derrière l'église Sainte-Marie (à voir également), il subsiste un énorme mur de 15 m sur 4, vestige d'un temple romain. Noter l'extraordinaire taille des pierres. D'ailleurs, il est intéressant de voir, un peu plus loin sur la gauche, à côté du croquignolet cimetière, comment les Romains ont entamé la colline à force de tailler des blocs de pierre pour leurs différentes constructions.

★ Pour les consciencieux ou les fanas, petit *musée d'Archéologie* à côté du théâtre. Pas bien passionnant toutefois.

PENÍSCOLA (PEÑISCOLA) (12598)

Malgré les premières apparences de désolation totale qu'offrent les quelque 8 km d'immeubles modernes et d'hôtels coincés entre Benicarló et Peníscola, on a tout de même trouvé un intérêt à la vieille ville, située sur son petit presqu'îlot, un peu à l'écart. La promenade de bord de mer, plantée de palmiers, rappelle un peu la Croisette de Cannes. Et puis il ne faut pas oublier que Peníscola est la troisième Cité des papes après Rome et Avignon ! Depuis que Benoît XIII en fit sa terre d'élection.

Enfin, petit détail historique assez rigolo. À lire ou entendre, on s'aperçoit que cette petite ville, comme tant d'autres en Espagne, résista héroïquement aux troupes napoléoniennes et notamment au pauvre général Suchet. Toutes ces fameuses passes d'armes sont censées se dérouler en 1811. Six mois par-ci, un an par-là, neuf mois encore ailleurs. Faites le compte, additionnez toutes ces héroïques résistances à l'ignoble Suchet et vous vous apercevrez que 1811 a au moins duré une bonne dizaine d'années !

Comment y aller ?

En train puis bus ou taxi

➢ *De Valence ou Barcelone :* plusieurs trains par jour. Attention, la gare ne se trouve pas à Peníscola, même si elle en porte le nom. Elle se trouve à 7 km de là, à Benicarló, au-delà de la N340. Prendre donc un bus à cette gare, avec la compagnie *Amsa (Autos Mediterraneo)*, pour rejoindre le centre. Hors saison, ces bus ne circulent pas. Prendre un taxi : ☎ 964-46-05-05, 964-48-96-64 ou 908-66-51-95.

En bus

➢ *De Benicarló et Vinaròs :* avec la compagnie *Amsa.* ☎ 964-22-00-54.
➢ *De Madrid :* avec la compagnie *Auto-Res.* ☎ 964-48-18-88.
➢ *De Saragosse ou Barcelone :* avec la compagnie *Hife.* ☎ 977-44-03-00.

Adresses utiles

🛈 *Office du tourisme :* paseo Marítimo. ☎ 964-48-02-08. Sur le front de mer. Horaires sujets à changements, mais de manière générale, ouvert en été du lundi au samedi de 9 h à 20 h et le dimanche de 10 h à 14 h ; hors saison, du lundi au vendredi de 9 h 30 à 13 h 30 et de 16 h à 19 h, le samedi de 10 h à 13 h et de 16 h à 19 h ; fermé le dimanche.
✉ *Poste :* calle del Río, 13. ☎ 964-48-08-41. Ouvert le matin seulement, de 9 h à 14 h.

■ *Banques :* plusieurs banques sur l'avenue José Antonio. *Banesto, Banco de Valencia* et *Caja Rural* acceptent toutes les cartes.
@ *Internet :* Bowling *La Estación*, à Benicarló.
🚄 *Gare RENFE :* Benicarló. ☎ 964-46-02-12.
■ *Journaux français :* Librería Papelería *París*, avenida José Antonio, 12.
■ *Laverie Rosa Marí :* calle La Cova. ☎ 989-86-79-08.

Compagnies d'autobus

- ■ *Amsa :* ☎ 964-22-00-54.
- ■ *Auto-Res :* ☎ 964-48-18-88.
- ■ *Hife :* ☎ 977-44-03-00.

Où dormir ?

Bon marché

⚑ *Camping Cactus :* avenida Papa Luna, 92. ☎ 964-47-33-38. À 50 m de la plage. Ferme le 30 septembre. Assez excentré (prendre le bus du centre). Camping bon marché, bien ombragé. Les propriétaires sont français. Bons équipements bien entretenus.

⚑ *Camping El Eden :* avenida Papa Luna. ☎ 964-48-05-62 ou 964-48-04-44. Proche du centre et à 50 m de la plage. Ouvert toute l'année. Bien ombragé. C'est le camping le plus coûteux, mais aussi le mieux équipé : piscine, restaurant, supermarché.

Prix moyens

⚑ *Camping Ferrer :* avenida Estación, 27. ☎ 964-48-92-23 et 964-48-14-01. Fax : 964-48-92-23. Fermeture d'octobre à mars. Chambres doubles à 42 € (276 F). Ouvert toute l'année. Le plus proche du centre (à 5 mn à pied), mais aussi le plus éloigné de la plage. Bien ombragé et équipé. Propre. Piscine. Supermarché à proximité. Prix moyens.

▲ *Tío Pepe :* av. José Antonio, 32. ☎ et fax : 964-48-06-40. Situé au centre-ville, à proximité de l'office du tourisme, de la plage (noire de monde), et du *Casco Antiguo*. En juillet, chambres doubles avec salle de bains à 30 € (197 F), petit déjeuner inclus. En août, les mêmes en pension complète sont à 36 € (136 F). Entre le *Ritz* et le *Tío Pepe*, il n'y a pas photo, mais les chambres sont suffisamment spatieuses et propres pour satisfaire les petits budgets.

▲ *Pensión España :* calle San Roque, 15. ☎ 964-48-05-64. Chambres doubles avec salle de bains commune autour de 21 € (138 F) aux couleurs gaies, mais un peu défraîchies.

Un peu plus chic

▲ *Mare Nostrum :* av. Primo de Rivera, 13 (entrée sur la rue Molino). ☎ 964-48-16-26. Plusieurs tarifs, s'échelonnant de 50 € (328 F) pour les chambres doubles sans balcon, à 58 € (380 F) pour celles avec balcon et vue sur la Playa Norte. Petit déjeuner inclus. Nous avons été séduits par le confort et la vue panoramique qu'offrent toutes les chambres, côté plage ou côté port, et l'accueil souriant de Manolita et Paquita. Pour ne rien gâcher, l'hôtel a les pieds dans l'eau, et se trouve à deux pas de la vieille ville. Un bon rapport qualité-prix.

▲ *Chiki :* Mayor, 3. ☎ 964-48-02-84. Chambres avec salle de bains à 45 € (295 F). Tant qu'à séjourner à Peñíscola, autant que ce soit dans le *Casco Antiguo*, seul véritable attrait de la ville à nos yeux. Eh bien voilà, vous y êtes ! Chambres bien tenues, prix raisonnables, parfait... Le seul hic : le doux bruit des cloches qui vous tire de votre sommeil le matin.

Où manger ?

|●| *El Peñon :* calle Santos Martíres, 22. ☎ 964-48-07-16. Dans le *Casco Antiguo*. Menus midi et soir à 5 ou 6 € (33 ou 39 F). Quelques

tables où les commerçants du coin viennent casser la croûte. Enfin un bon resto qui sert de la copieuse *comida casera,* et oublie les sempiternels *platos combinados,* avec à l'appui la photocopie couleur décolorée par le soleil censée vous mettre en appétit. Le jour de notre passage, le débat animé entre le patron et les clients tournait autour du thème : « Comment se prépare une sangria digne de ce nom ? » Ayant visiblement affaire à des spécialistes, nous nous sommes bien gardés d'intervenir...

À voir

★ *Le château :* ☎ 964-48-00-21. ● castillo@dipcas.es ● Horaires très changeants. Aux dernières nouvelles, il est ouvert de 9 h 30 à 13 h et de 15 h 15 à 18 h en hiver ; de 9 h 30 à 14 h 30 et de 16 h 30 à 21 h 30 en été. Entrée : moins de 2 € (13 F). Réductions. Gratuit pour les handicapés et les enfants de moins de 10 ans accompagnés.

Situé sur ce promontoire naturel que représente cette ancienne île, devenue presqu'île par la construction d'une digue ferme et définitive, ce château du XIIIe siècle, construit par les templiers, a dû résister à plusieurs invasions au cours des siècles. Les touristes, beaucoup plus malins, le prennent d'assaut tous les étés.

L'histoire de cette forteresse est surtout liée à l'étonnante destinée du pape Benoît XIII qui fit de Peníscola une ville papale pendant quelques années. En 1378, à la mort de Grégoire XI, eut lieu le grand schisme d'Occident qui vit un pape élu puis destitué à Rome (Urbain VI) et un autre pape élu à Avignon, Clément VII. C'est ce dernier que Pedro de Lunà remplaça en prenant le nom de Benoît XIII. Mais, entre-temps, les choses s'arrangèrent entre Avignon et Rome (1411), et Benoît XIII devint *persona non grata.* Vexé comme un pou, il se retira alors dans sa ville, à Peníscola, pour en faire une troisième Cité des papes. Quelle histoire ! À la mort de Benoît XIII (1423), son remplaçant, Clément VIII, ne tint le coup que quelques mois. C'en était fini de Peníscola ville papale.

Dans le château, aux dires même du gardien, pas grand-chose à découvrir : quelques reliques concernant cette époque agitée. Il est plutôt conseillé d'aller s'y promener le matin ; après c'est l'invasion.

★ Toute *la vieille ville* entourant la forteresse est bien agréable, avec ses ruelles anciennes escarpées et ses promenades aménagées le long des remparts.

★ *L'arrivée des chalutiers* au port (vers 16 h 30) *:* les familles de pêcheurs sautent sur les bateaux pour trier la pêche puis repartent aussi vite la vendre à la criée. Saisissant.

Fêtes

– Les festivités les plus importantes ont lieu dès le 7 septembre pour les *jours de la Vierge.* L'occasion d'organiser un grand bal populaire ponctué d'un somptueux feu d'artifice.

QUITTER PENÍSCOLA

En train

➤ *Pour Tortosa, Tarragone et Barcelone.* Une autre ligne en direction de Castelló de la Plana et Valence : contacter la *RENFE* à Benicarló. ☎ 964-46-02-12.

En bus

Pas de gare routière à proprement parler, mais quelques arrêts d'autobus dans le centre-ville, tous différents en fonction de votre destination. Plus de renseignements à l'office du tourisme.

➤ *Pour Madrid, Saragosse, Benicarló* (connection avec le train de Valence) et *Barcelone* (ligne directe en été).

MORELLA
(12300)

En quittant le morne littoral, on est loin d'imaginer ce qui se cache à une soixante de kilomètres de Vinaros. La route s'enfonce dans un relief qui va crescendo. D'abord, quelques plaines à vaches. Puis, au rythme des cols qui s'enchaînent, la végétation devient plus rase, plus résistante. On n'arrive pas à Morella par hasard. Il faut traverser une contrée où la morsure des rayons du soleil en été n'a rien à envier aux rafales du vent d'hiver. Alors que le manteau de la lande ondule comme les plis d'un tapis, à l'abri des éléments, coincés contre les chênes verts, quelques bergeries et corrals de pierres sèches représentent les rares signes d'occupation humaine. Puis tout d'un coup, tandis que la route n'en finit pas de musarder entre adret et ubac, la roche se fend en deux pour laisser apparaître la majestueuse citadelle de Morella. Un petit joyau qui pétitionne pour être inscrit sur la liste du patrimoine mondial de l'Humanité.

La muraille est certes bien conservée, le château trône fièrement, les églises apparaissent à peine dans le semis de tuiles latines... mais quelques méchantes usines au pied gâchent malheureusement l'harmonie générale. Morella semble avoir grandi trop vite et s'en mord presque les doigts. Quoi qu'il en soit, cette petite citadelle perchée représente une bien belle escapade d'une journée après le cagnard de la côte. C'est déjà ça...

Stationnement

Le cœur de Morella est interdit à la circulation car le centre historique a tout simplement été construit avant l'invention du moteur à explosion. On peut donc se garer auprès des portes Saint-Mathieu et Saint-Miquel. La nuit, on peut même pousser jusqu'à l'intérieur de la ville le long des murailles... mais rappelez-vous, on ne vous a rien dit !

Adresse utile

🅸 *Office du tourisme :* au pied de la tour Sant Miquel. ☎ 964-17-30-32. Ouvert de 10 h à 14 h et de 16 h à 18 h. Accueil un peu sec mais quel-ques bonnes infos, notamment sur les maisons rurales à louer dans les environs.

Où dormir ?

Prix moyens

🛌 *Hostal del Cid :* Porta Sant Mateu, 3. ☎ 964-16-01-25. Compter 31,3 € (205 F) pour une chambre double. Récemment refait à neuf dans un style d'hôtel d'aire d'autoroute. Chambres au volume correct, présentant une harmonie sur les meubles en bois naturel et une débauche de carrelage blanc dans les salles de bains. C'est tout ce qu'on peut lui trouver de bien car, malheureusement, son architecture de cube de béton s'intègre mal dans le paysage.

Plus chic

▲ *Hotel Cardenal Ram :* Cuesta Suñer, 1. ☎ 964-17-30-85. Fax : 964-17-32-18. Compter 51 à 54 € (335 à 355 F) pour une chambre double, petit déj' non compris. Situé dans un édifice cossu, ce petit hôtel a des allures de *Parador* mais malheureusement pas les finitions de la célèbre chaîne. Il accueillit, en son temps, l'anti-pape Benoît XIII et le roi d'Aragon, bien prêts à mettre un terme au grand schisme d'Occident. De l'époque, l'hôtel a gardé un côté rustique qui, à défaut d'offrir un charme ravageur, a néanmoins le mérite de proposer de grandes chambres. Celles offrant une vue sur la vallée sont souvent réservées aux familles car ce sont les seules à pouvoir accueillir des lits supplémentaires. Une bonne opportunité à saisir pour ceux qui peuvent se l'offrir.

Où manger ?

Bon marché

|●| *Casa Pere :* Cuesta Suñer. Juste en face de l'*hôtel Cardenal Ram,* sous les arcades. Compter une poignée de centaines de pesettes ; en tout état de cause, moins de 6 € (39 F). Petit bar sans prétention avec tapas de bon aloi. Le lieu idéal pour une mousse avant de gravir les nombreuses marches du cœur historique.

Prix moyens

|●| *Casa Roque :* Segura Barreda, 8. ☎ 964-16-03-36. Menu dégustation autour de 8 € (52 F). L'une des valeurs sûres de la ville. Le menu offre d'ailleurs un bel échantillonnage de la physionomie culinaire de la *comarca. Embutidos, llonganissas* et, quand la saison s'y prête... des truffes !

À voir

★ *L'église Santa Maria la Major :* on accède au vaisseau central de cette belle église par la porte de la Vierge sur le bas-côté méridional. Avant d'entrer, prendre soin de jeter un œil à celle des Apôtres à droite. Une fois à l'intérieur, on est submergé par la débauche d'ors dégoulinants de l'une des plus belles expressions (aux dires des spécialistes) du gothique valencien. Le maître-autel et le retable soutenu par de belles colonnes torsadées ont été entièrement financés par les familles de Morella. L'ensemble a été totalement rénové. Malheureusement, pour admirer la dentelle de l'architecture il faut se munir de ferraille. Les projecteurs endommageant l'or fin, on a désormais opté pour le minuteur qui offre quelques instants de clinquant à l'édifice.

Le vaisseau central est bizarrement coupé par une tribune gothique dont l'arcature s'appuie sur une jolie rosace. Remarquer également l'escalier partiellement en bois, aux motifs bucolico-pastoraux polis par les caresses des fidèles.

Les grandes orgues sont décorées de motifs du XVIII siècle. Cette imposante construction donne d'ailleurs lieu à des concerts : tous les dimanches mais aussi lors du festival de Morella, au cours duquel de grands pontes de Saint-Germain-l'Auxerrois font même le voyage pour insuffler l'espace d'une partition un peu de vie à l'appareil.

★ Un petit tour sur la ***muraille*** du XIVe siècle, longue de 2,5 km, permet de contempler les contreforts du village. L'édifice mérite le respect : 10 m de haut, 6 portes d'entrée et 14 tours crénelant l'horizon.

Pour ceux qui auraient un peu plus de temps

★ ***Le château*** (à l'état de ruines consolidées), ***l'église*** et ***le couvent de Sant Francesc*** (seuls la salle capitulaire et le cloître sont visibles), ***l'église de Sant Joan.***

Achats

⊛ ***Productos Artesanos José T. Guimera :*** Virgen del Pilar, 27. ☎ 964-17-31-15. Belle brochette et large choix de miel, charcuteries artisanales faites dans la région. Possibilité de rogner un peu sur les prix, ce qui est toujours une bonne nouvelle.

➤ *DANS LES ENVIRONS DE MORELLA*

À voir

★ ***Le sanctuaire de la Balma :*** à une dizaine de kilomètres de Morella se trouve ce sanctuaire enchâssé dans la roche depuis qu'un berger y aurait vu la Vierge. On dit même qu'à l'occasion il retrouva le bras dont il était amputé. Le lieu est l'objet d'une dévotion tout espagnole. Plusieurs robes de mariées, une bonne flopée de prothèses, des milliers de photos et de témoignages... le tout pour se concilier les grâces de ladite Vierge ou pour la remercier. Pèlerinage chaque 8 septembre.

QUITTER MORELLA

L'idéal est d'arriver en voiture à Morella. Sinon, un bus pour Castellón, tôt le matin (7 h 30) et un autre dans l'après-midi (16 h). Depuis Castellón, même topo (7 h 15 et 18 h 10). Départ à côté de l'*hôtel Cid.*

CHULILLA
(46167)

En empruntant la route de Madrid, il suffit de 50 petits kilomètres pour que les plateaux de Castille montrent le bout de leur nez par un paysage qui se dévergonde petit à petit. Aux cultures maraîchères dopées par les engrais succèdent les oliviers plantés dans une terre rouge sang. C'est dans cette nature que se cachent des petits trésors de villages, vers lesquels les Valenciens s'exilent le temps d'un week-end. Il suffit d'ailleurs de comparer un Chulilla du mercredi et un Chulilla du dimanche pour s'en convaincre. Cette petite bourgade, qui s'accroche le long de sa falaise, est surplombée par un magistral dévers qui donne bien du fil à retordre aux grimpeurs. Aussi bizarre que cela puisse paraître, c'est bien le ridicule petit ruisseau coulant au pied du village qui a entaillé ces imposantes parois de roc...

Comment y aller?

Au risque de faire un détour, on vous recommande d'y arriver par la 224 à partir de Requena. La route traverse une belle série de lacets dignes d'un grand prix de rallye et coupe de part en part les sierras del Tejo, de Santa María et de Enmedio.

Où dormir? Où manger? Où boire un verre?

Bon marché

🛏 *Refugio-Albergue El Altico :* pol. 3, parcela 317. ☎ 961-65-70-10. Seule maison sur l'une des deux falaises, c'est LE rendez-vous des grimpeurs. Compter en gros 5 € (33 F) par personne et par jour en dortoir. Possibilité également de camper dans les environs immédiats du bâtiment. Bains à l'extérieur. Le tout est un peu spartiate mais a toutefois le mérite d'offrir de bons prix. Dommage également que le « parc » soit entretenu à la va-comme-j'te-pousse. Possibilité d'y obtenir les topos des voies d'escalade du coin mais aussi de louer un guide pour les *aficionados* de canyoning.

🍽 Plusieurs petits *bars* sur la place principale du village, après les feux intermittents.

Prix moyens

🛏 🍴 *Bar la Rueda* : calle Ermita, 10. ☎ 961-65-70-25. À l'entrée du village, avant la station-service. Fermé le mardi, et de mi-septembre à mi-octobre. Plusieurs appartements à partir de 60 € (395 F) pour 4 personnes (on peut légitimement négocier 30 € (197 F) pour 2. Bien équipés avec cuisine, meubles en bois clair, TV et poêle à bois. Menu rasérénant et copieux autour de 11 € (72 F) : entrée, 2 plats et dessert.

À voir. À faire

★ *Le château forteresse* se campe sur un pic rocheux. Il accueillait au Moyen Âge les prisonniers de l'Inquisition. L'entrée n'est pas évidente à trouver. On y accède par le centre du village, à pied. Une fois derrière l'église, pousser une petite porte de fortune pour pouvoir y entrer.

★ *Le centre du village,* avec sa petite fontaine qui glougloute, revêt un charme certain.

➤ *El Charco Azul :* il s'agit du défilé où se faufile le río Túria. Accessible à pied depuis le centre du village. Entrée fléchée. Les moins courageux descendront la route à gauche après la station-service. Une petite sente chemine sur les bords du lit majeur du río, entre jardins de curés et propriétés. Les grimpeurs peuvent trouver leur bonheur au refuge *El Altico* (voir « Où dormir? »).

➤ Sinon, quelques pistes se situent à proximité de la *Cueva del Tesoro* et la *Cueva del Gollisno.* Dans l'entrée du village, prendre sur la gauche par une route qui descend vers la rivière. Suivre la route sur la gauche et se garer avant le petit pont. La *Cueva del Tesoro* est le grand surplomb qui fait face au château. Compter 15 à 20 mn de marche pour y accéder. Deux voies sur la gauche du surplomb. Équipés de spits (les grimpeurs comprendront). Sur le cours du chemin, dans un cimetière d'arbres, on tombe sur des blocs marqués d'une flèche bleue peinte à la main. C'est la direction pour la *Cueva del Gollisno.* Compter 30 mn de marche. Cette deuxième cueva n'est rien d'autre qu'une petite gorge par laquelle on accède après être passé sur deux rondins instables. 4 voies, deux au nord, deux au sud, à 50 m des rondins. Certaines sont en cours d'équipement. Les flèches continuent sur le haut du plateau qui ressemble à des molaires de cétacés. Si vous trouvez d'autres voies sur le haut du plateau, on vous offre le prochain *Routard* de votre choix...

Le "Best of"
du Routard sur la France

Plus de 4 300 adresses sélectionnées pour :

- *la chaleur de l'accueil*
- *la qualité de la cuisine*
- *le charme du décor et la douceur des prix.*

Une France où il fait bon vivre.

Hachette Tourisme

HANDICAP
INTERNATIONAL

Nous lui fabriquons une prothèse.
Qui fabriquera **ses**
droits ?

3615 HANDICA (1,28 F/min)   www.handicap-international.org

attention
touristes

Le tourisme est en passe de devenir la première industrie mondiale. Ce sont les pays les plus riches qui déterminent la nature de l'activité touristique dont les dégâts humains, sociaux ou écologiques parfois considérables sont essuyés par les pays d'accueil et surtout par leurs peuples indigènes minoritaires. Ceux-ci se trouvent particulièrement exposés: peuples pastoraux du Kenya ou de Tanzanie expropriés pour faire place à des réserves naturelles, terrain de golf construit sur les sites funéraires des Mohawk du Canada, réfugiées karen présentées comme des "femmes-girafes" dans un zoo humain en Thaïlande... Ces situations, parmi tant d'autres, sont inadmissibles. Le tourisme dans les territoires habités ou utilisés par des peuples indigènes ne devrait pas être possible sans leur consentement libre et informé.

Survival s'attache à promouvoir un "tourisme responsable" et appelle les organisateurs de voyages et les touristes à bannir toute forme d'exploitation, de paternalisme et d'humiliation à l'encontre des peuples indigènes.

Soyez vigilants, les peuples indigènes ne sont pas des objets exotiques faisant partie du paysage !

Survival est une organisation mondiale de soutien aux peuples indigènes. Elle défend leur volonté de décider de leur propre avenir et les aide à garantir leur vie, leurs terres et leurs droits fondamentaux.

Survival
pour les peuples
indigènes

Les conseils *nature* du **Routard**

avec la collaboration du **WWF**

Vous avez choisi le Guide du Routard pour partir à la découverte et à la rencontre de pays, de régions et de populations parfois éloignés. Vous allez fréquenter des milieux peut être fragiles, des sites et des paysages uniques, où vivent des espèces animales et végétales menacées.

Nous avons souhaité vous suggérer quelques comportements simples permettant de ne pas remettre en cause l'intégrité du patrimoine naturel et culturel du pays que vous visiterez et d'assurer la pérennité d'une nature que nous souhaitons tous transmettre aux générations futures.

Pour mieux découvrir et respecter les milieux naturels et humains que vous visitez, apprenez à mieux les connaître.

Munissez vous de bons guides sur la faune, la flore et les pays traversés.

❶ **Respectez la faune, la flore et les milieux.**

Ne faites pas de feu dans les endroits sensibles - Rapportez vos déchets et utilisez les poubelles - Appréciez plantes et fleurs sans les cueillir - Ne cherchez pas à les collectionner… Laissez minéraux, fossiles, vestiges archéologiques, coquillages, insectes et reptiles dans la nature.

❷ **Ne perturbez d'aucune façon la vie animale.**

Vous risquez de mettre en péril leur reproduction, de les éloigner de leurs petits ou de leur territoire - Si vous faites des photos ou des films d'animaux, ne vous en approchez pas de trop près. Ne les effrayez pas, ne faîtes pas de bruit - Ne les nourrissez pas, vous les rendrez dépendants.

❸ **Appliquez la réglementation relative à la protection de la nature,** en particulier lorsque vous êtes dans les parcs ou réserves naturelles. Renseignez-vous avant votre départ.

❹ **Consommez l'eau avec modération,**

spécialement dans les pays où elle représente une denrée rare et précieuse.

Dans le sud tunisien, un bédouin consomme en un an l'équivalent de la consommation mensuelle d'un touriste européen !

❺ Pensez à éteindre les lumières, à fermer le chauffage et la climatisation quand vous quittez votre chambre.

❻ Évitez les spécialités culinaires locales à base d'espèces menacées. Refusez soupe de tortue, ailerons de requins, nids d'hirondelles…

❼ Des souvenirs, oui, mais pas aux dépens de la faune et de la flore sauvages. N'achetez pas d'animaux menacés vivants ou de produits issus d'espèces protégées (ivoire, bois tropicaux, coquillages, coraux, carapaces de tortues, écailles, plumes…), pour ne pas contribuer à leur surexploitation et à leur disparition. Sans compter le risque de vous trouver en situation illégale, car l'exportation et/ou l'importation de nombreuses espèces sont réglementées et parfois prohibées.

❽ Entre deux moyens de transport équivalents, choisissez celui qui consomme le moins d'énergie ! Prenez le train, le bateau et les transports en commun plutôt que la voiture.

❾ Ne participez pas aux activités dommageables pour l'environnement. Évitez le VTT hors sentier, le 4x4 sur voies non autorisées, l'escalade sauvage dans les zones fragiles, le ski hors piste, les sports nautiques bruyants et dangereux, la chasse sous marine.

❿ Informez vous sur les us et coutumes des pays visités, et sur le mode de vie de leurs habitants.

Et si la solution c'était *vous ?*

Avant votre départ ou à votre retour de vacances, poursuivez votre action en faveur de la protection de la nature en adhérant au WWF.

Le WWF est la plus grande association privée de protection de la nature dans le monde. C'est aussi la plus puissante :

- **5 millions de membres ;**
- **27 organisations nationales ;**
- **un réseau de plus de 3 000 permanents ;**
- **11 000 programmes de conservation menés à ce jour ;**
- **une présence effective dans 100 pays.**

Devenir membre du WWF, c'est être sûr d'agir, d'être entendu et reconnu. En France et dans le monde entier.

Ensemble, avec le **WWF**

Pour tout renseignement et demande d'adhésion, adressez-vous au WWF France : 188, rue de la Roquette 75011 Paris ou sur www.panda.org.

ROUTARD ASSISTANCE

L'ASSURANCE VOYAGE INTEGRALE A L'ETRANGER
BULLETIN D'INSCRIPTION

NOM : M. Mme Melle

PRENOM   AGE

ADRESSE PERSONNELLE

CODE POSTAL   TEL.

VILLE

VOYAGE DU   AU   =   SEMAINES

DESTINATION PRINCIPALE...
PAYS D'EUROPE OU USA OU MONDE ENTIER (à entourer)
Calculez exactement votre tarif en SEMAINES selon la durée de votre voyage :
7 JOURS DU CALENDRIER = 1 SEMAINE

COTISATION FORFAITAIRE 2002

Pour un Long Voyage (3 mois ...), demandez le *PLAN MARCO POLO*

Prix spécial "JEUNES" :   **20 € x**   =   €
ou
De 36 à 60 ans (et - de 3 ans) :   **30 € x**   =   €

Faites de préférence, un seul règlement pour tous les assurés : **GdR**

Chèque à l'ordre de : ROUTARD ASSISTANCE - *A.V.I. International*
28, rue de Mogador - 75009 PARIS - Tél. 01 44 63 51 00
Métro : Trinité - Chaussée-d'Antin / RER : Auber - Fax : 01 42 80 41 57

ou Carte bancaire : Visa ☐ Mastercard ☐ Amex ☐
N° de carte :
Date d'expiration : ⌴⌴ ⌴⌴ Signature

*Je déclare être en bonne santé, et savoir que les maladies
ou accidents antérieurs à mon inscription ne sont pas assurés.*

Signature :

Faites des copies de cette page pour assurer vos compagnons de voyage.

Information : www.routard.com

La sélection du Routard.

Plus de 1 600 adresses, dont 135 inédites, le fermes auberges, chambres d'hôtes et gîtes, sélectionnés dans toute la France.

*Le Guide du Routard :
retour aux sources.*

Hachette Tourisme

INDEX GÉNÉRAL

INDEX GÉNÉRAL

– W-X-Y –

OÙ TROUVER LES CARTES ET LES PLANS ?

— *les* **Routards** *parlent aux* **Routards** —

Faites-nous part de vos expériences, de vos découvertes, de vos tuyaux pour que d'autres routards ne tombent pas dans les mêmes erreurs. Indiquez-nous les renseignements périmés. Aidez-nous à remettre l'ouvrage à jour. Faites profiter les autres de vos adresses nouvelles, combines géniales... On adresse un exemplaire gratuit de la prochaine édition à ceux qui nous envoient les lettres les meilleures, pour la qualité et la pertinence des informations. Quelques conseils cependant :
– Envoyez-nous votre courrier le plus tôt possible afin que l'on puisse insérer vos tuyaux sur la prochaine édition.
– N'oubliez pas de préciser sur votre lettre l'ouvrage que vous désirez recevoir.
– Vérifiez que vos remarques concernent l'édition en cours et notez les pages du guide concernées par vos observations.
– Quand vous indiquez des hôtels ou des restaurants, pensez à signaler leur adresse précise et, pour les grandes villes, les moyens de transport pour y aller. Si vous le pouvez, joignez la carte de visite de l'hôtel ou du resto décrit.
– À la demande de nos lecteurs, nous indiquons désormais les prix. Merci de les rajouter.
– N'écrivez si possible que d'un côté de la lettre (et non recto verso).
– Bien sûr, on s'arrache moins les yeux sur les lettres dactylographiées ou correctement écrites !

Le Guide du routard : 5, rue de l'Arrivée, 92190 Meudon

E-mail : guide@routard.com
Internet : www.routard.com

— **Routard Assistance** *2002* —

Vous, les voyageurs indépendants, vous êtes déjà des milliers entièrement satisfaits de Routard Assistance, l'Assurance Voyage Intégrale sans franchise que nous avons négociée avec les meilleures compagnies, Assistance complète avec rapatriement médical illimité. Dépenses de santé, frais d'hôpital, pris en charge directement sans franchise jusqu'à 300 000 € (2 000 000 F) + caution + défense pénale + responsabilité civile + tous risques bagages et photos. Assurance personnelle accidents : 75 000 € (500 000 F). Très complet ! Le tarif à la semaine vous donne une grande souplesse. Chacun des *Guides du routard* pour l'étranger comprend, dans les dernières pages, un tableau des garanties et un bulletin d'inscription. Si votre départ est très proche, vous pouvez vous assurer par fax : 01-42-80-41-57, mais vous devez, dans ce cas, indiquer le numéro de votre carte bancaire. Pour en savoir plus : ☎ 01-44-63-51-00 ; ou, encore mieux, www.routard.com

Imprimé en France par Aubin n° L 62810
Dépôt légal n° 17381-1/2002
Collection n° 13 - Édition n° 01
24/3586/5
I.S.B.N. 2.01.243586-6
I.S.S.N. 0768.2034